Von Mag

Fragment 1

Teil 2: Der Gebieter von Ka'ara

*gewidmet meiner Oma Anna (* 1922 / † 2020)*

mit einem herzlichen Dank an

meine Betaleser
Svennja Busch
Eva Müller

Impressum

© 2020 Mario Schenk, Lalling

Erstausgabe: November 2020

Autor: Mario Schenk

Umschlaggestaltung: Sören Meding

Lektorat, Korrektorat: Lisa Reim

Verlag & Druck: tredition GmbH, Halenreie 40-44, 22359 Hamburg

ISBN:

978-3-347-17390-3 (Paperback)

978-3-347-17392-7 (Ebook)

Bibliografische Information der Deutschen Nationalbibliothek:
Die Deutsche Nationalbibliothek verzeichnet diese Publikation in der Deutschen Nationalbibliografie; detaillierte bibliografische Daten sind im Internet über http://dnb.d-nb.de abrufbar.

www.vmuu.de
www.marioschkah.de

Präludium 1 - Putsch

„Da'ken! Komm sofort hoch!"
Der kleine Junge zuckte zusammen und blickte nach oben. Seine Mutter wandte sich an einem der Fenster des dritten Stocks wieder ins Innere des Zimmers. Da'kens Herz pochte heftig. So fordernd hatte sie noch nie nach ihm gerufen.

Hab ich was falsch gemacht? Da'ken kramte in seinem Kopf nach allem, was er angestellt haben könnte, um seiner Mutter zu missfallen.

Er schluckte. Gestern Abend hatte er sich für einen zweiten Nachtisch in die Küche geschlichen. Das war nicht das erste Mal, dass ihm die Küchenmagden nach den üblichen Essenszeiten mit einem Lächeln eine zusätzliche Portion zusteckten. Doch diesmal hatte es eine der Patrouillen bemerkt. Aber selbst wenn der Wachsoldat es gepetzt haben sollte, wieso war da so viel Angst im Blick seiner Mutter?

Da'ken ließ die Wiesenranken fallen, die er im Garten des Gebieterschlosses sammelte, und rannte auf das rote Tor zu, das zwischen mächtigen Mauerblöcken eingelassen war. Es führte in den Treppenaufgang, dem er hastig nach oben folgte.

Er überlegte immer noch, was seine Mutter so aufgebracht haben könnte. *Ist etwas mit meiner Schwester?*

Durch das erste Fenster, das in den Vorhof Richtung Stadt zeigte, drangen laute Stimmen herein. Da'ken war noch zu klein, um hindurchzuschauen. Erst fünf Stufen höher konnte er durch die längliche Aussparung in der Mauer bis zur Schlossgrenze blicken.

Da'kens hellgrüne Augen weiteten sich. Er blickte viele Meter hinab auf die Hauptstadt, aus dessen Mitte das Gebieterschloss auf einem mächtigen Felsen ragte.

Die gesamte Bürgerschaft schien aus sämtlichen Wegen und Gassen der Stadt auf das schwarze Schloss zu drängen. In einem gesammelten Strom bewegten sie sich die Anhöhe zum Haupttor hinauf. Sie brüllten Parolen, doch der weißhaarige Junge hörte den Wortlaut nicht heraus. Immer wieder wurde das Geschrei von Krachen und Stampfen übertönt, das durch das Gemäuer zog. Einzelne Brocken und Staub brachen aus dem Felsmassiv.

Ein mulmiges Gefühl wand sich durch Da'kens Bauch. *Was hat das zu bedeuten? Außerhalb der Audienzen dürfen die Bürger doch nicht ins Schloss.*

Dabei konnte sich Da'ken nicht in Erinnerung rufen, wann der letzte Bürgerempfang abgehalten worden war. Aber er war sich gewiss, dass dieser deutlich länger zurücklag, als ein übliches halbes Jahr.

Da'ken schüttelte die aufkommende Angst aus den Gliedern und folgte der Treppe aus schwarzem Gestein weiter nach oben. Er bog in den langgezogenen Gemächergang der gebieterlichen Familie mit mehreren Türen zu beiden Seiten. Vier Soldaten, die unruhig auf der Stelle traten, bewachten den einzigen Zugang. Nach zwei unbelegten Gemächern, seinem eigenen und dem gegenüberliegenden seiner Eltern, erreichte Da'ken das offen stehende Zimmer seiner Schwester. An der Türe standen sechs weitere Wachen postiert. Zwei von ihnen kannte Da'ken so lange er zurückdenken konnte. Sie waren schon in die Jahre gekommen, aber immer noch rüstig.

So'tan mochte Da'ken am meisten. Er hatte oft mit ihm gespielt, wenn seine Eltern im Rat saßen. Sorge stand in seinem verkrampften Gesicht, das dem jungen Prinzen mit einem gezwungenen Lächeln entgegenblickte.

Da'ken hielt den Atem an, als er in das Zimmer trat. Die Gebieterin blickte vom Bündel in ihren Armen auf und befahl den Jungen sofort an ihre Seite.

Do'rea war eine sehr schöne Frau. Zumindest in Da'kens Augen. Hatte er doch innerhalb der Schlossmauern, die er noch nie verlassen hatte, mit den Dienerinnen die einzigen Vergleichsmöglichkeiten. Die langen weißen Haare waren in Zöpfen verschiedener Breite kunstvoll um ihr Haupt geschlungen und mündeten in einzelnen Strähnen auf ihren Schultern. Ihre Augen strahlten im selben Eisblau seiner Schwester – einer sehr seltenen Farbe unter den Ka'ara, hatte man Da'ken wissen lassen.

„Die Unruhen werden immer heftiger." Ihre Stimme zitterte, während sie ihm No'ara in die Arme drückte. „Pass auf deine Schwester auf und bleib hier, bis ich zurück bin. Ich sehe nach eurem Vater."

Einer der jüngeren Wachen stellte sich ihr in den Weg, als sie aus dem Zimmer treten wollte. „Der Gebieter gab Befehl, sie drei hier zu bewachen."

Mit einer beiläufigen Handbewegung fegte Do'rea den Soldaten beiseite und lief den Gang Richtung Treppe entlang. Während zwei der Wachen dem grummelnden Kameraden auf die Beine halfen, schloss und verriegelte So'tan die Türe.

Da'ken wagte keinen Schritt in dem schwarzen Zimmer und blickte sorgenvoll auf den in eine rote Decke gehüllten, schlafenden Säugling mit weißem Schopf. Die rosig blasse Haut roch nach Frühlingsbüschlingen. Dichte schwarze Wimpern stachen unter weißen Augenbrauen aus dem runden Gesicht.

Da'ken erinnerte sich, wie er No'ara zum ersten Mal auf den Arm nehmen durfte. Er hatte Angst, das Püppchen zu zerbrechen und hielt sie wie den kostbarsten Schatz des gesamten Schlosses. Auch jetzt hatte er Angst, aber nicht davor, dass er No'ara verletzten könnte, sondern jemand anderes – jemand Fremdes.

Die Schlossanlage erbebte. Da'ken knickte ein und drückte No'ara fester an sich.

Was war das?

Staub rieselte aus einem Riss, der sich fast senkrecht durch eine der glattpolierten Steinmauern bis über die Decke zog. Da'ken spürte sein pochendes Herz bis in die Kehle.

Eine weitere Explosion drang vom Innenhof durchs Fenster. Da'ken trat vorsichtig heran und streckte den Hals über den Sims, bis er etwas erkennen konnte. Ein Loch klaffte in den Resten eines der Tore, die hinab in den Thronsaal führten. Wenige Schritte von der Stelle entfernt, an der Da'ken zuvor noch einen Kranz aus Wiesenranken für seine Mutter geflochten hatte.

Da'ken hielt den Atem an. Der Gebieter Sa'ren stolperte mit verkrampften Gesichtszügen die breite Treppe herauf.

Vater!

Eine Gruppe mit Lanzen bewaffneter Männer und Frauen des gebieterlichen Heeres trieb den Herrscher über Ka'ara vor sich her. Gefolgt von einer größeren Menge an einfachen Bürgern. Sa'rens Handgelenke waren ohne erkennbares Mittel aneinandergeheftet. Die Krone aus schwarzem Steingeflecht saß schief auf dem Haupt. Der Boden tat sich zu einer Grube auf, in die der Gebieter stürzte. Im nächsten Moment, kaum hatte er sich aufgerichtet, wurde er bis zu den Schultern begraben. Nur Sa'rens Kopf ragte noch inmitten der aufgewühlten Erde und der Rankenwiese mit weißen und gelben Blüten heraus.

Der Kommandant des Heeres trat aus der stetig wachsenden Menge. Da'ken hatte ihn immer an seines Vaters Seite im Thronsaal gesehen. Ta'kon bewegte sich auf den gestürzten Gebieter zu und richtete eine Art Sense auf dessen Hals.

Nein! VATER!

Kein Wort verließ Da'kens verkrampfte Kehle.

„Bitte lasst meine Kinder am Leben!", schrie Sa'ren so laut es ihm die von der Erde beengte Brust und die von den eigenen Tränen erstickte Stimme erlaubten.

Als die Worte noch durch die Wände des Innenhofs hallten, holte der Kommandant weit aus und hieb Sa'ren mit einer Bewegung den Kopf von den Schultern.

Da'ken nahm den Jubel der Menge nur gedämpft wahr. Seine Ohren blendeten den Gesang fast gänzlich aus, während sich seine Stirn an die kalte Wand unterhalb des Fenstersims legte. Der Puls hämmerte gegen die Mauer und warf die Schläge zurück an seinen Kopf. Da'kens Knie verloren an Kraft. Mit No'ara im Arm sank er zu Boden.

Das Bild des Sensenschwungs hatte sich in Da'kens Hirn gebrannt und verdrängte jeden Gedanken. Tränen tropften von seinen Wangen in das Wickeltuch seiner friedlich schlafenden Schwester.

Ein heftiges Gepolter riss Da'ken aus der Schockstarre. Er blickte auf die rote Zimmertüre aus gepresstem Flechtholz, durch die näher kommende Kampfgeräusche drangen. Ein Raum nach dem anderen wurde aufgebrochen, bis die Angreifer kurz davor waren, No'aras Zimmer zu erreichen.

Da'ken wischte sich die Tränen aus dem Gesicht und drückte No'ara fester an sich. Sein Herz schlug unregelmäßig. Er schloss die Augen und legte den Kopf an No'aras.

Bleibt weg! Bitte bleibt weg! – Bitte.

Ein schriller Schrei gebot dem Vordringen Einhalt. Da'ken blickte zur Tür.

Lautes Getöse, Krachen und Bersten jagte durch den Gang, begleitet von panischen Rufen und hasserfüllten Flüchen. Mit einem gewaltigen Wummen endete der Kampf und ein Wasserschwall drückte sich durch den unteren Spalt der Türe.

Stille. Nur das Verteilen des Wassers im Zimmer mischte sich mit dem Singsang vom Innenhof.

„Das war knapp", vernahm Da'ken eine keuchende Stimme.

„Hast du etwas anderes erwartet?", fragte eine weitere Person, nicht minder außer Atem. „Immerhin ist sie die bisher stärkste Gewinnerin des Anwenderturniers."

Schritte durch Wasserpfützen näherten sich.

Da'ken atmete schnell und flach.

Die Türe brach in drei Teile. Da'ken wandte den Kopf vor den Splittern schützend ab, lenkte den Blick aber gleich darauf zurück. Ein Soldat des Heeres stand klatschnass im Rahmen und blickte auf die Kinder.

Da'ken schaute sofort auf den Boden an den Beinen des Eindringlings vorbei. Hinter ihm lag Do'rea reglos auf dem steinernen Grund – ihre starren Augen auf ihn gerichtet.

„Mutter!"

Keine Regung, kein Blinzeln von ihr. Angst stürmte Da'kens Gedanken. War sie …?

„Schafft die Verräterin zu Kommandant Ta'kon. Soll er entscheiden, was mit ihr geschehen soll", klang eine weitere Stimme aus dem Gang, worauf die Gebieterin davongeschleift wurde.

Der Soldat im Türrahmen trat auf den Prinzen zu und verstand seinen verstörten Blick. „Ich hätte nicht gedacht, dass wir deine Mutter lebend kriegen. Willst du ihr freiwillig folgen oder wählst du mit deiner Schwester den Weg durchs Fenster?"

Da'ken zögerte nicht. Er ging einen Bogen um den Soldaten herum und trat auf den Gang. Sein Weg führte durch Wasserpfützen an zahlreichen Leichen vorbei. Darunter ein Dutzend Schlosswachen, die sie beschützen sollten, und die Reste von dreimal so vielen abtrünnigen Heeressoldaten.

Blaues Blut und Klümpchen tropften von den Mauern und der Decke. Es roch nach Nebel und ekligen, Da'ken bislang unbekannten Gerüchen.

Er richtete den Blick starr geradeaus, auch wenn der Anblick es kaum vermochte, ihm noch mehr Angst zu bereiten, als er ohnehin schon verspürte. Er holte die Gruppe von nur fünf Überlebenden, die seine Mutter hinter sich herzog, ohne sie zu berühren, am Anfang der Treppe ein.

Die Soldaten kümmerte es nicht, dass die Gefangene von Stufe zu Stufe mit dem Kopf auf das Gestein aufschlug. Seine Schwester mit einer Hand an sich gedrückt, stolperte Da'ken hinterher und griff mit der freien Hand nach dem von Blut und Wasser getränkten Umhang. Mit aller Kraft versuchte er, ihre Schultern vom harten Boden zu heben und den Aufschlag des reglosen Kopfes von Kante zu Kante zu mildern.

Da'ken atmete mit jedem Schritt schwerer. Seine Hand krampfte vor Schmerz.

Nur noch ein paar Stufen. Nur noch ein paar.

Auf dem letzten Absatz verließ ihn die Kraft und der Umhang glitt durch seine Finger. Da'ken fiel erschöpft mit dem Rücken an die Wand. Doch er drückte sich sofort davon weg, biss die Zähne zusammen und trottete weiter hinterher.

Im Innenhof angekommen, bildete sich eine schmale Gasse durch die feiernde Menge. Schnell schlug die Stimmung um. Schimpfwörter wie *Verräterin* und *Lügnerin* wurden begleitet von verachtenden Gesten und angewiderten Blicken. Erst als die Kinder in das Sichtfeld gelangten, wurden die Leute leiser.

Die Wiese tat sich erneut auf und nahm die Gebieterin neben ihrem toten Gemahl auf.

Verzweiflung kroch durch jeden Winkel von Da'kens kleinem Körper. Er blickte in die zahlreichen Gesichter der aufgebrachten Meute über sich. *Was wollt ihr denn? Was haben wir euch getan?*, fragte er in sich hinein.

Der Bann fiel von der Gebieterin, als der Kommandant mit der Hinrichtungsklinge auf sie zutrat.

„Ich leugne nichts!", schrie sie benommen durch die nassen Strähnen ihrer Haare, die ihr im Gesicht klebten. „Ich gebe alle Verfehlungen zu! Ich habe alles für das Wohl meiner Kinder getan! Bitte tut ihnen nichts zu Leide!"

Der Kommandant setzte an und holte aus.

NEIN! Da'ken warf sich mit tränenden Augen über das nasse Haupt seiner Mutter.

Auch das im selben Moment einsetzende Babygeschrei ließ Ta'kon zögern.

Für einen kurzen Augenblick war nur No'aras Geschrei innerhalb der Mauern zu hören, denn auch die Menge hielt den Atem an.

Da'ken öffnete die zusammengekniffenen Augen und blickte über die Schulter nach oben. Die Blicke zwischen ihm und Ta'kon trafen sich.

„Bitte", schluchzte Do'rea durch Da'kens Arme und an der schreienden No'ara an ihrer Wange vorbei.

Der Kommandant schüttelte sein Gewissen ab und nahm die Waffe wieder höher.

Da'kens Blick verließ Ta'kon nicht. Was sollte er nur tun? Was *konnte* er tun, um diesen Albtraum zu beenden?

Mit ganzer Kraft fiel die Klinge herab.

„Haltet ein!"

Die Bewegung verlangsamte sich gegen den Willen des Kommandanten und kam halben Wegs zum Stillstand. Da'kens Blick richtete sich an Ta'kon vorbei. Ein alter Mann schritt vorsichtig heran.

„Die Kinder können nichts dafür", rechtfertigte der Mann sein Einschreiten. „Von ihnen geht keinerlei Gefahr aus."

Ta'kon ließ von der in der Luft stillstehenden Waffe ab und trat aufgebracht auf den Mann zu.

„Und was gedenkt Ihr, wie wir mit ihnen stattdessen verfahren sollen, werter Volksvertreter? Ich lasse nicht zu, dass sich jemand ihrer annimmt und sie Teil unserer Gesellschaft werden. Wachsen sie mitten unter uns auf, bringen sie früher oder später ihren Fluch in andere Familien und verbreiten ihn."

„Wir könnten sie in den Kerker sperren", meldete sich Ta'kons Adjutant zu Wort.

„Die Gören ganze drei Phasen am Leben erhalten? Ständig im Wissen, dass der Fluch unter uns weilt? Nein. Ich gebe ihm keine Möglichkeit, einen Weg aus den Verliesen zu finden."

Der Kommandant war im Begriff, sich wieder der Hinrichtung zu widmen, als die Gebieterin das Wort erhob: „Verbannt sie! Bringt sie …"

„Du bist still!", schrie Ta'kon sie an und versiegelte ihren Mund mit nur einem Gedanken.

„Die Giftinseln wären tatsächlich eine Möglichkeit", nahm der Adjutant den Ausstoß der todgeweihten Gebieterin auf und zog damit den hasserfüllten Blick seines Kommandanten auf sich.

„Da können wir die beiden auch gleich umbringen", winkte der Volkssprecher ab und gab Ta'kon unbeabsichtigt das Einverständnis zur Fortführung der Hinrichtung. Doch er ergänzte schnell: „Sie bräuchten natürlich einen Erwachsenen, der für sie sorgt."

„Als würde ich zulassen, dass sich auch nur ein Freiwilliger mit den verfluchten Kindern auf die Giftinseln begibt, oder sogar jemanden dazu bestimmen", wiegelte Ta'kon ungeduldig ab. „Das Gerede führt doch zu nichts, Herr Volksvertreter. Wir waren uns doch einig."

„Herr Kommandant." Eine Frau mittleren Alters trat kleinlaut aus der Menge heraus. „Entschuldigt mein Auftreten. Aber dürfte ich Euch darum ersuchen, die Gebieterin selbst samt den Kindern auf die Inseln zu schicken?"

„Seid Ihr noch bei Sinnen?", schrie er die Frau an. „Wer seid Ihr, die nach dem Leben dieser Verräterin ruft?"

„Das ist ihre Mutter", meinte der Volksvertreter knapp.

„Ich habe sie seit der Vermählung nicht mehr zu Gesicht bekommen", sprach die Frau weiter und blickte auf die Kinder. „Meine Enkel sehe ich heute zum ersten Mal."

Da'ken entgegnete dem Blick mit Hoffnung in den wässrigen Augen. Er wusste nicht einmal, dass er neben dem alten Gebieter und seiner Frau weitere Großeltern hatte, doch fühlte er in diesem Moment Geborgenheit. Einen winzigen Fleck Wärme in seiner Brust.

„Ich bitte um ihrer aller Leben – ein Leben auf den Inseln, bis ihre Zeit gekommen ist."

Der Kommandant schaute durch die stille Menge. Einstimmiges Mitgefühl ließ sich aus den Gesichtern ablesen. Das brodelnde Verlangen des aufrührerischen Mobs war erkaltet. Die Bürger erwarteten die Entscheidung des Anführers der gemeinschaftlichen Rebellion von Volk und Militär.

Präludium 2 - Überfall

„Was machst du da?", fragte Da'ken seine kleine Schwester.

No'ara hockte in der Nähe der Todesgrenze in einem verschlissenen, aus zwei kleineren zusammengenähten Kleid mit dem Rücken zu ihm. Sie drehte den Kopf zu ihrem Bruder und schenkte ihm ein Lächeln. Ihre blassblauen Augen funkelten aus dem zarten Gesicht. Ohne ein Wort wandte sie sich wieder nach vorne.

Sie spielte gern am Strand der Insel – sammelte Stöcke und funkelnde Steine. Dass sie sich dabei aber von der Linie aus rot eingefärbten Warnsteinen fernzuhalten hatte, verstand sie früh. Und so begleitete Da'ken sie nur noch in einigem Abstand und konnte sich zwischendurch seinen eigenen Gedanken widmen, anstatt jeden Schritt im Auge zu behalten. Meist rationierte er im Kopf die Mahlzeiten der nächsten Tage, die größtenteils aus dem selbstangelegten Garten und der spärlichen Vegetation stammten.

Da'ken ging weiter auf das Mädchen zu, deren weißes Haar inzwischen bis zur Hüfte reichte und sich an den Schläfen kräuselte. Sie erreichte bald das gleiche Alter wie er, als ihre Verbannung hierher ausgesprochen worden war.

Als er an ihre Seite trat, erkannte Da'ken, wie sie mit einem Stock im Inneren eines halb toten Tieres herumstocherte.

Seine Kehle krampfte bei dem Anblick der blutnassen Eingeweide, in denen No'ara mit strahlenden Augen rührte. Er zog sie mit einem Ruck an der Schulter von dem Steinnager weg und schlug ihr den Stock aus der Hand. Erschrocken blickte das Mädchen zu ihm auf.

Worte der Rüge lagen ihm auf der Zunge. Doch konnte er sie nicht aussprechen. Zu unschuldig und zu zerbrechlich wirkte seine Schwester, als dass er sie mit Zurechtweisungen gegen sich aufbringen wollte.

Ihre Mutter hätte schon viel früher damit anfangen müssen, ihre zuweilen grausamen Züge auszutreiben. Doch diese verlor seit ihrer Ankunft auf den Giftinseln mehr und mehr das Interesse, eine intakte Familie zu erhalten.

Die ätzenden Dämpfe der Schwefelgewässer, die sowohl die Inseln als auch das gesamte Festland der Ka'ara umgaben, zeichneten vor allem sie. Hielten die drei seit langer Zeit einzigen Bewohner der Inselgruppe den markierten Abstand zum Ufer ein, wiesen die Gase keine tödliche Konzentration auf. Doch zogen verdünnte Schwaden davon über die kleinen Inseln und vernarbten das Gesicht ihrer alternden Mutter. Es war gerade so, als würde der giftige Dunstschleier nicht nur ihre Haut verätzen, sondern auch ihre Seele.

Von einer liebenden Mutter war kaum etwas übrig geblieben. Sie wurde mit jedem Tag verbitterter und sorgte sich weniger um das Wohlergehen ihrer Kinder. Nur den Schild, der die Haut der Geschwister bedeckte und unversehrt ließ, erhielt sie aufrecht. Ihren eigenen hatte sie aufgegeben.

Die steinerne Hausruine, die sie bewohnten, hielt nur noch Da'ken instand, während die ehemalige Gebieterin in Verdruss und Wehleiden versank. Das, was man unter den widrigen Umständen als Haushalt bezeichnen konnte, führte ebenfalls der Junge. Er sorgte sowohl für Do'rea als auch für das kleine Mädchen. Zumindest No'ara war bei der Pflege des mickrigen Gemüsegartens eine Hilfe.

Doch Da'ken liebte seine Mutter. Anders als No'ara erinnerte er sich noch an die Güte und Liebe, die ihm damals zuteilwurde. Er sah noch immer die Frau vor sich, die ihn hegte und ihnen zum Überleben verhalf. Wenngleich sie ihm nie erzählte, worin ihr Verrat bestanden hatte.

So wenig sie sich um ihre Tochter kümmerte, erkannte Da'ken doch mehr Ähnlichkeiten zwischen den beiden als ihm lieb war. Nicht die mütterliche Liebe und Güte von damals spiegelte sich in seiner Schwester, sondern die erreichte Kälte ihres Herzens.

„Es gibt gleich Essen."

Freude vertrieb den Schrecken aus No'aras Gesicht. Sie lief die Anhöhe hinauf, zu dem kleinen Ruinendorf, in dessen Mitte das noch intakteste Gebäude stand, das sie bewohnten.

Da'ken blieb zurück und betrachtete das leidende Getier mit steigendem Puls. Er kniff die Augen zusammen, bevor er mit einem zögerlichen Tritt den Nager erlöste.

Angewidert streifte er sich die Reste blauen Blutes und Splitter von Schädelknochen vom Pelzstiefel.

Ein schriller Schrei.

„No'ara!", rief Da'ken.

Ohne eine Antwort abzuwarten, sprintete er den Hügel hinauf. Krachen und Poltern von Gestein drang ihm entgegen. Qualvolle Schreie von Männern und das Kreischen einer Frau.

Was zum ...?!

Ein Schauder durchzog jeden seiner Muskeln. Erinnerungen erwachten bei diesen Geräuschen. Er trotzte seiner Angst und bemühte sich, schneller zu laufen.

Die Erde bebte, als Da'ken den Rand des Dorfes erreichte. Er eilte durch zerfallene Häuser über verwilderte Schotterwege.

„No'ara!", keuchte Da'ken.

„NO'ARA!" Er schrie so laut er konnte.

O Hüter, lass es ihr gut gehen!

Stille kehrte ein.

Da'ken flehte weiter, während sich seine Haut anfühlte, als würde sie sich jeden Moment vor Angst vom Körper pellen.

Er nahm die letzte Biegung.

Da'kens Herzschlag setzte aus.

Der Garten und das Dach ihres Hauses standen in Flammen. Der Boden ringsum lag in tiefen Rissen, in denen Dutzende zerfetzte und zerquetschte Leichen klemmten. Nur wenige befanden sich weitestgehend in einem Stück, an denen Da'ken noch die Kleidung der gebieterlichen Armee erkannte. Eine Handvoll Überlebender sah er in einiger Entfernung in Richtung Küste davon stolpern.

Da'ken stand reglos auf der Stelle und blickte über die in rotem Licht flackernde Umgebung. Sein Körper zitterte. Der eklige Geruch von damals stieg ihm in die Nase. Diesmal nicht vermischt mit wässrigem Nebel, sondern mit rauchender Hitze. Er wollte nochmal nach No'ara rufen. Doch in diesem Augenblick erkannte er es.

Zuerst meinte er, es handelte sich um einen großen glimmenden Aschehaufen. Doch unter diesem schwelenden Bogen bemerkte Da'ken seine wimmernde Schwester – über sie gebeugt seine verkohlte Mutter.

Da'ken lief auf die beiden zu und drückte das verbrannte Stück Fleisch beiseite, um No'ara zu befreien. Do'rea stürzte stöhnend zur Seite.

„Mutter?!", fragte Da'ken, entsetzt, dass sie noch am Leben sein konnte.

Mit pochendem Herzen starrte er in das zerklüftete Gesicht, während er seine nahezu unversehrte Schwester an sich zog.

„Mein Tod wird ihnen bald schon nicht mehr genügen", krächzte Do'rea durch die versengte Kehle. „Sie werden zurückkommen, um auch euer Leben einzufordern."

Tränen traten in ihre Augen beim letzten Blick auf ihren Sohn.

Verzweifelt fasste Da'ken nach ihrem Arm. Doch seine Finger brachen wie durch verkohltes Holz. Nicht in der Lage, es zu verstehen, schaute er auf die Asche in seinen Händen.

„Es tut mir so leid. Ich liebe euch."

Da'kens verwässerter Blick suchte erneut die Augen seiner Mutter. Doch diese gaben nur noch den Tod von sich. Eine letzte Träne verdampfte auf der heißen Kohlehaut.

Ein reißender Schmerz schwoll in einer Welle in Da'kens Brust heran. Doch nicht nur Traurigkeit nährte sie, sondern auch ein Gefühl, dass er zuvor noch nie verspürt hatte. Pure Wut peitschte die Flut an. Höher und mächtiger drückte sich die Welle an Da'kens Geist und drohte ihn zu zerbersten.

Gerade als Da'ken der Qual keinen Einhalt mehr bieten konnte und sich in einem unbändigen Trauerschrei entladen wollte, war der Schmerz verschwunden. Der innere Damm, der eben drauf und dran gewesen war, zu brechen, war plötzlich weg. Stattdessen spürte er eine unendliche Weite in sich. Eine unergründliche Leere, in deren Dunkelheit etwas lauerte. Es kroch heran und zog sich langsam durch jeden Muskel und jede Ader. Ein brennendes Gefühl von Macht erfüllte seinen Körper, und auch das Bewusstsein darüber, wozu er sie einsetzen wollte.

Da'kens Gesicht verfinsterte sich. Er erhob sich vom Boden. No'ara glitt von ihm und blickte ihm verängstigt hinterher. Er entfernte sich zunächst nur langsam Richtung Küste. Mit stetig rascheren Schritten nahm er die Verfolgung der Mörder seiner Mutter auf. Ohne einen klaren Gedanken eilte er den Peinigern seiner Familie nach. Nur der Zwang, Gerechtigkeit für den Tod und die Qual einzufordern, die man ihnen gebracht hatte.

An der roten Steinreihe blieb Da'ken abrupt stehen. Im feinen Kiesstrand erkannte er eine tiefe Furche, von der zahlreiche Fußspuren weg, doch nur wenige zurückführten.

Durch den gelben Nebel machte er gerade noch die Umrisse des mehrere Meter langen Schiffes aus, das auch sie vor Jahren hier abgesetzt hatte.

Stechende Wut zirkulierte durch Da'kens Adern und spannte jede Faser seines Körpers. Wie gern würde er das Schiff zurück an Land ziehen. Doch weder befand sich die Kraft dazu in seinen Gliedern noch eine Kette in seinen Händen, die mit dem Transportschiff verbunden gewesen wäre.

Aber er spürte etwas anderes in den Fingern. Die Haut an den Spitzen kribbelte. Er fühlte kaltes Metall.

Da'ken betrachtete die leeren Hände für einen Moment und streckte sie nach vorne. Als er sie zurückzog, bemerkte er einen Widerstand, als würde tatsächlich eine Metallplatte an seinen Fingern kleben. Ohne weiter zu überlegen stellte er sich seitlich und stemmte sich dagegen.

Mit einer ausladenden Bewegung riss er das Schiff aus den Schwaden heraus. Es streifte über die Wasseroberfläche und raste auf den Strand zu. Mit einem mächtigen Donnern schlug der brechende Schiffskörper wenige Meter von Da'ken entfernt auf.

Nur einen kurzen Moment selbst über diesen mühelosen Gewaltakt überrascht, zerfetzte er mit einer weiteren Handbewegung die leckgeschlagene Außenwand.

Das giftige Gas flutete das Innere. Nur drei der Soldaten schafften es, schwer benommen noch rechtzeitig ihre ledernen Gasmasken aufzusetzen. Der Rest, der nicht bereits durch das Schleudern ein Ende gefunden hatte, suchte panisch nach seinen Masken, röchelte sich aber binnen Sekunden an den Dämpfen zu Tode.

Die Überlebenden krochen heraus und rappelten sich auf. Durch Verdichten des Dunstes schufen sie einen gelblich transparenten Schild vor sich.

„Ist dieses verdammte Weib immer noch nicht tot?!", fluchte einer der Soldaten.

Sie taten sich sichtlich schwer, die Umgebung durch das von den Masken beengte Blickfeld abzusuchen. Ein Soldat erfasste Da'ken an der Todesgrenze und schritt unbekümmert auf ihn zu.

„Wo ist deine Mutter, Kleiner?", richtete sich die Stimme gedämpft an Da'ken. „Sie hat wohl noch nicht genug von unserem Besuch."

Da'ken fixierte mit einem finsteren Blick die Augen hinter dem ovalen Guckloch aus Glas.

„Hast du mich nicht gehört, Fluchkind?", fuhr er Da'ken an, während die letzten zwei Kameraden nachzogen.

Da'ken entgegnete mit von Zorn ummantelten Worten: „Was haben wir euch getan, dass ihr meiner Familie so etwas antut?"

„Du sollst uns zu deiner Verrätermutter bringen!"

Der Soldat trat rasch auf den Jungen zu, schwenkte seinen Schild beiseite und streckte die Hand nach Da'kens Oberarm aus. Noch bevor das Leder des Handschuhs das Leinenhemd berührte, wurde der gesamte Arm des Mannes von der Schulter gerissen. Kaum ein Geräusch ging davon aus. Auch kein Schmerzensschrei folgte.

Ungläubig blickten die Kameraden auf die Stelle, wo erst nach und nach blaues Blut pulsierte. Der Verletzte sank unter Schock auf die Knie.

Da'ken trat auf den einarmigen Soldaten zu, auf dessen Augenhöhe er sich befand.

„Was ist dieser Fluch?", fragte er mit leiser, aber vor Wut schwelender Stimme.

Doch sein Gegenüber starrte ihn nur mit großen, panischen Augen an.

Nach kurzem Staunen seines Kameraden hinter ihm, stammelte dieser: „Das – das war der Junge! – Das war der Junge!"

„Unsinn!" Der Dritte suchte hektisch die Anhöhe ab. „Durch den Fluch können die Gebieterkinder gar keine Fähigkeiten haben."

„Aber seine Augen! Sieh dir seine Augen an!", schrie der Soldat immer ängstlicher.

Da'kens Emotionen formten inzwischen ein von Hass zerfurchtes Gesicht. Nicht nur die Augen, deren Grün zirkulierte wie Milch in schwarzem Kaffee, legten nahe, dass der Junge hierfür verantwortlich war. Eine düster werdende Aura stieg um ihn auf. Kaum sichtbar, aber dennoch wahrnehmbar.

„Geh weg von ihm, du Missgeburt!", fuhr ihn der Soldat an und baute sich bedrohlich vor ihm auf. „Oder ich verpasse dir auch so eine knusprige Haut wie deiner Verrätermutter!"

Da'kens Augen verengten sich. Kaum hatten sie den Soldaten hinter dem massiver werdenden Schild erfasst, explodierte sein gesamter Körper von innen heraus.

Von den Überresten seines Kameraden besudelt, flüchtete sich der andere rückwärts schreitend weiter in die Todeszone. Da'ken schritt hinterher und überquerte die Steingrenze. Die giftigen Nebelschwaden wichen vor ihm zurück, als würde er in einer Luftblase hindurchschreiten.

Der flüchtende Soldat blieb gegen seinen Willen stehen. Seine Gliedmaßen gehorchten ihm nicht mehr. Wie eine Statue stand er auf dem Strand und sah den Jungen auf sich zu kommen.

Das von Wut gezeichnete Gesicht stieg empor und schwebte dem seinem gegenüber.

Da'ken erweiterte die giftfreie Blase auf den Soldaten und zog ihm die Maske vom Kopf.

„Was haben wir euch getan?!", schrie ihn Da'ken mit wässrigen Augen an.

„Ich erzähle es. Ich erzähle es dir", stammelte der Soldat. „Seit – seit jeher werdet ihr Gebieterkinder mit den begabtesten Anwendern aus dem Volk vermählt, zu denen auch deine Mutter zählt. Deine Familie bringt aber seit über zwanzig Generationen ausschließlich Nachkommen hervor, die keinerlei Fähigkeiten entwickeln. Um weiter zu verbreiten, dass die Gebieterfamilie die mächtigsten Befähigten unterhält, haben seither alle Gewinner dabei geholfen uns zu täuschen. Auch deine Mutter hat das Leben am gebieterlichen Hof dem Volk, dem sie entstammt, vorgezogen."

Der Soldat endete mit seinen Ausführungen.

Doch Da'ken wartete. Er erwartete mehr.

„Das war es? *Das* ist der Verrat?", schrie ihn Da'ken fassungslos an.

„Auch du – solltest keine Kräfte haben", krächzte der Soldat durch die vom Bann weiter beengte Kehle. „Und – sie – auch nicht."

Der Gebannte blickte über Da'kens Schulter. Dieser war gerade drauf und dran ihm den Hals zu zerfetzen. Doch er hielt ein und folgte dem Blick.

No'ara stand auf der Anhöhe und wohnte dem grausamen Schauspiel mit weiten Augen und offenem Mund bei.

Ein Hammer an Schuldgefühlen stampfte Da'kens Hass in Grund und Boden. Beschämt ließ er den Bann vom Soldaten fallen, der erleichtert auf die Knie sank. Da'ken entfernte sich.

Der Befreite hustete, kaum hatte die Luftblase seinen Körper freigegeben. Er versuchte, den Atem anzuhalten. Doch der eine Atemzug brannte sich bereits durch seine Lunge. Er kroch und streckte den Arm nach der im Kies liegenden

Maske aus. Mit einer Hand bekam er sie noch zu fassen, aber es war zu spät. Die von Gift durchzogenen Adern traten dunkel auf dem blassen Gesicht hervor. Die gelblich verfärbten Augen blickten leer in den Himmel.

Präludium 3 - Einforderung

Da'ken vertröstete No'ara unzählige Male und zögerte das Verlassen der Insel, um seinen rechtmäßigen Thron zurückzufordern, immer weiter hinaus. Dabei fühlte er sich schon lange dazu bereit, für seinen angestammten Platz zu kämpfen.

Er rechnete jeden der zahlreichen Tage damit, dass ein zweiter Trupp kommen würde, um es zu Ende zu bringen. Oder sie suchten nach dem Schiff der ersten Invasion um sich von dem Ergebnis zu überzeugen. Auch diese Ungewissheit, ob und wann ein weiterer Überfall stattfinden würde, machte es unmöglich hier länger zu leben.

Doch er wartete ab, bis No'ara alt genug war. Er wollte sie nicht als Kind in eine Schlacht ziehen. Auch wenn sie von einer normalen Kindheit kaum weiter entfernt hätte sein können.

Das Gemetzel am Strand hatte sie überaus interessiert verfolgt. Da'ken wusste nicht, ob es ihm lieber gewesen wäre, dass sie ihn für sein Handeln verabscheut oder gar Angst vor ihm gehabt hätte, als dass sie es so gefühlskalt hinnahm. Auch der gewaltsame Tod ihrer Mutter ließ sie kaum merklich trauern.

Da'ken selbst war sich nicht sicher, ob ihn der Mord an seiner Mutter von Tag zu Tag mehr verbitterte, oder ob die Kälte seiner Schwester auf ihn abfärbte.

No'ara war zu einem jungen Mädchen herangewachsen. Kein kleines Kind mehr, das er jeden Moment im Auge behalten musste. Sie gehorchte und konnte Konsequenzen von Handeln und Unterlassen einschätzen.

Die Zeit war reif.

Die Strecke war länger als gedacht, die sie hoch über dem von gelblichen Schwaden bedeckten Meer schwebend zurücklegen mussten. Für einen kurzen Moment zweifelte Da'ken an seiner Orientierung, und fürchtete, dass er sie weiter aufs Meer hinausführte. Doch dann kamen die drei mickrigen Stege in Sicht, die den unbelegten Hafen der Hauptstadt bildeten. Da'ken setzte mit No'ara und ihrem Paket Fuß auf den von ätzenden Dämpfen angegriffenen metallenen Planken. Sie traten aus der Todeszone heraus und schritten an dem Tor zum Trockendock vorbei, das von zwei müden Soldaten bewacht wurde. Diese mussten mehrmals hinsehen, bevor sie begriffen, woher die zwei Fremden ohne Schutzkleidung kamen. Ganz abgesehen davon, dass freiwillig noch nie ein Zivilist dem Hafenbereich so nahe gekommen war, schwebte hinter dem jungen Mann und dem Mädchen ein mannsgroßes Bündel.

„Halt! Wer seid ihr?"

Die zögerlichen Rufe ignorierte Da'ken. Nur No'ara betrachtete die unentschlossenen Wachen im Vorübergehen. Sie verlor schnell das Interesse an ihnen und richtete den Blick wieder nach vorne.

Die Geschwister bewegten sich ohne Eile Richtung Stadtgrenze.

Sich endlich ihrer Aufgabe besonnen, beschworen die Soldaten eine transparente Barriere, die sie den Eindringlingen in den Weg stellten. Doch ohne einen Moment zu zögern, schritt Da'ken ungebremst mittendurch.

Während sich eine Wache noch fragte, was hier falsch gelaufen war, ließ die andere das Bodenpflaster vor Da'ken aufplatzen und sich zu einer Mauer auftürmen. Aber diese tat sich in der Mitte zu einem Torbogen auf, durch den die Kinder unaufhaltsam weiter Richtung Stadtzentrum schritten.

„Gefahr!", hallte es über die gesamte Stadt hinweg. „Eindringlinge vom Hafen her! Gefahr!"

Nur No'ara wandte sich überrascht um und blickte auf den Soldaten, dessen Stimme so immens verstärkt aus seinem Mund drang.

Da'ken blieb erst am Ende der kleinen Seitenstraße stehen, die auf einen großen Platz mündete, und sah sich tausenden Marktbesuchern gegenüber. Nur ein Teil schaute ängstlich in seine Richtung. Der Rest war bereits in Aufruhr. Die Händler brachen eiligst ihre Stände ab, während sich die Besucher aufmachten, in ihre Wohnhäuser zu flüchten.

Das Stadtzentrum räumte sich rasch. Viele verlängerten ihre Schritte durch Luftstöße an ihre Fersen. Die Händlerkarren erhielten Rückenwind in aufgesetzte kleine Segel.

Doch der ovale Platz verwaiste nur kurz. Hinter ihm ragte das mächtige schwarze Schloss weit in den weißen Himmel auf. Aus dem Schatten des Gebieterschlosses, das die größte Fläche der Stadt einnahm, stürmten hunderte Heeressoldaten heran. Ein Teil eilte durch mehrere Seitenstraßen dem Hafen entgegen. Aber vor der direkten Verbindung versperrte dem Großteil der Soldaten ein Junge den Weg.

Die Soldaten liefen mit skeptischem Blick an Da'ken vorbei, in dessen Rücken sich No'ara drückte. Dann kam der erste Rempler. Doch keineswegs wurde der einen Kopf kleinere Junge weggestoßen, sondern der Soldat. Noch ein zweiter wurde wie von einem starken Schlag zurückgeschleudert und der Zug kam zum Erliegen.

Die Truppen nahmen Abstand und nun erst Notiz von dem schwebenden Paket. Die anderen Teile des Heeres drangen von hinten durch die Hafenstraße heran und umzingelten die Eindringlinge.

Aus der Masse tat sich ein breit gebauter Soldat in aufwendig gearbeiteter Rüstung und dunkelviolettem Umhang hervor. Seine Statur war außergewöhnlich für die sonst so schmächtigen Ka'ara.

„Ich bin Feldherr Or'kon", stellte er sich knapp vor. „Wer seid ihr, und was hat das hier zu bedeuten?"

Der Junge atmete ruhig und tief. Mit verstärkter Stimme, für alle Soldaten hörbar, gab er ohne Umschweife bekannt: „Wir sind die verbannten Kinder eures Gebieters und ich, Da'ken, beanspruche meinen rechtmäßigen Thron."

Entsetzen stieg in viele Gesichter. Um keinen Zweifel zu lassen, ließ Da'ken das Bündel herbeischweben und die Laken davon abblättern.

Für jeden erkennbar stand zwei Meter über dem Boden erhoben der einarmige Überlebende der Invasion. Hager und verwildert, doch gerade noch am Leben. Anhand der Blicke erkannte Da'ken jedoch, dass Or'kon – als auch der Rest des Heeres – nichts mit diesem Beweis anfangen konnte.

„Hier weiß niemand über den Überfall auf die Giftinseln", kam ein Ruf aus Richtung des Schlosses.

Auch ohne die Stimme von einst zu erkennen, wusste Da'ken, wer dort hinter den Reihen der Soldaten sprach.

Das Heer machte sich daran, eine Gasse zu bilden. Begleitet von drei weiteren in Rüstungen mit verschiedenfarbigen Umhängen gehüllten Feldherren schwebte der einstige Aufrührer rasch heran.

Ta'kon glitt in der aufwändigsten aller Rüstungen, künstlich umspielt von einer flatternden blauen Schärpe, herab.

„Diese geheime Aktion bestand ausschließlich aus meinen getreuesten Untergebenen", gestand er offen mit einem herablassenden Lächeln.

Da'ken – nach außen wenig beeindruckt von dieser Offenbarung – nahm Augenkontakt zu seiner Geisel auf. „Dann besteht für ihn also keine weitere Lebensgrundlage mehr."

28

Ihm blickten zwei sowohl verständnisvolle als auch erleichterte Augen entgegen. Da'ken hatte keinerlei Grund es zu bedauern, doch den Gefangenen die lange Zeit leidvoll am Leben zu erhalten war mit einem Mal vollkommen sinnlos. Doch für einen kleinen Eindruck sollte er noch von Nutzen sein.

Die halbe Armee war wie versteinert, als im nächsten Moment die zerquetschten Einzelteile des Erlösten auf das Bodenpflaster platschten. Nur Ta'kon reagierte ungewöhnlich gefasst – fast schon neugierig.

„Du hast es also geschafft, den Fluch zu brechen? Oder ist das nur ein Trick? Hast du jemanden angeheuert, der dies alles im Hintergrund inszeniert? Ist es gar deine Mutter?"

Die Soldaten blickten sich erschrocken um, während aus Da'kens Gesicht zum ersten Mal die Fassung wich. Seine Augen sprühten voller Zorn.

„Nein", wusste Ta'kon dies gut zu deuten. „Die Gebieterin ist tot und der kleine Prinz, der kürzlich seine Kräfte entdecken durfte, wagt es, seinen Anspruch zu erheben."

Da'ken fasste sich schnell wieder und sprach ruhig: „Unterschätzt meine Kräfte lieber nicht, Gebietermörder."

Ta'kon wandte sich unbeeindruckt an Or'kon: „Ergreift die Kinder und sperrt sie in den Kerker, bis zu ihrer längst überfälligen Hinrichtung. Setzt sie für die Öffentlichkeit heute Abend an."

Er entfernte sich, als der Feldherr mit seinem ersten Trupp von zehn Soldaten auf die Kinder zutrat. Nur einen Schritt vor dem Prinzen ging die Einheit in einer Stichflamme auf und zerfiel zu kleinen Kohlehaufen. Or'kons magisch verstärkter Rüstung gelang es, die meiste Energie zu absorbieren. Doch das Potential war schnell ausgeschöpft, so dass die Flammen ihm dennoch Haare, Haut und Umhang versengten. Unter fürchterlichen Schmerzensschreien sank er in der heißen Panzerung zu Boden.

Die Aufmerksamkeit des Tyrannen hatte Da'ken damit zurückerlangt. Mit einem Blick über die Schulter starrte er auf die Kinder, umringt von knisternden Überresten.

„Ich bin es leid, noch länger zu warten!", rief Da'ken am Gewimmer des Feldherren vorbei. „Bringen wir es *jetzt* zu Ende."

Ohne Ta'kon die Gelegenheit einer Erwiderung zu geben, zog sich Da'ken mit ihm und seiner Schwester aus der Masse heraus. Im nächsten Moment standen sie auf einem steinernen Podest, das sich binnen Sekunden in der Mitte des Marktplatzes errichtete.

In der gesamten Stadt sprangen Türen aus den Angeln und Fenster zerbarsten.

Noch bevor sich Ta'kon fassen konnte, um auch die anderen Feldherren nach ihren Armeen zu schicken, war Da'kens Stimme weit über die Häuser hinaus zu vernehmen: „Bürger und Soldaten von Ka'ara! Kommt herbei und erfahrt die Wahrheit über euren Führer!"

Da'ken las in Ta'kons Gesicht, wie er sich bemühte, dem überraschenden Vermögen, das der Junge vollbrachte, nicht zu viel Respekt zukommen zu lassen.

„Was bezweckst du damit?", fragte er herablassend, während die Bewohner zögerlich ihre Häuser verließen und weitere Soldaten massenweise aus dem Schloss strömten. „Die Leute sehen in mir schon lange keinen wohlwollenden Anführer mehr. Die Volksvertretung habe ich abgeschafft und die Kerker sind voll mit Aufständischen. Du brauchst sie nicht davon zu überzeugen, dass sie mit mir einem absoluten Herrscher zur Macht verhalfen."

„Ich habe keineswegs vor, hier irgendwen von etwas zu überzeugen."

Die Feldherren und Soldaten warteten auf Anweisung, doch ihr Anführer machte keine Anstalten, gegen den Unruhestifter vorzugehen. Ta'kon ließ den Jungen sein Spielchen spielen. Auch er schien die Öffentlichkeit hier versammelt sehen zu wollen.

Der Marktplatz füllte sich noch, als Da'ken mit der Vorstellung von sich und seiner Schwester begann. Er schuldigte den damaligen Kommandanten seiner Verbrechen an und stellte alsgleich seine Forderung: „Erkennt mich und meine Schwester als rechtmäßige Erben des Throns an, und wir werden den Verrat an uns vergessen. Euch erwartet kein Leid, keine Bestrafung."

Soldaten als auch Bürger blickten auf ihren schmunzelnden Tyrannen, der den Jungen geringschätzig mit verschränkten Armen betrachtete. Die Untertanen stimmten zuerst nur mit müdem Lächeln ein, bis die ersten spöttischen Rufe zum Podest drangen. Rasch wurde das belustigte Geschimpfe gegen den Gebietersohn lauter, bis es zu einem Stimmengewirr angewachsen war.

Mit einem breiten Lächeln trat Ta'kon heran. „Die Epoche eurer Familie und die Zeit der Gutmütigkeit und des Stillstands sind vorbei. Die nördlichen Provinzen habe ich dem Reich vor Jahren einverleibt. Die Wilden im Osten sind unser nächstes Ziel."

Da'ken blickte ihm tief in die Augen. „Ich bin der einzige Gegner, um den Ihr Euch Gedanken machen müsst. Doch Ihr habt Recht. Für Gutmütigkeit ist es zu spät. Aber lasst es mich noch ein letztes Mal versuchen, manchen Eurer Unterjochten zur Vernunft zu rufen."

Ta'kons Blick verlor die Belustigung.

„Ich gebe euch hiermit die letzte Gelegenheit, mir die Treue zu schwören. Ansonsten werde ich uns allen das Sonnenlicht nehmen."

Ta'kons Lächeln erwachte erneut. Das Volk stimmte mit Spott ein.

„Das Sonnenlicht willst du uns nehmen?", rief der Tyrann über die Menge hinweg. „Willst du uns ein Segel über die

Stadt spannen?" Ta'kon musste sein Lachen unterdrücken, während die Untertanen in Gelächter ausbrachen.

Da'ken war weder überrascht, noch enttäuscht, dass sich jemand der Verantwortung seiner Familie gegenüber freiwillig entziehen wollte. Genug Gebietertreue würde er unter den Gefangenen in den Kerkern finden, wie er von Ta'kon eben selbst erfahren hatte. Mit ihnen würde er ein neues Ka'ara aufbauen.

Er atmete tief durch und nahm seine Schwester an die linke Hand.

Da'ken hob den rechten Arm mit gestrecktem Zeige- und Mittelfinger der hoch am Himmel stehenden Sonne entgegen. Er blickte mit schmerzenden Augen direkt in die gelbe Scheibe über seinen Fingerspitzen.

Das Gelächter um sie herum nahm langsam ab. Die Entschlossenheit des Jungen machte Eindruck. Sekunde um Sekunde verstrich, in der gespenstische Ruhe in die Menge einkehrte. Die Einschüchterung stand allen ins Gesicht geschrieben.

Doch nichts passierte.

Da'ken nahm den Arm herunter und wandte sich mit entschlossenem Blick und Schweißperlen auf der Stirn zu Ta'kon.

Das Volk atmete auf. Es belächelte die eigene Angst. Die Bedrückung wich wieder der Belustigung.

Spott und Geschimpfe brach auf die Geschwister herein.

Auch Ta'kon hatte genug von dieser Spielerei. Der Junge hatte schon zu viel Aufmerksamkeit bekommen. Er beäugte Da'ken, der immer noch solch eine Selbstsicherheit ausstrahlte. „Was siehst du mich so an? Denkst du, ich lenke jetzt noch ein und entlasse dich?"

„Nein." Da'ken glitt ein zufriedenes Lächeln ins Gesicht. „Dazu ist es zu spät. *Du* konntest ohnehin nie Gnade von mir erwarten."

Mit einem Mal verdunkelten sich die Schatten der Häuser. Es wurde spürbar kühler, als würden Wolken die Sonne verdecken. Immer mehr Leute hoben die Köpfe. Zunächst war es nur schwer zu erkennen, doch schwarze Flecken breiteten sich rasch auf der Sonnenscheibe aus. Panik stieg in die Gesichter der Ka'ara. Die ersten verzweifelten Schreie, er solle damit aufhören, wurden laut. Auch Ta'kon richtete seinen ungläubigen Blick von der erlöschenden Sonne auf Da'ken, der ihn immer noch mit diesem diabolischen Ausdruck fixierte.

Ta'kon spürte einen ansteigenden Druck, beginnend von seinen Händen und Füßen, der langsam seinen Körper hinaufkroch. Voller Schmerz biss er die Zähne zusammen. Doch je weiter die blauen Adern auf der blassen Haut hervortraten, desto weniger konnte er den Schreien Einhalt gebieten. Jede einzelne Zelle seines Körpers schwoll an, bis sie schließlich eine nach der anderen zerplatzte.

Da'ken spürte, dass er versuchte, dagegenzuwirken. Aber jedes Mittel verpuffte. Er hatte nicht im Geringsten eine Vorstellung davon, was gerade mit ihm passierte. Auch Angriffe auf ihn oder seine Schwester gelangen nicht einmal im Ansatz.

„Nein! – Nicht!", stammelte Ta'kon mit Angst in den sich auflösenden Augen.

Unheimliches Entsetzen strömte durch Volk und Soldaten bei dem Anblick ihres selbsternannten Herrschers, der sich qualvoll von Sekunde zu Sekunde, Minute zu Minute zersetzte.

„Hör auf... bitte...", sprotzte es aus der mit verschiedenen Flüssigkeiten gefüllten Kehle.

Da'ken hätte es gerne bis zum Schluss verfolgt, doch er wollte seine Schwester diesem Schauspiel entziehen. Ebenso Hass und Flüchen, Holz und Steinen, Betteleien und Schwüren, die auf sie einprasselten.

Da'ken schwebte mit No'ara rasch in den Himmel auf und verließ die todgeweihte Hauptstadt. Sie schnellten den Spitzen der Schlossmauern entgegen und verschwanden dahinter.

Präludium 4 - Der Beginn

Die Schwefelmeere gefroren und die gelben Giftnebel versiegten. Jegliches Leben außerhalb der Schlossmauern war nahezu undenkbar geworden. Nur manche der aus den zahlreichen, von Ta'kon erweiterten Kerkern befreiten Untertanen zogen den Beistand ihrer Familie dem sicheren Leben im Schloss vor. Daher gestattete Da'ken, Dörfer und Städte des restlichen Landes als Kolonien in der Eiswüste weiter zu besiedeln, sofern die Bewohner ihm gleichfalls die Treue schworen. Wie das Schloss selbst, schützte sie eine eigene magische Barriere vor der eisigen Kälte. Nach innen hin gab die Kuppel künstliches Sonnenlicht ab, das vor allem den in Gewächshäusern errichteten Gärten zugutekam.

Die erste Zeit bewegte sich No'ara zufrieden und glücklich durch das weitläufige Gebieterschloss. Auch nach Wochen gab es immer noch Gänge und Winkel ihres Geburtsortes, die sie noch nicht durchschritten hatte.

An jeder Ecke verneigten sich die neuen Bürger vor ihr. Sie genoss die Aufmerksamkeit und Unterwürfigkeit. Doch schon bald verlangte sie mehr als bloße Gesten.

Nicht, dass sie vom angestellten Personal nicht genug Essen bekam. Aber sie forderte die Essensration eines Untertanen ein, an dessen Zimmer sie während einer neuerlichen Erkundungstour vorbeikam. Nur, um seine Reaktion zu sehen.

Würde er die Schale nur unter Protest abtreten, oder ohne zu zögern, mit einem Lächeln? Des Öfteren war sie zu müde, um selbst weiter zu laufen, und ließ sich tragen oder schwebend fortbewegen.

Bei einer dieser Gelegenheiten kam es ihr in den Sinn: Sie wollte eigene Fähigkeiten haben. Sollte sie die einzige Nichtbefähigte ihres Reiches sein? Sie, die Prinzessin?

Doch auch Bitten und Betteln bei ihrem Bruder verhalfen ihr nicht dazu. So mächtig er war – dass er den Damm, der sein Potential über so viele Generationen hinweg aufgestaut hatte, brechen konnte, lag nicht in seiner Gewalt.

„Aber wie soll ich mich sonst unter all den Befähigten verteidigen können?", versuchte sie, ein Argument anzubringen, das ihren Bruder nicht so einfach über diese Angelegenheit hinwegschauen lassen konnte.

Doch er entgegnete mit einem abschließenden Lächeln, dass er schon auf sie achtgeben würde. „Außerdem hast du von unseren treuen Bürgern nichts zu befürchten. Sie lieben uns. Oder siehst du das anders?"

No'ara schüttelte schweren Herzens den Kopf und entschwand unzufrieden.

Wir brauchen von ihnen nichts zu befürchten?

Das wollte sie unter Beweis stellen. Vielleicht überdachte ihr Bruder dann seine Einstellung und würde sich ernsthafter mit ihrem Wunsch auseinandersetzen.

Sie ließ die Angelegenheit zum Schein auf sich beruhen und nutzte die Zeit, um sich einen Plan zurechtzulegen. Sie ließ sogar davon ab, das Volk weiter mit ungerechten Forderungen zu traktieren, um sich später nicht der Provokation beschuldigen lassen zu müssen.

Sie wollte in der Erntezeit für einen Unfall sorgen, der eindeutig als aggressiver Akt gegen sie ausgelegt werden würde. Je schlimmer sie dabei verletzt werden würde desto besser. Wie auch bei ihrem Bruder sah es mit dem Heilpotential unter allen Ka'ara nicht rosig aus. Dennoch wollte sie das Risiko eingehen. Sie wollte unbedingt Fähigkeiten haben. Sie *musste* Kräfte haben.

Doch ein anderes Ereignis sollte ihr in die Karten spielen, das sie noch vor der Erntezeit in die erhoffte Situation brachte.

Schon etliche Tage lag die Eiswüste, aus der das Schloss mehrere Meter herausragte, in Windstille. Es war selten, dass sich kein Schneesturm an den schwarzen Mauern brach.

Eine Vielzahl Kolonisten fegte über die Schneedecke hinweg und schlug gegen die massiven Außentore des Gebieterschlosses. Verzweifelt schrien sie um Hilfe.

Da'ken eilte sofort herab, nachdem man nach ihm geschickt hatte.

„Mein Gebieter!", riefen sie ihm entgegen. „Ein Angriff. Ein schrecklicher Angriff an der Nordküste, von jenseits des Meeres. Schreckliche Kreaturen. Tausende."

Von jenseits des Meeres? Kann das sein? Gibt es noch weiteres Land auf dieser Welt?

Da'ken hatte das gesamte Festland erkundet und seine Grenzen samt Inseln umrundet. Alle Länder waren befriedet, trotz anfänglicher Konflikte mit den Karshar und den Hobdaylen.

Eine Armee hatte er nie mehr gegründet. Doch er war für die Sicherheit seines Volkes verantwortlich.

Da'ken war im Begriff davonzustürmen, als er im Augenwinkel No'ara die Treppe herabeilen sah.

„Schützt meine Schwester", trug er den Wachen auf, bevor er alleine das Schloss verließ.

Er flog so schnell über die aufwirbelnden Schneemassen, wie noch nie zuvor. In der Ferne erkannte er ein schwaches Licht. Was würde ihn erwarten?

Ich bete, dass ich dem gewachsen bin.

Er dachte an No'ara – an sein Versprechen, dass ihr nie etwas zustoßen würde. Nichts anderes zählte.

Schnell erreichte er die Kolonie an der nördlichen Eisküste. Da'ken versuchte, seinen schweren Atem in der eisigen Kälte zu beruhigen und atmete durch den Ärmel der Jacke. Seine Augen weiteten sich.

Die Kuppel über der Stadt war zerbrochen, doch gaben die Scherben weiter ihr Licht ab und leuchteten den Kampfschauplatz in der ewigen Nacht aus. Ein Heer aus dunklen, unbekleideten Monstern fiel über das gefrorene Meer herein. Ledrig schimmernde Haut spannte sich über die spitzen Knochen ihres hageren Skeletts.

Viele ihrer von Magie zerrissenen Körper unter grünem Blut säumten die Küste und den Boden der Mulde, in der die Stadt lag. Doch so tapfer sich die Ka'ara gegen die einen Kopf größeren Gestalten wehrten, auch auf ihrer Seite fiel einer nach dem anderen. In deutlicher Überzahl rissen die Kreaturen die Bürger an sich und sogen einen grauen Nebel aus ihrem Mund, den sie in den eigenen, von langen Zähnen umrandeten Schlund aufnahmen.

Obwohl von dem Anblick verstört, durfte Da'ken nicht zögern. Er drängte seine Angst beiseite und versuchte, klar zu denken.

Um den Kolonisten nicht selbst zu schaden, unterbrach Da'ken zunächst den Zustrom der Eindringlinge durch eine mächtige Eiswand, die aus dem Boden brach. Danach bannte er alle, die einen seiner Untertanen in den Fingern hielten und riss sie von ihnen weg.

Mehrere Dutzend Kreaturen standen reglos in der Luft. Die noch nicht erfassten Feinde blickten überrascht zu ihren Artgenossen auf und ließen von weiteren Angriffen ab.

Unter den wenigen Überlebenden der Kolonie erkannte Da'ken einen der ehemaligen Feldherren. Er trug seine hastig angelegte Rüstung mit dunkelgrünem Umhang, an dem manche Schnallen offen standen.

Die ersten Kreaturen der Nachhut sprangen auf die Kante der Mauer und tauchten an den seitlichen Rändern auf. Sie beobachteten in steigender Anzahl die Geschehnisse vor sich.

„Zieht euch sofort zurück!", hallte Da'kens Stimme über das Schlachtfeld den Eindringlingen entgegen, ungewiss, ob sie ihn überhaupt verstehen konnten.

Doch nicht nur die Beobachter auf der Mauer, selbst die in der Luft gebannten reagierten auf die Aufforderung unbeeindruckt. Die langen, spitzen Zähne zogen sich auf dem lippenlosen Maul in die Breite und bildeten damit ein angsteinflößendes Lächeln. Ein krächzendes Zischen drang aus dem Schlund hervor.

Da'ken spürte, dass er mühelos mehrere Wellen der Angreifer einstampfen konnte. Sein Gefühl sagte ihm auch, dass die Kreaturen keinerlei magische Fähigkeiten besaßen. Nur ihre schwarmartige Vielzahl und körperliche Stärke machte diese Tiere gefährlich.

Doch er wollte nicht noch mehr Opfer unter den Bewohnern riskieren, die in der Senke verharrten. Er musste überlegter vorgehen.

Die Aufmerksamkeit der Gegner richtete sich auf ein näherndes Getöse durch den Schnee. Gruppen von ehemaligen Soldaten aus dem Schloss und den angrenzenden Kolonien eilten zur Verstärkung heran.

Während sich die Männer und Frauen hinter Da'ken formierten, reihten sich auch die Überlebenden des Angriffs verwundet, weinend und ihrem Gebieter sowie dem Hüter dankend ein.

Aus den verschiedenen Strömen der Unterstützung traten die anderen drei ehemaligen Feldherren hervor und knieten sich zusammen mit dem vierten ab.

„Mein Gebieter. Bitte gebt uns die Ehre an Eurer Seite kämpfen zu dürfen. Wir schwören Euch die Treue, hätten aber schon deutlich früher unser Haupt neigen sollen. Vergebt, dass wir uns in Euren Kolonien verbargen."

Auch wenn die Unterstützung aus wenigen hundert eingerosteten Soldaten kaum einen entscheidenden Vorteil bei der wachsenden Invasion brachte, nahm Da'ken das Angebot als Rehabilitierung der Armeeführung Ta'kons an. Doch auf ihre Hilfe wollte er verzichten. Kein Ka'ara sollte heute mehr sein Leben riskieren oder gar lassen. Dafür wollte er sorgen – alleine. Er wollte seinem Volk – und sich selbst – beweisen, dass er ihr Vertrauen verdiente. „Haltet euch zurück und schützt euch im rechten Moment mit dem stärksten Schild, den ihr erschaffen könnt", wies er seine provisorische Armee an. Da'ken hatte eine Idee. Er wollte es in wenigen Schritten zu Ende bringen. Ohne Zweifel an dem Befehl zu äußern, warteten seine Gefolgsleute gehorsam.

Reglos standen sich die beiden Fronten gegenüber.

Da'ken atmete ruhig, trotz der eisigen Kälte, die sich durch seine Nase brannte. Er hätte sich mit seinen Kräften davor schützen können, doch er ignorierte den Schmerz und konzentrierte sich allein auf die Bedrohung vor sich. Seine Muskeln spannten sich an.

Wenige Augenblicke darauf stürzte die Horde von der Eismauer herab. Da'ken riss im selben Moment die in der Luft gebannten Gegner entzwei. Die heranstürmende Meute schwappte über die Wand, wie Wasser aus einem überlaufenden Becken. Doch weder Da'ken noch seine Untergebenen wagten eine Bewegung. Im Gegensatz zu ihrem Gebieter stieg in den Ka'ara allerdings mit jeder Sekunde die Nervosität. Tausende hatten bereits die Mauer überwunden. Die Frontreihe stand unmittelbar davor, über sie hinwegzufegen.

Jetzt!

Mit einer Bewegung der Handflächen auf sich zu, ließ Da'ken die massive Eiswand in Millionen kleine Eispflöcke zerbersten und auf die Ka'ara zuschnellen. Auf ihrem Weg durchlöcherten sie das feindliche Heer mit einem Schlag.

Kurz bevor die vordersten Angreifer Da'kens Linie erreichten, klatschten sie mit ihren durchsiebten Körpern gegen die erschaffenen Schilde, an denen auch die Eisgeschosse zerschellten. Ansätze von Begeisterung in Form von einzelnen Jubelrufen waren aus den Reihen hinter Da'ken zu vernehmen. Ansonsten bemühte sich die Menge um Ruhe. Es war noch nicht vorüber.

Aber auch Da'ken atmete kurz auf. *Es hat geklappt. – Wie soll mein nächster Schritt aussehen?*

Eine zweite Welle sammelte sich vor den Überresten der Eiswand. Vor ihr erstreckte sich ein Meer gefallener Artgenossen. Sie zögerten, über die Leichen in ihren eigenen Tod zu schreiten, während der Zustrom der Kreaturen über den gefrorenen Ozean nicht abriss.

„Die letzte Gelegenheit, euch zurückzuziehen", bot Da'ken an.

Diesmal von seinem Angebot weniger belustigt, warteten sie ab.

„Mein Gebieter!", hörte Da'ken nur beiläufig aus der leise tuschelnden Menge hinter sich heraus.

„Mein Gebieter!", versuchte erneut jemand, seine Aufmerksamkeit auf sich zu lenken. „Eure Schwester!"

Da'ken hielt den Atem an und schnellte herum.

Ein Soldat trat auf Da'ken zu. In den Armen trug er No'ara, aus deren Hals blaues Blut pulsierte.

Da'ken verlor den Boden unter den Füßen und stürzte in seinem Geiste in einen tiefen Abgrund. Er starrte auf das halbwache Gesicht No'aras, das ihm so hilflos und voller Angst entgegenblickte. Wie versteinert standen seine Beine auf dem Grund. Er streckte die Arme aus und nahm seine kleine Schwester an sich. Tränen liefen von No'aras Wangen.

Ein verzweifelter Ruf nach Hilfe wurde von einem hasser-füllten Schrei nach einem Verantwortlichen verdrängt. Doch keines von beiden verließ Da'kens Lippen.

Die Verletzung war so schwer, dass es kein Ka'ara ver-bringen mochte, seine Schwester zu heilen. Kein Hilferuf würde nützen.

Der Verantwortliche für diese Tat eröffnete sich Da'ken im selben Moment beim Blick auf die Wunde. Ein Eissplit-ter ragte daraus hervor.

Mit tränenden Augen sank Da'ken auf die Knie, seine Schwester fest an sich gedrückt. Ein zerfetzender Schmerz zog an seinem Herzen. „O Hüter! Was hab ich getan?!"

Er legte seinen Kopf an No'aras Stirn. Tränen tropften ihm vom Gesicht.

„Verzeiht."

Unter Da'kens Schluchzen drängelte sich eine Person in einem weißen Umhang durch die starre Menge. „Ich traue mir zu, dem Mädchen zu helfen."

Da'kens Blick schnellte nach oben und blickte in ein männliches Gesicht, das von einer weißen Kapuze eingefasst war. An der Stirn prangte ein auf dem Kopf stehendes schwarzes Dreieck.

Da'ken nickte hektisch und legte No'ara ab. Er hatte ein komisches Gefühl bei der Person, doch durfte er jetzt nicht zweifeln. Der fremd wirkende Mann kniete sich nieder und zog den Splitter aus dem Hals, worauf noch mehr Blut her-ausquoll.

Da'kens Herzschlag setzte aus.

DU ...!

Doch bevor Da'ken dazu kam, ihn dafür in Stücke zu rei-ßen, legte der Fremde orange schimmernde Hände auf die Wunde. Der Blutfluss stoppte augenblicklich. Noch einen Moment länger und der Mann wischte mit den Handflächen das vergossene Blut vom unversehrten Hals.

Wie ...?! Wer ...?

Noch bevor Da'ken es schaffte, nur eine einzige Frage in seinem Kopf zu formulieren oder gar zu stellen, versenkte No'ara die Finger kraftvoll in seiner Jacke.

Da'ken zog sie an die Brust und weinte in ihre Schulter. „Es tut mir so leid!"

Er verfluchte sich. Nicht nur konnte er sein Versprechen nicht halten – er wäre fast selbst für ihren Tod verantwortlich gewesen.

„Seid Ihr Prinz Da'ken?", riss ihn der Fremde aus der Erleichterung.

So viel Dankbarkeit er für den Retter seiner Schwester übrig haben sollte, blickte er ihm skeptisch entgegen.

Er sah aus wie ein Ka'ara. Doch nicht zuletzt das Symbol auf der Stirn strahlte etwas gänzlich anderes aus. Die Person war so wenig seinesgleichen wie die weiter lauernden Bestien hinter ihm.

Da'ken starrte ihm immer tiefer in die Augen, als könnte er damit das Trugbild durchschauen. Aus dem Nichts geriet der Name Medina in seinen Kopf. Der Name der Welt des Fremden. Für einen kurzen Moment dachte er, diese Information wäre ihm freiwillig preisgegeben worden. Doch mehr Namen und Bilder durchzogen Da'kens Gedanken, während der vermeintliche Ka'ara die Hände an seine schmerzende Stirn zog.

Gierig, aber mit steigender Nervosität, durchstreifte Da'ken die Erinnerungen des Fremden namens Nerosa-El. Jede weitere Information über unbekannte und zuweilen gefährliche Wesen, die er dem Weltenwanderer entriss, jagte ihm Angst ein.

Riesenhafte Gestalten, die Berge zertrümmerten. Geisterartige Schemen, die parasitär in fremde Körper drangen. Grausame Jäger mit abartigen Waffen und Fallen.

So viele weitere potentielle Bedrohungen für das Leben seiner Schwester und sein Volk. Wie sollte er sich dieser Übermacht nur behaupten können?

Erst nach dem dritten Ruf No'aras zog er seine Aufmerksamkeit aus den Gedanken Nerosa-Els heraus und bemerkte, wie seine Schwester panisch an seiner Kleidung zerrte.

Die Narach – nun befand sich auch die Bezeichnung der Monster in seinem Kopf – hatten den nächsten Angriff eingeleitet. Seine Untertanen warfen sich tapfer vor das Geschwisterpaar und den benommenen Weltenwanderer. Die Feldherren waren bereits gefallen. Der Rest würde in nur einem Moment folgen.

Ohne selbst zu wissen, was die folgende Geste auslösen würde, wischte Da'ken mit einer Armbewegung über das gesamte Schlachtfeld. Er befürchtete sogleich die letzten für ihn Kämpfenden und seine Schwester entzweizureißen. Doch ein Befehl des unbedingten Gehorsams fegte über Ka'ara wie Narach hinweg. Wie eine Sturmflut spülte sie die Farbe aus den Augen der Abertausenden und ersetzte sie durch das Grün von Da'kens Augen.

Die Kampfhandlungen erlagen auf der Stelle. Die bedingungslos Hörigen blickten auf ihren Gebieter und erwarteten Anweisungen. Doch sie wurden zu keinen gedankenlosen Marionetten. Vielmehr wurde ihre Einstellung zu Da'ken und seiner Schwester neu begründet.

Während die Überzeugung der Ka'ara nur noch gefestigt wurde, schienen die Narach selbst über ihren plötzlichen Sinneswandel überrascht.

Doch Da'ken spürte Widerstand. Nur eine Person versuchte, unter höchster Anstrengung dagegen anzukämpfen. Und nicht nur das.

Während seine Augen gegen das Grün rebellierten, hatte Nerosa-El den Arm zu einem weiteren Weltenwanderer gestreckt. Erst jetzt bemerkte Da'ken die Begleitung des Fremden. Eine Frau in einer schwarzen Kutte, um die der Medinae eine Barriere errichtet hatte.

„Flieh endlich!", schrie Nerosa-El, als sein Versuch, sie von dem Einfluss Da'kens abzuschirmen bemerkt wurde.

Kaum sah sie die bedrohlichen Augen des Gebieters dieser Welt auf sich, entschloss Iris schweren Herzens, ihren Mentor zurückzulassen.

„Ergreift sie!", schmetterte Da'kens Stimme über das gesamte Reich.

Ohne zu zögern stürmten die Narach auf die Frau zu, die – einen Augenblick bevor die Barriere brach – zu einem Lichtblitz zerfiel und in den Sternenhimmel davonjagte.

Da'kens neue Streitmacht aus Narach und Ka'ara kam zum Stillstand und wandte sich wieder ihrem Gebieter zu. Auch Nerosa-Els Augen wiesen nun ein blasses Grün auf.

Da'ken begab sich ihm hektisch gegenüber, während die Narach erwartungsvoll auf die beiden blickten.

„Zeig mir alles!", befahl er seinem neuesten Untertan. „Ich will ALLES wissen!"

Kapitel 1 - Zweifel

Susan blinzelte in ihr sonnendurchflutetes Zimmer.

Das Licht schmerzte in den Augen. Ungewöhnlich stark sogar – selbst durch ihre Augenlider hindurch.

Sie wollte einen ersten Gedanken fassen. Doch nur grelle Fetzen zuckten durch ihren Kopf, ohne ein klares Bild zu formen. In ihrem Körper fand sich kein Funken eines Antriebs, sich auch nur zu strecken, geschweige denn das Bett zu verlassen.

Ein fast verblasster Geruch von frischer Bettwäsche zog in ihre Nase. Kaum wahrnehmbar, aber Susan bemerkte ihn. Als wäre es der erste Duft, den sie je erleben durfte.

Susan betastete den glatten Matratzenbezug unter sich. Sie versuchte, das Gefühl der Bettdecke auf ihr und des Kissens im Nacken zu beurteilen. Es fühlte sich *echt* an – *lebendig.*

Doch war sie wirklich am Leben?

Ich stand doch vor wenigen Momenten noch in den Ruinen von Andalon und ...

Susan konnte den Gedanken nicht weiterführen.

Sie wollte sich gar nicht an die Geschehnisse in der Arktis erinnern. Zu grausam war das Erlebte. Die Qualen – nicht nur die körperlichen.

Chris!

Ein Stich ins Herz raubte Susan einen Moment lang jegliche Sinne. Der Schmerz war wieder da und bohrte sich tief in sie hinein. Die Bilder von seinem ausdruckslosen Gesicht, seinem abgetrennten Kopf.

Ein Druck baute sich in Susans Brust auf, als würde eine Palette Ziegelsteine darauf abgesetzt.

Ihre Gedanken vernebelten beim Blick an die weiße Zimmerdecke.

„Susi?! Bist du wach?!"

Der Ruf ihrer Mutter holte sie zurück. Ihr Blick verdüsterte sich kaum und bewegte sich nur gemächlich Richtung Zimmertüre. Der Reflex, aufzuspringen, zur Türe zu hechten, sie aufzureißen und nach unten zu brüllen, dass sie nicht mit der verhassten Verniedlichung *Susi* angesprochen werden wollte, war diesmal nicht vorhanden.

Vielleicht bin ich doch tot.

Ein verhaltenes Schmunzeln huschte ihr übers Gesicht.

Was mache ich eigentlich im Bett? Wieso bin ich zu Hause?

Susan sammelte Kraft. Mit einem Ruck richtete sie sich auf, drehte sich und setzte die Füße auf ihren flauschigen Teppich. Die Zehen strichen genussvoll durch die langen Kunstfasern. Es fühlte sich realer an, als jemals etwas zuvor.

Sie stand auf, machte drei Schritte zur Zimmertüre, öffnete und rief nach unten: „Bin wach."

Ihre Mutter blickte vom Anfang der Stufen hoch. Sie war gerade im Begriff nach oben zu kommen, blieb aber überrascht stehen. „Bist du krank?"

Sie war sicher ebenso verwundert, dass ihr kein Gebrüll entgegenkam.

„Nein, glaub nicht." Susan wollte sich wieder ins Zimmer wenden. Doch dann ging sie eilig die Treppe hinunter, fiel ihrer Mutter in die Arme und drückte sie fest an sich.

Freude und Erleichterung durchzogen ihren Körper. Ihr wurde klar, dass sie kurz davor gewesen war, ihre Mutter nie wieder zu sehen.

Ich bin so froh, dass es dir gut geht.

„Aber, aber. Du presst mich ja gleich zum Diamanten", keuchte Ina. „Ja, ich bin so schön und strahle wie einer, aber …"

Susan ließ von ihr ab, lachte ihr ins Gesicht und wischte sich eine Träne von der Wange, bevor sie ihre Mutter nochmal in den Arm schloss.

Danke, dass es dich gibt.

Auch Ina legte ihre Arme um sie.

Ein langer, stiller Moment verstrich.

Tränen liefen Susan übers Gesicht. *Ich liebe dich, Mum.*

„Hab dich lieb", flüsterte sie.

„Ich dich auch, Küken. – Gehts dir gut?"

Susan drückte sich von ihrer Mutter weg. „Ja, denke schon. Soll ich dir bei was helfen?"

Sie trocknete ihr Gesicht am Ärmel ihres Nachthemds.

„Mach du dich erst mal fertig. Tina wollte doch gleich vorbeikommen, oder?"

Susan schaute sie fragend an. „Ehm. Hab ich das gesagt?"

„Ja, gestern. Ihr wolltet euch den Fernsehbericht über eure Spendenaktion vom Stadtfest anschauen."

... Was?

Ina schaute Susan ebenso verdutzt an. „Etwa doch nicht?"

„Welche Spendenaktion?"

„Geht's dir wirklich gut?" In Inas Gesicht zogen immer mehr Sorgenfalten ein. „Das Geld, das ihr auf dem Stadtfest für das Altersheim gesammelt habt?"

Wir haben Geld gesammelt?

„Schon gut", wiegelte Susan ab und setzte ein Lächeln auf. „Nur ein Scherz."

Sie drehte sich um, ging rasch die Treppe hoch und betrat ihr Zimmer. Durch den Spalt der sich schließenden Türe lugte sie zu ihrer Mutter hinunter, die ihr immer noch besorgt vom Anfang der Stufen hinterherblickte. Nachdem sie die Türe geschlossen hatte, atmete Susan tief durch.

Es hatte keine Spendenaktion auf dem Stadtfest gegeben. Das war mal Teil in einer frühen Planungsphase, wurde aber mangels Sponsoren und gering erwarteten Gästen gecancelt.

Man hatte nicht mit einem Scheck von wenigen hundert Euro beim Altersheim auftauchen wollen. Wie peinlich wäre das denn gewesen?

Haben sie es nun doch durchgezogen? Am Stadtfest selbst konnte Susan ja wegen der Begegnung mit dem Narach im Park nicht teilnehmen. Von daher konnte sie es nicht mit Sicherheit sagen. Aber zur Spendenübergabe sollte es eine Berichterstattung im Fernsehen geben, zu der sie sich mit Tina verabredet hatte?

Die letzten Tage waren wohl einfach zu stressig gewesen. Schon möglich, dass sie da ein paar Sachen nicht mitbekommen, oder vergessen hatte. Doch das Wissen ließ sich schnell auffrischen. Susan nahm ihr Handy vom Schreibtisch und schaute in den Chatverlauf mit Tina.

„Hey. Ich hab grad die Info bekommen, dass der Bericht über die Spendenübergabe am Samstag im Mittagsmagazin ausgestrahlt wird. Wollen wir uns das zusammen anschauen?"

Hm, ok. Ich habe tatsächlich darauf geantwortet und sie zu mir eingeladen.

Sie machte sich nichts weiter daraus und scrollte nach oben, um zu schauen, was ihr noch so entfallen war. Bei den folgenden Nachrichten klappte Susans Unterkiefer allerdings immer weiter nach unten.

„Ahhhh! Wie geil ist das denn?! Wir haben grad die Spenden durchgerechnet und es ist die höchste Summe, die je auf einem Stadtfest gesammelt wurde!"

Noch weiter oben: „Hey! Schon ausgeschlafen? War das Fest nicht toll? Ich glaub, das waren so viele Besucher wie noch nie. Das Wetter war aber auch super. Hier unsere Selfies 😍 Gott, schau ich betrunken aus 😫"

Susan musste sich mit einer Hand an der Schreibtischplatte abstützen. Auf den meisten Bildern waren sie und Tina zu sehen. Lachend. Mit Getränkehaltern bewaffnet und einer dicken Ledergeldbörse an der Hüfte. Sie saßen zwischendurch bei ihren Eltern an einem Tisch. Überall im Hintergrund jede Menge Leute. Das Datum: Freitag vor zwei Wochen.

Susans Herz erschütterte ihren Körper wie eine Basstrommel. Sie setzte sich langsam auf den Bürostuhl und blickte auf den Kalender an der Türe. Dreizehn durchgestrichene Felder seit dem Eintrag *Stadtfest 18 Uhr*.

Was zum Teufel?

Spielte ihre Erinnerung ihr einen Streich? War sie doch noch auf dem Stadtfest, nach der Auseinandersetzung im Park? Aber sie hatte die Wächter sicher nicht allein in ihrem Zimmer gelassen. Und ein Erfolg war das Fest auch nicht gewesen, wegen der Nachrichten um die globale Bedrohung.

Susan schüttelte ungläubig den Kopf und suchte mit einem zweifelnden Lächeln in ihren Erinnerungen nach einer Erklärung. Sie wollte im Internet etwas zu dieser Spende suchen, doch ihr Blick blieb am Kalender hängen. Da fehlte was.

Susans Herz schlug mit jedem Schlag stärker. Wie ein Hammer traf es Susans Brust.

Der vorige Dienstag. Dort sollte ein Smiley stehen und das Wort *Monatstag*. Doch das Feld war leer. Nur ein großes schwarzes *X* füllte es aus.

Susan griff erneut zum Handy und suchte Chris' Namen im Chatverlauf. Nichts. Dann aus der Anrufliste. Normalerweise sollte er an erster oder zweiter Stelle stehen. Ebenfalls nichts. Panisch suchte sie den Telefonbucheintrag mit je einem Herzchen davor und danach – vergebens.

Susan legte das Handy weg und hielt die Hände an den Kopf.

Sie atmete schnell. Ihr wurde schlecht.

Was geht hier nur vor?!

Susan schüttelte den Kopf. Sie war noch gar nicht ganz wach.

„Ich bin nur etwas durcheinander", redete sie sich selbst gut zu. „Ich gehe jetzt duschen und dann fangen wir nochmal von vorne an."

Keineswegs davon überzeugt, ging Susan stocksteif ins Bad. Mit einem nervösen Blick in den Spiegel über dem Waschbecken, an dem sie sich mit beiden Händen festhielt, atmete sie tief ein und aus.

Irgendwas Auffälliges?

Sie drehte den Kopf von links nach rechts. Ihre Fingerspitzen streiften über die Stirn und verweilten darauf, während sie die Augen schloss. Sie konnte sich an einen fürchterlichen Schmerz erinnern, als ihr der Kristall aus der Stirn gerissen wurde. Doch keine Spur davon.

Susan schüttelte den Kopf mit einem ungläubigen Lächeln. *Das hätte meine Mutter schon bemerkt.*

Ihre Augen öffneten sich schlagartig.

Susan zog sich das Nachthemd über den Kopf und betrachtete ihren Oberkörper. Die drei Wunden durch die Speere musste man nicht unbedingt erkennen. Diese waren schon wenige Tage später sehr gut verheilt gewesen. Die Narben der Ein- und Austrittswunden der Klinge durch ihren Brustkorb mussten aber noch zu sehen sein.

Nichts. Keine Spur einer Narbe. Nichts deutete darauf hin, dass sie jemals an einem Schwertkampf um Leben und Tod und das Fortbestehen der menschlichen Rasse beteiligt gewesen war.

Ein neues Detail sprang Susan in den Kopf.

Die Narach!

Sie eilte zurück ins Zimmer und schaltete den Laptop und den Fernseher an. Mit deutlich in ihrer Kehle spürbarem Puls suchte sie nach Nachrichten über das rätselhafte Massensterben oder die Überfälle, denen Millionen Menschen weltweit zum Opfer gefallen waren. Doch keine einzige Meldung. In keiner Mediathek, auf keinem einzigen Sender.

Susan lehnte sich langsam zurück. *Das gibts doch nicht!*

Sie blickte mit einem abstrusen Lächeln durch ihr Zimmer. Die Couch, der Boden, das Bett. Hier hatten sich vor zwei Wochen die neuen Wächter aus ihrer Ohnmacht gekämpft.

Stephanie, Alex, Blue, Ivan, Fox, Therese, Zinus und John.

Susan blickte zu ihrem Handy. Sie suchte im Internet die Telefonnummer der Jugendherberge heraus und rief die Rezeption an. Doch dort kannte man diese Namen nicht. Es gab keine Gruppe im ersten Stock.

Susan beendete das Gespräch und nahm das Telefon langsam herunter, während sie zur Balkontüre schaute.

„Iris?"

„Iris?!"

Stille. Nur die Lehne des Stuhls knarrte.

Sag mal, Susan. War das vielleicht nur ein Traum?

Sie richtete den Blick auf den Boden. Handelte es sich wirklich nur um einen Traum?

Aber was genau war ein Traum? Andalon, oder das hier?

Susan war nicht in der Lage, klar zu denken. Ihr Hirn wirkte im Moment wie Matsch.

Ruhig bleiben. – Ruhig bleiben.

Wie ein Mantra sagte sie es in sich hinein und atmete gleichmäßig.

Susan brauchte mehr Indizien.

Sie wechselte den Slip, zog einen BH an, streifte sich ein frisches T-Shirt über, stieg in eine Jogginghose und ging nach unten in die Küche.

„Magst du Frühstück? Orangensaft oder Milchkaffee?"

Susan musterte ihre Mutter beim Trocknen des Geschirrs.

„Saft." Sie setzte sich auf den Hochstuhl an der kleinen Küchentheke, auf dem noch zwei Scheiben gerösteter Toast, Wurstaufschnitt und Aufstrich standen.

Susan nahm ihren Blick nicht von ihrer Mutter, die einen geöffneten Tetrapak Orangensaft aus dem Kühlschrank und ein frisches Glas aus dem Schrank holte. Ina machte drei Schritte auf Susan zu und schaute sie unsicher an, als sie die Sachen abstellte.

„Du siehst blass aus. Brütest du wirklich nichts aus? Lass mal deine Stirn fühlen."

„Ich hab schlecht geträumt", versuchte Susan, ihre Mutter zu beschwichtigen.

„Wovon denn?", lockte Ina mit ihrer Handfläche auf Susans Stirn.

Genauso neugierig wie Tina, wenn es um meine Träume geht.

Aber die beiden verband noch mehr. Auch sie besaß ein kindliches Gemüt, trotz ihrer knapp 40 Jahre und einer erfolgreichen Karriere als Fremdsprachenkorrespondentin. Sie konnte schnell den Schalter auf Familienmanagerin und Geschäftsfrau umlegen. Bei den meisten Gelegenheiten jedoch kam es Susan vor, als habe sie nicht eine sorgende Mutter vor sich, sondern eine jüngere Schwester.

„Ich habe von Chris geträumt", tastete sich Susan voran. Sie musste vor allem wissen, was es mit Chris auf sich hatte. Traum hin oder her.

„Chris? Ein Junge von der Schule?"

Susan hielt den Atem an. *Ihr sagt der Name nichts?*

Es klingelte an der Haustüre.

„Darf ich mitschauen oder wollt ihr unter euch bleiben?"

Susan schaute ihre Mutter fragend an.

„Der Fernsehbericht. – Gott Susan. Du bist ganz schön durch den Wind. Wir messen danach Fieber. – Magst du Tina nicht reinlassen?"

Susan rutschte vom Stuhl und verließ die Küche. Sie fasste sich selbst mit der Handfläche an die Stirn. *Bin ich krank?*

Als Susan die Türe öffnete, sprang ihr Tina an den Hals.

„Hallo, hallo, hallohooo!" Wie ein Karnickel hüpfte sie auf und ab.

„Guten Tag, Frau Conners", begrüßte sie Susans Mutter in die Küche hinein.

„Hallohooo!" Ina winkte ausladend zurück.

Susan musste lachen. Es ging nicht anders.

Tina lachte mit. „Fünf Minuten noch bis die Sendung anfängt. Bist du schon nervös?"

In gewisser Weise war sie das, ja. Wusste sie doch immerhin nicht, was sie erwartete. Und ihre Mutter wollte auch zusehen.

„Ja. Schauen wir's auf dem großen Fernseher im Wohnzimmer an."

Susan blickte in die Küche und nickte Ina mit einem Lächeln zu, die sogleich strahlend hinterhertrottete.

Sie schaltete den Fernseher ein und wählte den richtigen Sender.

„Ich weiß nicht, an welcher Stelle der Beitrag kommt. Kann schon der erste sein oder erst der letzte. Aber die Sendung dauert nur zwanzig Minuten." Tina holte eine Schüssel aus ihrer Umhängetasche. „Popcorn?"

Susan schaute sie entgeistert an. „Dein Ernst?"

Tina entgegnete ihr mit Unverständnis und öffnete die Schüssel. „Vor 'ner halben Stunde frisch gemacht."

Der Duft verbreitete sich sofort im ganzen Zimmer.

Ina griff großzügig hinein. „Popcorn hatte ich seit Jahren nicht mehr. Danke."

Auch Susan nahm sich zögerlich eine Flocke. Sie war sogar noch warm. Sie lehnte sich auf der rotbraunen Ledercouch zurück und atmete tief durch.

Der Eröffnungseinspieler des Mittagsmagazins begann. Susan versuchte sich auf den Moderator zu konzentrieren, aber die Gedanken um Chris und ihre vermeintlichen Erlebnisse waren gleich wieder da. Sie musste sich endgültige Gewissheit schaffen und das Haus der Familie Berger aufsuchen.

„Und habt ihr danach noch gemeinsame Pläne?", fragte Ina, die sich nahtlos in die Mädchengruppe eingefügt hatte.

„Nein. Ich helfe am Nachmittag bei der Inventur bei meinem Paps."

Ina schaute auf Susan.

Diese kramte nach einer Idee. „Ich geh vielleicht schwimmen."

„Dann grüß Marianne von mir, sollte sie da sein. Aber erst nachdem wir Fieber gemessen haben und wenn du dich wirklich gut fühlst."

Da war der Schalter.

„Bist du etwa krank?", sorgte sich Tina sogleich mit vollem Popcornmund und großen Kulleraugen.

„Nein, ich hab nur schlecht geschlafen. Sonst alles gut."

„Da, es geht los." Ina streckte sich nach der Fernbedienung und stellte die Lautstärke hoch.

Susan richtete den Blick auf den Bildschirm. Der Moderator endete mit den kurzen Einleitungsworten zum folgenden Beitrag. Die erste Bildeinstellung zeigte den Schriftzug *Seniorenstift* über einem Gebäudeeingang.

„Eine besondere Überraschung hatten die Schüler des St. Leopold-Gymnasiums für den Leiter des Seniorenhilfe e. V. im Gepäck", kommentierte die Sprecherstimme.

Bereits der erste Schnitt ließ Susans Haut so stark kribbeln, als liefe eine Horde Ameisen darüber.

Neben Tina, weiteren Schülern und dem stellvertretenden Rektor auf den Eingangsstufen zum Altersheim erkannte sie sich selbst.

Ich war auch da?!

In den Händen der Schüler befand sich ein überdimensionierter Scheck in Höhe von 7.236 Euro. Mehrere Reporter standen vor der posierenden Reihe und machten Fotos von ihren freudestrahlenden Gesichtern. Nahaufnahme auf Tina, Susan dahinter im Profil mit einem anderen Interviewer im Gespräch. „Ich bin stolz, dass wir so eine hohe Summe an den Verein geben können. Es ist ein sehr deutliches Zeichen, wie vielen Menschen unsere Senioren am Herzen liegen. Gerade in einer Zeit, in der Altersarmut und Vereinsamung ein ständiges Thema sind und auch weiter sein werden. Ich hoffe, dass diese Geste noch weitere Leute aufrütteln kann, und wenn es nur die gedankliche Auseinandersetzung damit ist."

Susan spürte Tinas Finger sich in ihren rechten Oberarm krallen. Doch sie starrte weiter auf den Bildschirm. Schweißperlen bildeten sich auf ihrer Stirn.

Das Bild wechselte zum Vorsitzenden des Vereins. Susan suchte im Hintergrund weiter nach sich selbst. Sie fand ihre blonde Mähne in der Mitte eines Pulks mit ihren Mitschülern.

Nahaufnahme auf Susan. Ihr Atem stockte. „Es ist ein wundervolles Gefühl, dass wir mit dem Stadtfest nicht nur den Bürgern einen tollen Abend bieten konnten, sondern mit ihren großzügigen Spenden auch noch einer gemeinnützigen Sache dienen können. Unseren herzlichen Dank allen Gästen und Sponsoren, bestehend aus vielen ortsansässigen Firmen. Vielen Dank."

Tina zog an Susans Arm. Susan riss sich vom Bildschirm los und bemerkte, wie schwer sie atmete. Sie neigte den Kopf nach rechts und blickte in das stolze Gesicht ihrer Mutter und das vor Begeisterung platzende von Tina.

„Ich wusste gar nicht, dass du auch interviewt wurdest", meinte Ina.

Da bist du nicht die einzige.

„War das nicht klasse?" Tina wetzte auf der Couch hin und her. „Wir wirken gut im Fernsehen. Vielleicht sollten wir uns doch noch bei Topmodel bewerben."

„Da fehlen euch beide aber einige Zentimeter an Beinlänge", stichelte Susans Mutter.

Tina verzog das Gesicht. „Ja, leider. – So, ich muss los."

Sie packte ihre Schüssel weg, umarmte Susan kurz und sprang auf. „Bis Montag dann. Danke, Frau Conners."

„Immer gerne, Tina."

Die Haustüre ging auf und schlug wieder zu. Inas Blick richtete sich auf Susan. Die saß regungslos auf der Couch und befühlte mit ihren feuchten Händen das Leder neben sich.

Sie wusste das eben Gesehene nicht einzuordnen. Ihre Gedanken drehten sich im Kreis. Hatte sie das einfach vergessen? Quatsch. Sie war weder bei der Übergabe, noch auf dem Stadtfest gewesen. Aber es gab Bilder, Videoaufnahmen.

„Du wirkst wirklich gut vor der Kamera."

Susan lächelte verhalten.

„Mit dir ist doch etwas."

Susans Kopf schmerzte. „Ich leg mich vielleicht nochmal hin." Sie stand auf und schlurfte Richtung Wohnzimmertür.

Ina ging mit einem sorgenvollen Gesicht voraus in die Küche. Sie passte Susan am Anfang der Stufen nach oben ab und steckte ihr das Thermometer ins Ohr, das kurz darauf einen Piepton von sich gab.

„36,8. Fieber ist es schon mal nicht." Sie strich Susan über den Rücken. „Ruh dich aus. Ich such vorsichtshalber die Nummer vom Bereitschaftsarzt raus. Wenn es schlimmer wird, sag was. Okay?"

Susan nickte abwesend auf dem Weg in ihr Zimmer. So gern sie einfach aufwachen würde, sie träumte nicht. Und jetzt hinlegen würde auch nichts lösen. Sie brauchte Antworten.

Susan nahm ihr Handy und ging damit auf und ab. Sie durchforstete nochmal sämtliche Speicher und Chatverläufe. Alles schien die Version der letzten Wochen zu bestätigen, an die sie sich nicht erinnern konnte. Am Notebook suchte Susan explizit nach Toronto, Melbourne …

Keine Busunfälle mit mehreren Toten, keine Handyvideos von sich und den anderen Wächtern in weißen Skimasken.

Susan knallte das Notebook zu, stützte die Ellbogen auf und legte den Kopf in die Hände. Mit den Fingern rieb sie ihre Schläfen.

Ist das ein Paralleluniversum? – Müsste es mich hier dann nicht doppelt geben? Wo ist mein anderes Ich? – Eine Doppelgängerin?

Susan richtete sich in ihrem Schreibtischstuhl auf. Eine schreckliche Befürchtung formte sich in ihren Gedanken.

Steckt die Finsternis dahinter? Gaukelt sie mir diese heile Welt irgendwie vor? – Vielleicht halten die mich gefangen und das hier ist gar nicht echt.

Ein Schauder zog über Susans Rücken. In den Augenwinkeln schaute sie nach links und nach rechts. Sie horchte ganz genau. Doch alles schien normal.

Ich muss aufpassen, was ich mache. Hoffentlich hab ich nicht schon was preisgegeben, das der Finsternis in die Karten spielt.

Kapitel 2 - Unfall

Susan musste das Haus verlassen. Vielleicht war die Illusion räumlich beschränkt.

Sie machte sich in einem bemüht normalen Tempo zurecht, packte ihre Schwimmsachen zusammen und verließ leise das Haus, um ihre Mutter nicht aufzuschrecken.

Gehörte sie zur Illusion? Verbarg sich hinter ihr sogar einer der Feinde? Und hinter Tina?

Zum Schwimmbad plante sie einen unauffälligen Umweg zu Chris' Adresse ein. Wo er wohnte, konnte die Finsternis nicht wissen. Was würde sie in der Illusion an dieser Stelle eingefügt haben? Sie müsste auf Susans Erinnerungen gründen, daher erwartete sie das verlassene Wohnhaus seiner Eltern. Doch was Susan vorfand, war zwar dasselbe Haus mit Doppelgarage, aber der Garten war vollkommen anders gestaltet. Darin spielten zwei Kinder in einem Sandkasten. Zwei Frauen saßen auf der Terrasse. Trotz der Sonnenbrillen erkannte sie hinter keiner von beiden Chris' angebliche Mutter, hinter der sich wiederum die Elfin Endara verborgen hatte. Aus der Entfernung sah sie auch kein in Ton gebranntes Namensschild mit dem Namen Berger über der Türklingel. Ein SUV stand in der Einfahrt, in der offenen Garage ein blauer VW Polo. Der Platz daneben war frei.

Wie passte das in Susans Illusionstheorie?

Haben die scheinbar unwichtige Teile durch willkürliche Elemente aufgefüllt?

Knack!

59

Susan zuckte zusammen und blickte über die linke Schulter.

Auf einer niedrigen Mauer saß ein etwa gleichaltriges Mädchen. Dieses führte einen Apfel vom Mund weg, und kaute genüsslich auf einem Stück davon herum. Sie trug eine dunkle, aufgescheuerte Jeans und einen schwarzen, knielangen Mantel. Dessen Kapuze lag locker auf ihrem Scheitel aus langen, ebenso schwarzen Haaren aus denen zwei weiße Kabel eines Ohrhörers führten.

Sie zwinkerte Susan mit einem kauenden Lächeln zu, während sie mit den Beinen auf der Mauer baumelte. Susan lächelte verlegen zurück. Sie hatte dieses Mädchen noch nie zuvor gesehen.

Das Geräusch eines Motorrads riss Susans Aufmerksamkeit auf sich. Es hörte sich an, wie Chris' Suzuki. Aber an ihr fuhr ein anderes Modell in anderer Farbe vorbei. Der kurze Hoffnungsschimmer war sofort wieder erloschen. Wie töricht, sich darauf überhaupt etwas eingebildet zu haben.

Sie wandte sich wieder dem Mädchen zu. Doch dieses war spurlos verschwunden. Susan blickte sich hektisch um. Sie suchte auch im Himmel über den Hausdächern. Aber kein Zeichen von ihr.

War das gerade nur Einbildung gewesen? – Nein, nichts hiervon ist Einbildung. Kein Traum. Es muss eine Illusion sein. Eine fehlerhafte vielleicht. Und das Mädchen war ein Glitch. Ein Fehler in der Matrix.

Susan setzte sich mit einem unterdrückten Lächeln in Bewegung. Sie war davon überzeugt, der Sache einen kleinen Schritt näher gekommen zu sein. Irgendwann würde es einen konkreteren Hinweis geben. Eine Stelle, an der sie einen gröberen Fehler aufdecken und ausbrechen konnte. Sie musste die Grenzen weiter ausloten. Doch was würde sie hinter der Illusion erwarten?

Chris – Kronos war tot. Sie hielt seinen Kopf ... Susan schluckte. – Auch Iris. Sie hatte sich geopfert. – Was geschah mit den Wächtern?

Ihr blieb im Moment nichts anderes übrig, als zum Schein einfach mitzuspielen.

Sie betrat das Schwimmbad und achtete auf jedes Detail. Hier konnte man sie ebenso wenig täuschen wie in ihrem eigenen Zimmer. Hier war für viele Jahre ihr zweites Zuhause gewesen.

Susans ehemalige Schwimmtrainerin Marianne war nicht im Schwimmbad. Vielleicht hatte sie die Finsternis schlichtweg ausgespart. Dafür erkannte sie eine der Schwimmaufsichten. Susan grüßte sie und verwickelte sie in einen kurzen Plausch über den Schwimmverein.

„Ich war nicht zufällig die letzten Tage hier?", fragte Susan beiläufig.

Von Jenny wusste sie, dass sie im Dienst gewesen war, als die Zeitreisegruppe hier für Wirbel gesorgt hatte – zumindest Fox.

Jenny lächelte schief. „Ich hab dich zuletzt um Weihnachten hier gesehen."

Ja, das stimmte. Daran konnte sich Susan sehr genau erinnern. Eine Erinnerung, die zur Abwechslung auch hier als real galt. Ein Anflug von Erleichterung huschte durch ihren Körper. Kaum zu glauben, wie gut sich das anfühlte.

Susan atmete tief durch. Hier schien alles normal. Sie hatte keine weitere Idee, wie sie mehr Licht in die ganze Sache hätte bringen können.

Der Chlorgeruch lud sie ein, noch länger zu bleiben. Tatsächlich verbreitete er in Susan ein Gefühl von Sicherheit und Geborgenheit. Sie strich über ihre Vereinssporttasche an ihrer Schulter und erinnerte sich an die vielen Gründe, wieso sie das Schwimmen so liebte. Einer davon war, dass sie im Wasser vollkommen abschalten konnte. Kurzerhand stieg sie in der Umkleidekabine in ihren Schwimmanzug, verstaute ihre Sachen im Regal und ging über die feuchten, geriffelten Fliesen an den Beckenrand.

Um die Mittagszeit war das Schwimmbecken immer ziemlich leer. Das Kindergeschrei vom Erlebnisbecken drang nur leicht herüber. Susan zog eine lockere Kraulbahn nach der anderen. Sanft glitt sie an der Wasseroberfläche entlang und konzentrierte sich ausschließlich auf den rhythmischen Schlag ihrer Arme und Beine. Sie versuchte, diesen Moment so gut wie möglich auszukosten. Keine Gedanken an das, was tatsächlich vor sich ging. Einfach dieses freie Gefühl im Wasser genießen, ehe es zu spät war. Bevor das Ungewisse in den Vordergrund treten würde.

Über dreißig Minuten vergingen, ehe sich Müdigkeit in ihre Muskeln schlich. Sie wollte sich nicht zu sehr verausgaben. Eine Reserve sollte sie noch in der Hinterhand behalten. Sie beendete den Schwimmbadbesuch mit einer kalten Dusche und machte sich auf den Heimweg.

Wie praktisch jetzt ihr Fahrrad gewesen wäre.

Moment. – Vielleicht ...

Mit dieser Überlegung suchte sich Susan eine schlecht einsehbare Ecke vor dem Schwimmbad und nahm die rechte Hand auf Höhe des Fahrradlenkers. Zunächst mit demselben simplen Gedanken, danach mit mehr Konzentration, bemühte sie sich, ihr Fahrrad herbeizuholen. Doch nicht das geringste Anzeichen von schwelender, knisternder Luft war auszumachen. Auch die Versuche mit ihrem Kristallschwert und dem Haustürschlüssel blieben ohne Erfolg.

Sie gab enttäuscht auf.

Sollte ich in einer Illusion nicht meine Kräfte haben?

Susan erinnerte sich zurück an die letzten Momente. Sie sah ihren eigenen Körper am Boden der Ruinen Andalons liegen. Vielleicht nur bewusstlos. Mit einer blutenden Stirnwunde. Die Herrscherin hatte ihr den Kristallsplitter aus dem Kopf gerissen. Doch ihre Stirn war unversehrt. – Auch Teil der Illusion?

Susan stellte sich mit beiden Beinen parallel hin. Sie ging in die Knie und versuchte bis zum mehrere Autolängen entfernten Baum zu springen. Doch der Hops endete nach nur knapp über einem Meter. Ein weiterer Versuch. – Gleiches Ergebnis.

Ein Schmunzeln glitt auf ihr Gesicht. Magische Fähigkeiten? Elfenschwerter? Was jagte sie da eigentlich hinterher?

Okay. Betrachten wir das mal von einer anderen Seite. Wenn das alles keine Illusion ist, sondern echt – dann gab es die letzten drei Wochen in meiner Erinnerung nicht. Aber es fühlte sich so real an, und tut es nach wie vor. Realer als die letzten drei Wochen hier. Was könnte eine Erklärung hierfür sein? – Drogen? Ich nehme keine Drogen.

Susan hielt den Atem an. *Wurde mir etwas ins Getränk gemischt? Im Club?*

Dann wäre sie sicher im Krankenhaus behandelt worden. Von K.O.-Tropfen hörte man ja immer wieder. Aber die sollten zu einem Blackout und Besinnungslosigkeit führen. Nicht zu so was hier.

Susan ging weiter, doch die Panik hielt sich noch in den Gliedern und im Kopf.

Zuerst bemerkte Susan ihn nicht. Dann erkannte sie, wie Mark aus dem Bäckerladen fünf Häuser vor ihr kam.

Chris!, sprang es ihr sofort in den Kopf. Chris hatte nichts mit den übernatürlichen Ereignissen zu tun. Doch wieso sagte der Name ihrer Mutter nichts? Wieso hatte sie keine Nachricht von ihm auf dem Handy? Sie kannte ihn schon deutlich länger als nur die letzten drei Wochen.

Sie lief Mark hinterher, der es offensichtlich eilig hatte. Vielleicht konnte er als Chris' bester Freund ein Puzzlestück beitragen.

„Mark! Warte bitte!", rief sie ihm nach, doch er hörte sie nicht.

Nur eine Person, die ebenfalls in dieselbe Richtung ging, reagierte auf den Ruf und drehte sich zu Susan um. Es war das Mädchen mit dem Apfel.

„Mark!", schrie Susan den Namen nochmal, der ihr alsgleich im Hals stecken blieb.

Der junge Mann erstarrte beim zweiten Schritt des eben angesetzten Spurts über die Straße und blickte Susan erschrocken an.

Reifen quietschten.

Ein dumpfer Knall folgte.

Susans Herzschlag setzte aus.

Kapitel 3 - Untergang

Auf dem Flachdach eines hohen Gebäudes vergrößerte sich aus dem Nichts heraus eine schimmernde Kugel, die eine quallenartige Konsistenz zu haben schien. Als sie einen Durchmesser von etwa drei Metern erreicht hatte, verblasste das Gebilde und löste sich in Dunstschwaden auf.

Zurück blieben zwei sich gegenüberstehende Gestalten. Beide waren in dunkelrote Umhänge mit kapuzenartigem Überwurf gehüllt, unter welchem sich zwei beulenförmige Erhebungen am Kopf abzeichneten. Die Körper waren durch die Kleidung vollkommen verhüllt. Nur die Hände waren aus den breiten Ärmeln zu erkennen. Die bräunliche Haut war von einem rotbraunen Flaum überzogen. Die filigranen Finger liefen zu spitzen Krallen zu, in denen sie gemeinsam einen kleinen, transparenten Ball hielten, welcher bis eben das Zentrum der Kugel gebildet hatte.

Das einen Kopf größere Wesen ließ den Ball in einer seitlichen Öffnung des Umhangs verschwinden und richtete den Blick auf einen hellen, von Wolken zerstreuten Sonnenuntergang aus einem Farbenspiel von Gelb und Orange. Darunter blickte sie auf eine Stadt mit Gebäuden in überwiegend grauer Farbe und in einer hohen Bauart, wie sie es noch auf keiner anderen Welt erlebt hatte. In den engen Lücken dazwischen drängten sich Lebewesen und Vehikel in einem ohrenbetäubenden Lärm.

In einer fremden Sprache wandte sich die kleinere Gestalt an ihre Begleiterin, und neigte dabei den Kopf zu ihr hoch: „Spürst *du* es noch? Wir sind hier doch richtig, Nihko?" Es war eine liebliche, fast kindlich wirkende Stimme.

Die Antwort erfolgte härter, aber dennoch mit melodischem Klang, ohne dass die Gefährtin den Blick von den Menschen unter sich nahm: „Ich spüre es. Aber geringer, als man es erwarten müsste. Der Nachhall der Anwesenheit eines Ka'ara sollte viel deutlicher sein. Hier wirkt er weniger, als nur verblasst, sondern auf irgendeine Art verwischt – verfälscht."

„Was mag Besonderes an dieser Welt sein, dass ein Ka'ara zum ersten Mal seit 170 Zyklen seine Heimat verlässt um hierher zu kommen?"

Nihko richtete den Blick wieder auf die sinkende Sonnenscheibe hinter den Wolken. „Und dafür haben wir unsere letzte Kugel verbraucht!" Ihre Fußkrallen spannten sich an und kratzten über die Betonfläche. Eine so lange Zeit warteten sie auf eine Gelegenheit wie diese. Und nun waren sie hier gestrandet.

Die Begleiterin griff ihr sanft an den Rücken. „Wir finden einen Weg. Wir wissen nur noch nicht, wohin er uns führt."

Nihko schnurrte mit einem neckischen Lächeln zu der Gefährtin hinab. „Wenn Yuhna vom Stamm der Orchiid das sagt." Sie richtete sich auf, um ihre Situation durchzudenken.

In diesem Moment zuckten beide von einem schockierenden Gefühl in ihrer Körpermitte zusammen. Sie blickten einander nur den Bruchteil einer Sekunde an. Jeder Muskel spannte sich vor ungewisser Aufregung. Sie gingen in die Knie und sprangen kurz nacheinander in Richtung des Ursprungs ihres Gespürs davon. Die Wucht des Absprungs war so heftig, dass die Oberfläche der Betondecke, begleitet von einem ohrenbetäubenden Knall, zentimetertief aufbrach. Die Zwei erreichten im Ansatz eine solch hohe Geschwindigkeit, dass ihre Körper für das bloße Auge nicht mehr zu erkennen waren.

Erst als sich ihre Bewegung durch die Schwerkraft und den Luftwiderstand verringerte, wurden sie wieder sichtbar. Gleich darauf stießen sie sich vom nächsten, kilometerweit entfernten Punkt ab. Diesmal wurden zwei Grasnaben von mehreren Quadratmetern Größe aus einer Wiese durch die Gegend geschleudert, als seien Granaten eingeschlagen. Auch dieses Mal wurde der Absprung von dem Geräusch des Durchbrechens der Schallmauer begleitet.

Sie sprangen Richtung Westen und holten damit den Sonnenstand dermaßen schnell ein, dass es wirkte, als sei die Sonne nicht im Begriff unter-, sondern aufzugehen. Binnen weniger Minuten erreichten sie die nordfranzösische Atlantikküste. An der Steilwand von Étretat kamen die beiden mit einem Krachen zum Stehen, so dass der Felsen unter ihnen erbebte. Sie blickten auf den von Sonnenstrahlen funkelnden Ärmelkanal hinaus, richteten die Blicke aber dann in den blauen Himmel. Ihr Puls stieg erst jetzt merklich an. Nicht von der Reise, sondern der Präsenz, die gegen ihre Stirn pochte. Und von einer immens ansteigenden Energie dort über ihnen.

In diesem Moment zerbarst ein mächtiger Donner die von einem bis dahin seichten Wind dominierte Ruhe. Hoch in der Luft, mehrere Kilometer von der Küste entfernt, flimmerte eine Insel zwischen Sichtbarkeit und Unsichtbarkeit. Sie zerfiel in tausende, gewaltige Bruchstücke und fiel vom Himmel herab.

Die Fremden gingen erneut in die Knie und stießen sich so stark ab, dass sich Risse in der Felswand bildeten, ein Stück des Vorsprungs abbrach und in die Brandung stürzte. Sie erreichten den ersten größeren Brocken eines Teils der Insel, sprangen von einem zum anderen und hangelten sich so immer weiter in die Höhe, zu dem Ursprung ihres Gefühls. Doch sie hatten die oberste Stelle noch nicht erklommen, da hielten sie mit einem Mal inne und verharrten auf einem der Gesteinsbrocken, von denen der Schutz der Unsichtbarkeit inzwischen gänzlich abgefallen war.

Nihko fluchte laut heraus, Yuhna weniger aggressiv als mehr enttäuscht in sich hinein. Das Gefühl war mit einem Mal weg.

„Es waren zwei! Diesmal ist auch der Nachhall ganz deutlich!", rief Nihko durch den Zugwind.

„Nihko! Dort unten!"

Nihko folgte dem Zeigen ihrer Gefährtin. Unter sich erkannte sie ein Kreuzfahrtschiff.

„Ich sehe darauf viele Bewohner dieser Welt", rief Yuhna.

Dass das Schiff durch die Trümmer gänzlich zerstört werden würde, brauchte sie nicht ergänzen. Im nächsten Moment sprangen beide mit hohem Druck und in einem solchen Winkel ab, dass der Brocken unter ihren Füßen weit aus seiner Falllinie geschleudert wurde. Auch die nächsten größeren Bruchstücke lenkten sie in dieser Weise auf ihrem eigenen Weg nach unten ab.

Sie erreichten die untere Linie an Trümmern, die nur noch wenige hundert Meter davon entfernt waren, den Stahlkoloss unter sich zu zerfetzen. Die beiden zerschmetterten die Steinbrocken mit mächtigen Fußtritten und Faustschlägen. Die weiten sichelförmigen Bewegungen ihrer Beine und die rasend schnellen Hiebe ihrer Pranken trafen dabei mit solch immenser Kraft auf das Gestein, dass es regelrecht pulverisiert wurde. Ein tonnenschwerer Regen aus Sandkörnern und Steinen, kaum größer als Hagelkörner, prasselte auf das Kreuzfahrtschiff ein, auf dem sich die Fahrgäste panisch versuchten ins Innere zu retten. Das Deck wurde von der Masse begraben, doch die Zerstörung war abgewendet. Zusammen mit den Überresten Andalons stürzten auch die beiden Wesen in die Wogen des Ozeans.

Kapitel 4 - Eingeständnis

„Wie geht es ihm? Schwebt er in Lebensgefahr?"

Der Rettungswagen war nur nach wenigen Minuten eingetroffen. Jemand musste schnell reagiert und den Notruf gewählt haben. Susan wäre im ersten Moment nicht in der Lage dazu gewesen. Der Schock schwelte noch immer in ihrem Kopf. Mit einem Tunnelblick war sie auf Mark zugelaufen, der regungslos auf dem Asphalt lag. Ein Passant hatte bereits seinen Puls ertastet und seine Atmung kontrolliert.

Die Rettungssanitäter hievten Mark auf die Trage und schoben ihn in den Wagen. „Das lässt sich erst nach der Untersuchung im Krankenhaus sagen. Seine Vitalzeichen sind aber stabil."

Während der eine Sanitäter die Platzwunde säuberte, schloss der andere die Flügeltüren hinter sich.

Marks bewusstlosen Körper nicht mehr vor Augen, wandelte sich Susans Sorge um ihn in Schuld. *Was hab ich bloß angestellt?*

Eine Polizeistreife traf ein. Die Beamtin ging zielstrebig auf die Seitentüre des Rettungswagens zu und klopfte daran, bevor sie sie öffnete und zustieg.

„Sie sind der Fahrer?", fragte ihr Kollege den augenscheinlich verzweifeltsten aller Anwesenden, der verhalten nickte. „Wer hat den Unfall sonst noch beobachtet?"

Susan war sich unsicher, ob sie herantreten sollte.

Der Ersthelfer und eine Frau meldeten sich. Was sie wohl aussagen würden? Bisher hatte keiner Notiz von Susan genommen. Dabei war sie nicht nur Zeugin. Sie hatte Mitschuld an dem Unfall. Sie war daran beteiligt. Doch niemand zeigte auf sie.

Die Polizistin stieg zusammen mit einem der Sanitäter aus. In der rechten Hand hielt sie einen Stift, in der linken einen Notizblock und offenbar Marks Ausweis.

Der Rettungswagen setzte sich in Bewegung.

Kleinlaut wandte sich Susan an die Beamtin: „Brauchen Sie mich auch? Ich kenne den Verletzten."

Die Beamtin blickte von ihrem Notizblock auf und schaute in Richtung ihres Kollegen, der die Aussagen aufnahm. „Zeugen haben wir, denke ich, genug, aber geben Sie mir Ihre Personalien, sollten wir noch mehr brauchen."

Mit trockener Kehle diktierte Susan ihren Namen, Adresse und Telefonnummer.

„Kann ich nach Hause gehen?" Sie blickte nicht nur zur Polizistin, sondern auch auf die Zeugen. Nach wie vor zeigte niemand auf sie und brachte sie mit dem Unfall in Verbindung. Sollte sie sich stellen? Was würde sie erwarten?

„Sicher. Wir haben alles, was wir brauchen."

Mit langsamen Schritten ging Susan davon. Sie erwartete, dass doch noch jemand rief: *Die da!* Aber ihr Zutun kümmerte niemand. Auch das Mädchen mit den schwarzen Haaren nicht, die eindeutig den Ruf gehört hatte. Doch dieses war wieder spurlos verschwunden.

Mehrere Straßen lagen bereits zwischen ihr und der Unfallstelle. *Was ist nur mit mir los? Ich verletze Menschen! Das ist keine Illusion! Das mit der Illusion ist doch nur Unsinn.*

Eine andere Erklärung musste her. Wie ließen sich die letzten unwirklichen, als auch die ihr unbekannten Wochen sonst noch begründen?

Susan betrat ihr Haus und war im Begriff, auf dem direkten Weg nach oben zu gehen. Sie hielt inne und blickte zur Wohnzimmertüre. Ihr Vater musste inzwischen von der Geschäftsreise zurück sein.

Im Schwimmbad hatte sie sich beim Blick auf die Wasserfälle bereits einen väterlichen Rat von Alexandreiji gewünscht. Sie stellte ihre Sporttasche neben der Treppe ab, ging zum Wohnzimmer und drückte die Türe auf.

James Conners lag auf der Couch, eine Zeitung über sich aufgefaltet und mit beiden Händen von sich gestreckt.

„Hi Dad. You're doin' well?", fragte Susan in seiner Muttersprache.

„Hello, sweetie. How are you?", begrüßte er seine Tochter, ohne von der Financial Times zu sehen.

Susan wuchs zweisprachig auf. Mit der deutschen Sprache kam ihr Vater zwar sehr gut zurecht. Er mochte es aber, wenn Susan mit ihm auf Englisch redete.

„I'm ok, I guess." Sie ließ sich auf einem der zwei Couchsessel nieder und schaute sich im Wohnzimmer um. Inas Klavier stand zwischen beiden Fenstern an der Südseite des Hauses. Susan sah sich als Kind darauf mit ihrer Mutter spielen. Ein Lächeln zog ihr ins Gesicht, das gleich wieder verschwand.

Ob Marks Eltern schon von dem Unfall erfahren haben? Sind sie vielleicht bereits im Krankenhaus bei ihm? Seine Mutter muss sich bestimmt unendliche Sorgen machen.

Ihr Blick richtete sich auf den ausgeschalteten Fernseher. Sie betrachtete ihr vages Spiegelbild auf der schwarzen Fläche. Sie rief sich den Beitrag im Mittagsmagazin ins Gedächtnis. Es fühlte sich inzwischen noch unwirklicher an, seitdem sie den Bericht gesehen hatte.

War das wirklich ich? Ihr Kopf schmerzte.

Nach etwa zwei Minuten des Schweigens, in der James einen Artikel zu Ende las, legte er die Zeitung weg und setzte sich auf. Es war ihm klar, dass er meist nur aufgesucht wurde, wenn seine Tochter etwas bedrückte.

„So. Tell me." Er lehnte sich auf dem Sofa zurück und blickte Susan erwartungsvoll an. Seine Stirn unter den Geheimratsecken und den leicht schütter werdenden dunkelbraunen Haaren runzelte sich. Er bemühte sich, mit einem Lächeln neutral zu wirken, doch Susan sah ihm an, dass er immer das Schlimmste befürchtete.

„I am wondering if it is possible to imagine something so hard that it seems to be real?"

Der zur Seite geneigte Kopf zeigte Susan, dass ihr Vater noch weitere Informationen benötigte.

„I have seen things lately that definitely can't be there: persons, actions. Or I can't remember things."

O Gott! Was mache ich hier eigentlich? Erst jetzt, als sie sich selbst reden hörte, erkannte sie, wie hirnrissig die Idee war, ihren Vater damit zu konfrontieren. Sie bettelte geradezu, in eine Psychiatrie eingewiesen zu werden. Oder klang es eher wie ein Geständnis, dass sie Drogen nahm?

Ihr Vater reagierte zu Susans Erleichterung sehr sachlich. „Maybe you are stressed? How are you doin' in school? Having difficulties?"

„Not more than common." Susan lächelte gezwungen. „But you think it could be stress?"

„Could be. At my work, for example, there was a very talented and dedicated colleague. He looked healthy and seemed happy, but then one day he died of a heart attack. It was assumed to be stress-induced. He was only 48 years old. Stress can be an insidious disease with symptoms hard to sense.

Would you like your mother or me talk to your teachers? Maybe we can figure out a solving together."

„That's very kind, Dad, thanks. But I don't want to get anyone other involved in that. Not yet. I want to try to solve it on my own for now. – Thank you."

Susan erhob sich mit einem ehrlichen Lächeln.

„You're welcome. But don't be frightened to come to me or your mother again. Okay?"

„Yes, Dad. Thanks." Susan drückte ihm einen Kuss auf die Wange. „I love you."

„Love you too, sweetie. Pay attention to yourself." Den Blick noch auf seine Tochter gerichtet, bis sie das Wohnzimmer verlassen hatte, falteten seine Hände bereits wieder die Zeitung auf.

Susan fühlte sich besser – und auch etwas erleichtert. Der Schulstress könnte also der Auslöser dafür sein? Dennoch. Das konnte doch nicht das mit Chris erklären. Oder?

Chris hatte es nie gegeben? Die drei Monate Beziehung reines Hirngespinst? Sogar so starke Gefühle konnte sie sich einbilden?

Ein Schlag traf Susan mitten in die Brust. Sie wollte nicht, dass Chris nur eine Fantasie war. Die Erinnerungen an ihn, mit ihm.

Ihre erste Verabredung, in der Pizzeria am Rathaus. *Ich war so nervös, ich bekam kaum ein Wort heraus. Die Speisekarte – ich hab ewig darin geblättert, aber hab nichts davon gelesen.* Susan schüttelte mit einem Lächeln den Kopf. Auch auf den Film im Kino danach hatte sie sich nicht konzentrieren können. *Die halbe Zeit habe ich überlegt, ob ich meine Hand auf seine legen soll.*

Susan atmete tief durch.

In ihrem Zimmer räumte sie die Sporttasche aus und hängte das Handtuch und den Schwimmanzug auf den Balkon zum Trocknen. Sie stützte sich mit den Händen auf das Geländer und blickte auf den Bergrücken. Dort hatte sich ihr erstes Trainingsgelände befunden. Sie konnte sich noch genau an die Versuche des Feuerbeschwörens und das Wettrennen mit Iris erinnern. Jeden Baum hatte sie vor Augen. Den Geruch des Waldbodens in der Nase. Vorher war sie noch nie an diesem Ort gewesen. Wieso hatte sie ihn aber dann so deutlich in Erinnerung, wenn das alles nur Einbildung war?

Irgendetwas ergab hier einfach keinen Sinn.

Susan kämpfte erneut gegen ihre Kopfschmerzen. Sie legte sich ins Bett und betrachtete die weiße Decke über sich. Wie auf eine Leinwand malte sie in Gedanken ihre unechten Erinnerungen darauf und heftete deutlichere Schnappschüsse wie Polaroid-Fotos daran. Die klarsten davon drehten sich alle um Chris. Auch der Schmerz, als sie geglaubt hatte, ihn an die Finsternis verloren zu haben.

Oh, oh. Keine gute Idee. Tränen schwellten aus dem Nichts heran. Sie überrannten Susan. Sie wusste nicht, ob es das Wiedererleben des damaligen Verlustes war, oder der augenblickliche.

Sie war so durcheinander. Was sollte sie denn nun glauben? Das Einzige, wovon sie überzeugt war, war die Liebe, die sie für Chris empfand. Sie vermisste ihn zutiefst.

Nach einer schlaflosen und tränenreichen Nacht stand Susan total übermüdet weit vor Besuchszeit im Foyer des Krankenhauses. An der Information und auf der Station wollte man ihr nichts über Marks Zustand anvertrauen. Sie sei keine berechtigte Person, aber könne ihn nach dem Frühstück besuchen.

Vom Eingang zur Station 3.2 aus beobachtete sie mit tiefen Augenringen die Zimmertüre. Zwei Gedanken rebellierten gegeneinander. Susan versuchte, sich selbst einzureden, dass der vorrangige Beweggrund des Besuchs der Erkundigung um Marks Genesung diente. Doch es war die Unsicherheit um Chris, die sie wach gehalten hatte. Sie wollte es noch nicht auf sich beruhen lassen. Sie *konnte* nicht. Nicht ehe der letzte Strohhalm gezogen war.

Die Frühstückswagen waren auch nach einer halben Stunde noch nicht in Sicht. Die Türe öffnete sich und ein Mann mittleren Alters im Morgenmantel trat heraus. Er ging an Susan vorbei und stieg in den Aufzug.

Susan konnte nicht länger warten. Sie schlich sich in den Stationsgang und betrat vorsichtig das Patientenzimmer.

Es befanden sich zwei Betten darin. Der hoch an der Wand angebrachte Fernseher lief. Das eine Bett am Fenster war leer, aber nicht gemacht. Aus dem anderen schauten Susan Marks braune Augen entgegen.

Susan atmete auf. Mark war bei Bewusstsein. Er saß mit aufgestellter Rückenlehne aufrecht und wollte sein Handy beiseitelegen, nahm es dann aber wieder in seinen Blick und beachtete Susan nicht weiter.

„Entschuldige." Susan trat mit einem gequälten Gesichtsausdruck ins Zimmer.

Mark blickte erneut auf und ließ das Handy sinken.

„Willst du zu ihm?", deutete Mark mit einem Drehen des einbandagierten Kopfes zum Bett zu seiner linken Seite. „Der ist gerade eine rauchen, glaub ich."

„Nein, ich wollte zu dir", meinte Susan überrascht.

Mark blickte sie zweifelnd an. „Verzeihung, kennen wir uns?"

Susans Brust schnürte sich zu.

„Ah. Ich hab dich schon ein paar Mal in der Schule gesehen. Bist du nicht eine oder zwei Klassen unter mir?", fragte Mark in zufriedener Erkenntnis.

Susans Eingeweide wanden sich schmerzvoll. „Ja, genau. Ich bin Susan. Es tut mir so leid, dass ich dir das angetan habe."

„Du? Hast du mich etwa vor das Auto gestoßen?", fragte Mark entsetzt.

„Nein!", schrie Susan auf und sprach kleinlaut weiter. „Nicht direkt."

Mark sah sie verständnislos an.

Nach einem kurzen Moment betretenen Schweigens sagte er schließlich: „Das letzte, woran ich mich erinnern kann, ist, dass ich zum Bäcker wollte. Die Polizei meinte, ich sei von einem Auto erfasst worden. Wie also spielst du da eine Rolle? Hast du mich etwa überfahren?"

„Nein, auch das nicht." Susan wandte den Blick ab. „Aber ich hab dich abgelenkt. Ich hab nach dir gerufen, und du hast dich umgedreht. Ansonsten hättest du es locker auf die andere Seite geschafft."

„Mhm." Mark verzog seine aufeinandergepressten Lippen. „Und wieso hast du mich gerufen?"

„Ich wollte dich sprechen. Wegen Chris. Du kennst doch Chris, oder?" Ihr Herzschlag stieg, ebenso wie ihre Hoffnung.

„Na klar kenn ich Chris. Ich geh mit ihm in dieselbe Klasse. Was soll die Frage?"

Susans müdes Gesicht erstrahlte. *Er kennt ihn!*

Mark lächelte verschmitzt. „Ah, ich verstehe. Du willst was von ihm."

„Ja, in gewisser Weise kann man das sagen", antwortete Susan vorsichtig. „Du kennst ihn also wirklich? Was genau weißt du von ihm?"

Mark sah Susan mit hochgezogenen Augenbrauen an. „Was ich von ihm weiß? Da wärst du bei Andi oder Michi an der besseren Adresse. Wobei ich bezweifle, dass man mit einem der beiden vernünftig über so was reden kann."

Mark lächelte, doch Susans Hoffnung erstarb. Ihr Herz schlug unregelmäßig.

„Du meinst den blonden Chris, aus Andi und Michis Clique?", fragte Susan mit zitternder Stimme.

Marks Lächeln war nun auch wie weggewischt. „Ja, du etwa nicht?"

Susans Knie wurden weich. Tränen stiegen in ihr auf. Sie zitterte. Es war ihr, als würde ihr Chris in diesem Moment endgültig aus der Brust gerissen.

„Ist dir nicht gut?", fragte Mark besorgt und richtete sich weiter auf.

Er war im Begriff aufzustehen, doch Susan winkte sofort ab.

„Es geht schon, bitte bleib liegen. Ich muss mich nur kurz hinsetzen."

Sie ließ sich auf einen an der Wand stehenden Stühle sinken und atmete tief durch.

Mark musterte sie sorgenvoll.

Susan wollte die Situation entspannen und auch sich selbst beruhigen. Sie fragte mit einem Lächeln nach Marks Eltern. „Das hat ihnen sicher einen gehörigen Schreck eingejagt."

Marks besorgter Gesichtsausdruck veränderte sich kaum, drehte sich aber von Susan weg. „Ich habe keine Eltern. Sie starben ironischerweise bei einem Autounfall."

Wie eine schallende Ohrfeige schlug Susan die Antwort ins Gesicht.

„Aber meine Oma war gestern hier."

Susans starrer Blick richtete sich beschämt auf ihre Füße. Chris hatte davon erzählt. Mark wohnte bei seiner Großmutter seit er zehn war. Susan wäre am liebsten im Boden versunken.

Jedes Wort, das ich sage – alles, was ich mache. Es wird nur noch schlimmer.

Sie sollte nichts mehr von sich geben. Das alles auf sich beruhen lassen, bevor noch Schlimmeres geschah.

Ich sollte gehen. Susan verabschiedete sich bei Mark und wünschte gute Besserung. „Es tut mir wirklich leid."

„Ist ja noch mal gut gegangen. Heute oder morgen bin ich wieder draußen."

Susan erwiderte sein beschwichtigendes Lächeln und verließ das Zimmer auf wackeligen Beinen. Sie blieb noch einen Moment hinter der Türe stehen und lehnte sich an die Wand. Ein tief kratzender Schmerz zerfetzte ihr Herz.

Ich muss hier raus. Tränen trübten Susans Blick. Sie schlängelte sich durch die Frühstückswagen hindurch, tastete sich den Treppenaufgang hinunter, huschte durch das Foyer und trat an die frische Luft unter einem trüben Vormittagshimmel. Sie atmete tief ein, während ihre Gedanken weiter um Chris kreisen wollten. Doch Susan musste einen Schlussstrich ziehen. Sie musste sich eingestehen, dass diese fantastischen Ereignisse nie stattgefunden hatten. Dass Chris nie existierte. Warum auch immer. Sie konnte es sich nicht erklären.

Jeder Schritt nach Hause schmerzte. Nicht an ihren Füßen, sondern in ihrer Brust und ihrem Kopf. Auf dem Weg warf sie eine Erinnerung nach der anderen über Bord. Ihr Herz füllte mehr und mehr eine brennende Leere.

Wieso nur? Wieso? Schluchzend und total übermüdet sperrte Susan die Haustüre auf. Stille erfüllte das Haus. Die Küche war leer und kein Fernseher war aus dem Wohnzimmer zu vernehmen. Ihre Eltern waren vielleicht zum Brunch eingeladen worden. Sollte sie ihre Mutter anrufen? Oder Tina? Sie sollte wirklich mit jemandem darüber reden. Es war ihr einfach zu viel. Irgendwas zehrte an ihr. Sie konnte dem nicht alleine standhalten. Aber sie war auch zu müde.

Eine Stunde Schlaf. Dann war auch sicher ihre Mutter zurück.

Susan steuerte nach oben ins Bett. Mit jeder Stufe, die sie erklomm, wurden ihre Augenlider schwerer.

Doch Moment.

Susan verharrte auf der obersten Stufe und hielt sich am Geländer fest. Etwas kam ihr in den Sinn. Aus der tiefsten Ecke ihrer Erinnerungen.

Die drei Scheißkerle – in der dunklen Gasse.

Kapitel 5 - Gewissheit

Susans Puls raste von einem Moment auf den anderen.

Am liebsten hätte sie diese Erinnerung gleich wieder vergraben. Zusammen mit den Arschlöchern selbst. Aber gab sie vielleicht die Erklärung? *War der Überfall der Auslöser zu alledem?*

Jetzt gab es kein zurück. Sie brauchte Klarheit – Gewissheit. Und sie wusste, wie sie sich diese verschaffen konnte.

Sollte ihre rot-schwarz getigerte Handtasche am Kleiderhaken hinter der Zimmertüre hängen, dann war jener Abend nie geschehen.

Hängt dort aber die alte weiße, die sie aus dem Schrank geholt hatte, nachdem sie die rot-schwarze zusammen mit dem Kleid im Hausmüll entsorgt hatte … *Nein. Halt.* Es gab einen eindeutigeren Beweis. „Das Kleid im Müll!"

Susan machte kehrt und lief die Treppe hinab, verließ das Haus und betrat die Garage. An der Wand stand die Mülltonne.

Susan atmete einmal tief ein, öffnete den Deckel und blickte auf den Boden des Behälters.

Er war vollkommen leer.

„Mist!" Die Müllabfuhr musste diese Woche da gewesen sein.

Susan runzelte die Stirn. Sie brachte sonst nie den Müll raus. Das machte schon immer ihre Mutter. Aber wieso erinnerte sie sich so genau, hier gestanden zu haben?

Der Deckel der Plastiktonne fiel zu und Susan stürmte zurück ins Haus. *Die Tasche. Hängt die weiße Tasche am Haken, dann ist es wahr.*

Sie nahm zwei Stufen mit einem Schritt nach oben in den ersten Stock. *Wenn die weiße Tasche dort hängt, dann waren Chris, Iris, die Wächter keine stressbedingte Reaktion, sondern etwas anderes. Ich versuche, es zu verdrängen. Die Gasse. Die Scheißkerle. Das ist der Grund.*

Susan riss die Zimmertüre auf, trat ein und war im Begriff, sie wieder zuzuschlagen. Doch bevor ihr Blick den Kleiderhaken erfasste, hörte sie eine vertraute Stimme: „Da bist du ja endlich!"

Susan sprang vor Schreck rückwärts gegen die zufallende Türe und schlug mit dem Hinterkopf hart am Rahmen an. Sie zuckte vor Schmerz zusammen und schrie auf, während die rechte Hand an die geprellte Stelle fasste.

„Tut mir leid", vernahm Susan erneut Iris' Stimme. „Ich hätte dich dezenter begrüßen sollen, aber ich muss dich dringend sprechen."

Susan blickte mit verzerrtem Gesicht um sich.

Sie sah niemanden, von dem die Stimme herrühren könnte.

Nachdem Iris kein Wort von Susan vernahm, fragte sie nach: „Geht's dir gut?"

Doch anstatt zu antworten, kauerte sich Susan zusammen und drückte die Hände auf die Ohren.

„Das ist nicht real. Da ist gar keine Stimme. Das ist nur der Stress. Nein, nicht der Stress, sondern …"

Susan drehte den Kopf langsam zur Seite und nach oben. Bevor sie den Kleiderhaken in ihr Blickfeld bekam, sprach Iris weiter auf sie ein. „Was faselst du da? Susan. Ich bin wirklich da. Ich bin nur unsichtbar."

Susans Blick richtete sich auf die vermeintliche Quelle der Stimme und fragte mit zitternder Stimme: „Wieso solltest du unsichtbar sein? Mach dich doch sichtbar."

„Das kann ich leider nicht."

„Dann beweis mir, dass du wirklich da bist. Gib mir die Wasserflasche vom Schreibtisch."

„Das kann ich leider auch nicht. Normalerweise sollte ich tot sein …"

„Nein!", unterbrach Susan laut. „Dich sollte es gar nicht geben. Du hast noch nie existiert!"

Iris war für einen Moment sprachlos. „Susan! Was sagst du da?"

„Ihr alle habt nie existiert. Chris, Ivan, Kronos, die Herrscherin, die Narach – Du!" Susan hockte mit nach unten gerichtetem Blick schluchzend am Boden. Ihre Augen wurden feucht.

„Susan! Hör mir zu!", sprach Iris energisch auf das zusammengekauerte Elend ein. „Das stimmt nicht. Ich bin real und auch alles andere ist wahr."

„Dass du in den Ruinen von Andalon gestorben bist? Das ist wahr?"

Tränen liefen von Susans Wangen, als sie den nassen Blick wieder auf den Ursprung der Stimme vor ihr richtete.

Iris war erneut für einen kurzen Moment sprachlos.

„Schau auf den Kalender", wies Susan sie an und zeigte darauf. „Die letzten drei Wochen sind nie geschehen. – Doch, sind sie. Aber nicht so, wie ich es weiß. – Und der Spiegel ist auch noch ganz." Susan bemerkte erst jetzt den langen Wandspiegel neben sich hängen, der bei Iris' erster Vorstellung zu Bruch gegangen war.

„Das alles ist schwierig zu erklären und wohl noch schwieriger zu verstehen."

„Ich verstehe es inzwischen gut genug. Dich gibt es nur in meinem Kopf", blockte Susan heulend ab. „Bitte geh. Ich brauch dich nicht."

„Mich brauchen?", fragte Iris besorgt. „Wozu brauchen? Susan, ich bin hier, weil die Menschheit vor einer erneuten Bedrohung steht. Andalon wurde bereits zerstört und …"

„Hör auf, hör auf, hör auf!", unterbrach Susan mit steigender Stimmgewalt.

Doch Iris ließ sich nur für einen kurzen Moment unterbrechen und sprach bestimmt auf Susan ein: „Susan. Sei vernünftig. Du musst mir helfen, die anderen Wächter zu sammeln."

Susan nahm den Kopf zwischen die Knie und schloss die Augen.

„Bitte nicht, bitte nicht, bitte nicht", flüsterte sie vor sich hin, während sie vor und zurück wippte. *Mein Geist versucht, mich vor der Erinnerung zu schützen. Mit noch fantastischeren Geschichten.*

Iris fuhr mit lauterer Stimme fort: „Ich habe die Herrscherin gesehen. Zumindest glaube ich, sie von Celes' Erzählungen erkannt zu haben. Sie war es bestimmt. Sie hat überlebt. Und sie war in Begleitung einer weiteren Person. Diese allein hat Andalon mit nur einer einzigen Bewegung in tausend Teile gespalten."

„Nein!", schrie Susan und sprang auf.

Sie wollte sich damit aus dem Käfig befreien, der ihren Geist Strebe um Strebe mit weiteren bizarren Details beengte. Doch es gelang nicht.

Susan hörte Iris weiter sprechen, aber Susan nahm den Inhalt nicht mehr wahr. Sie konnte einfach nicht mehr. Sie war am Ende. Sie fühlte sich in dieser unwirklichen Welt gefangen. In ihrem Körper eingeschlossen und ihr Geist von dieser Stimme in eine Ecke gedrängt.

Ein anderer Ausweg kam ihr in den Sinn. Sie eilte zu ihrem Schreibtisch und zog nacheinander alle Schubladen heraus. Ihr Blick fiel auf eine Bastelschere, wandte sich aber wieder ab.

Susan verließ das Zimmer und ging schnell in das benachbarte Badezimmer, begleitet von Iris' Stimme. Ihre Hände wühlten hektisch durch die Schrankregale, wobei der meiste

Inhalt herausfiel und auf den Fliesenboden aufschlug. Sie fand nur ein paar Schmerztabletten, ließ diese aber nach kurzer Betrachtung liegen. *Irgendwas muss ich doch haben.* Ihr verwaschener Blick erfasste in der Duschkabine ihren Nassrasierer. Susan machte einen Schritt darauf zu, blieb dann aber stehen.

Iris' Stimme war immer noch dumpf zu hören, aufgebracht fragend und bittend.

Susans Kopf war plötzlich seltsam klar. Sie wusste, wie sie ausbrechen konnte. Mit *was* sie entkommen würde. Der Ausweg, die Zweifel zu beseitigen. Die Stimme zum Schweigen zu bringen.

Sie verließ das Badezimmer schnellen Schrittes und ging die Treppe nach unten. Iris folgte, immer noch bemüht, zu Susan durchzudringen. Susan betrat die Küche und schlug die Türe hinter sich zu, doch die Stimme kam ungehindert hindurch. Mit einem Tunnelblick begab Susan sich zu einer bestimmten Schublade und zog diese auf. Sie nahm eines von drei scharfen Filetiermessern heraus, an denen sie sich als Kind schon einmal übel in den Finger geschnitten hatte.

Das Messer in ihrer rechten Hand drehte sich Susan entschlossen herum.

„Was hast du mit dem Messer vor?", fragte Iris entsetzt.

„Ich werde es beenden", entgegnete Susan. „Ich *muss* es beenden."

Sie hatte aufgehört zu weinen. Ihre weit aufgerissenen Augen blickten leer in den Raum.

Iris missverstand. „Du kannst mich nicht verletzten. Ich bin im Grunde genommen nur eine Stimme ohne Körper."

Susan legte die Klinge an die Innenseite ihres linken Handgelenks, worauf Iris schockiert aufschrie: „Was machst du da?!"

„Es geht nicht anders. Ich muss es tun", sagte Susan nicht zu Iris, sondern zu sich selbst.

„Wieso?! – Susan! Es ist alles wahr!"

„Ja. Es ist wahr: Ich wurde vergewaltigt!"

„Susan! Nein!", erwiderte Iris sofort. „Das fand niemals statt, nicht einmal der Versuch. Du warst an diesem Abend nicht mal in der Nähe der Gasse."

Susans Augen weiteten sich.

Sie ließ das Messer samt linkem Arm sinken.

„Das fand in einer anderen Realität statt, die *du* neu erschaffen hast."

Susan schüttele den Kopf mit einem verzogenen Lächeln. *Noch mehr Verdrängung. Noch mehr Ausreden. Noch unglaublichere Geschichten, um die einzig wirkliche Wahrheit von mir fern zu halten.*

„Ich wurde also gar nicht überfallen?", fragte Susan leise und monoton.

„Nein, ich konnte verhindern, dass du den Kerlen begegnest."

Susan unterbrach sofort mit lauter Stimme: „Wie kannst du etwas verhindern, wenn du nicht einmal eine Flasche berühren kannst?!"

„Susan", versuchte Iris, sie ein weiteres Mal zu beruhigen.

Aber Susan ließ sich nicht mehr beschwichtigen, nicht länger täuschen. Sie war sich sicher. Sie hatte jetzt die Kontrolle.

„Wenn du etwas verhindern willst, dann verhindere *das*!"

Mit verkrampftem Gesicht nahm sie den linken Arm nach vorne und setzte die Klinge am inneren Handgelenk an. Das kalte Metall glitt mit einem Brennen in ihre Haut.

Iris schrie auf.

Je tiefer das Messer schnitt, desto mehr Erleichterung durchdrang Susans Körper. Eine Last fiel von ihr. Sie fühlte sich, als würde sie schweben.

Iris' entsetzte Schreie drangen mit jedem Moment weniger zu ihr durch. Susan starrte seltsam fasziniert auf die rote Flüssigkeit, die aus ihrem Unterarm pulsierte und sich lautlos über den Boden ergoss. Sie legte das Messer aus der rechten Hand in ihre nasse rote und öffnete mit einem langsamen Schnitt die Pulsadern am rechten Handgelenk.

Die Küchentüre flog auf. Susan nahm den Blick nach oben und ließ das Messer fallen. Sie starrte in das entsetzte Gesicht ihrer Mutter. Ihr Vater stand hinter ihr im Türrahmen. Beide blickten auf ihre in Tränen aufgelöste Tochter mit offenen Handgelenken an die Küchenzeile gelehnt. James wandte sich sofort ab, um das Telefon zu holen. Ina stand wie versteinert da.

Ein stechendes Gefühl von Schuld zerfetzte Susans Brust. Ihre Mutter sollte sie nicht so sehen. „Mum – Ich …"

„Tun Sie doch was!", schrie Iris Susans Mutter an, die den Kopf überrascht in Richtung des Schreies wandte.

Ohne die körperlose Stimme weiter zu beachten, schaute Ina wieder auf ihre blasser werdende Tochter.

„Es tut mir so schrecklich leid, Mum", brachte Susan leise hervor. Ihr Hals war trocken. Ihre Knie zitterten.

Was habe ich ihr nur angetan? Erneute Tränen ergossen sich über ihre Wangen.

Schwindel zog durch ihren Kopf. Angst überkam sie in den letzten Momenten, bevor alles Schwarz um sie herum wurde.

Kapitel 6 - Fuchsrot

„Hey! Haidenjunge!"

Fox schreckte aus seinem Schlaf auf. Er fand gleich darauf das Gesicht des tattrigen Händlers, auf dessen Karren er die letzten Stunden eine Mitfahrgelegenheit gefunden hatte.

„Was ist?" Er rieb sich rasch den Schlaf aus den Augen. Er hätte nicht gedacht, dass das unruhige Schaukeln des einachsigen Pferdegespanns ihn überhaupt dazu hatte verleiten können, einzuschlafen. Doch die letzten Tage zu Fuß hatten ihren Tribut gefordert.

„Wir sind da. Also fort mit dir."

Wo sind ...? Fox war mit einem Mal hellwach. Er sprang mit weit aufgerissenen Augen von der Pritsche und blickte sich hastig um. Eine halbe Stunde Fußmarsch waren sie etwa noch entfernt, doch die strahlende Burg auf der Anhöhe wäre schon dreimal so lang unübersehbar gewesen. Obwohl erst vor wenigen Jahren fertiggestellt, zogen bereits Legenden davon über Britannien hinaus. Weniger um das Gemäuer selbst, als vielmehr um dessen Herrn und seine Heldentaten. Befreier und Einer der britischen Völker, Sieger über die Invasoren aus dem Osten und Bündnisschmieder mit dem Norden – der neugekrönte Großkönig von England.

Zu seinen Ehren sollte hier am Fuße des Burghügels ein großes Turnier veranstaltet werden. Ritter, Vasallen und freie Kämpfer über die Landesgrenzen hinaus sollten ihre Teilnahme angekündigt haben. Viel Publikum war zu erwarten, darunter auch einige Adelshäuser, was wiederum viele Händler anlockte.

Der rechteckige Grundriss des Turnierplatzes war erst grob abgesteckt und kaum zu erahnen. Der Markt, durch den die neu geschotterte Straße zwischen Turnierplatz und Burg führte, nahm eine deutlich größere Fläche ein und war dagegen nahezu fertig aufgebaut. Die Stände an der Straße entlang mussten bereits vor Tagen errichtet worden sein. Das Angebot von Äpfeln, Birnen, Pflaumen und sogar Zitronen war ordentlich und fast schon künstlerisch zu kleinen Hügeln angehäuft oder fein säuberlich aneinandergereiht. In kleinen Gehegen um das Gelände grasten Ziegen und pickten Hühner. Dazwischen errichteten weitere, später eingetroffene Händler ihre Tische unter gespannten Laken, zu denen kleinere und wild verlaufende Seitengassen führten.

Fox sah den unzufriedenen Gesichtszügen seines Kutschers an, dass er mit seinen Rüben irgendwo dort einen Platz finden musste.

„Lahmer Klepper", beschimpfte er den alten Schimmel, tätschelte ihm aber liebevoll den Hals und setzte sich an seiner Seite zu Fuß in Bewegung.

Fox bedankte sich für die Fahrt. „Braucht Ihr Hilfe bei Aufbau?"

Ohne sich umzuwenden, winkte der Händler ab. „Ich habe keine Bezahlung für deine Dienste übrig."

Fox' Magen grummelte. Seine letzte Mahlzeit waren Wurzeln und Beeren vor zwei Tagen gewesen. Er musste rasch Arbeit finden. Am besten bei einem Obst- oder Gemüsehändler. Ein Apfel war schneller verdient, als der Heller dazu.

Aber auch er war zu spät. Die meisten Standbetreiber hatten bereits einen Lakaien, die anderen hatten keinen nötig. Doch er suchte weiter. Immer wieder kam ein neuer Nachzügler an, oder ein Viehhalter benötigte doch noch einen Tagelöhner zum Füttern oder Bewachen des Getiers. An Fleisch zu kommen, brauchte er nicht hoffen. Aber oft genug waren im Tierfutter noch halbwegs unverdorbene Früchte zu finden, die sich zwar nicht mehr zum Verkauf oder Tauschhandel eigneten, aber um einen hungrigen Jungen zu sättigen, reichten sie.

Mehrere Stunden fragte sich Fox die trockene Kehle wund und begegnete dabei hin und wieder Gleichgesinnten, eifrig auf der Suche nach Arbeit. Die meisten hatten ein trauriges Lächeln für ihn übrig, manche nur einen konkurrenzbewussten, abfälligen Blick.

Fox bemühte sich dennoch, ihnen mit einem möglichst wohlwollenden Gesicht zu begegnen. *Möge der Bessere gewinnen.* Dabei war Fox alles andere als zum Spielen oder Messen zumute. Das hier hatte bei weitem nichts mit einem Spiel zu tun.

Drei Jahre hatte es erfordert, die profitabelste Art und Weise für sich zu finden, an Nahrung zu kommen. Trockenheit und Missernten hatten ihn damals überhaupt erst auf die Insel getrieben. – Neben der anderen Sache natürlich.

Auf den festen Marktplätzen der größeren Städte wie Londinium oder Colchester war es schwer, an regelmäßige Arbeit zu kommen. Die meisten Händler und Fischer hatten ihre festen Vertrauten und Geschäftspartner, oder betrieben ihren Stand mit der Familie. Man musste zur richtigen Zeit am richtigen Ort sein, um zufällig Zeuge davon zu werden, wie ein Schicksalsschlag für eine freie Stelle sorgte, oder wenn die Gier zum Vorenthalten von Münzen verleitete.

Dagegen waren Turniere und Feste zu adeligen Hochzeiten immer ein Garant zum Finden von Gelegenheitsarbeit – sofern man frühzeitig vor Ort war. Sie zogen regelmäßig alleinfahrende Händler und Bauern aus der weiteren Umgebung an.

In einer neueren Seitengasse traf Fox wieder auf den Rübenhändler. Mit einem Lächeln trat er auf den Mann zu.

„Junge. Was willst du schon wieder hier? Ich habe keine Arbeit für dich."

„Zum Aufbauen brauchen Sie keine Hilfe, Sie haben gesagt. Aber Nacht bricht an. Wollen den Stand die ganze Nacht selbst bewachen? Ich kann helfen. Nur für ein paar Stunden. Sie können ruhig schlafen. Ich passe auf."

Der Mann stellte für einen kurzen Moment das Umsortieren seiner Auslage ein, und starrte mit leerem Blick darauf.

Fox hielt den Atem an. *Er überlegt. Er sagt ja!*

Doch er schüttelte den Kopf. „Geh weiter. Ich kann mir keine Hilfe leisten."

Mh, Mist! Fox konzentrierte sich, sein freundliches Lächeln zu halten, obwohl der Dämpfer ein Loch in seine Zuversicht hineinriss. Gleich neben das Loch in seinem Magen. Er rieb sich den krampfenden Bauch und wandte sich an den nächsten Händler.

Von Minute zu Minute brach die Dämmerung tiefer in die Gassen des Marktes. Fox traf nur noch auf mit grob gewebten Leinendecken verhangene Stände, hinter denen sich die Besitzer inmitten ihrer Ware zur Nacht betteten. Nur an den größeren Gabelungen von der Hauptstraße aus schürten Gehilfen im Dienste der patrouillierenden Schlosswachen Feuerschalen, die ihr Licht zumindest noch einige Meter in das Labyrinth an Gassen warfen.

Fox presste die Lippen aufeinander. *Feuerschürer. Auf diese Idee bin ich nicht gekommen.*

Sie hatten bestimmt schon genug, aber Fox musste es am nächsten Tag unbedingt auch versuchen. Jetzt im Dunkeln eine Wache anzusprechen, unterließ er lieber. Und weiter durch die Gassen zu lungern war auch keine gute Idee. Ein Nachtlager musste her.

Fox erinnerte sich, dass die Stallungen am Turnierplatz bereits standen. Solange sie noch nicht besetzt waren, sollte es kein Problem sein, dort unterzukommen.

Sein Magen grummelte. *Tut mir leid. Heute leider nicht.*

Fox kämpfte gegen seine Verzweiflung und setzte seine noch anhaltende Hoffnung auf den morgigen Tag. Vielleicht sollte er auch direkt im Schloss nach Arbeit fragen. Auch innerhalb der Mauern bereitete man sich bestimmt für das Großereignis vor.

Fox erreichte die zwei gegenüberliegenden Reihen an Stallungen. Gleichaltrige Stimmen, als auch deutlich jüngere aus den Holzverschlägen verrieten, dass er nicht alleine mit der Idee war, windgeschützt auf frischem Stroh zu nächtigen.

Er trat an einen der an drei Seiten mit Holz verschalten Unterstände und fragte in den dunklen Schatten hinein: „Habt ihr Platz für mich?"

Mehrere Augenpaare funkelten aus dem Nest.

„Sei mein Gast", entgegnete ein Junge mit verhaltenem Schmunzeln in der Stimme. Er schlug mit seiner Hand auf das Stroh neben sich.

„Danke." Fox schritt vorsichtig hinein, ließ sich nieder und zog die schmerzenden Beine näher an den Körper heran. Er blickte um sich und machte die Umrisse von einem knappen Dutzend Kinder aus. Ein jüngeres Kind hatte Spaß dabei, seinen vermutlich großen Bruder mit dem frischen Stroh zu bewerfen, der es über sich ergehen ließ. Auch zwei älter wirkende Burschen lagen stumm etwas weiter von Fox entfernt.

„Konntest du auch bei niemandem unterkommen?", fragte ein Mädchen zwei Meter neben ihm. Ihr helles Haar war ähnlich struppig, wie der Haufen aus Stroh, auf dem sie lag. „Nein. Ich bin seit heute erst hier."

„Woher kommst du?", fragte ein Junge an der Rückwand. „Du stammst nicht aus Britannien, nicht wahr?"

„Hab dich heute schon rumlaufen sehen", meinte eine weitere Stimme schroff. „Du bist der Junge mit den roten Haaren."

Fox spürte ein Klemmen in seiner Brust. „Ja, wieso?"

„Da hast du es nochmal schwerer."

„Viele der Saxen haben rote Haare, und die Nordmänner auch", meinte das Mädchen. „Du bist doch kein Saxe, oder?"

Die Enge in Fox' Brust nahm zu. Sein Magen krampfte. Dabei konnte Fox nicht mehr bestimmen, ob aufgrund des anhaltenden Hungers, oder dieser Frage.

Im Grunde genommen war er das schon. Er gehörte zu den Siedlern, die noch auf Einladung Vortigerns friedlich vom germanischen Festland hierher übersetzten. Aber er hatte nichts mit dem Aufstand und dem Krieg zu tun.

Er brauchte zu lange für eine Antwort.

„Lass das bloß keinen wissen", riet ein anderer Junge. „Gerade nicht während des Turniers, wenn die ganzen Kämpfer besoffen durch die Gegend ziehen."

„Hier, die solltest du tragen." Das Mädchen warf ihm etwas zu. „Ich leih sie dir." Fox betastete die aus alter Wolle grob gestrickte Mütze in seinem Schoß. „Versteck deine Haare darunter und setz sie lieber nie mehr ab."

Eine andere Art Unwohlsein als der stechende Hunger in seinem Bauch überkam ihn. Aber auch eine kameradschaftliche Wärme löste die Beklommenheit in seiner Brust. „Danke."

Er befühlte die Mütze noch länger mit den Fingern. Was für ein tolles Gefühl es war, ein neues Kleidungsstück in Händen zu halten. Auch wenn nur geborgt, hatte es etwas Wohliges an sich.

Dabei habe ich vor wenigen Wochen noch mehrmals am Tag die Kleidung gewechselt. Frische, unverschlissene, wohl duftende Hemden.

Wie schnell er sich an diesen Luxus gewöhnt hatte. Das Gefühl des feinen Stoffs auf der täglich geduschten Haut.

Umso schmerzlicher war die Rückkehr in seine immer gleichen, mehrere Jahre alten Kleider aus grobem Leinen und Walk.

Bevor Fox die Mütze aufsetzte, nahm er die Leihgabe an seine Nase und atmete tief ein. Ein süßer Schweißgeruch hing in der Wolle. Keine Spur von Lavendel oder Kamille. Dennoch eine Wohltat, nicht ständig nur sich selbst riechen zu müssen.

„Danke", wiederholte Fox.

Kapitel 7 - Fuchsrot 2

Zwei Tage vergingen, ohne dass Fox zu bezahlter Arbeit kam. In das Schloss kam er nicht einmal hinein. Aber Leyla und Theo hatten Glück.

Leyla kam bei einer Stoffhändlerin unter. Deren Gehilfe verschwand von einem auf den nächsten Tag spurlos. Nichts Ungewöhnliches in diesen Tagen. Ob er eine andere, bessere Arbeit gefunden, aber der Händlerin nicht Bescheid gegeben hatte, oder ob er verschollen blieb, interessierte weder Händler, noch Wachen, solange keine Leiche auftauchte.

Theo heuerte bei einem Rüstungsschmied an, der im Dienste eines Lords aus dem Süden stand, dessen Söhne am Turnier teilnahmen. Sein Lehrling verletzte sich beim Abladen des Ambosses vom Pferdegespann. Ein Glücksfall für Theo. Er war ein kräftiger Bursche. Auch ohne Schmiedeerfahrung war er als Aushilfe sehr willkommen.

Auch wenn beide nicht viel als Gegenleistung für ihre Arbeit erhielten, gaben sie Fox aus ihrer spärlichen Ration einen halben Apfel und einen Klumpen Brot ab.

Fox hatte es schon fast aufgegeben, selbst Arbeit zu finden. Die Stände abzulaufen sparte er sich. Es kostete zu viel Kraft.

Vielleicht in zwei Tagen, wenn es an den Abbau ging. Möglicherweise ließen sich ein paar nicht verkaufte, verderbliche Stücke abgreifen.

Dennoch schlenderte er durch die Gassen. Er wusste nicht wieso. Hoffte er, durch Zufall noch an einen verzweifelten Händler zu geraten? Was sollte er auch stattdessen machen?

Ging das früher denn nicht einfacher? Oder verließ ihn zu früh der Mut? *Wenn ich doch einfach zurück zu Susan könn-*

te. Wie schön und einfach doch ihre Zeit war. Dort hatte er ein eigenes Bett mit kuschliger Matratze, Seife, Wasser im Zimmer und eine Toilette nebenan. Doch das war alles nur geborgt. Susan kam dafür auf. Zumindest für das meiste. Was er wohl in Susans Zeit dafür tun müsste, um selbst für das alles zu sorgen? Die vielen Annehmlichkeiten konnten nicht billig sein. Besonders nicht die Kleidung. Fox hatte nur widerwillig die neuen Hosen und Hemden getragen, die Iris des Nachts aus Kaufhäusern herangeschafft hatte. Sie sagte, er solle es als Gegenleistung der Menschen sehen, für den Versuch, die Welt zu retten. Aber jetzt? Welche Gegenleistung könnte er schon erbringen, um sich diesen Lebensstandard zu verdienen?

In schwelgenden Gedanken an die Vorzüge von Susans Zeit ging er weiter an verschiedenen Auslagen an Obst vorbei. Dabei betrachtete er sie zum ersten Mal genauer. Äpfel und Birnen waren nichts Besonderes. Doch fand er darunter auch Melonen. Klein, im Vergleich zu denen auf dem Frühstücksbüfett in der Jugendherberge.

Seitdem sich die Römer zurückgezogen hatten, waren solch exotische Früchte aus den südlichen Kolonien selten geworden – und damit auch kaum bezahlbar. Fox erwartete daher, dass dieser Stand besonders gut vom Händler oder seinen Aufpassern beäugt wurde. Doch der Händler selbst war gerade in ein Gespräch mit einem adelig wirkenden Interessenten vertieft. Der Lakai an der Rückwand hatte dagegen nur Augen für die Tochter des benachbarten Händlers. Beide lächelten einander im Wechsel zu.

Fox' Puls stieg. Er erinnerte sich an den Geschmack seines ersten vorsichtigen Bisses in eine Spalte Zuckermelone. Oder seine erste Orange. So ungewöhnlich süß, doch mit einer bitteren Note durch die weiße Haut. Stephanie hatte ihm zeigen müssen, wie man sie überhaupt aß. Die Schale abzumachen verstand er zwar, doch dann biss er auch schon zu. –

Was für eine Sauerei. Fox hatte das Gelächter und das belustigte Kopfschütteln der Wächter um ihn herum noch in den Ohren. Er lächelte bei dieser Erinnerung.

Fox bemerkte, wie ihm das Wasser im Mund zusammenlief. Sein Magen grollte. Das Lächeln schwand aus seinem Gesicht. Fox' Augen wechselten hastig zwischen dem Händler und dem liebestollen Jungen hin und her. Er erfasste auch die umliegenden Stände, doch deren Besitzer konzentrierten sich allein auf ihre eigenen Auslagen und die Kunden vor ihnen.

Fox' Herz hämmerte mit jedem Schlag stärker durch seine Brust. Seine Muskeln spannten sich an. Seine Augen erfassten die am besten greifbare Melone. Er sah sie schon in seinen Fingern.

Nein!, schrie Fox sich selbst entgegen. *Lass das.*

Er drehte sich möglichst unauffällig von der Versuchung weg und streckte die offenen Handflächen parallel zum Körper. *Keine raschen Bewegungen. Ich habe nichts gemacht.*

Fox hielt den Atem an. Er sah sich auf der anderen Seite der Gasse einem gleichaltrigen Jungen gegenüber, der ihn genüsslich beobachtete und dabei eine Traube nach der anderen in den Mund steckte.

Er hat mich gesehen. – Ich hab nichts gemacht!

Mit kauendem Lächeln schritt der Junge auf Fox zu. Er spuckte zwei Kerne zur Seite und warf Fox in einem hohen Bogen eine der Trauben zu. „Hier. Du siehst hungrig aus."

Fox fing die Traube mit zwei Händen auf und nahm den Jungen näher in Augenschein. Er musste neu hier sein. Seine mittellangen braunen Haare waren streng nach hinten gekämmt. Die Furchen waren klar zu erkennen, als hätte er Schmalz benutzt, um die Spuren des Kamms zu fixieren.

„Danke." Fox beäugte die grüne Traube kurz und steckte sie sich in den Mund. Er genoss das Aufplatzen der Haut und das fruchtige Wasser.

Eine weitere Traube kam ihm entgegengeflogen. „Wieso hast du die Melone nicht genommen?"

Fox blickte den Jungen entsetzt an. „Psch!"

Der Junge grinste breit.

„Weil das Stehlen ist, natürlich", flüsterte Fox zurück und zog den Jungen mit sich weg.

„Und das ist schlimm? Verhungerst du lieber?"

Fox nahm die zweite Traube in den Mund. „Nein, aber das ist falsch. Und gegen das Gesetz."

„Aber zum Essen brauchst du was. Und ohne Geld oder Arbeit wirst du hier sterben."

„Ja, aber …"

„Woher glaubst du, hab ich die Trauben?" Der Junge bot ihm eine weitere an. Fox blickte ihn mit großen Augen an, während er die Reste der zweiten hinunterschluckte.

„Sehe ich danach aus, als hätte ich Geld dafür oder bin hier als Samariter unterwegs, dass ich mit Essen um mich werfe?"

„Du willst von mir eine Gegenleistung?"

„Aber nein." Der Junge winkte belustigt ab. „Ich spiele nur gern. – Mein Name ist übrigens Puck."

„Fox. Stehlen ist aber ein gefährliches Spiel."

Puck lachte auf. „Nicht das Stehlen ist das Spiel. Du wirst schon noch sehen. Es hat gerade erst begonnen. – Bis bald, Fox. Ein witziger Name, übrigens."

Puck lief die Gasse entlang und winkte Fox über die Schulter mit einem breiten Grinsen zu.

Fox stand mit einer letzten Traube in der Hand an einem Fleck und stierte ihm hinterher. *Aber Puck ist origineller, oder wie? – Was war das denn für ein komischer Kauz?*

Fox ging lieber in die andere Richtung weiter. Er blickte in seine Hand und betrachtete die Traube. Er schaute sich vorsichtig um und steckte sie sich in den Mund. *Immerhin hab ich dank ihm was zum Essen.*

Über mehrere Seitengassen begab sich Fox zurück zum Turnierplatz. Das gesamte Gelände war inzwischen umzäunt und die einzelnen Kampfarenen für die Vorentscheidungen abgetrennt. Mittig vor der erhobenen Kanzel für die königliche Gefolgschaft befanden sich die wichtigsten und dadurch größer bemessenen Schauplätze für reine Schwertduelle, mit oder ohne Schild, als auch für freie Waffenwahl oder für Zweikämpfe mit reinen Fäusten. Darauf trainierten einzelne Kämpfer mit ihren Knechten einstudierte Abfolgen von Hieben und Paraden.

Die Vorhut der Turnierteilnehmer, und damit die Anzahl der Pferde, hatte inzwischen ein Ausmaß angenommen, dass die Stallungen nicht mehr für die Kinder zur Verfügung standen. Eine Nacht unter freiem Himmel stand in wenigen Stunden an. Bis dahin nahm Fox aber noch die schön gestalteten Unterkunftszelte der Ritter und anderer höher gestellter Teilnehmer in Augenschein. Die meisten Zelttücher spiegelten die Farben ihrer Adelshäuser wider, ob in ganzen Flächen oder in Streifen. Sowohl an den Ausmaßen, als auch an den Verzierungen mit Wimpeln und Kordeln konnte man den Stand der Bewohner ablesen, die nach und nach eintrafen.

So hübsch die Zelte anzusehen waren, fiel Fox' Blick aber auf die verschiedenen Waffenarsenale, die von den provisorischen Schmieden aufpoliert wurden. Je umfangreicher die Sammlung, desto wohlhabender ihre Besitzer.

Ob sie auch um so besser damit umzugehen wussten?

Wehmütig betrachtete Fox eine Reihe zweihändiger Langschwerter. Er hätte nicht gedacht, dass ihm das Gefühl in seiner Hand so schnell fehlen würde. Ein Schwert alleine hatte einen ungeheuren Wert. Niemals hätte sich Fox ein solches leisten können. Was sollte er auch damit anfangen? Aber es hatte Spaß gemacht, damit umzugehen, damit zu trainieren.

Klack. Klack.

Fox' Blick fiel auf drei Kinder, die um die Zelte liefen, hier und da stehen blieben und abwechselnd mit Stöcken spielend aufeinander einschlugen. Fox lächelte.

„Aua!" Einer der Jungen ließ den Stock fallen und rieb sich die Finger.

Fox trat auf ihn zu, hob den Stock auf und drückte ihm den Schwertersatz wieder in die Hand. „Du musst das Schwert weiter am Ende nehmen. So hast du auch eine größere Reichweite und wirst nicht so leicht getroffen."

Er umschloss die Hand des Jungen mit seiner und führte seinen Arm in einem Kreisbogen um ihn herum. Nicht nur die Jungen folgten Fox' Ausführungen.

„Ein Kampfexperte, wie mir deucht."

Fox drehte sich um. Drei Krieger schritten vom Turnierplatz her. Auf der Stirn von zweien stand noch der Schweiß. Der Dritte sah nicht danach aus, als hätte er trainiert. Mit einem Trinkschlauch in der Hand wankte er vor seinen Kameraden her.

„Vielleicht kannst du mir auch noch was beibringen?", lallte er Richtung Fox und zog sein Schwert.

Fox' Augen weiteten sich. Er wagte nicht, sich zu bewegen.

„Euron, lasst das", versuchten die beiden Begleiter, ihn zur Vernunft zu rufen.

„Was denn? Man sollte doch offen für jedweden Rat sein. Der Reichweitenspezialist hier kann mir vielleicht beibringen, wie ich meinen Brüdern hätte helfen können. Jeder scheint dieser Tage mehr vom Schwertkampf zu verstehen als ich."

Euron wandte sich zurück an Fox und warf ihm sein Schwert vor die Füße. „Los, heb es auf und zeig mir ein paar Tricks."

Fox war steif vor Angst. *Soll ich das Schwert wirklich aufheben?* Wäre das eine kluge Entscheidung? Oder wäre es schlecht, ihm nicht zu gehorchen?

Der Kerl kam mit einem schweren Schritt nach dem anderen auf Fox zu. Buschige Augenbrauen zogen sich tief über seine stechenden Augen.

Zu keinem Zeitpunkt hatte es Fox mehr vermisst, sich einfach wegteleportieren zu können. Dem Allen durch einen simplen Gedanken zu entfliehen. Doch zahlreiche Tests bereits am ersten Tag nach seiner Rückkehr hatten diese Hoffnung zunichte gemacht. Er versuchte es trotzdem. Er hoffte, er betete – vergebens. Zitternd blickte er in das kantige Gesicht über sich.

Mit einem Mal zog sich ein Lächeln in den struppigen Bart. Die faltige Stirn entspannte sich. Zwei, drei laute Stöße eines Lachens hallten Fox entgegen.

„War nur Spaß, Kleiner."

Ein Felsen fiel von Fox' Brust und ließ ihn wieder atmen. Nur seine Glieder vermochten sich noch nicht aus der Schockstarre zu lösen. Er mühte sich, selbst ein Lächeln aufzubieten.

Euron lachte weiter. Seine rechte Handfläche setzte sich auf Fox' Haupt und streichelte ihn grob.

Das Lachen war mit einem Mal vorbei. Euron atmete schwer. Erst nach drei tiefen Atemzügen richtete er die tiefe, schwelende Stimme an ihn. „Woher kommst du, Junge?"

Fox begriff erst jetzt, dass seine Mütze verrutscht war und einige Büschel leuchtend roten Haares frei gab. Er fasste danach und rückte sie sich wieder zurecht.

„Bist du ein Wikinger? Nach einem Pikten schaust du mir nicht aus. – Mach dein Maul auf!"

Fox war starr vor Angst. Sein Herz raste.

Laute Trompeten drangen vom Berghügel herab, welche die Aufmerksamkeit Eurons auf sich zog. Fox machte kehrt und spurtete davon, so schnell er konnte.

„Halt! Du elendiger Saxenbalg!", hörte Fox hinter sich, neben schweren Schritten, die seine Verfolgung aufnahmen.

Fox huschte durch eine der Schmieden, sprang über den Zaun des Turnierplatzes und kreuzte ihn Richtung Markt. Er tauchte in das Getümmel von Turnier- und Marktbesuchern ein und folgte wild mehreren Abzweigungen. Schwer atmend hielt er an der Ecke eines Gänsehändlers und blickte zurück. Auch in die anderen Gassen, die hierher führten, streckte er abwechselnd den Kopf, doch er konnte keine Verfolger bemerken.

Verdammt! Das war knapp. Leyla und Theo hatten ihn gewarnt. Der Aufstand wurde zwar aufgehalten und offiziell herrschte Frieden zwischen den germanischen Stämmen und den britischen Königshäusern. Doch den Nachwehen des Krieges konnte er nichts entgegensetzen. Die neue Gerechtigkeit in diesem neuen Britannien, in dem viel Land an die Saxen gefallen war, musste erst noch gefunden werden. Selbst wenn Euron für das bestraft worden wäre, für das, was er mit Fox gemacht hätte: Für ihn selbst hätte es vielleicht keine Bedeutung mehr gehabt.

Doch fürs Erste machte sich Erleichterung breit, aber auch etwas Enttäuschung. *Vom Turnier werde ich mich jetzt fernhalten müssen.* Er hätte gerne ein paar der Kämpfe gesehen. Womöglich sollte er gleich dem ganzen Ort abschwören und weiterziehen. Er hatte hier kein Glück.

Wieder laute Trompetenfanfaren. Die Marktbesucher wanderten immer mehr in Richtung der Hauptstraße ab. Fox ging langsam hinterher, während er noch weiter nach Luft rang. Durch seine Überlegungen hindurch, wie er weiter vorgehen sollte, drangen Rufe durch die Menschenmenge vor sich.

„Dieb! Dieb!"

Fox blieb stehen. Jemand schlängelte sich durch die Leute auf ihn zu.

Fox' Atem stockte, als die Person aus der Menge trat. Ein Junge lief geradewegs auf ihn zu. Die Arme voller Melonen. Mit einem breiten Lächeln.

Fox traute seinen Augen nicht.

Der Junge sah genau so aus wie er selbst. Die gleiche Kleidung, sogar die gleiche Mütze trug er. Er drückte Fox die Melonen mit noch breiterem, fast unnatürlichem Grinsen in die Hand mit dem einzigen Wort: „Lauf!"

Im nächsten Moment verschwamm die Luft vor Fox und sein Spiegelbild war verschwunden. Stattdessen fielen seine Augen nun auf den Melonenhändler, der am Anfang des Weges im aufgeregten Gespräch mit zwei Wachen in seine Richtung zeigte.

Kapitel 8 - Auswirkungen

Zwei Stunden saßen Susans Eltern getrennt voneinander in unterschiedlichen Vernehmungszimmern. Abwechselnd mussten sie auf teilweise wiederholende Fragen der Kriminalbeamten Antwort geben.

Neben Inas und James' Gedanken, drang Iris auch in die Köpfe der Polizisten. Ihnen erschloss sich noch nicht gänzlich, was in der Küche vorgefallen war. Sie schlossen zwar ein aktives Handeln der Elternteile oder einer anderen Person aus. Aber was genau hatte ihre Tochter dazu veranlasst, sich solch schwere Verletzungen zuzufügen?

Der hellgrau gefliese Boden war mit Unmengen Blut verschmiert und die hellen Küchenmöbel mit zahlreichen Blutspritzern und roten Handabdrücken übersät. Nur die blutigen Rollspuren der Krankentransporttrage und der Verpackungsmüll der sterilen Utensilien des Notarztes verrieten, dass hier kein Tier geschlachtet worden war.

Susans Mutter hatte es unter Tränen aufgegeben, gegen die Festnahme zu protestieren. Sie machte sich Vorwürfe. Susan war zwar komisch die letzten zwei Tage gewesen. Aber wie hätte sie so etwas ahnen sollen?

Sie trifft keine Schuld. Iris war sich unsicher, ob sie in Inas Geist eingreifen sollte, um ihre Schmerzen zu lindern. Eine schwache Barriere, wie Iris sie auch in Susan errichtet hatte, als Kronos' Maske gefallen war. Doch sie tat sich schwer, überhaupt in ihren Kopf zu gelangen.

Ina wollte unbedingt zu ihrer Tochter und an ihrem Bett ihre Hand halten. Nicht mal über den aktuellen Zustand wurde sie informiert.

Es nutzte nichts. Sie fügte sich schließlich und saß ruhig auf einem Stuhl neben einem Schreibtisch, die Rückenlehne an der Wand. Ihre Augen gaben nur noch gelegentlich Tränen von sich, die sie mit einem durchtränkten Papiertaschentuch wegwischte.

Es tut mir so schrecklich leid, Frau Conners. Der Schmerz, den sie in Ina erkannte, wühlte sich durch Iris selbst.

Susans Vater zeigte sich von Anfang an kooperativ. Er beantwortete jede Frage knapp in deutscher Sprache. Er wollte schnellstmöglich ins Krankenhaus zu seiner Tochter. Auch James gab sich die Schuld an Susans Verzweiflungstat. Sie war kurz zuvor noch bei ihm gewesen. Suchte sie nicht nur einfach einen Rat, sondern Hilfe? Hilfe, die er ihr nicht gab und sie stattdessen mit einer Geschichte aus der Arbeit abspeiste? Hätte er es erkennen müssen?

James, als auch Ina, fragten sich, ob sie von der Stimme erzählen sollten, die sie mehrmals bestimmt dazu aufgefordert hatte, Susan ruhig auf dem Rücken liegen zu lassen und die Adern an den Handgelenken oberhalb der Schnitte abzudrücken. Iris trieb ihnen den Gedanken besser aus, sonst hätten sie hier noch eine deutlich längere Zeit verbringen müssen.

Nachdem Susans Körper bewusstlos auf den Boden gestürzt war, hatten die Wunden orange zu glühen begonnen. In den wenigen Minuten bis zum Eintreffen des Notarztes versiegte der Blutfluss allmählich und die Kluften schlossen sich Millimeter für Millimeter. Susan war zum Zeitpunkt des Abtransports stabil. Die verbliebenen Schnitte wurden mit Klebestreifen verschlossen und mit Druckverbänden fest eingebunden, der Kopf fixiert.

Iris war zunächst für keinen Moment von Susans Seite gewichen. Während der Notoperation ließ sie weiter ihre Heilkräfte dezent auf die Wunden wirken, als Adern und Haut vernäht wurden. Das orange Schimmern der Stelle fiel in dem grellen OP-Licht und dem orangefarbenen Desinfektionsmittel um die Verletzung herum nicht auf. Erst als Susan den Operationssaal verlassen hatte, machte sich Iris auf die Suche nach ihren Eltern.

Für Iris stand fest, dass sie allein dafür verantwortlich war. Sie hatte die Kontaktaufnahme mit Susan überstürzt. Wie konnte sie nur erwarten, dass Susan ihr freudig entgegnen würde? *Ich hatte die letzten 9.000 Jahre Zeit, die Ereignisse zu verarbeiten. Ihr blieben gerade mal ein paar Stunden. Ich hätte sie erst beobachten müssen, bevor ich mich ihr wieder annähere.*

Nachdem Susans Eltern am frühen Nachmittag aus dem Polizeigewahrsam entlassen worden waren, begleitete Iris sie auf der Rückbank ihres Autos zurück ins Krankenhaus. Sie fuhren gemeinsam mit dem Aufzug in den zweiten Stock und betraten die Intensivstation. Gedrängt atmend näherten sich Ina und James Susans Bett mit kurzen Schritten, während Iris ein paar Meter entfernt blieb. Ina nahm die rechte Hand vor den Mund und schluchzte. Erneute Tränen traten ihr in die Augen.

„Fünf Minuten", gestattete der diensthabende Arzt Susans Eltern, ihrer Tochter beizuwohnen. Die Hoffnung auf eine Reaktion ihrerseits wurde ihnen von Anfang an genommen. „Sie braucht Ruhe und wird mit Medikamenten in einem tiefen Schlaf gehalten."

James stand mit gesenktem Kopf an der linken Seite seiner Tochter und nahm ihre kühle Hand in seine. Ina hockte sich vor das Bett und streichelte behutsam mit ihrem gestreckten rechten Arm über die von Mullbinden verdeckte Stirn und über ihre lauwarme Wange. Nach einer Weile legte sie den Kopf auf die Matratze und blickte weiter auf Susans entspanntes Gesicht.

Nach deutlich mehr als fünf Minuten stand der Arzt an der gläsernen Raumabtrennung. James schaute zu ihm und nickte sofort. Er ging um das Bett herum und flüsterte Ina ins Ohr: „Wir müssen gehen." Er half ihr behutsam auf.

Ina blickte kurz hinter sich, wandte sich nochmal zu Susan und beugte sich über sie. Sie gab ihr einen Kuss auf das Haupt und ließ sich dann nach draußen führen. „Danke, Herr Doktor", bedankte sie sich mit knappen Worten, bevor sie sich auf den beschwerlichen Heimweg machten.

Iris trat an das Bett heran. Susan war blass. Ihr Kopf war vom Sturz auf den Küchenboden einbandagiert. Leitungen von Elektroden an ihrem Körper kamen unter der Bettdecke hervor und zeigten auf einem Monitor die vielversprechenden Vitalzeichen an. Eine Kanüle verließ die linke Ellenbeuge, durch die ihr Blutkreislauf mit einer Mischung aus mehreren Lösungen gespeist wurde.

„Verzeih mir, Susan. Es war ein großer Fehler, dich damit alleine zu lassen. Ich hatte darauf hingefiebert, endlich den ersten von euch in seiner eigenen Zeit wiederzusehen. Irgendwann reagierte einer der Splitter und ich fand Fox als kleines Baby vor. Zehn Jahre später suchte ich ihn im Geheimen immer öfter auf. Eines Tages bemerkte ich, dass er sich verändert hatte. Er erinnerte sich von einem Tag auf den anderen an eure Erlebnisse aus dieser Zeit. Er kam damit gut zurecht und lebte sein normales Leben weiter.

Das hatte ich mir auch für dich gewünscht – von mir unbehelligt. Aber es hätte mir klar sein müssen, dass deine Situation spezieller ist. Hätte ich dich also auch jeden Tag beobachten müssen, um dich gleich nach dem Erwachen mit deinen alten Erinnerungen in Empfang nehmen zu können?"

Iris stellte sich Susans Antwort als *Nein* vor. *Eine unsichtbare Stalkerin hätte mir gerade noch gefehlt.* Iris schmunzelte für einen winzigen Augenblick bei der Vorstellung.

Doch die Antwort hätte *Ja* lauten müssen. Iris hatte die Verantwortung für sie, seitdem sie Susan bewusstlos im Stadtpark aufgefunden hatte.

Aber diese Fehleinschätzung wog nicht annähernd ihre Schuld auf. Noch viel schwerwiegender lag sie, als nur in diesem Versäumnis. Iris hätte dort bleiben müssen, wo sie nach ihrem eigenen Tod wieder zu sich kam. Hier war ihr Platz, hier war es ihr bestimmt zu bleiben. An Susans Seite, auf ihrer Seite der neuen Realität. Wie konnte sie sich einfach darüber hinwegsetzen und auf die vergangene Welt zu Celes wechseln, um dort die letzten 9.000 Jahre ein weiteres Mal zu durchleben.

Iris hätte Susan gerne ab sofort in Ruhe gelassen und sie nicht weiter damit behelligt. Aber sie musste erst den Scherbenhaufen aufsammeln, den sie verursacht hatte. Und dann war da noch die neuerliche Bedrohung.

Zunächst bemühte sich Iris, Susans Trauma in den Griff zu bekommen. Sie nahm die Hände an die einbandagierte Stirn, während sie nach Alternativen zu Susans Hilfe kramte. Aber auch mehrere Stunden an ihrem Bett brachten sie auf keine andere Möglichkeit, der Gefahr entgegenzutreten. Sie hatte sonst niemanden außer Susan. Allein konnte Iris absolut gar nichts bewirken – abgesehen von Chaos.

Es war kurz nach Mitternacht. Der letzte Kontrollgang des Pflegepersonals lag nur wenige Minuten zurück.

Iris ging zur Krankenschwester an der Kanzel. Sie war mit der Abzeichnung von Patientenakten beschäftigt, während zwei Kolleginnen nebenan den Medikamentenschrank auffüllten. Ein Pfleger kümmerte sich um die Bereitlegung neuer Bettwäsche für die Frühschicht.

Iris nahm ihre orange schimmernde Hand an die Stirn der Schwester. Kurz darauf legte sie ihren Stift beiseite und bewegte sich zielstrebig auf ein Gerät neben Susans Bett zu, das die Zusammensetzung der Lösung in Susans Adern steuerte. Mit wenigen Einstellungen auf dem Tastenfeld regelte sie eine Substanz auf unter die Hälfte und programmierte, dass diese binnen einer Stunde auf null sank. Danach schritt sie zurück hinter ihren Tresen und nahm konzentriert die Akten wieder auf.

Eine Dreiviertelstunde verging, in der Susans Vitalzeichen langsam stiegen. Sie schlug mühsam die Augen auf und blinzelte in das Halbdunkel der Station, in der in jedem offenen Saal je zwei Betten mit umfangreichen Gerätschaften standen.

Noch bevor Susan vollkommenes Bewusstsein erreicht hatte, sprach Iris flüsternd auf sie ein. „Wie geht es dir?"

Susan blickte sich benommen um, öffnete die trockenen Lippen und antwortete mit heiserer Stimme: „Kopfweh."

Es war sehr ruhig auf der Intensivstation. Die Ruhe wurde bestimmt vom regelmäßigen Gepiepse der Überwachungsmonitore, dem Rauschen der Beatmungsgeräte und dem Summen der Transformatoren anderer Einrichtungen, die ihre leise Unterhaltung vor den Schwestern abschirmten.

„Weißt du, wer ich bin?", fragte Iris weiter.

Susan atmete tief ein. „Die unsichtbare, tote Iris aus einer anderen Realität." Sie zeigte ein deformiertes Lächeln. Susan versuchte, den Kopf zu heben und die Arme zu bewegen, aber diese fielen nur unkoordiniert umher.

„Bleib bitte ruhig liegen und hör mir zu."

Susan gehorchte in der noch anhaltenden Vernebelung ihres Verstandes und blickte bemüht aufmerksam an die Decke.

„Ich nehme an, dass man dich morgen, oder spätestens übermorgen, in die geschlossene Abteilung des Bezirksklinikums überstellen wird. Solltest du da einmal drin sein, habe ich keine Chance mehr, dich dort rauszuholen. Außerdem wirst du vermutlich die ersten Tage unter so starke Antidepressiva gestellt, dass du den ganzen Tag nicht mehr zustande bringst, als zu sabbern. – Verstehst du, was ich sage?"

Susan lag ruhig im Bett und starrte noch immer an die Decke. Sie nickte langsam.

„Gut. Wenn du also nicht da rein willst, dann musst du noch heute Nacht hier raus."

Susan atmete ruhig ein und versuchte zu überlegen. „Wie?"

„Ich kann die Schwestern mit einer in den Kopf gepflanzten Illusion ablenken. In der Zeit musst du in die Umkleide gehen und dir Pflegerkleidung anziehen. Danach verlässt du das Krankenhaus ganz normal durch den Haupteingang. Die Nebeneingänge sind über Nacht sicher verschlossen und alarmgesichert."

„Und dann? Was machen wir dann? – Soll ich heimgehen, als wäre nichts gewesen?"

„Nein, du kannst nicht nach Hause. Deine Eltern würden dich sofort zurückbringen."

Tränen stiegen Susan in die Augen. Sie schluchzte. „Was habe ich bloß getan."

„Beruhige dich", versuchte Iris, Susans Gefühlsausbruch zu dämpfen. „Dich trifft keine Schuld. Die Situation hat dich einfach überfordert."

„Das tut sie auch jetzt noch", gab Susan mit überschlagender Flüsterstimme von sich und blickte auf die Stelle, von der Iris' Stimme kam. „Wer sagt dir, dass wenn es mir gelingt, hier rauszukommen, ich mich nicht von der nächsten Brücke stürze oder in das nächste Auto laufe? – Vielleicht wäre ich im BKH tatsächlich besser aufgehoben."

„Susan. Ich brauche deine Hilfe. Gib mir nur eine Chance. Bitte. Ich will dich mit deinem Kristallsplitter verbinden. Danach wird es dir nicht nur körperlich besser gehen, sondern auch dein momentaner psychischer Ausnahmezustand könnte ein Ende nehmen."

Susans Gesicht verzog sich zu einem zynischen Grinsen. „Könnte?"

„Ich kann leider nichts garantieren. Nach der Vereinigung wirst du hoffentlich erkennen, dass alles, was ich sage, stimmt. Wenn nicht, dann gebe ich auf, wir bringen dich umgehend ins Bezirksklinikum und du wirst nie wieder meine Stimme vernehmen. – Einverstanden?"

Susan blickte wieder an die Decke. Sie atmete tief durch, bevor sie antwortete. „Wo ist der Kristallsplitter? Trägt ihn nicht ein aktueller Wächter in sich?"

Iris entgegnete nach kurzem Zögern: „Nein. In der heutigen Zeit gibt es keine Wächter mehr. Das ist etwas schwierig zu erklären und würde jetzt zu lange dauern. Dennoch stellt das mit dem Splitter ein gewisses Problem dar."

Susans Augenbrauen zogen sich zweifelnd nach oben, doch sie nickte. „Gib mir noch einen Moment, okay?"

„Ruh dich aus. Sammle Kraft. Ich wecke dich, wenn die Gelegenheit günstig ist."

Susan nickte nochmal und schloss langsam die Augen.

Iris atmete auf.

Eine kleine Etappe geschafft. – Ich hoffe nur, ich tue das Richtige.

Kapitel 9 - Hindernis

„Susan. Wach auf." Iris' Stimme holte Susan zurück ins Bewusstsein.

Sie fand sich in einem Bett inmitten verschiedener Piepstöne wieder.

Verzweiflung durchdrang ihren Körper. Es war kein Traum gewesen. Sie lag tatsächlich im Krankenhaus. Sie blickte auf ihre dick verbundenen Handgelenke.

Tränen zogen in ihr herauf. Aber nicht vor Traurigkeit, sondern vor Hass gegen sich selbst. *Ich Idiot!* Was hatte sie sich da angetan. Ihren Eltern.

„Es ist gleich vier Uhr morgens. Der Betrieb wird bald ins Rollen kommen. Ich hoffe, du fühlst dich fit genug. Die Pflegekräfte sind vorbereitet. Sie hören und sehen dich nicht."

Susan drängte ihre Gefühle zurück und nickte entschlossen. Sie drehte sich zur Seite und koppelte den Schlauch von der Kanüle in ihrem Arm und zog sich die Elektroden vom Körper. Warntöne schlugen an, doch keine Reaktion des Personals war zu vernehmen. Susan setzte ihre nackten Füße auf den kalten Linoleumboden und drückte sich von der Matratze. Ihren Beinen gelang es, sie zu stützen. Sie tat einen vorsichtigen Schritt nach dem anderen. *Besser als in der Herberge.*

Aber war ihre Genesung nach dem Stich in ihre Brust überhaupt noch real? Hatten ihre Erinnerungen irgendein Gewicht? Oder hatten sie keinerlei Bedeutung mehr?

Susan wischte die Gedanken aus dem Kopf und konzentrierte sich auf den Weg an den zwei Schwestern in der Kanzel vorbei. Sie ignorierten Susan gänzlich. Die eine blätterte seelenruhig in einer Zeitschrift, die andere schenkte sich gerade Tee aus der Thermoskanne nach.

„Hier entlang", wies Iris' Stimme den Weg zu den Umkleiden.

„Wie lange hält das an?", fragte Susan.

„Etwa fünfzehn Minuten. Ich hoffe, das reicht."

Susan hoffte dagegen, dass die anderen Patienten in der Zwischenzeit keinen Notfall erlitten.

In einem der offenen Schränke befand sich frisch gestapelt ausreichend Pflegerkleidung. Susan streifte sich das Patientenhemd ab und stieg in eine Hose. Sie suchte nach einem Shirt, dessen Ärmel lang und weit genug waren, um ihre dicken Handgelenke unauffällig zu überdecken. Farblich gab es nur die Auswahl zwischen intensivem und ausgewaschenem Blau.

„Den Verband um deinen Kopf musst du auch noch loswerden."

Susan fasste sich an die Stirn und schaute sich gleich darauf um. Sie ging auf einen kleinen Wandspiegel zu und löste vorsichtig die Bandage. Erst jetzt verspürte sie einen schwelenden Schmerz seitlich an ihrem Hinterkopf. Sie betastete die Stelle und erkannte im Spiegel Überreste von Blut in ihrem Haar. *Ganz toll. Gut gemacht, Susan. Wenn dann gleich richtig.*

Mit den Fingern brachte sie ihre Frisur durch mehrere Striche etwas in Form und kaschierte die Verletzung damit. Ihr Blick fiel auf eine graue Sommerjacke, die an einem Spind hing. Draußen war es vielleicht kühl. Oder wer wusste schon, wohin sie ihr Weg führen würde. Iris hielt sich diesbezüglich ja noch bedeckt. Besser vorbereitet sein.

Susan leerte die Taschen und ließ den Inhalt zurück, bevor sie die Jacke überzog. Sie fand auch Schuhe, die ihr glücklicherweise nur eine Nummer zu groß waren.

Gleich darauf verließ sie die Station über die Flügeltüre

am Ende des Korridors. Um die Ecke herum trat Susan an die drei Schiebetüren der Aufzüge heran und betätigte den Knopf.

„So weit, so gut", kommentierte Iris.

Susan blieb stumm und nickte. Sie bemühte sich, sich keine tieferen Gedanken zu machen. Sie wollte nur eins nach dem anderen hinter sich bringen. Ohnehin hatte Susan wenig Hoffnung, das jemals zu verstehen, was hier vor sich ging. *Einfach nur mitspielen*, empfand sie als probatestes Mittel. Susan hatte Sorge, dass wenn sie sich zu sehr in die Sache hineindachte, sie wieder etwas Unüberlegtes tat.

Sie betrat mit Iris die Kabine und drückte auf eine Stockwerktaste.

„Wieso drückst du die 3?", fragte Iris sofort. „Du musst auf das E drücken."

Susan blickte verdutzt auf das Bedienfeld zurück, als sich der Aufzug auch schon nach oben bewegte.

Ich bin so dumm. Bekomm ich überhaupt irgendwas auf die Reihe? „Hab mich wohl verschaut. Sorry."

Iris erwiderte nichts darauf, während Susan das E drückte.

Susan hielt sich am Geländer fest und blickte starr auf die kleine Anzeige über der Türe, die in roter Leuchtschrift die 3 von sich gab.

Die Kabine stoppte mit einem leichten Ruck und die Schiebetüren öffneten sich.

Susan schaute in den spärlich beleuchteten Vorraum des dritten Stocks von dem die Flügel der Stationen 3.1 bis 3.3 abgingen. Ein Summen einer offenbar bald versagenden Neonröhre störte die ansonsten herrschende Totenstille.

Die Türen schoben sich wieder zu. Gerade als nur noch ein kleiner Spalt offen stand, erfassten ihre Augen eine Person in einer Kapuzenjacke am Eingang zur Station 3.2. Susan hielt erschrocken den Atem an, doch die Türe war bereits geschlossen.

„Hast du was?", fragte Iris mit besorgter Stimme.

Susan schüttelte den Kopf und atmete möglichst leise durch. *Verdammt. Reiß dich endlich zusammen.* „Hab ich mir nur eingebildet." *Hm. Einbildung, ja. Oder waren das noch die Medikamente?*

Der Aufzug stoppte im Erdgeschoss und die Türen gaben den Blick in das hell erleuchtete Foyer frei. Susan konzentrierte sich, sammelte Kraft und marschierte gleichmäßig direkt auf den Haupteingang zu.

Eine Angestellte an der Pforte blickte auf.

„Ich komme gleich wieder. Hab was im Auto vergessen", gab Susan mit einem Lächeln von sich.

Die Pförtnerin nickte lächelnd und widmete sich wieder ihrem Buch.

Nach fünf Schritten unter freiem Himmel blieb Susan kurz stehen und atmete die frische Luft tief ein, in die sich der Morgentau mischte. Es war ein erhebendes Gefühl an den Laternen vorbei in die Ferne zu blicken. Hinter dem dunklen Horizont erwachte der Morgen in einem Farbenspiel von Türkis zu neuem Leben.

„Los, weiter", drängte Iris. „Die Beeinflussung wird nicht mehr lange halten."

„Und wohin genau?" Susan bewegte sich in Richtung der Parkplätze. „Wo ist nun mein Splitter?"

„Alle Splitter wurden auf Andalon verwahrt."

„Wurden? Du sagtest, Andalon wurde zerstört. Du meintest damit aber nicht die Ruinen in der Arktis, oder?"

„Nein. Andalon existierte bis in diese Gegenwart hinein. Geschützt und verborgen von einer Barriere. Bis gestern. Die fliegende Insel brach auseinander und stürzte in den Ärmelkanal."

Susan blieb auf der Stelle stehen. „Und ich soll jetzt auf den Grund tauchen und nach einem fingernagelgroßen Kristallsplitter suchen?"

Iris schwieg. Susan fühlte sich nach der Eröffnung über den Standort ihres Splitters versucht umzudrehen und sich zurück ins Bett zu legen.

„Ich habe kein Geld, keinen Ausweis, gar nichts", erklärte Susan die Unmöglichkeit, dass sie überhaupt an die Küste gelangen konnte, geschweige denn zig Meter auf den Meeresgrund.

„Es gäbe auch eine Möglichkeit, den Kristall herzuschaffen, ohne dass wir zu ihm kommen", meinte Iris zögerlich. „Das erste Mal kam der Kristall zu dir und hat selbstständig die Vereinigung durchgeführt, weil du in Lebensgefahr warst. – Zu einem Zeitpunkt, an dem du nicht sterben wolltest."

Susans Gesichtszüge verkrampften sich. Sie hielt sich an dem Rankgitter links von ihr fest, als ihr dämmerte, was Iris damit andeuten wollte.

„Du schlägst mir vor, einen weiteren Selbstmordversuch zu unternehmen, ohne den Wunsch zu haben, zu sterben?"

Iris blieb stumm, während Susan fassungslos ihr Gesicht abwandte. Susan war irgendwie zum Lachen zumute. *Vielleicht hat sie ebenso einen Dachschaden wie ich. – Oder bin das alles nur ich allein?*

Das Lächeln verschwand. Sie drehte sich langsam herum und zog sich am vom Efeu bewachsenen Gitter zurück Richtung Haupteingang. *Ich sollte wieder ins Bett. Das BKH ist vielleicht doch keine schlechte Idee.*

„Susan. Bitte warte. Das war nur eine Überlegung. Es gibt bestimmt noch eine …"

In diesem Moment wurde Susan von zwei kurz aufeinander folgenden Schlägen, die den Boden erbeben ließen, aufgeschreckt. Ein massiver Windstoß folgte unmittelbar darauf und zerpflügte ihre Haare.

Susan wich erschrocken zurück. *Was zum …?*

Vor ihr standen zwei unterschiedlich große Gestalten, gehüllt in schwere dunkelrote Kutten. Susan blickte mit einem
mulmigen Gefühl auf die Erscheinungen, die in einer fremden Sprache miteinander tuschelten. Dabei schauten sie abwechselnd auf Susan und auf ein grünes Juwel in der Hand
der kleineren Person.

Das ist doch ...

Der grüne Raumkristall glitzerte im Zwielicht der Later-
nenbeleuchtung und gab an einem Punkt der Außenseite ein
helles pinkfarbenes Strahlen von sich.

Die beiden Fremden wandten sich von Susan ab und
blickten auf eine Stelle ein paar Meter neben ihr. Die kleinere Gestalt begann mit einer Ansprache in einem melodischen
Ton. Einzelne Worte waren kaum voneinander zu trennen.
Nach einer kurzen Pause hörte Susan eine dritte Stimme in
derselben Sprache antworten.

Es war Iris' Stimme. Sie unterhielt sich fließend mit den
beiden. Kaum ein Unterschied war zu den Muttersprachlern
zu erkennen.

Susan überraschte dies wenig.

Sie betrachtete die Szene distanziert und spielte mit dem
Gedanken, einfach weiter zu gehen. Gefahr schienen die beiden vorerst keine auszustrahlen. Das einzige, das Susan nervös machen konnte, waren die langen Krallen an den Händen und Füßen, die die ausladenden Roben preisgaben. Sie
wusste selbst nicht, ob sie ihrer Meinung nach schon genug
Außergewöhnliches gesehen hatte – oder sich eingebildet.
Oder ob sie im Moment einfach nicht in der Lage war, die
Sachlage vernünftig zu bewerten.

Susan nahm die Hände an die Schläfen. Die Kopfschmerzen schwollen an. Ihre Handgelenke und die Wunde am
Kopf brannten. *Die Schmerzmittel lassen wohl nach.*

Sie wäre im Krankenhaus sicher besser aufgehoben als hier draußen. Doch da war der Raumkristall. Sollte er nicht auf dem Grund des Atlantiks liegen?

Susan betrachtete das Juwel in den dünnen Pranken des kleineren Wesens genauer. Sie erkannte, wovon das pinkfarbene Leuchten ausging. An den Raumkristall hatten sich alle Kristallsplitter der Wächter angelagert und nur der ihre strahlte hell auf.

„Das sind Bewohner von Doronia", wandte sich Iris mit deutlich freudigerer Stimme an Susan als bisher. „Sie können mich wahrnehmen und mich sogar als Medinae erkennen."

Susan war weniger beeindruckt. Sie setzte sich auf eine Bank vor dem Rankgitter und beobachtete die weitere Unterhaltung emotionslos. Sie wollte wissen, wohin sich das hier entwickelte – was es mit diesen Wesen auf sich hatte – was sie hier zu suchen hatten.

Will ich das wirklich wissen? Sie rieb sich die Handgelenke. Es juckte.

Iris und die Fremden schienen eine angeregte Konversation zu führen. *Hier natürlich die beste Gelegenheit dafür. Wie lange hält das bei den Krankenschwestern nochmal?* Aus Gewohnheit griff sie in die Hosentasche nach ihrem Handy, aber weiß der Teufel, wo das gerade lag.

Schließlich widmete sich Iris wieder Susan. „Das hier sind Yuhna und Nihko. Sie haben den Raumkristall kurz nach der Zerstörung Andalons zwischen den sinkenden Überresten aufgefunden. Das Leuchten deines Splitters hat sie hierher geführt. – Sie können mit meiner Anweisung die Vereinigung durchführen."

Susan hob zweifelnd den Kopf. Für diese Aussicht ist sie hiergeblieben? „Na, ich weiß nicht."

Sie ließ den Zahnarzt schon nicht gern an sich ran. Und jetzt sollte sie von zwei Fremden an sich rumdoktern lassen?

Ohne akademischen Grad in dieser Profession, ohne sogar selbst Mensch zu sein und mit ihrer Anatomie vertraut?

„Nach der Vereinigung kannst du dich auch mit ihnen unterhalten. – Nun ja, zumindest kannst du sie verstehen. Deine Antworten werde ich dolmetschen."

„Ich weiß nicht einmal, wie die aussehen, denen ich vertrauen soll, mir einen Splitter ins Hirn hämmern zu lassen."

Iris wandte sich mit deutlich ausgebremstem Enthusiasmus in der Stimme wieder an Yuhna und Nihko.

Beide drehten sich zu Susan, zogen ihren kapuzenartigen Überwurf zurück und deuteten eine Verbeugung an, begleitet von fremdsprachigen Worten des Grußes.

Im Schein der Laternen blickte Susan auf katzenartige Gesichtszüge. Von ihrem Oberkopf ragten spitze Ohren wie die eines Luchs auf. Ihr langes kastanienbraunes Haupthaar wirkte menschlich und wallte sich auf ihren zierlichen Schultern.

Susan erwiderte den Gruß mit einem tiefen Nicken. „Und denen kann man trauen? Kennst du sie persönlich?"

„Nein, aber das gesamte Volk Doronias war den Medinae seit jeher wohlgesonnen. Auf ihrer Welt steht eines unserer *Planetarien* und diese errichten wir nicht leichtfertig an einem Ort."

„Und die können dich sehen?", fragte Susan interessiert weiter.

„Nein." Iris lächelte. „Bei mir gibt es nichts zu sehen. Aber Doronier sind für ihr außergewöhnliches Gespür bekannt, ebenso wie für ihre unglaubliche körperliche Widerstandsfähigkeit." Iris verfiel in eine Art Schwärmerei für dieses Volk. „Ihre Haut ist härter als Diamant und ihr knochenartiges Gerüst besteht aus einer nahezu unzerstörbaren Mineralienzusammensetzung. Nur Deritium ist noch härter."

„Dann brauchst du mich nicht mehr, oder?", meinte Susan ohne jegliche Enttäuschung. „Mit diesen neuen Super-Verbündeten hast du doch das große Los gezogen. Lass uns das hier einfach vergessen und ich geh wieder rein, bevor jemand was merkt."

Iris war für einen Moment nicht in der Lage, etwas zu erwidern. Als Susan aber tatsächlich von der Bank aufstand und sich Richtung Krankenhaus begab, versuchte sie, Susan zurückzuhalten. „Ich weiß nicht, ob wir das ohne dich schaffen."

Susan drehte sich ungläubig um. „Ohne mich? – Sieh mich doch an. Ich bin eher ein Klotz am Bein als eine Hilfe."

Iris zögerte, bevor sie vorsichtig weitersprach. „Es geht auch nicht nur alleine um dich. Es geht um alle Wächter. Nur du kannst sie herbeirufen."

„Wieso nur ich? An mir ist nichts Besonderes mehr. Celes ist nicht mehr in mir, oder? Ich bin nur noch ein ganz normaler Mensch."

Susan blickte von den schweigenden Doroniern, die das Gespräch mitverfolgten, ohne ein Wort zu verstehen, auf den Raumkristall. Der pinke Splitter zeigte auf sie und strahlte gleißend hell.

„Ich bitte dich darum, dich mit dem Kristall zu verbinden und die anderen Wächter herbeizuholen. Mehr verlange ich nicht. Dann stelle ich mich mit ihnen der neuen Gefahr, während du dich auskurierst."

„Und den anderen willst du hierbei keine Wahl lassen?"

„Susan. Ich weiß, das ist eine harte Entscheidung. Doch wir brauchen sie. Und wir brauchen dich. Du bist hierbei nicht minder wichtig, als beim letzten Krieg gegen die Herrscherin. Du allein hast ihn beendet."

„... aber das Gör entkommen lassen, damit sie wenige Stunden darauf mit Verstärkung hier weiterwütet." Susan schluckte. „Wie viele Menschen sind auf Andalon umgekommen?"

„Auf Andalon ist niemand gestorben", erwiderte Iris zurückhaltend.

Susan atmete erleichtert auf. „Konnten sich alle rechtzeitig retten?", fragte sie mit einer Andeutung von frohem Interesse.

„Auf Andalon gab es niemanden, der hätte gerettet werden müssen. Andalon wurde seit Jahrhunderten nur noch von mir bewohnt."

Hm? Ohne weiter auf die Bewandtnis einzugehen, fragte Susan: „Und auf der Erde kam bislang auch kein Mensch zu Schaden, oder? Also worin besteht die aktuelle Bedrohung? Was geschah in den letzten Stunden meiner *Abwesenheit?*"

Iris schwieg. Mit leiser Stimme sprach sie schließlich wieder: „Ich habe mich seitdem nicht weiter damit befassen können."

Wieso sie das nicht konnte, leuchtete Susan ein. *Sie* war sicherlich der Grund. Was auch immer Iris in der Zwischenzeit gemacht hatte, sie war ihr dankbar dafür, aber deshalb durfte sie ihr nicht ohne weiteres klein beigeben.

„Du hast also zwei Wesen beobachtet. Eines davon diese verdammte Herrscherin. Und ihr Begleiter hat eine unbewohnte Insel in Stücke gerissen. – Deswegen stehen wir hier?"

Iris blieb stumm.

„Tut mir leid, Iris. Aber allein für präventive Zwecke lasse ich mich ungern da mit reinziehen. Oder was haben *die* dazu zu sagen?" Susan nickte den Fremden zu. „Ihr wart sicherlich nicht zufällig im Ärmelkanal schnorcheln, als der Raumkristall an euch vorbeigeschwommen kam."

Nihko und Yuhna sahen auf Iris, die sich in deren Sprache an die beiden wandte.

Yuhna antwortete. Sie sprach lange auf Iris ein.

Susan wurde ungeduldig. *Wenn da jetzt nichts Vernünftiges kommt, dann …* Aber auch als die Ausführungen endeten, war von Iris nach einer gefühlten Ewigkeit noch nichts zu hören. *Übersetzt sie noch?*

Susan war im Begriff nachzufragen. Doch letztlich war von Iris eine gedrängte Antwort zu vernehmen.

Ihre Stimme klang trocken, leise, irgendwie beklommen. „Yuhna und Nihko sind die letzten Überlebenden Doronias."

Susan blickte unangenehm überrascht auf die Fremden, die ihr mit einem neutralen Gesichtsausdruck gegenüberstanden. Nur ihre Augen strahlten bei näherer Betrachtung eine unbeschreibliche Trauer aus.

Iris führte weiter aus, wobei ihr jedes Wort schwerer fiel und ihr fast in der Kehle stecken blieb. „Ihre Welt wurde von einem Volk, das sich Ka'ara nennt, ausgelöscht. Sie wurde vernichtet – mit einem einzigen Schlag brach ihr gesamter Planet auseinander."

Susan schluckte. *O nein.* Ihr dämmerte, was gleich folgen würde.

„Yuhna und Nihko suchen die Ka'ara seit einer sehr langen Zeit und konnten erst gestern zum ersten Mal zwei von ihnen aufspüren. – Und zwar hier auf der Erde, als sie Andalon zerstörten. – Die uns als *Herrscherin der Finsternis* Bekannte und ihr Bruder."

Kapitel 10 - Verbindung

Schweigen bestimmte den dämmernden Morgen.

„Das tut mir sehr leid. – Wissen wir mehr über diese Ka'ara? Anzahl? Stärke?", tastete sich Susan voran, was Iris ebenso zögerlich übersetzte.

„*Es sind zerbrechliche Gestalten*", dolmetschte Iris Nihkos Antwort. „*Schmächtige Statur, weiße Haare, blasse Haut. Aber ihr körperlicher Mangel wird durch ihre immensen magischen Kräfte bei weitem aufgewogen. Trotz unserer zahlenmäßigen Überlegenheit gelang es nur schwer, uns zu behaupten. Wir verfügen über keine vergleichbaren Fähigkeiten wie sie. Die tagelangen Auseinandersetzungen wandelten sich in eine jahrelange Belagerung. Bis zu dem Tag, an dem Doronia in Flammen aufging und auseinanderbrach.*"

„Und das war allein das Werk dieses Begleiters?", fragte Susan nach.

„*Wir haben – Da'ken nie zu Gesicht bekommen*", übersetzte Iris, wobei ihre Stimme bei dem Namen des Anführers stockte. „*Wir können es nur vermuten. Und an seiner Seite solle er stets seine Schwester bei sich gehabt haben. Also dürfte es sich bei dieser Herrscherin um No'ara handeln.*"

No'ara.

Der Name des Verderbens zog mehrere Sekunden durch Susans Kopf, bevor sie weiter fragte: „Wie wurden sie überhaupt auf euch aufmerksam? Wie gelangten sie nach Doronia?"

Iris übersetzte zunehmend zögerlich und in schwächerem Ton. „*Zunächst standen wir einer anderen Rasse gegenüber. Von dunkler Gestalt mit langen spitzen Zähnen. Deren An-*

121

griff konnten wir schnell zurückschlagen. Erst später kehrten sie in deutlich größeren Massen unter Da'kens Führung und mit einer kleineren Abordnung aus Ka'ara zurück. Wie sie ursprünglich nach Doronia gelangten, wissen wir nicht."

„Wer hat euch so viel über die Ka'ara erzählt?"

„Einer der Ihren selbst."

„Ihr habt einen gefangen genommen?", fragte Susan verdutzt.

Repräsentativ für alle Ka'ara sah sie No'ara vor sich, die sich ohne Zweifel lieber die Zunge abgebissen hätte, als ihr zu helfen. Egal was man ihr androhen würde oder antun. *Hatte sie nicht schwarze Haare?*

„Nein. Er stellte sich freiwillig."

Susan blickte ungläubig. Auch Iris' Stimme klang überrascht.

„In den Reihen der Ka'ara gibt es auch Widerstandskämpfer, die gegen das Vorgehen Da'kens eintreten. To'sun hat versucht, uns zu helfen und ging mit unserem Volk unter. Er wurde uns in der kurzen Zeit ein wertvoller Freund."

Ein weiteres ehrfürchtiges Schweigen folgte.

Die Außenbeleuchtung des Krankenhauses sprang an. Das gesamte Gebäude und das Gelände davor waren nun hell erleuchtet.

„Man hat wohl mein Abhandenkommen bemerkt." Susan schloss für einen Moment die Augen und atmete tief durch. Auch wenn es noch nicht zur Sprache gekommen war, Susan war klar, wieso die Doronier diese Ka'ara verfolgten. Wollte sie Teil ihres Rachefeldzugs sein, und da auch noch ihre Freunde mit hineinziehen? Sie erneut aus ihrer Zeit ziehen, ohne Rückfahrschein? So oder so sah es danach aus, dass diese Welt der Austragungsort davon sein würde. Sofern die Ka'ara sich nicht bereits schon wieder zurückgezogen hatten. *Quatsch. Das kleine Monster hat sicher noch mehr vor.* Susan hatte es im Gefühl. No'ara gab sich mit der

Zerstörung Andalons nicht zufrieden. Und ihr Bruder? Es gab zwei von dieser Sippe, oder vielleicht noch weitere? Sogar ein ganzes Volk stand dahinter. Sollte sie wirklich darauf warten, bis die ersten Menschen starben? Womöglich wüteten sie schon, wieder aus dem Verborgenen heraus, und die Presse würde erst Tage oder Wochen später Wind davon bekommen.

Susans Kopf schmerzte mehr als von der Wunde oder der Gehirnerschütterung. „Also gut. Lasst uns das hier schnell hinter uns bringen und dann verschwinden. Verbinde mich mit dem Splitter."

„Bist du dir sicher?", fragte Iris.

„Was soll *die* Frage jetzt? Braucht ihr mich nun, oder nicht?"

„Danke", meinte Iris bedrückt und richtete das Wort an Nihko.

Diese drehte ihr Kinn mit geschlossenen Augen zur rechten Schulter, das wohl einem zustimmenden Nicken gleichkam, und schritt auf Susan zu.

„Setz dich am besten wieder auf die Bank." Auch Iris kam näher. „Nimm den Raumkristall und versuche, deinen Splitter davon zu lösen."

Susan setzte sich hin und nahm das grüne Juwel von Nihko entgegen. Sie umschloss den in hellem Pink strahlenden Kristallsplitter mit Daumen und Zeigefinger und versuchte ihn abzuziehen – danach abzudrehen. Aber er rührte sich kein Stück. Stattdessen drückten sich die scharfen Kanten in Susans Haut, bis Blut aus einer kleinen Schnittwunde trat.

„Das funktioniert nicht." Susan gab auf und nahm ihren verletzten Zeigefinger in den Mund.

„Und Nihko lassen wir es besser auch nicht versuchen, sonst haben wir nur noch Kristallstaub übrig", meinte Iris trocken. „Dann eben so."

Sie sprach ein paar Worte zu Nihko, die den Raumkristall zurücknahm.

„Nihko wird dir den Splitter samt Raumkristall mittig auf die Stirn setzen. Wenn der Vereinigungsprozess einsetzt, löst er sich sicherlich von selbst. Er muss genau an der richtigen Stelle in deinen Kopf eindringen", erläuterte Iris. „Ich gebe Nihko Anweisungen dazu und werde versuchen dich bei Bewusstsein zu halten. Nicht dass du die nächsten Stunden ohnmächtig bist, wie bei der ersten Vereinigung."

„Ist Ohnmacht nicht ein Schutzmechanismus, der auch bei zu großen Schmerzen einsetzt?", merkte Susan rhetorisch mit wenig überzeugter Stimme an und lehnte sich auf der Bank zurück. „Los jetzt, bevor ich's mir anders überlege."

Susan sah in den Augenwinkeln, wie Pflegepersonal aus dem Haupteingang kam. Vier von ihnen schlugen einen Weg beiderseits um das Gebäude ein. Zwei kamen auf sie zu, doch sie sahen sie in dem schattigeren Abschnitt des Parkplatzes noch nicht.

Iris' Stimme gab in Susans Rücken Nihko Anweisungen, die den Raumkristall mit dem pink strahlenden Splitter voran auf Susans Stirn mehrmals neu ansetzte. Der Splitter veränderte seine Position nun nicht mehr. Susan schloss die Augen. Ihr Puls stieg. *Worauf lasse ich mich da bloß wieder ein?*

Kurz darauf spürte Susan einen brennenden Stich. Ein schrecklicher Schmerz zuckte durch ihr Gehirn, der ihr für einen kurzen Moment alle Sinne nahm.

Als sie die Augen aufschlug, war der Schmerz verflogen. Alle Sinne meldeten sich schnell zurück, doch helles Licht verblendete ihr zunächst die Sicht. Ihre Hände spürten Laub unter ihrem Körper, während sich ihre Lungen mit frischer Waldluft füllten. Susan erkannte einen von Baumkronen verdeckten hellblauen Himmel. Ihr Kopf wandte sich von links nach rechts. Sie war von nichts anderem als Laubbäumen umgeben. Keine Doronierin über sich gebeugt. Kein Krankenhaus.

Susan führte eine Hand an die Stirn und griff in frisches Blut. Sie betrachte die blutigen Finger kurz, wischte sich mit dem Handrücken über die schnell verheilende Wunde und stand zügig auf. Sie stand sicher auf den Beinen und betrachtete ihre sich mehrmals zu einer Faust ballenden Hände.

Die Vereinigung war offenbar erfolgreich gewesen, denn Susans Körper war von neuer Energie gefüllt. Aber wo in aller Welt war sie und wie war sie hierher geraten? *Hat mich Nihko durch die Bank, durch den Boden, in einen anderen Teil der Erde gedrückt?*

„Geht's dir gut?", vernahm Susan Iris von ihrer Linken.

„Du bist auch hier?", reagierte Susan verdutzt, aber erleichtert.

„Ja. Ich wurde nur einige Meter von dir weggeschleudert. Damit habe ich nicht gerechnet."

Im nächsten Moment waren mehrere Trompeten oder Hörner zu vernehmen, die eine Art Fanfare spielten. *Was war denn das?*

Susan wollte sich gleich in die Richtung der Melodie bewegen, doch Iris machte sie auf etwas aufmerksam: „Warte. Dort, am Boden."

Susan hielt inne, drehte sich herum und blickte nach unten. Sie ging einen Schritt zurück, kniete sich ab und hob den Raumkristall auf, an dem ihr pinkfarbener Splitter fehlte. Sie war froh, dass sich ihr Splitter tatsächlich davon getrennt hatte und jetzt nicht wie eine überdimensionierte Warze an ihrem Kopf hing. Statt ihres Splitters leuchtete ein anderer in rötlicher Farbe auf.

Susan drehte sich wieder in Richtung der Trompetenklänge, worauf das rote Strahlen sogleich stärker wurde.

„Also entweder steht das Ding auf Musik, oder es zeigt uns den Weg zum nächsten Wächter", meinte Susan mit einem Anflug von gedrängter Belustigung.

Sie ließ den Arm sinken, legte den Kopf in den Nacken, atmete tief ein und wieder aus. „Wir sind also auf Zeitreise, nicht wahr?"

„Scheint so", entgegnete Iris kleinlaut.

Susan schüttelte den Kopf mit einem wenig begeisterten Gesichtsausdruck. *Ich glaube, ich bereue es jetzt schon. Dumme Entscheidungen sind wohl ab sofort mein Ding.*

Sie wischte sich mit der linken Hand mehrmals über das Gesicht. Sie fühlte sich wie in einem Märchen. Ein dummes Mädchen, das sich immer tiefer in einer fremden Welt verlor.

Da zog Susan ein Lächeln auf die Lippen.

„Iris! Schau!", rief sie mit weit aufgerissenen Augen und zeigte in den Wald hinein.

„Was?", fragte Iris in ihren Rücken, weil sie es nicht erkennen konnte.

„Das Kaninchen!"

„Kaninchen?! – Ich sehe kein Kaninchen!"

„Das mit der Uhr!"

Iris schwieg. Sie hatte sich bestimmt fragend wieder zu ihr gewandt. Wie gern hätte Susan jetzt ihren Gesichtsausdruck gesehen.

„Susan. Ist alles in Ordnung?", fragte Iris besorgt.

Susans Belustigung schwand. *Hm. Mit Timing hab ich's wohl auch nicht.* „War nur Spaß. – Das Kaninchen aus Alice im Wunderland. Kennst du doch sicher, oder?"

„Ja, kenne ich natürlich. – Aber Alice macht keine Zeitreisen, sondern träumt", entgegnete Iris trocken.

„Ach ja. Stimmt. Sie träumt das alles ja nur."

Iris schwieg wieder. Hatte es ihr die Sprache verschlagen? *Ist das blöd, wenn man ihre Mimik nicht ablesen kann.*

Die Trompeten erklangen ein zweites Mal.

Susan ließ die peinliche Unterhaltung sein und schritt dynamisch auf die Klänge zu. „Dann stürzen wir uns mal ins Abenteuer."

Kapitel 11 - Eine unerwartete Reise

Susan und Iris erreichten den Waldrand. Sie blickten von einer kleinen Anhöhe auf einen Turnierplatz hinab, auf dem zwei in schwere Rüstungen gekleidete Ritter mit Schwertern aufeinander einhoben. Die Zuschauerränge füllten sich gerade erst.

Direkt daneben gliederte sich ein großer Marktplatz an, bestehend aus einer Vielzahl Holzhütten und mit Laken überspannten Ständen.

Dahinter erhob sich auf einem Hügel eine Burg aus massiven, im Sonnenlicht strahlenden Steinblöcken, von der eine unter wehenden Fahnen und Standarten berittene Gefolgschaft die Straße herabzog.

„Mittelalter?", fragte Susan.

„Anfang 6. Jahrhundert, ja. Ich kenne die Burg dort oben."

Susan nahm den Blick wieder auf das rote Leuchten in ihrer Hand. Es führte die zwei Zeitreisenden den Hügel hinab, an kleinen, provisorischen Gehegen für Geflügel und Nutzvieh vorbei auf den weitläufigen Markt. An den Ständen der Außenseite tummelten sich keine Kunden. Die einzelnen, halb schlafenden Leute hinter der Auslage machten mehr den Eindruck eines Aufpassers, als eines Händlers. Auf die Mitte des Marktes zu, und dem Leuchten des Kristallsplitters nach, wurde die Gasse breiter und war von mehr Leuten gefüllt, die aber allmählich in Richtung Durchgangsstraße abwanderten.

Es war ein komisches Gefühl, durch die Vergangenheit zu laufen. Susan war schon mal auf einem Mittelaltermarkt gewesen. Es sah ihrer Erinnerung nach tatsächlich sehr ähnlich aus, doch wirkte das Original deutlich trostloser und ernster. Die Kleidung der Leute sah aus, als würde sie bereits mehrere Generationen lang gebraucht. Auf den Gesichtern der Händler lag eine dünne Schicht Schmutz, die sich vor allem in ihren Falten sammelte. Nur die Kunden, die durch die Gassen schlenderten oder zielbewusst hindurch steuerten, machten einen gepflegteren Eindruck. Ein Lächeln auf der einen oder anderen Seite war kaum zu sehen. Auch machte Susan keine Attraktionen aus, die vor allem Kinder angelockt hätten, wie einen Stand mit Spielen, wie Büchsenwerfen, oder Kinderschminken. Kindergeschrei war absolut nicht vorhanden. Die einzigen Kinder waren hinter den Auslagen zu erkennen, die alles andere als Freude ausstrahlten.

„Was sprechen die Leute hier für eine Sprache?", fragte Susan gerade laut genug, dass es Iris hören konnte.

Susan verstand zwar jedes Wort, aber da der Kristall in ihrer Stirn jede Sprache für sie übersetzte, konnte sie die ursprüngliche nicht bestimmen.

„Unterschiedlich", antwortete Iris ebenso leise. „Die Amtssprache ist noch Latein, die völkische Mundart ist aber britisches Keltisch. Dem Westgermanischen nicht unähnlich, das seit der Besiedlung durch die Angeln, Sachsen und Jüten Einzug in Britannien hält."

Musste Susan eigentlich irgendwas beachten, um nicht eine Katastrophe in der Zeitachse auszulösen? *Am besten, ich fasse einfach gar nichts an.*

Erneut waren Trompeten zu hören. Sie waren nahe und das Getümmel geriet immer mehr in Bewegung. Die in grobe dunkelfarbene Leinen und Loden gekleideten Menschen reckten die Köpfe und begaben sich auf die Fußspitzen, um durch die Stichgassen einen Blick auf die Straße zu erhaschen. Dort bildeten die Menschenmassen einen breiten Durchgang.

Susan drehte sich mit dem Kristall in der Hand von links nach rechts. Sie blickte lustlos auf die menschliche Mauer vor sich und streckte sich, um auf die andere Seite der Straße sehen zu können. Nach wem sollte sie eigentlich Ausschau halten? Alexandreiji oder Fox? Alexandreiji sprach in seiner Zeit von der Pest und das war noch einiges später.

„Ich muss da rüber." Zu springen wäre vermutlich der einfachste Weg gewesen. Susan blickte auf ihre Beine und lächelte. Sie hatte ihre Kräfte noch gar nicht ausprobiert. Ein denkbar schlechter Zeitpunkt, dies jetzt nachzuholen. *Lieber kein Aufsehen erregen.* Das vergleichsweise knallige Blau ihrer Pflegerklamotten unter der grauen Jacke zog bereits das eine oder andere Augenpaar auf sich. Sie wollte sich aber auch nicht durch die Masse drängen.

Susan bemerkte in der gegenüberliegenden Menge einige Menschen auseinanderstürzen. Jemand versuchte, sich einen Weg durch den statischen Block an Zuschauern zu kämpfen. Sie schrien und empörten sich, als sie auseinanderwichen. Zwei Hellebarden von Helmträgern waren dahinter zu erkennen, die die Person verfolgten. Diese bahnte sich ihren Weg hektisch und unkoordiniert durch die Menge. Schließlich brach sie aus der Menschenschar heraus und Susan sah über die Köpfe hinweg einen Jungen mit einer Mütze auf die Straße stürzen.

Sie blickte wieder auf den Kristall. Das rote Leuchten war nie heller gewesen.

Zwei weitere Wachen kamen mit ihren Langwaffen von rechts die Straße entlang in Susans Blickfeld gelaufen und zerrten den Jungen auf die Beine.

„Fox!" Wie aus einem Reflex heraus stürzte sich Susan in die Menge und stieß die Leute mit Leichtigkeit nach links und rechts davon. Sie trat auf die Straße, ließ ihr Schwert in der rechten Hand erscheinen und schrie entschlossen: „Lasst ihn sofort los!"

Zwei der Wachen senkten ihre Hellebarden und gingen auf Susan los, worauf diese mit einem Hieb die Lanzen zerschnitt und mit einem Satz zur Seite die beiden Angriffe ins Leere laufen ließ.

Susan spürte eine Hand von hinten an ihre Schulter greifen. Sie schnellte mit einem Schritt vorwärts herum und schwang ihr Schwert verteidigend vor ihren Körper.

KLING!

Die gegnerische Schneide setzte nur leicht auf Susans auf. Keinesfalls stark genug, um einen Angriff oder eine Bedrohung darzustellen. Aber der Klang der Berührung war ohrenbetäubend laut und hell, dass die Menschen herum zusammenzuckten und sich die Ohren zuhielten. Susans Augen kniffen sich vor Schmerz zu Schlitzen zusammen. Auch der Gegner musste sich mit einem Schritt zurück abwenden.

Susan fing sich als Erste und blickte auf die gesenkte gegnerische Waffe. Sie traute ihren Augen nicht. Das Klirren immer noch in ihren Ohren, erkannte sie das Schwert sofort.

Sein Besitzer wandte sich ihr wieder zu. Susans Augen wanderten von der Klinge zu seinem Gesicht.

„Knie nieder!", zischte Iris' Stimme über die linke Schulter in Susans Ohr. „Jetzt gleich! Und leg das Schwert ab!"

Ohne zu überlegen gehorchte Susan und fiel auf ihr rechtes Knie. Sie legte ihr Schwert vor sich und berührte die Klinge mit beiden Handflächen, den Blick gesenkt.

In ihren Augenwinkeln bemerkte sie, dass auch das stumme Volk um sie herum niedergekniet war. Das eilige Heranschreiten von mehreren schweren Stiefeln war zu vernehmen. Spitzen von Schwertern und Lanzen wurden auf Susan gerichtet.

O je. Susan sah sich bereits in einem Kerker.

Fox wurde weiterhin von zwei Wachen an den Armen festgehalten.

Stille herrschte nun über der mit Menschen angefüllten Marktstraße. Die einzige Bewegung ging von den Schritten von Susans Gegenüber aus, der langsam auf sie zutrat. Ein roter Umhang schlug mit dem letzten Schritt um die Knöchel, in schwarzbraunen Lederstiefeln mit polierten Messingbeschlägen, die hinter einem weißen Rock und Tierfell verschwanden. Nach Momenten des stillen Verharrens sprach der Mann: „Ein interessantes Schwert, das Ihr da führt."

Die Stimme klang laut und erhaben über die Menge hinweg.

Iris flüsterte ruhig in Susans Ohr: „Halte den Kopf unten, bewege deine Lippen. Lass mich sprechen."

Gleich darauf vernahm Susan nahe ihrer Wange Iris' Stimme, zu der sie ihren Mund sprechend mimte. „Ich wollte es nicht gegen Euch erheben, Syre. Verzeiht meinen Fehler."

Das Paar Stiefel wandte sich nach links und begann den Kreis der Wachen um Susan langsam abzuschreiten. Erst nach mehreren Metern erhob der Mann wieder das Wort: „Ich frage mich, woher Ihr solch ein vortreffliches Stück beziehen konntet. Waffen wie Eure und die meine sind sicherlich eine Seltenheit."

Susan erwartete Iris' Antwort, aber der Mann sprach weiter: „Meine war ein Geschenk von der Herrin der See. – Eine wohl einmalige Begebenheit, wie ich meinte."

Susan wartete erneut eine Erwiderung von Iris ab. Aber der Mann interessierte sich nicht für Antworten von ihr, und Iris schien das zu erahnen. Er richtete seine Aufmerksamkeit auf Fox. „Zeig mir, Junge, was war es wert, dass du dafür eine Hand einbüßen wirst?"

Eine der Wachen griff in Fox' Umhängetasche und zog drei Melonen daraus hervor. Von Fox' Lippen drang kein

Wort. Der Mann beachtete das Diebesgut nicht weiter und setzte seine Runde gemächlich fort.

„Als wäre eine junge Maid in befremdlichem Gewand, in Besitz einer außergewöhnlichen Klinge und mit Begabung in der Schwertführung nicht schon ungewöhnlich genug, frage ich mich, was ihr mit einem Tagedieb zu schaffen habt."

Diesmal schien der Mann tatsächlich eine Antwort hören zu wollen und Iris stand damit an Susans Ohr bereit. „Ich wurde von der Herrin der See mit einer Aufgabe betraut, die von großer Bedeutung ist. Der Junge hat dabei eine ebenso entscheidende Rolle einzunehmen."

„Ihr beruft Euch auf meine Schutzgöttin? Ihr wisst, dass Ihr Euch hierbei auf sehr dünnem Eis bewegt?"

„Unser beider Schwerter sollten uneingeschränktes Vertrauen auf meine Worte erwarten lassen."

Susan schluckte schwer. *Iris!* Diese Erwiderung kam für Susans Geschmack bei diesen Umständen doch etwas forsch daher.

Nervöse Stille hing über dem Marktplatz.

„Nehmt Euer Schwert auf und erhebt Euch."

Die Spitzen des knappen Dutzends Waffen entfernten sich von Susan.

Ihr Herz schlug vor Aufregung heftig gegen ihre Brust. *Fordert er mich zum Duell?* Einen Zweikampf scheute sie nicht. Einem Menschen war sie sicher durch ihre Kräfte überlegen. Aber das Kristallschwert in seinen Händen brachte Fragen zu seiner wahren Stärke auf.

Mit nach wie vor gesenktem Kopf stand Susan langsam auf. Ihre Augen wanderten nach oben und blickten in ein lächelndes, helles Gesicht.

Der etwa 30-jährige Mann vor ihr hatte strahlend blaue Augen und trug einen gepflegten, blonden 5-Tage-Bart. Das halblange blonde Haupt umrandete ein metallener Reif, besetzt mit mehreren Perlen und einzelnen Edelsteinen.

„Man sollte an der Herrin nicht zweifeln und ihr Wirken nicht hinterfragen, wie die eigene Erfahrung mich lehrt." Er lachte Susan entgegen. Der offensichtliche König steckte das Kristallschwert in eine kunstvoll gearbeitete Scheide und wandte sich ab. Susans Nervosität legte sich. Der Mann schritt auf sein Pferd zu und stieg über ein schnell bereitgestelltes Treppchen aus Holz in den Sattel, worauf sich das Volk erhob.

„Es kam glücklicherweise niemand zu Schaden", sprach er laut aus, so dass man es weit genug hören konnte. „Zahlt die Schulden des Jungen aus und lasst die beiden ziehen. Sie sind meine Gäste."

Susan atmete auf. Alsgleich setzte sich der Zug in Bewegung, zwischen Susan und den von den Wachen freigegebenen Fox hindurch. Die Trompeten erklangen laut und es geriet schnell wieder Jubel in die rege Menge. Ein schmächtiger, nach vorne gebeugter Mann mit Lederkappe trat aus dem Zug auf den Melonenhändler zu, drückte ihm ein paar Münzen in die Hand und reihte sich wieder ein. Das Volk strömte zu einem kleinen Teil hinterher. Der Großteil löste sich aber rasch auf und verschwand in die Gassen, um weiter dem Geschäftlichen nachzugehen.

Susan und Fox blickten sich von den gegenüberliegenden Straßenseiten aus an. Zunächst ernst und ratlos. Dann aber stieg das Lächeln in beide Gesichter. Sie machten ein paar Schritte aufeinander zu und fielen sich lachend in die Arme.

„Was machst du denn für Sachen, Kleiner?", feixte Susan.

„Was ich mache?", fragte Fox kopfschüttelnd. „Was machst du hier?"

„Das lass dir lieber mal von Iris erklären. Ich habe nämlich selbst nicht wirklich eine Ahnung."

Fox blickte sich fragend um. „Iris ist auch hier?"

„Mehr oder weniger", meldete sich Iris mit gemäßigter Stimme von seiner rechten Seite her.

Fox wich erschrocken zurück.

„Ich bin sozusagen nicht ganz von den Toten zurückgekehrt, aus welchem Grund auch immer", erklärte sie rasch. „Ich bin nicht viel mehr als eine Stimme."

Fox machte ein bedrücktes Gesicht.

„Für mich nicht weiter schlimm", beruhigte ihn Iris. „Es macht Manches nur etwas komplizierter."

Fox entspannte sich ein wenig, bevor die Erkenntnis in ihn zog. „Ah. Du hast für Susan gesprochen. Ich schon gewundert. Aber wie kommt ihr hierher?"

„Der Raumkristall hat uns zu dir gebracht, um dich wieder aufzusammeln", erläutere Iris knapp. „Der Krieg ist zwar vorbei, jedoch hat die Herrscherin überlebt und geht weiter in Susans Zeit vor. – Es tut mir leid, dass ich euch damit so überfalle und das von euch verlange, aber …"

„Ich bin dabei", unterbrach Fox sofort.

Susan war baff. Iris sicher auch.

„Du hast schon verstanden, was Iris gesagt hat?", meinte Susan. Sie hatte Zweifel, dass sich der Junge klar darüber war, was seine Zusage bedeutete.

„Die Herrscherin lebt, will weiter Menschheit vernichten und wir sammeln alle Freunde um zu beenden", fasste Fox mit einem breiten Grinsen zusammen. „Ja. Ich freu mich darauf."

Susan verzog die Augenbrauen. „Du freust dich drauf?"

„Es ist schön, dich wieder zu sehen, Susan. Und auch auf die anderen freue ich mich. Seitdem ich zurück in meiner Zeit, ich vermisse deine, Susan."

Susan nahm den Kopf zur Seite, lächelte dem Jungen liebevoll in das schmutzige Gesicht und drückte ihn fest an die Brust.

„Du bist dir aber schon bewusst, worauf du dich damit wieder einlässt?", fragte Iris ruhig nach. Susans Umarmung löste sich.

„Schlimmer als das letzte Mal? Ich kann mir nicht vorstellen." Er zwinkerte Susan mit einem schelmischen Lächeln zu.

Susan erwiderte es und streichelte ihm über die Mütze. „Ist die auch geklaut?"

Fox' Lächeln verschwand. „Ich hab gar nichts gestohlen." Er griff nach der Tasche um seinen Hals und schmiss sie auf den Boden. „Die hab ich nicht bemerkt. Ich weiß nicht, wo die herkommt. – Die Mütze war ein Geschenk …" Fox überlegte kurz. „Sie ist geliehen. Ich muss sie zuerst zurückgeben, bevor wir los können. Ist das in Ordnung?"

Susan hatte den Drang auf Iris zu schauen, um sich mit einem Blick zu beratschlagen, aber das war ja leider nicht möglich. „Die Zeit haben wir sicher."

Von Iris kam keine Erwiderung.

„Wo geht's lang?"

Fox blickte kurz um sich und zeigte in eine Richtung. Susan folgte dem Fingerzeig, wobei ihr Blick einen Jungen mit streng nach hinten gekämmten Haaren erfasste, der im Schneidersitz auf dem Dach einer Hütte saß und ihnen entgegengrinste. Er streckte die Hände weit nach vorne und applaudierte Fox mit langsamen Schlägen seiner Handflächen.

Susan bemerkte Fox' starren Gesichtsausdruck. „Kennst du den?"

Fox riss die Augen von dem Jungen weg und nahm Susan am Ärmel ihrer Jacke. „Lieber wär mich nicht. – Gehen wir da lang."

Er führte Susan und Iris in eine Nebengasse. Kaum hatten sie sich in Bewegung gesetzt, stürmte ein Gedanke Susans Kopf. „Iris. Dieser König hat Kronos' Schwert. Sollten wir es ihm nicht abnehmen? Wie kommt er überhaupt dazu?"

„Nein, das hat schon seine Richtigkeit. – Dieser König ist der rechtmäßige Besitzer des Schwertes. Zumindest in dieser Zeit."

Susan verzog die Augenbrauen. „Geht das vielleicht noch ein wenig ausführlicher?"

Fox meldete sich zu Wort. „König Artus ist toll. Er es geschafft britische Völker zu einen und die Saxen zu besiegen."

Susan verschlug es die Sprache. „König Artus? – *Der* König Artus? Schwert aus'm Stein, Merlin, Camelot, Tafelrunde, Excalibur. *Der* Artus?"

Iris amüsierte Susans Reaktion offenbar, antwortete aber bemüht sachlich: „Die restlichen Ritter sammelt er zwar erst noch, aber der Tisch steht bereits in der Burg da oben. Camelot. Und den Merlin und Excalibur hast du gerade selbst gesehen."

Susans Blick hatte sich kurz auf das Schloss auf dem Burghügel gerichtet, nahm aber sogleich wieder einen fragenden Ausdruck an.

Iris erklärte weiter: „Bei Kronos' Elfenschwert handelt es sich um das legendäre *Excalibur* oder *Caliburn*. Artus ist ein Nachfahre Andalons und damit rechtmäßiger Erbe. Er erhielt es aber eher durch einen Unfall, worauf ich als Herrin der See in unsichtbare Erscheinung trat und ihm das Schwert zeitweise anvertraute, als er es aus dem Wasser zog. Zurücknehmen konnte ich es leider schlecht. – Und Merlin … Hast du ihn nicht gesehen? Er schritt neben der Karawane her. Langer weißer Bart, in einer hellen Druidenkutte mit einem langen Gehstock?"

Susan war gerade etwas erschlagen und kommentierte leicht abwesend: „Der ist mir leider entgangen."

Auch Fox war beeindruckt von Iris' Ausführungen, doch er riss sich davon los. „Wir sind da. Wartet hier." Er machte ein paar schnelle Schritte auf einen Stand zu. Ein hübsches Mädchen in Fox' Alter sah von einem Ballen Leinen auf, den sie gerade zurücklegte und strahlte ihm entgegen. Traurigkeit zog gleich darauf in ihr Gesicht, als sich Fox die

Mütze vom Kopf zog und sie ihr mit beiden Händen und vielen Worten überreichte. Er drehte sich herum und kam zurück. Betrübte Augen blickten ihm hinterher. Doch Fox lächelte Susan zu. „Ich bin soweit."

Du armer kleiner Tropf. Sollte sie ihn darauf aufmerksam machen? Aber was sollte er auch mit dieser Info anfangen. *Würde er seine Entscheidung, mitzukommen, zurücknehmen? Wegen meines kleinen Verdachts?*

„Die Vereinigung mit dem Kristall führen wir am besten in dem Waldstück durch, wo wir aufgetaucht sind", schlug Iris vor. „Da sind wir vor Zuschauern sicher."

Fox' Augen leuchteten. „Wir bekommen wieder Kristallsplitter?"

Susan schüttelte ihre Gedanken ab und nickte Fox zu. *Auf das Teleportieren freut er sich bestimmt am meisten.* Sie selbst war nach wie vor kein Fan davon.

Sie schritten durch die enger werdenden Gassen auf den Rand des Marktes zu. Susan konnte nicht fassen, dass Fox so bereitwillig seine Heimat verlassen wollte. Er hatte nicht mal nach einer Möglichkeit zurückzukehren gefragt.

Beim genaueren Hinsehen wirkte der Junge mager. Sein Gesicht war weit davon entfernt, als eingefallen bezeichnet werden zu können, aber es hatte die rundliche Form verloren. Die Hautfarbe hatte auch etwas Fahles an sich. Wie konnte er sich in zwei Tagen nur so verändert haben?

„Wie geht's dir, Kleiner?"

Fox schaute Susan mit einem nur halbwegs freudigen Lächeln entgegen. „Alles gut. Und dir? Du siehst blass aus."

Ja, echt? – Na ja, mich braucht es ja nicht wundern. „Ich hatte ein paar unruhige Tage. Aber du vermutlich auch. Darf ich fragen, wie lange du schon zurück bist?"

Fox verzog nachdenklich die Lippen. „Eine Woche etwa?"

Eine ganze Woche?

Susan wollte dem nicht mehr Bedeutung zumessen. Sie nahm den rechten Arm um Fox' Schultern und drückte ihn an ihre Seite. *Es freut mich, dass du am Leben bist.* Ein komischer Satz, ihn auszusprechen. „Schön, dich wiederzusehen." *Ja, ehrlich.*

Fox legte die linke Hand auf ihre und strahlte Susan entgegen.

Sie stiegen die Anhöhe hinauf und blickten ein letztes Mal in das Tal. Das Turnier war in vollem Gange und die Zuschauerplätze überlaufen. Die Königstribüne war deutlich zu erkennen und der auf dem Thron sitzende König auf die Entfernung nur zu erahnen.

Sie hielten kurz nach dem Waldrand an.

„Also gut, Fox", sprach Iris konzentriert. „Die Splitter haben sich an dem Raumkristall angelagert. Wenn wir die Vereinigung durchführen, dann schleudert er uns gleich durch die Zeit, wie wir feststellen mussten. Diese Vorgänge können wir nicht voneinander trennen."

Fox nickte.

„Am besten du legst dich auf den Boden und hältst den Kopf möglichst ruhig, während ich Susan die richtige Position an deiner Stirn weise."

Der Junge legte sich gerade auf den Laubteppich. Susan holte vorsichtig den Kristall aus der Jackentasche. Die Splitter hatten sie schon mehrmals durch den Stoff hindurch in ihre Hüfte gestochen.

Sie blickte auf das igelförmige Gebilde in ihrer Hand. *Wieso trage ich ihn eigentlich in der Tasche rum?* Mit dem nächsten Gedanken sirrte die Luft um das Juwel und es war verschwunden. Gleich darauf hielt sie den Raumkristall wieder in der Hand.

Susan lächelte. Wie Fox die Teleportation fehlte, so wenig hätte Susan auf dieses kleine Gimmick verzichten wollen.

Sie kniete sich seitlich neben Fox, lehnte sich über ihn und richtete den hell strahlenden Splitter mit beiden Händen ruhig auf die Stirn. Iris korrigierte einige Male, bis sie zufrieden war. Susan übte zunächst nur sachten Druck nach unten aus. Kaum stach die Spitze durch die Haut und geriet Blut an den Splitter, leuchtete auch der Raumkristall hell auf.

Fox' Gesicht verzerrte sich zunehmend.

Auch Susan verzog ihres. *Tut mir leid.*

„Ich versuche, die Schmerzen zu lindern", drang Iris' Stimme von überhalb Fox' Kopf her.

Susan sah an Fox' Schläfen ein sanftes orangefarbenes Leuchten.

Die Spitze des Splitters setzte auf der Schädeldecke auf.

Susans Nervosität stieg. *Hoffentlich drücke ich nicht zu fest.*

Nach einem vorsichtigen Ruck drang der Splitter tiefer ein, bis der Raumkristall auf Fox' Stirn aufsetzte. Ein greller Lichtblitz ging von ihm aus und das Trio war verschwunden.

Kapitel 12 - Silbergrau

„Du bist immer noch hier?"

Alexandreiji schreckte von seiner Lektüre auf und blickte zur offen stehenden Zimmertüre. Im Türrahmen stand der Schlosswart, der mit einem Bund Schlüssel in der einen Hand und einer Kerzenlaterne in der anderen seinen ersten abendlichen Rundgang durch das gräfliche Gemäuer tat.

Alexandreiji rieb sich die Augen. „Verzeiht, Petr. Ich mach mich gleich auf den Weg nach Hause."

„Das würde ich dir nicht empfehlen."

Alexandreiji wartete mit fragendem Blick auf eine Erklärung.

„Die Ausgangssperre? – Wie lange sitzt du hier schon? Hast du nicht von dem Erlass gehört?"

Alexandreiji schaute durch das einzelne kleine Fenster im Raum und erkannte nur einen in dunklem Dämmerlicht gehaltenen Himmel. Den ganzen Tag seit den frühen Morgenstunden verbrachte er mit seinen Studien unter Kerzenschein in der Lagerkammer mit alten Schriftstücken. „Welcher Erlass?"

Petr kam herein, setzte sich auf einen Schemel und stellte seine Laterne auf den Boden aus altem knarrenden Holzparkett. „Die Pest dringt immer näher heran. Trotz der Staatsquarantäne seiner Majestät hat sie die schlesische Grenze überschritten. Nachricht von den ersten Opfern in einem Dorf bei Kalisz erreichte uns gestern. Der König verordnete daher eine nächtliche Ausgangssperre über das ganze Reich. In den Provinzen jenseits der Warta sogar Hausarrest."

Alexandreiji folgte sorgenvoll Petrs Ausführungen.

Kalisz. Nur einen Tagesritt von hier entfernt.

„Und du suchst in den alten Schriften nach einer Heilung für den Schwarzen Tod?" Petr lehnte sich nach vorne, blickte auf die Bücherstapel vor Alexandreiji und lächelte ihm zu. Er mochte etwas jünger als Alexandreji sein, aber seine leichte Körperfülle ließ ihn träger erscheinen.

Alexandreiji schmunzelte. Er lehnte sich zurück und strich sich eine Strähne seiner nur noch schulterlangen grauen Haare hinters Ohr. „Nichts dergleichen. Ich habe erst vor kurzem mit biblischen Texten begonnen. Vor ein paar Tagen kämpfte ich mich noch durch Abhandlungen der griechischen Antike."

„Und wozu das Graben in so alten Geschichten? Gerade von den heiligen Schriften hörst du doch schon genug beim Kirchgang."

„Da sucht aber der Priester die Verse heraus, die er für eine Predigt als sinnvoll erachtet. Dabei gibt es noch deutlich interessantere Stellen." Alexandreiji schlug ein dünnes großformatiges Buch mit verwittertem Ledereinband auf. „Das erste Buch Mose: *In jenen Tagen waren die Riesen auf der Erde, und auch danach, als die Söhne Gottes zu den Töchtern der Menschen gingen und sie ihnen gebaren. Das sind die Helden, die in der Vorzeit waren, die berühmten Männer.* Hast du von diesem Vers schon mal in der Kirche gehört? Die davor und danach sind geläufig. Dieser hier aber wird ausgelassen. Was hat es mit den Helden auf sich und mit Riesen? Die Söhne Gottes? – Vielleicht würde das hier mehr Aufschluss geben." Alexandreiji zog ein weiteres Schriftstück heran, das auf dem Leseständer vor ihm lag. „*Nachdem die Menschenkinder sich gemehrt hatten, wurden ihnen in jenen Tagen schöne und liebliche Töchter geboren. Als aber die Engel, die Himmelssöhne, sie sahen, gelüstete es sie nach ihnen, und sie sprachen untereinander: Wohlan, wir wollen uns Weiber unter den Menschentöchtern wählen und uns Kinder zeugen. Semjasa aber, ihr Oberster, sprach zu ihnen: Ich fürchte, ihr werdet wohl diese Tat nicht ausführen wollen, so dass ich allein eine große Sünde zu büßen haben werde. Da antworteten ihm alle und sprachen: Wir wollen alle einen Eid schwören und durch Verwünschungen uns untereinander verpflichten, diesen Plan nicht aufzugeben, sondern dies beabsichtigte Werk auszuführen. Da schwuren alle zusammen und verpflichteten sich untereinander durch Flüche dazu. Es waren ihrer im Ganzen 200, die in den Tagen Jareds auf den Gipfel des Berges Hermon herabstiegen.* Dieses Buch wurde vor hunderten von Jahren aus dem Kanon ausgeschlossen."

„Und wozu willst du das Alles nutzen? Unser werter Graf wird davon nichts in seiner Chronik stehen haben wollen. Oder seid Ihr neuerdings Lehrer der gräflichen Bälger?"

Alexandreiji schmunzelte. „Eine mutige Zunge, die Ihr anschlagt, lieber Petr."

Der Schlosswart winkte mit einem Lächeln ab. „Das sagst du, der hier in verbotenen Büchern kramt? Und von der Grafschaft habe ich nichts zu befürchten. Oder hast du die vielen Wochen, die du hier unten verbracht hast, jemand anderen gesehen, außer mich? Ich glaube, der Graf selbst weiß nicht mal, dass diese Räume existieren. Er kennt nur die große Bibliothek über uns. Und selbst da hat er seit Jahren keinen Fuß mehr hineingesetzt." Petr beugte sich nach seiner Laterne. „Ich mach mich weiter auf die Runde. Ich lass dir im Bedienstetengang ein Bett bereitstellen."

„Nur keine Umstände. Ich verbringe die Nacht auch gerne hier, wenn Ihr gestattet."

„Bist du sicher? Das Gemäuer hier ist nicht sehr winddicht, wie du sicher schon bemerkt hast. Über Nacht wird es hier noch deutlich kühler."

„Die eine Nacht werde ich schon überleben."

Petr lächelte schief. „Nur sagt mir etwas, dass es nicht bei dieser einen Nacht bleiben wird." Er war im Begriff, Alexandreijis Wunsch nachzukommen, blickte aber zuerst nachdenklich auf die heruntergebrannte Kerze am Tisch. „Bitte lösche die Kerze, bevor dich der Schlaf übermannt. Ich lasse dir noch eine Decke bringen."

„Habt vielen Dank, Petr."

Er nickte und machte sich davon.

Alexandreiji blieb ruhig auf seinem Stuhl sitzen und richtete seine Gedanken auf die nahende Pest. Ganze Dörfer sollten ihr im Westen schon zum Opfer gefallen sein. Und der Ausbreitung schien auch kein Mittel standzuhalten. An eine Heilung war nicht zu denken. Dafür verlief die Krankheit zu schnell, um sie kurieren zu können. Ohnehin waren die kirchlichen Gemeinschaften fest davon überzeugt, die Strafe Gottes würde die Sünder ereilen und nicht eine Erkrankung, wie eine Erkältung.

„Hatschü!" Alexandreiji hätte fast seine Kerze ausgeniest. Gleich darauf fröstelte ihn in seiner grauen Kutte. *Es zieht doch deutlicher, als ich dachte.*

Er hätte gerne das Angebot der Unterkunft in einem weichen Bett angenommen. Doch er wollte seine Privilegien, als auch die Petrs, nicht zu stark ausreizen. Dass er in solch alten Schriften blättern durfte, war wohl nur ihm selbst ein Schatz. Sie mussten schon seit dem Bau des Schlosses vor 200 Jahren hier liegen.

Bis jemand mit seiner Decke kam, beugte sich Alexandreiji wieder über die gebundenen Bücher und geschnürten Seiten. Die nächsten Einbände zierten die Titel *Evangelium des Thomas* und *Offenbarung des Johannes*. Doch zunächst widmete er sich weiter dem *Buch Henochs.*

„Dies ist der Ort, wo Himmel und Erde zu Ende sind; ein Gefängnis ist dies für die Sterne und für das Heer des Himmels. Die Sterne, die über dem Feuer dahinrollen, das sind die, welche beim Beginn ihres Aufgangs den Befehl Gottes übertreten haben; denn sie kamen nicht zu ihrer Zeit hervor.

Da wurde er zornig über sie und band sie 10.000 Jahre bis zu der Zeit, da ihre Sünde vollendet ist."

Alexandreiji erwachte von den Schritten, die die Treppe herab zur Kammer eilten. Sein Blick ging zunächst zum Fenster. Die Morgensonne musste schon vor Stunden den Horizont überwunden haben.

Einer der Knechte öffnete die Türe vorsichtig und steckte den Kopf herein. Seine Augen fanden Alexandreiji in seinem Stuhl in eine Ecke gelehnt, fest in eine Decke gewickelt.

„Petr schickt mich. Ihr solltet baldmöglichst nach Hause gehen. Der Graf will das Schloss abschotten. Niemand außer der Grafschaft und dem nötigsten Personal sollen verweilen. Sollet Ihr danach noch hier angetroffen werden …"

„Ich habe verstanden", antwortete Alexandreiji mit einer verschnupften Nase und wickelte sich aus der Decke. „Danke. Ich werde mich gleich auf den Heimweg machen."

Der Knecht nickte und schloss die Türe hinter sich. Sorgenfalten standen in dem jugendlichen Gesicht.

Ob er zu dem nötigsten Personal gehört?

Alexandreiji trat an den Tisch heran und trank einen letzten Schluck Wasser aus dem Trinkkrug, bevor er seine Notizen sammelte und zusammen mit der Schreibfeder in seiner Tasche verstaute. Doch das Kratzen in seinem Hals blieb.

Er trat auf die Türe zu, öffnete sie und warf einen letzten Blick auf die alten Schriften in diesem Raum, die er die letzten Wochen studieren durfte, ungewiss darüber, ob er je wieder zurückkehren würde. Die größere Sorge um die näher rückende Pest verdrängte die Wehmut, so viel Wissen zurücklassen zu müssen. In den Tagen als sich Volk wie Adel nur für Minnelieder und Sagen der Kriegsgeschichte scherten.

Die Warta hat nur wenige Brücken. Vielleicht schafft es der Schwarze Tod nicht hinüber. Doch wie viele Flüsse musste die Plage zuvor schon überwunden haben, um so weit vorzudringen?

Alexandreiji machte sich auf den Weg die Treppe hinauf zum westlichen Rundgang und schritt auf den Balkon, der den Innenhof umlief. Hektisches Treiben bestimmte den sonst so gemächlichen Vormittag im Schloss. Sowohl der Vorratsspeicher war verriegelt und mit zwei Wachen besetzt, als auch der Zugang zum Wohntrakt der Grafschaft. Aus dem Flügel der Bediensteten luden mehrere Kämmerer, Mägde und Knechte ihr spärliches Hab und Gut auf einen Karren, der zum Ausquartieren bereitstand, oder schulterten die überschaubare Last selbst.

Ob sie bei ihren Familien unterkommen können?

Die Söhne und Töchter von Bauernfamilien konnten am elterlichen Hof sicher wieder Arbeit finden. Viele stammten aber von Handwerkern und Händlern ab, die die Quarantäne und Ausgangssperren selbst in Bedrängnis ihrer Existenz brachten.

Alexandreiji begegnete nicht nur im Schloss zahlreichen bangenden Gesichtern. Auch außerhalb der deutlich stärker als üblich bewachten Tore lief er an von Sorgenfalten gezeichneten Bürgen vorbei, die sich mit Vorräten eindeckten.

Ich sollte vielleicht auch noch einen Umweg über den Markt machen.

Das Angebot an haltbaren Waren, wie Trockenfleisch, war sicher schnell erschöpft.

Doch er wollte zuerst nach Hause. Pavel machte sich bestimmt schon Sorgen. Alexandreiji hustete. Eine Frau mit einem Tuch auf Nase und Mund gepresst wich erschrocken zurück.

„Verzeiht. Ich hab mich erkältet."

Mit zusammengekniffenen Augen ging die Frau weiter, drehte sich aber noch mehrmals nach ihm um.

Sie glaubt mir wohl nicht.

Ein Hauch eines Schmunzelns huschte über Alexandreijis Gesicht. Doch war es der Frau nicht übel zu nehmen. *Die Angst ist sicher nicht ungerechtfertigt. Schon Tausende hat die Seuche binnen Wochen dahingerafft.*

Alexandreiji erinnerte sich, dass man auch in Susans Zeit zuerst eine Seuche vermutet hatte, die die Bevölkerung dahinraffte. Doch hier agierte das Verderben zu jeder Zeit und breitete sich kontinuierlich aus, anstatt punktuell, vorzugsweise nachts. Außerdem kam der Schwarze Tod nicht unmittelbar, sondern ließ die Menschen über mehrere Tage dahinsiechen.

Alexandreiji hatte selbst noch keinen Befallenen zu Gesicht bekommen, aber die Berichte waren schlimm genug. Wie dankbar im Vergleich ein schneller Tod durch die Hand der Narach anmutete. – Er sollte vielleicht auch besser Vorkehrungen treffen. Nicht nur allein Pavel wegen.

Alexandreiji erreichte das Haus mit einer Grundmauer aus geschichteten Steinen und dem aus Holz errichteten ersten Stock darüber, in der er zur Untermiete wohnte.

Er hustete erneut. Seine Kehle war staubtrocken. *Verdammt.*

Das Husten machte einen Mann mit schütterem braunem Haar auf Alexandreiji aufmerksam. Er pausierte das Schaufeln von frischem Stroh ins Haus. „Sieh einer an. Ich hab mir schon Sorgen um dich gemacht."

Der etwa gleichaltrige Witwer setzte die Heugabel ab und legte sein Kinn auf die gefalteten Hände am Ende des Stiels. Er lächelte ihm erleichtert entgegen.

„Verzeih mir, Pavel. Ich habe die Zeit über den Büchern vergessen und musste die Nacht im Schloss verbringen."

Pavels Lächeln schmälerte sich kurz, bevor es einen schelmischen Ausdruck annahm. „Mit Büchern hast du die Nacht verbracht? Ich hatte mir eine andere Gesellschaft ausgemalt. Und mir eine Geschichte davon erhofft."

„Mit Geschichten kann ich dienen." Alexandreiji lachte zurück, was in einen weiteren Husten überging.

„Oh, bitte nicht noch eine weitere römische Dichtung", winkte Pavel ab. „Hast du dich erkältet? An der Seite einer holden Maid hättest du dir so etwas nicht zugezogen."

Alexandreiji schüttelte lächelnd den Kopf. „Kann ich dir bei etwas helfen? Wie steht es um unsere Vorräte? Du hast sicher von der nahenden Plage gehört. Der Graf hat eben über sein Schloss eine Quarantäne verhängt. Es ist nur eine Frage der Zeit, dass es die ganze Stadt trifft."

Pavel schaute sich möglichst unauffällig aus den Augenwinkeln nach links und rechts um. „Du hast recht. Bitte überprüf die Kammer selbst. Ich glaube, wir sind wirklich nicht gut genug darauf vorbereitet."

Was ist mit ihm? Seine Stimme wirkt mit einem Mal so anders.

Pavel trug den nächsten Stich Stroh ins Haus. Alexandreiji folgte ihm hinein. Kaum hatte er die Schwelle überschritten, wandte sich Pavel flüsternd an ihn. „Wir haben genügend Vorräte. Unter den Dielen unter der Treppe lagerte meine Frau viele Jahre hinweg Konserven ein. Aber um einen kleinen Gang über den Markt kommst du jetzt nicht herum. Wir müssen den Schein wahren, dass wir nicht ausreichend besitzen. Der Wojczik Bengel von gegenüber hat unsere Unterhaltung aufmerksam verfolgt."

Alexandreiji war beeindruckt von der Abgebrühtheit und Voraussicht seines Vermieters. Und noch mehr über das Vertrauen, dass er ihm in diesem Moment angedeihen ließ. In den zwei Jahren, die sie unter demselben Dach wohnten, hatten sie relativ schnell einen Draht zueinander gefunden. Nach dem anfänglichen Verdruss und dem leidenden Schweigen, die Wochen nach dem Tode seiner Frau, lernte er die Gesellschaft von Alexandreiji wohl sehr schätzen.

Alexandreiji lächelte Pavel voller Anerkennung zu. „Ich mach mich gleich auf den Weg. Und ich achte von jetzt an auf meine Bedecktheit."

Pavel nickte ihm zu und verteilte weiter das Stroh unter den drei Schweinen und zwei Hühnern im Stall, während sich Alexandreiji auf den Weg zum Markt machte.

Kapitel 13 - Dunkle Gassen

Susan kniete in matschiger Erde. *Na sehr schön, danke.*

Sie richtete sich auf, ließ den Raumkristall verschwinden und strich sich den Dreck von der Hose.

Bäh! Die Hände musste sie sich dennoch wieder an der Hose sauber reiben.

Sie blickte auf Fox, welcher der ganzen Körperlänge nach im aufgeweichten Boden lag und mit verzogenem Gesicht durch die dunkle Umgebung blinzelte. Er stütze sich auf die Ellbogen und bemerkte den nassen Untergrund erst, als seine Arme in den weichen Dreck sanken. „Ähhhh."

Susan versuchte, ein Lächeln zu unterdrücken, und reichte ihm die Hand. Mit einem Ruck stand Fox auf den Beinen. Er wischte sich mit schmerzverzerrtem Gesicht über die Stirn. Als er das Blut auf seinem Handrücken sah, fragte er: „Ging alles gut?"

„Scheint so. – Ich hab doch alles richtig gemacht, oder?"

„Soweit ich das beurteilen kann, ja", antwortete Iris hinter ihnen.

„Wurdest du wieder weggeschleudert?"

„Ja, aber nicht mehr so weit. Diesmal war ich vorbereitet."

Susan nickte und schaute sich um. Sie befanden sich zwischen mehreren Häusern, auf denen die fortgeschrittene Abenddämmerung lag. Es roch nach Bauernhof.

Die kurze Gasse mündete auf einen kleinen gepflasterten Platz. Susan trat vorsichtig auf die menschenleere Fläche, auf die die Eingänge der meisten Gebäude ausgerichtet waren.

Das Pflaster war noch feucht und zeugte von einem kürzlichen Regenschauer, der die Nebengassen aufgeweicht hatte. Aus vielen Fenstern der Stein- und Holzhäuser mit strohgedeckten Dächern flackerte Kerzenlicht. Hier draußen war alles ruhig. Keinerlei Geräusche, außer von einem seichten, kühlen Wind.

Susan fröstelte. Sie blickte sich mit verschränkten Armen um. Ihre Augen blieben an der dunklen Gasse hinter ihr hängen.

Sie schüttelte den Kopf. *Wieso müssen die Erinnerungen daran immer noch in meinem Kopf herumspuken, wenn es doch gar nicht geschehen sein soll?*

Fernes Hufgeklapper riss Susan aus den Gedanken. Drei Pferde kamen rasch näher. Die Reiter trugen je eine Öllampe in einer Hand und führten die Zügel mit der anderen. Das Licht färbte die weißen Mäntel in ein mattes Gelb-Orange.

Die ersten zwei ritten vorüber, ohne Susan und Fox zu beachten. Nur der dritte drosselte kurz darauf seine Geschwindigkeit, riss sein Pferd herum und trabte langsam wieder auf das Pärchen zu.

„Was macht ihr Kinder so spät noch draußen?", sprach ein etwa 40-jähriger Mann mit grau melierten, im Nacken gebündelten Haaren zu ihnen herab. „Die Ausgangssperre ist seit einer Stunde in Kraft."

Seine Stimme klang sehr hektisch. Die Stirn lag in tiefen Sorgenfalten.

„Iris. Welche Sprache?", flüsterte Susan durch einen Spalt ihrer Lippen.

„Polnisch", antwortete Iris knapp.

Dasselbe Spiel wie bei Artus also?

Susan wollte sich schon darauf einstellen, zu Iris' Stimme die Lippen zu bewegen, doch diese ergänzte leise: „Sprich Deutsch mit ihm."

Susan zog die Augenbrauen nach oben. „Wieso?"

„Rede lauter!", wies der Mann ungeduldig an.

Ohne weiter darüber nachzudenken, entgegnete sie zögerlich: „Verzeihung. Ich spreche nur Deutsch. – Wir sind auf der Durchreise und …"

In diesem Moment schwang sich der Fremde von seinem Pferd, trat rasch auf Susan zu, legte die freie Hand auf ihre Schulter und leuchtete ihr mit der Laterne ins Gesicht. Susan streckte den Hals nach hinten und blickte den Mann vor sich mit großen Augen an. *Was willst du von mir?*

„Wie ist dein Name, Kind?", sprach er seltsam fasziniert auf sie ein.

„Ich – heiße Susan", stotterte sie ratlos heraus. „Und das ist Fox."

Den Jungen beachtete der Mann nicht weiter. Er schaute Susan immer eindringlicher in die Augen.

So gern Susan diesem stechenden Blick ausgewichen wäre, etwas fesselte sie an ihn. Durch die Flamme der Lampe war nur deren Flackern in seinen Augen zu erkennen, aber nicht die Augenfarbe.

„Sind wir uns schon einmal begegnet?", fragte der Mann gedrängt.

„Das bezweifle ich doch sehr", gab Susan mit beengter Kehle von sich, während Fox unbeteiligt daneben stand. „Wie ist denn *Ihr* Name?"

Er ließ von Susan ab, ohne seinen prüfenden Blick von ihr zu nehmen, und antwortete gefasster: „Mein Name lautet Edgar. – Was also macht ihr hier draußen noch so spät?"

„Wir haben uns verirrt und finden unsere Gaststätte nicht mehr. Es ist schon zu dunkel", gab Susan ihre bereits, als die Reiter sich genähert hatten, zurechtgelegte Ausrede zum Besten.

„Ich helfe euch, sie zu finden. Wie heißt sie?", entgegnete Edgar entschlossen.

„Das haben wir leider vergessen", log Susan weiter. „Aber wir kommen schon zurecht."

„Nein. Ihr kommt mit mir", bestand der Mann harsch. „Ich bringe euch in dem nächsten Gasthaus unter."

Susan wusste sich nicht mehr anders zu helfen, als nachzugeben. Offenbar war es besser, nicht länger auf der Straße rumzulaufen. Zumindest wusste sie nicht, was man anderenfalls zu erwarten hatte. Nicht umsonst würde es diese Ausgangssperre geben. Und es war wirklich kalt.

„Verzeiht mir, Syr", drang eine Stimme vorsichtig von der geöffneten Eingangstüre des nächsten Hauses her. „Dürfte ich das Wort an die Kinder richten?"

Edgar ließ mit misstrauischer Miene von Susan und Fox ab. Er nickte nach kurzer Musterung dem Mann mit schütterem Haar, der mit einer brennenden Kerze auf einem kleinen Kerzenständer im Türbogen stand, zu.

Der Mann bedankte sich und sprach Susan und Fox an, die erwartungsvoll auf ihn blickten: „Kennt ihr einen Mann namens Alexandreiji?"

Ein unsicheres Lächeln stieg in Susans Gesicht. Fox nickte mehrmals steif mit strahlenden Augen.

Daraufhin wandte sich der Mann wieder respektvoll an den Reiter im weißen Mantel: „Syr, mit Eurer Erlaubnis nehme ich die Kinder heute Nacht bei mir auf und sorge für ihr Wohlbefinden."

Edgars zurückhaltender Blick suchte den von Susan und Fox. „Ihr habt den Mann offensichtlich verstanden. Seid ihr gewillt das Angebot des Mannes anzunehmen?"

Sie kannten weder Edgar, noch den anderen Mann. Aber dieser schien zumindest Alexandreiji zu kennen und von ihm ging mit Sicherheit weniger Gefahr aus, als von dem eisenbewehrten Reiter mit Befehlston.

„Wir danken für Ihre Hilfsbereitschaft, Sir Edgar", antwortete Susan höflich und bemühte sich um eine gehobene

Note. „Aber wir wollen Ihnen keine weiteren Umstände machen. Sie sind offenbar in Eile. Und wir sind ohnehin auf der Suche nach der genannten Person mit Namen Alexandreiji."

„So sei es", beschloss Edgar, drehte sich um und sattelte zügig auf.

Er war im Begriff seinen Weg fortzusetzen, doch sein Blick verharrte noch einen Moment auf Susan, die zu ihm hinaufblickte.

„Ich habe das Gefühl, wir werden uns schon bald wieder begegnen, Susan", gab er mit einem ernsten Lächeln von sich und gab seinem Pferd die Sporen.

Susan blickte ihm zweifelnd nach. *Auch das mag ich doch sehr bezweifeln.*

„Bitte, folgt mir." Der Mann winkte sie ins Haus und wandte sich um.

Susan, Fox und Iris begaben sich schnell zum Eingang und traten ein. Der Geruch von Stall war naserümpfend intensiv. Aus der dunklen Ecke vernahm Susan das tiefe Atmen von mindestens einem Tier. *Ein Gasthaus wäre vielleicht doch keine so schlechte Idee gewesen.*

Der Mann verriegelte die Türe und führte die Gäste über eine alte knarrende Holztreppe nach oben. In dem ganzen Haus gab es kein anderes Licht, als das von der Kerze in seiner Hand. Er sprach kein Wort. Ohnehin hätte man dem sehr wahrscheinlich nur Polnisch sprechenden Mann nicht zufriedenstellend antworten können.

Doch das Schweigen – zusammen mit dem Knarren der Treppenstufen und dem Flackern der einzigen Lichtquelle in der Hand des fremden Mannes, das gespenstische Schatten warf – bereitete Susan Unbehagen. Fox' Blick nach zu urteilen ebenso. Was Iris' Meinung hierzu wohl war? Ihre Schritte waren über die Treppe auf jeden Fall nicht zu hören. *Witzig, dass ausgerechnet wir einen Geist in eine gruslige Hütte mitbringen.*

Sie erreichten das Obergeschoss. Der Mann öffnete die Türe rechts und bat Susan und Fox mit einer Handbewegung in das Zimmer. Beide traten ein, während sich der Gastgeber mit seiner Kerze in den Raum gegenüber begab.

Susan schaute sich um. Der nächtliche Schein durch das Fenster zur Straßenseite hinaus tauchte das kaum möblierte Zimmer in ein dunkles Zwielicht.

Ein Husten aus dem Schatten neben dem Fenster zerriss die Ruhe. Eine in Decken gehüllte Gestalt saß mehr oder minder aufrecht in der Ecke und drehte sich langsam Susan und Fox zu. Sie richtete eine heisere, fast röchelnde Stimme an die Gäste: „Bitte, tretet näher."

Die Person verfiel gleich darauf in einen schweren Hustenanfall.

Susan wusste nicht, ob sie weiter auf ihn zugehen sollten. Vielleicht hatte er etwas Ansteckendes. Sie wünschte sich von Mal zu Mal mehr, das Angebot von Edgar nicht ausgeschlagen zu haben.

„Geht es Ihnen gut?", fragte Iris, nachdem das Husten in ein schweres Atmen übergegangen war.

„Hört es sich so an, Iris?", spottete die Person amüsiert.

Susan war überrascht, dass der röchelnde Mann Iris kannte.

„Es freut mich, dass du am Leben bist", ergänzte das Bündel Elend in der Ecke.

Dann dämmerte es Susan. Und auch eine Ähnlichkeit der Stimme war nun entfernt herauszuhören.

„Alex?", fragte Susan ungläubig in den Schatten. Sie ging rasch auf ihn zu, aufgeregt gefolgt von Fox und Iris.

Sie kniete sich zu ihm hinab, entfachte eine kleine Flamme in ihrer offenen Handfläche und führte sie langsam näher. Das Flackern mochte den Anblick wohl noch furchterregender erscheinen lassen, als sein Zustand tatsächlich war, aber sie blickten in Alexandreijis Gesicht. Es war eingefallen und kränklich blass. Die tiefen Falten zeugten von Schwäche und Qual.

„Was ist dir zugestoßen?", fragte Iris besorgt.

„Schwere Erkältung", keuchte er. „Meine Brust schmerzt fürchterlich."

Ein weiterer Hustenanfall überkam ihn.

„Das hört sich nach einer Lungenentzündung an", meinte Iris.

„Lungenentzündung?", fragte Susan zweifelnd. „Nach nur einer Woche?"

„Wie kannst du dir innerhalb einer Woche eine so schwere Krankheit zuziehen?", wiederholte Iris auf Polnisch.

„Wie kommst du darauf? Die Krankheit macht mir seit drei Wochen zu schaffen", röchelte der zusammengekauerte Mann in der Ecke.

„Drei Wochen schon?", fragte Iris nach. „Fox. Du warst nur *eine* Woche zurück, oder?"

Fox nickte. „Ja, aber zwei Wochen fehlen."

„Zurück bin ich bereits seit *acht*", warf Alexandreiji ein.

Acht Wochen schon?!

Alexandreiji tastete nach Susans Hand. „Ihr seid aber auch nicht passend für diese Witterung gekleidet. Du bist ja eiskalt."

Susan blickte auf ihre dünnen Pflegerklamotten. Dann auf Fox' schlammige Leinenkleider und seine nackten Füße in Sandalen.

„Wir sollten uns um andere Kleidung für euch bemühen," meinte Iris.

„Neben der Türe steht eine Truhe. Vielleicht werdet ihr da fündig", sagte Alexandreiji leise und lehnte den Kopf zurück an die Wand.

Susan erhob sich und ging mit Fox zu der Holztruhe. Darin fanden sie alte, verschlissene, aber trockene und wärmere Kleidung aus grob gewebtem Stoff.

Susan wechselte nur die Hose und warf sich einen weiten Kittel über die Pflegerbluse samt Sommerjacke, während sie Fox fragte: „Was meintest du mit *zwei Wochen fehlen*?"

„Das Turnier. Das sollte erst stattfinden in drei Wochen. Aber als ich zurückkam, stand es schon in einer Woche an. Und es war so, als ich wäre nie weg gewesen."

Susan hielt den Atem an. „Bei mir war das genau so. Niemand kann sich an die vielen Toten oder Vermissten erinnern. Stattdessen behauptet jeder, dass die letzten Wochen ganz normal verliefen."

Alexandreiji regte sich auf der knarrenden Pritsche. „Auch ich hatte mir von Pavel erzählen lassen müssen, was ich die Tage, die ich in deiner Zeit verbracht habe, angeblich alles getan haben soll."

Susans Lippen formten ein schmales, erleichtertes Lächeln. Ihnen ging es genau so. Sie blickte auf ihre verbundenen Handgelenke, die nun unter dem dicken Kittel verborgen lagen. Das Lächeln verschwand.

„Was führt euch hierher?", fragte Alexandreiji. „Oder bilde ich mir euch nur ein?"

Hm. Zu dem Thema halte ich mich mal vornehm zurück.

Iris schilderte Alexandreiji ihr Anliegen, während Susan rätselte, was tatsächlich das geringere Übel gewesen wäre. Diese Reise wirklich zu unternehmen, oder sich alles nur einzubilden. Wie würde die Alternative dahinter aussehen?

Alexandreiji war anzusehen, wie ihm Iris' Ausführungen zunehmend missfielen. Er mochte sich trotz seines Zustandes wohl denken, worauf es hinauslief.

Als Iris ihn schließlich fragte, ob sie mit seiner Unterstützung rechnen könnten, lehnte er bedauernd ab. „Seht mich an. Ich bin nicht mal in der Lage, mich alleine auf den Beinen zu halten. Welche Hilfe erhofft ihr euch von mir? Wenn ich selbst keine Hilfe erhalte, überlebe ich die nächsten zwei Tage nicht."

Er wandte sich ab und neigte seinen Kopf an die Schulter.

„Die Vereinigung mit dem Kristall kann dir helfen", erwiderte Iris. „Sie stärkt dich und mindert deine Schmerzen."

„Kannst du ihm nicht mit Heilkräften helfen?", fragte Fox besorgt.

„Ich kann Verletzungen heilen, aber keine Krankheiten. Tut mir leid."

Alexandreiji hob den Kopf und blickte in die Richtung, von wo Iris' Stimme kam. „Bitte komm näher heran. Ich kann dich noch nicht sehen."

„Bedaure. Da gibt es nichts zu sehen. Ich bin in gewisser Weise unsichtbar."

Alexandreijis Augenbrauen zogen sich nach oben.

„Ja, daran muss man sich erst gewöhnen", meinte Susan in neckischem Ton. Dabei war sie sich selbst nicht sicher, ob sie das wirklich verstand.

Iris machte nicht den Ansatz, eine Übersetzung dafür geben zu wollen.

Wieso sollte sie auch. „Tut mir leid, aber die Unterhaltung gestaltet sich so etwas schwierig. Versteht er noch was anderes als Polnisch? Englisch vielleicht?"

Anstatt Alexandreiji die Frage zu dolmetschen, entgegnete Iris: „Englisch hat in dieser Zeit immer noch mehr mit Niederländisch gemein und ist im Moment sehr stark von Französisch beeinflusst."

Französisch? Nein, danke.

Alexandreiji meldete sich wieder zu Wort: „Ich verstehe das aktuelle Englisch, spreche es aber nur schlecht. Besser sind Deutsch und Russisch. Griechisch und Latein kann ich nur lesen."

Susans Augen wurden weit. *Ernsthaft?* Sie lachte laut auf. „Du verstehst mich also schon die ganze Zeit? Iris hätte meine Sätze gar nicht wiederholen müssen?"

Alexandreiji schüttelte den Kopf. „Als Chronist muss ich

mit den Sprachen der umliegenden Länder vertraut sein."

„Aber du hast doch auch an meinem Sprachkurs teilgenommen", fragte Iris verdutzt.

„Es hat mir nicht geschadet." Zum ersten Mal trat ein Lächeln auf Alexandreijis Lippen. „Apropos Deutsch: Mit wem habt ihr auf der Straße gesprochen, bevor euch Pavel hereinholte?", fragte Alexandreiji.

Gleich darauf verfiel er wieder in einen schweren Hustenanfall.

Susan verzog das Gesicht. Es tat weh, ihren Freund so leiden zu sehen.

„Er nannte sich Edgar", antwortete sie, nachdem Alexandreijis Atem ruhiger wurde. „Er kam in einer Gruppe von drei Rittern auf der Hauptstraße dahergeritten. Zumindest glaube ich, dass es Ritter waren."

„Was trugen sie?"

„Auffällig war eigentlich nur ein weiter weißer Mantel mit einem großen schwarzen Kreuz über der linken Schulter."

„Ein Sariantbruder des Deutschen Orden." Alexandreiji hustete erneut. „In wichtigen Botenaufträgen reiten sie meist zu dritt."

Der Deutsche Orden sagte Susan was aus dem Geschichtsunterricht. Aber mehr als der Name war leider nicht hängengeblieben.

„Hast du schon eine Entscheidung getroffen, bezüglich der Vereinigung des Kristalls?", fragte Iris. „Bist du gewillt, uns zu unterstützen?"

Alexandreijis Augen wanderten langsam nach unten. Ein weiterer Hustenanfall durchzuckte seinen Körper.

Als er gerade abgeklungen war, brachte Alexandreiji schwer um Luft ringend hervor: „Ich halte diese Schmerzen nicht mehr aus. Ich hoffe, ich bereue es nicht, wenn ich sage: Schlechter als jetzt kann ich es nicht treffen. – Ich komme mit. Her mit meinem Splitter."

Susan atmete auf. Auch Iris war die Erleichterung anzuhören.

Bevor Susan den Raumkristall herbeiholte, lenkte sie den Blick auf die verdreckten Sachen von ihr und Fox vor der Holzkiste.

„Die sollten wir besser nicht hierlassen. Zumindest meine Pflegerhose nicht." Susan ging darauf zu, rollte sie zusammen und steckte sie ein. Fox drückte sie seine eigenen Klamotten in die Hand. „Nimm sie mit, oder leere nur die Taschen. Deine Kleidung wäre nicht so auffällig wie meine."

„Gut mitgedacht."

Susan entgegnete Iris' Kompliment mit einem Lächeln. „Danke."

Sie trat an Alexandreijis Stätte, um ihm zu helfen, sich flach auf den Rücken zu legen, doch da fiel ihr noch etwas ein. „Willst du dich nicht von Pavel verabschieden?"

Alexandreiji überlegte kurz. „Ein Abschied würde ihn wohl härter treffen, als ein wortloses Verschwinden in eurer Begleitung. Wäret ihr nicht hier, hätte ich ihm nur meine Leiche zurücklassen können. Und ich war ihm so schon eine zu große Last. Er weiß, wie dankbar ich ihm bin."

Susan schluchzte für einen kurzen Moment in sich hinein. Als Alexandreiji wieder zu husten begann, blinzelte sie ihre feuchten Augen trocken und kniete sich zu ihm ab.

„Fox. Bitte nimm deine Hände unter Alex' Kopf", wies Iris an. „Wer weiß, wo wir auftauchen. Nicht dass er mit dem Hinterkopf hart aufschlägt."

Fox tat, wie Iris ihm auftrug.

„Dich, Alex, werde ich vor den Schmerzen der Vereinigung bewahren, um eine Ohnmacht abzuwenden. – Danke, dass du mitkommst."

Alexandreiji nickte mit einem schmalen Lächeln zur Antwort.

Susan spürte Nervosität in ihr aufkommen. Aber wieso sollte es beim zweiten Mal nicht klappen?

Sie setzte unter Iris' Anweisung den Raumkristall mit einem silbrig leuchtenden Splitter auf Alexandreijis Stirn. Nach ein paar leichten Korrekturen war die Stelle gefunden. Susan atmete tief ein und drückte zu.

Kapitel 14 - Rabenschwarz

Therese wischte sich mit dem Handrücken über die Stirn, bevor sie den Lappen wieder in den Wassereimer tauchte und auswrang. Sie stand auf einer kleinen Leiter im Westflügel des Klosters und befreite die Ornamente der Türen und Fenster vom Staub. Ihre Mitschwestern nahmen sich dem Boden, den Lampen an den Wänden, den vereinzelten Statuen und den Bilderrahmen an.

Vier Monate war sie nun schon zurück. Anfangs hatte sie gedacht, nach dem Erlebten könnte sie nicht weiter als Ordensschwester leben. So viele Lebewesen, die sie getötet hatte, auch wenn es hier in ihrer Zeit keinen Einfluss gehabt zu haben schien. Doch hatte sie von Iris Dinge über die Natur der Welt und noch weiterer Welten erfahren, die ebensowenig mit ihrem Glauben vereinbar sein sollten.

Die Aufgeschlossenheit der Kirche war weniger fortgeschritten, als sie Iris damals versichert hatte.

Therese hatte sich dazu entschieden, zu bleiben. Für den geführten Krieg fand sie zumindest in der Beichte ihren Frieden. Die anderen Erkenntnisse verloren im Kloster mit der Zeit an Bedeutung. Es handelte sich um vergangene Ereignisse.

Jetzt galt es, nach vorne zu blicken. Doch ihre Gedanken schweiften bei den Putzarbeiten immer gerne ab. Sie lächelte dabei. Aber nicht aus nostalgischen Gründen. Vielmehr, weil diese Zeit tatsächlich hinter ihr lag.

„Schwester Therese?"

Therese wurde aus ihren Gedanken gerissen. Sie nahm den Lappen von einem goldenen Beschlag, den sie schon warmpoliert hatte und drehte sich herum.

„Die Mutter Oberin würde dich gerne sprechen."

Thereses Augenbrauen wanderten nach oben. *Oberin Mathilda will mich sprechen? Das ist ja mal eine Überraschung.*

„Danke, Schwester Francesca. Ich mach mich gleich auf den Weg."

Die Schwester erwiderte mit einem Lächeln: „Soll ich dich begleiten?"

Therese blieb beim Herabsteigen auf der mittleren Sprosse stehen und blickte nochmal in das weiter grinsende Gesicht von Francesca. „Du weißt, worum es geht, oder?"

Das Grinsen wurde noch breiter. „Vielleicht."

Therese lächelte verstohlen zurück. „Du wirst es mir aber nicht sagen."

Ein demonstratives Kopfschütteln folgte.

Therese schürzte die Lippen. „Gerne darfst du mich begleiten. Nimm du die Leiter."

Francescas Grinsens vertrieb sie damit nicht. Sie faltete die Leiter zusammen und machte sich an Thereses Seite, die den Wassereimer trug, zunächst auf den Weg zur Putzkammer.

Oberin Mathilda. Sie beide verband eine umfangreiche Geschichte. Doch wurde Therese schon lange nicht mehr in ihr Büro gerufen.

Therese blickte in das noch immer grinsende Gesicht der schweigenden Francesca, die neben ihr hertrottete.

Dabei musste sie nach oben zur drei Jahre jüngeren Schwester blicken. Therese war seit der Klosterschule immer die kleinste Frau im Orden gewesen.

„War Teil deines Gelübdes letzten Monat nicht, dass du nicht mehr so neugierig sein willst?"

Francesca grinste weiter. „Wieso? Neugierig bist im Moment doch nur du."

Therese schüttelte belustigt den Kopf.

Du kleine Schlange. „Und wie ist es dir sonst so ergangen, seit ich dir bei der Vorbereitung deines Profess geholfen habe?"

„Schuldgefühle wecken? Wirklich, Schwester Therese?" Francesca setzte eine gekünstelt enttäuschte Miene auf.

Therese schüttelte erneut den Kopf. *Sie hat sich aus meiner Zeit als Novizin zu viel abgeschaut. Oder ich bin zu weich geworden.*

Sie leerte den Eimer in den Ausguss in der Putzkammer und stellte ihn ab. Francesca platzierte die Leiter an der Wand.

„Also, wie geht's dir? Du warst die letzte Woche mit Mutter Oberin im Vatikan?"

Francesca legte ihr Grinsen ab und ging kurz in sich. „Es war eine große Ehre. Ich hab mich wohl gefühlt. Nur der Weg zwischen hier und dem Vatikan …" Sie wirkte mit einem Mal bedrückt. „Aus dem Bus heraus sah ich so viele bewaffnete Polizisten. Und auch Militär, glaube ich, war dabei. Bereits direkt hier, um die Ecke war ein Standposten."

„Ja, der Milchlieferant hatte erwähnt, dass die Sicherheitslage in der Stadt schwierig wird."

Innerhalb der Klostermauern gab es kein Fernsehen, kein Internet. Das einzige Radio, von dem sie wusste, befand sich im Büro der Mutter Oberin.

Tatsächlich war Therese neugierig auf das, was dort draußen, vor ihren Mauern vor sich ging. Es hatte schon etwas für sich, mit Zinus' Gerätschaften global auf dem Laufenden zu sein. Doch obwohl sie es zu jener Zeit als sehr bedenklich ansah, sich von überall her Informationen zu beschaffen, auch noch an errichteten Sicherungen vorbei: Etwas mehr zur Sachlage da draußen hätte sie schon gerne gehabt.

Therese und Francesca blieben vor einer hohen, polierten Holztüre stehen.

„Ich nehme an, du wartest hier?"

Francesca nickte grinsend.

„Oder willst du gleich mit reinkommen?"

Francesca schüttelte weiter stumm grinsend den Kopf.

Therese wischte sich das eigene Lächeln aus dem Gesicht, klopfte und trat gleich darauf ein.

Mutter Oberin Mathilda stand an einem Tisch am Fenster und schenkte sich eine Tasse Tee ein. Sie blickte auf. „Schwester Therese. Bitte, setzen Sie sich. Eine Tasse Tee für Sie?"

Therese lehnte höflich ab und nahm auf einem von zwei Stühlen vor einem breiten Schreibtisch Platz, an den sich auch Mutter Mathilda mit ihrer Tasse setzte.

„Ich möchte mich mit Ihnen über Ihr Betragen in letzter Zeit unterhalten."

Therese war bis zu diesem Zeitpunkt nur neugierig darauf, wozu man sie gerufen hatte. Es hätte ein einfacher Auftrag sein können. Doch nun spürte sie eine Enge in ihrer Brust.

Mein Betragen? Ich habe mir doch nichts zu Schulden kommen lassen.

„Sie brauchen nicht so entsetzt zu schauen. Keine Angst." Mutter Mathilda setzte ein warmes Lächeln auf.

Thereses Atmung entspannte sich etwas.

„Ich muss zugeben, vor wenigen Jahren hatte ich gedacht, dass Sie nicht in unserer Gemeinschaft verweilen sollten. Ich war keine Unterstützerin ihres Profess damals. Das wissen Sie. Ihre unrühmliche Zeit als Novizin brauche ich nicht weiter erwähnen."

Therese nickte.

„Umso mehr war ich von ihrem Wandel überrascht — wenn ich es als Wandel bezeichnen darf. Gerade die letzten Monate kam mir zu Ohren, dass sie ein beispielhaftes Verhalten an den Tag legen."

Thereses Mundwinkel zogen sich nach oben. *Ach, echt?*

Der Knoten in ihrer Brust löste sich.

„Gerade die Art, in der Sie sich um ihre Mitschwestern und vor allem die Novizinnen kümmern. Daher habe ich mir überlegt, ob Sie Interesse daran haben, etwas mehr Verantwortung in unserer Gemeinschaft zu übernehmen."

Therese hatte bislang mit Absicht nichts auf Mutter Mathildas Monolog erwidert. Nun fehlten ihr aber die Worte. Ihr Gesicht dagegen antwortete mit einem strahlenden Lächeln, auch wenn ihre gerunzelte Stirn noch von Unglauben zeugte.

„Ich – ich", stotterte sie heraus. „Sehr gerne, ehrwürdige Mutter. Ich danke Ihnen für diese Ehre."

Mutter Mathilda erwiderte ihr breites Lächeln. „Nun gut. Ich habe mir für Sie eine Stellung an der Klosterschule vorgestellt, wenn Ihnen das zusagt."

Erneut war Therese baff. *Die Schule? Wirklich?!*

Niemals im Leben hätte sie sich erträumt, dass ihr nach ihrer eigenen Zeit in der Klosterschule, die man bestenfalls als rebellisch hätte bezeichnen können, solch eine bedeutende Aufgabe zu teil werden sollte.

„Unheimlich gerne. Vielen, vielen Dank."

Mutter Mathilda winkte ab. „Ich muss das zwar noch mit dem Abt absprechen. Aber ich bin zuversichtlich, dass wir uns da einig werden. Ich rufe Sie wieder, wenn es offiziell ist."

Therese sprang auf und schüttelte Mutter Mathilda aufgeregt die Hand. „Vielen herzlichen Dank. Ich werde mein Bestes geben. Ich werde sie nicht enttäuschen."

„Davon bin ich überzeugt."

Tränen traten Therese in die Augen. „Vielen Dank für Ihr Vertrauen."

Therese drehte sich um, wischte sich mit dem Ärmel über die Augen und verließ das Zimmer.

Francesca stand gegenüber der Türe und strahlte sie aufgeregt an. „Und? Hast du angenommen?"

Therese verschlug es die Sprache. Unter Tränen nickte sie, worauf Francesca ihr jubelnd in die Arme fiel.

Kapitel 15 - Fällung

Susan hörte Alexandreiji unsanft auf eine heiße Teerdecke fallen. Grelles Sonnenlicht nahm ihr die Sicht.

Noch bevor sich ihre Augen an die Helligkeit gewöhnten, drang das Geräusch von mehreren Motorsägen an Susans Ohren.

Und lautes Geschrei.

Susan bekam es mit der Angst zu tun. Ihr Puls schoss in die Höhe.

Viele Menschen schrien durcheinander. Nicht voller Panik, sondern eher aufgebracht. Durch das überschlagende Stimmengewirr war kaum etwas zu verstehen.

Susans Augen erfassten allmählich die Situation. Ihr Kreislauf beruhigte sich.

Sie befanden sich auf einer breiten Straße, eingefasst von großen Laubbäumen. Die Schreie kamen von beiden Enden der Allee her.

Straßensperren waren zu erkennen, hinter denen hunderte Menschen brüllten. Sie streckten Transparente und Laken in die Höhe, mit italienischen Worten darauf. Ein paar Meter davor stand je eine Reihe Polizisten in schwerer Schutzbekleidung. Zwei Panzerfahrzeuge hielten abseits.

Man musste die Parolen nicht lesen und die Rufe nicht verstehen können, denn offenbar demonstrierte man hier gegen die Abholzung. Von der Mitte des Blocks ausgehend lag bereits ein knappes Dutzend gefällter Bäume auf den Gehwegen.

Die Arbeiter waren mehrere Baumreihen von den Vieren entfernt und hatten sie noch nicht bemerkt.

„Da rüber", wies Susan an. „Und den Kopf unten halten."

Sie und Fox halfen dem noch benommenen Alexandreiji auf die Beine und zogen ihn geduckt nach sich. Sie liefen auf den Gehsteig und versteckten sich hinter den Ästen der am Boden liegenden Platanen.

„Alex, wie geht es dir?", fragte Iris.

Alexandreiji fasste sich mit geneigtem Kopf an die blutige Stirn und rieb sich mit der anderen Hand die Hüfte. Er musste sie sich beim Fall auf die Teerdecke geprellt haben.

„Kopfschmerzen", meinte er heiser und hustete. „Doch das vergeht rasch. Ansonsten auch schon besser – glaube ich."

Der Husten hörte sich immer noch besorgniserregend an, schien ihm aber zumindest nicht mehr so viel Schmerzen zu bereiten. Fox trat an ihn heran und strich ihm über den Rücken.

„Dies scheint Rom zu sein", vermutete Iris. „Hier sollten wir Therese finden."

Na, dann schauen wir mal. Susan blickte auf den Raumkristall in ihrer Hand. Sie drehte sich in der Hocke damit herum und mimte dabei eine Kompassnadel, die sich auf das stärkste Aufleuchten eines schwarzen Splitters ausrichtete.

„Sie ist wohl in diesem Gebäude", schloss Susan daraus und ließ den Kristall verschwinden.

Das Quartett sah auf die Wand eines etwa 200 Meter langen Gebäudeblocks. Die Fenster des erhöhten Erdgeschosses waren vergittert und die Scheiben selbst von dicken Lochblechplatten verschottet. An den Fenstern der drei Stockwerke darüber war eng geflochtener Maschendrahtzaun angebracht. Kunstvolle Zinnen fassten das Dach ein und erweckten den Eindruck einer adeligen Residenz, oder alten Museums.

Durch das Motorengeräusch hindurch vernahm Susan plötzlich das Trampeln von mehreren Stiefeln.

„Hände hoch!"

Susan riss aus Reflex ihre Arme in die Höhe. Noch in der Bewegung wurde sie mit Fox und Alexandreiji von einer Gruppe Polizisten auf den Boden geworfen.

Susan unterließ es, sich zu wehren, obwohl sie sich dem Angriff mit Leichtigkeit widersetzen hätte können. *Ich will die Polizisten nicht verletzten.* Und sie hoffte, dass auch Alexandreiji und Fox sich zurückhalten würden. Es musste einen gewaltlosen Weg hier raus geben.

Sie ließen sich ihre Hände mit breiten Kabelbindern widerstandslos auf den Rücken fesseln. Ohne ein weiteres Wort an sie zu richten, zog man sie auf die Beine und führte sie mit festen Griffen rasch ab.

Vielleicht kann Iris sie manipulieren, wie sie es auch mit den Krankenschwestern getan hat. Aber dazu müssen sich die Leute vermutlich stillhalten.

Sie bewegten sich im Schatten des Gebäudes entlang auf die nächste Kreuzung zu.

„Sollen wir uns befreien?", flüsterte Fox zur vor ihm laufenden Susan.

„Ruhe!" Fox bekam einen Schlag ins Genick. Doch einen Schmerzensschrei entlockte er ihm damit nicht.

Susan schüttelte den Kopf. *Warten wir erstmal ab. Zumindest bis wir hinter der Absperrung sind.*

Sie erreichten eine Kreuzung. Vor ihnen auf der Hauptstraße tobte die Menge. Doch sie wurden nicht weiter auf sie zu geführt, sondern bogen nach dem Eck des Gebäudekomplexes nach rechts ab. Sie gingen die Seitenstraße entlang, die auf der linken Seite von einem ähnlichen Block eingefasst wurde. Von der anderen Seite der Querstraße her lenkten zwei vergitterte Busse ein. Sie holten weit aus und fuhren durch eines von zwei Haupttoren des Geländes ein.

Die Gefangenen-Karawane erreichte derweil das andere Tor, neben dem ein großes gusseisernes Schild an der Wand angebracht war.

Die Aufschrift lautete *Scuola Allievi Carabinieri.*

Eine Polizeischule?, reimte sich Susan zusammen. Sie las zum ersten Mal bewusst eine anderssprachige Schrift. Susan hatte eigentlich erwartet, dass der Splitter ihre Sicht beeinflusste und sie deutsche Worte vor sich sehen würde. Doch tatsächlich wandelte sich die Bedeutung erst in ihrem Kopf.

Die Arrestierten wurden durch das mit Sandsäcken flankierte Tor und gleich rechts in das Gebäude der Polizeikaserne gebracht.

Susan schmunzelte. Sie freute sich, direkt ins Innere dieser hochgesicherten Einrichtung geführt zu werden. Ansonsten hätten sie sich wohl Fox' Teleportation bedienen müssen, um unbemerkt einzudringen.

An der Pforte wurden die Wachen angewiesen, nach der Aufseherin zu schicken. Für sie ging es weiter eine breite Treppe hinab in das Kellergeschoss.

„Die nehmen uns gefangen", sagte Fox besorgt. Er stellte sich auf einen weiteren Schlag ein, doch es folgte keiner.

Susans Freude wurde nur wenig getrübt. Therese muss hier auch irgendwo sein. Vielleicht gehörte sie zu den Aktivisten und wurde ebenfalls hier eingesperrt.

„Wir können uns jederzeit rausteleportieren", meinte sie leise über die Schulter. Das war sicher nicht ihre liebste Option. Doch sie erkannte, dass sie ihre Einstellung zur Teleportation langsam mal überdenken sollte. War das Zeitreisen denn nicht was Ähnliches? Und davon wurde ihr nicht schlecht.

Eine Reihe von Deckenlampen leuchtete auf, noch bevor sie den langen Kellergang erreichten. Sie machten eine Kurve in die entgegengesetzte Richtung des tunnelartigen Gewölbes und gelangten nach den Stufen an eine breite offen stehende Stahltür.

Dahinter befand sich ein großer Raum mit zwei alten

Schreibtischen und eisernen Stühlen. Alles war an dem dunkelgrauen Boden mit teils gesplitterten Fliesen verankert.

Es war kalt hier drin. Kein Fenster. Die Luft machte einen abgestandenen, verbrauchten Eindruck.

Gegenüber der Türe war ein weiß lackiertes Eisengitter angebracht, das die einzige leere Zelle abtrennte.

Hier drin ist sie schon mal nicht.

Die Gefangenen wurden mit dem Gesicht an die linke Wand gestellt, von der an manchen Stellen die Farbe abblätterte. Sie wurden grob abgetastet und ihre Taschen geleert. Die Polizisten legten ein Bündel dünner Lederriemen und einen scharfkantigen Stein aus Fox' Eigentum und ein paar altertümliche Münzen aus Alexandreijis Inventar in durchsichtige Plastikkisten. Selbiges geschah mit Susans und Fox' abgelegten Klamotten, die von der Straße aufgesammelt und mitgeführt worden waren. Ein Polizist setzte sich an einen der Schreibtische und trug die Gegenstände in eine Liste ein.

Die Kabelbinder wurden durchtrennt und die drei in die großräumige Zelle gedrückt. Die schwere Gittertüre fiel mit einem hallenden Krachen ins Schloss. Die Beamten ließen die Kisten auf dem zweiten Tisch stehen, verließen zusammen den Raum und zogen ohne ein Wort die Stahltüre zu.

Susan schaute sich in der Zelle um. An der linken Wand befand sich ein betonierter Sims, der als Sitz- und Schlafplatz diente. In der rechten Ecke war eine Toilettenschüssel aus dickem Edelstahl angebracht.

Alexandreiji hustete stark.

„Wir besorgen dir bei nächster Gelegenheit Antibiotika", sagte Iris besorgt.

„Ja, nächste Gelegenheit ist gut", keuchte Alexandreiji.

„Es hat auch keinen Sinn, hier zu warten", meinte Susan. „Nehmen wir unsere Sachen und spüren Therese auf. Danach gehen wir in eine Apotheke."

Ich hoffe, als Klosterschwester hat sie etwas Geld, um

Medikamente kaufen zu können. Oder haben Kloster ihre eigene Apotheke, in denen es für die Schwestern nichts kostet? Wie wenig Ahnung Susan eigentlich über das Klosterleben hatte. Ihr erschien es wie ein Dasein in einem Geheimbund. *Sicher gehen sie zu einem normalen Arzt, wie jeder andere auch. Also müssen sie krankenversichert sein. Oder wird das alles durch die Kirchensteuer finan…*

„Was habt *ihr* denn hier verloren?!", unterbrach eine entsetzte Stimme Susans Gedankengang vom Eingang her.

„Therese!" Fox sprang zu den Gittern, hielt sich daran fest und drückte sein Gesicht an die Stäbe. „Schön dich zu sehen."

Die anderen starrten sich derweil überrascht an.

Therese trug die bekannte Robe mit blütenweißem Kragen, dessen obere Kante neuerdings schwarz eingefasst war.

Sie wandte sich um und bat zwei uniformierte Polizisten hinter sich, sie alleine zu lassen. Die Tür wurde nur angelehnt und Therese trat mit einem unsicheren Lächeln auf die Gefangenen zu.

„Wollt ihr da nicht rauskommen?", fragte sie irritiert. „Oder könnt ihr euch nicht teleportieren?"

„Doch schon", antwortete Susan mit einem unsicheren Lächeln zurück. „Du weißt, ich versuche, das so gut es geht zu vermeiden."

Therese geriet ein Schmunzeln auf die Lippen.

Susan aber schämte sich. *Ich sollte wirklich was gegen meine Einstellung machen.*

„*Du* bist die Aufseherin hier?", fragte Alexandreiji.

Therese verzog den Mund zu einem zerknautschten Lächeln und nickte mit einem wehmütigen Ausatmen. „Eine Art Beförderung." Sie deutete auf den schwarzen Rand an ihrem weißen Kragen.

„In einer Polizeischule?", fragte Susan.

„Das ist schon lange keine Schule mehr", erklärte Therese. „Sie steht seit Jahren leer und wird jetzt neu von meinem Orden bezogen. Die Polizeikräfte gehören einer neuen Einheit an, die zu unserem Schutz abgestellt ist. Jeder Orden und jede Kirchengemeinde, die nicht im Vatikan Platz finden, werden seit Wochen in gesicherte Einrichtungen umquartiert. Die politische Lage spitzt sich momentan gefährlich zu."

„Und das Umschneiden der Bäume?", fragte Fox verständnislos.

„Ist aus verschiedenen Gründen Teil der Sicherung dieser Kaserne. – Es ist schön euch alle wohlauf zu sehen. Ich habe mir lange darüber Gedanken gemacht, was aus euch wurde. – Aber was treibt euch hier her? Seid ihr auf der Suche nach mir?"

Susan schnaubte belustigt aus und blickte sich gekünstelt in der Zelle um. „Zum Sightseeing sind wir nicht hier."

Therese schmunzelte. „Kommt doch da raus. Ich hab nämlich keine Ahnung, welcher Schlüssel hier der richtige ist." Sie hob einen großen Ring mit einer Sammlung von mindestens 20 Schlüsseln hoch.

„Bekommst du keinen Ärger, wenn die Gefangenen einfach so unter deiner Aufsicht verschwinden?", merkte Iris an.

Therese blickte mit aufgerissenen Augen ins Leere. „Iris? Bist das du?"

„Ja. Zumindest mehr oder weniger nur meine Stimme", gab Iris zur Antwort. „Aber es geht mir gut damit."

Therese sah mit einem fragenden Lächeln zu den anderen: „Muss ich das verstehen?"

„Tun wir auch nicht viel mehr", meinte Susan mit einem lockeren Schulterzucken.

„Wie dem auch sei", winkte Therese ab und versuchte in Iris Richtung zu blicken. „Ich bin froh, dass du noch – dass du hier bist. Ich meine ... – Mensch, ist das schwierig zu formulieren."

Ein Grinsen zog über die Gesichter der wiedervereinten Kameraden.

„Fox, wärst du so freundlich?", fragte Susan mit ihrer Hand auf seiner Schulter.

Fox strahlte sie an. „Darf ich?"

Sie nickte ihm mit einem breiten Lächeln zu. *Sein erstes Mal seit der letzten Schlacht.*

„Euch auch?"

Alexandreiji hustete kurz und trat dann einen Schritt auf Fox zu, um seine Hand auf Fox' andere Schulter zu legen. „Gern."

„Ich bin schon draußen", kam Iris' Stimme von Thereses Seite her.

Sie konnte einfach durch die Gitter hindurchgehen, wie auch durch die Türe von Susans Küche. *Wirklich seltsam.*

Fox atmete tief ein. Er wollte es wohl extra genießen. Im nächsten Moment standen sie neben Therese auf der anderen Seite der Gitterstäbe.

Während Fox noch über das ganze Gesicht strahlte und Susan gegen einen Hauch von Unwohlsein kämpfte, erläuterte Iris den Grund ihrer Anwesenheit.

„Bedaure", reagierte Therese, kaum hatte Iris mit den Ausführungen geendet.

Alle blickten sie überrascht an.

Therese deutete erneut auf die schwarze Kante an ihrem weißen Kragen. „Ich wurde erst vor Kurzem zur Ordensaufseherin ernannt. Die erste mir anvertraute Aufgabe ist die Überwachung des Umzugs. Nicht gerade mein Traum, aber ich trage hierbei große Verantwortung. Es geht um die Sicherheit meines ganzen Ordens."

Mit einer solchen Abfuhr hatte Susan nicht gerechnet. Überhaupt abzulehnen war sicher eine nachvollziehbare Option. Auch Thereses Beweggründe hierzu. Vielmehr entzogen sich diese jeglicher Verhandlungsgrundlage wie bei Alexandreiji.

Susan tastete sich vorsichtig vor. „Gibt es denn nichts, womit wir dich umstimmen können? Deine Hilfe wäre wirklich wertvoll." *Besonders innerhalb der Gruppe.*

Therese war der Kleister, der sie alle anfangs zusammengehalten hatte. Sie hatte den Männern die Köpfe gewaschen und ihre ruhige, wohl überlegte Art war ihnen allen zugutegekommen. Wer weiß, welchen Problemen sie beim weiteren Einsammeln noch begegnen würden. Da wäre Therese mit Sicherheit Gold wert.

Doch Therese schüttelte langsam den Kopf. „Tut mir sehr leid. Der Orden ist meine Familie."

Familie. Susan sprang das entsetzte Gesicht ihrer Mutter in der Küche vor Augen. Sie taumelte kurz, wie durch einen Stich ins Herz und hielt sich an einem der Gitterstäbe fest.

„Susan?", fragte Therese.

Susan schaute in die besorgten Gesichter vor sich. Sie winkte ab und richtete sich gerade auf. „Schon gut. Mir war nur kurz schwindelig." Die Sorge in den Blicken nahm aber nicht ab. „Ehrlich. Alles gut."

Alexandreiji nahm nach einem stillen Augenblick das Thema wieder auf: „Therese. Wir verstehen, dass du nicht mitkommen willst, oder kannst." Er richtete sich gleich darauf an alle. „Aber was bedeutet das für unsere Weiterreise?"

„Ja, stimmt." Susan holte den Raumkristall herbei. „Wie sollen wir weiter durch die Zeit springen, solange Thereses Splitter noch fröhlich vor sich hin strahlt? Können wir auch weiterreisen, ohne dass wir eine Vereinigung durchführen?"

Die Frage ging an Iris. Aber von ihr kam nach kurzem Überlegen nur ein nichts sagendes „Ich weiß nicht".

Therese trat an Susan heran. „Ist das der Raumkristall mit unseren Splittern?"

Sie betrachtete das Gebilde, das entfernt an einen Seeigel erinnerte. Insbesondere ihren gleißend hell strahlenden Teil nahm sie ins Auge. Sie hatte ihn noch nie selbst gesehen.

„Auch wenn wir alle Splitter hätten verteilen können: Wie kommen wir eigentlich wieder zurück?", setzte Alexandreiji eins auf die Ratlosigkeit drauf.

Susans resignierender Blick fiel zusammen mit denen der anderen zu Boden.

Voraussicht ist wohl nicht unsere Stärke. Keiner von uns versteht, wie das Springen von Zeit zu Zeit funktioniert. Aber es funktioniert.

Therese hatte sich abgewandt. Nach mehreren Momenten, in denen man nur Alexandreijis Husten vernahm, meinte sie: „Dann bleibt mir keine Wahl. – Ihr sitzt in dieser Zeit fest, wenn ich nicht mitkomme?"

Susan richtete den Blick in zweifelnder Hoffnung auf Therese, die mit dem Rücken zu ihnen stand. Therese drehte den gesenkten Kopf zur Seite und sprach über die Schulter: „Ich muss noch etwas mit der Mutter Oberin klären. Wollt ihr solange hierbleiben oder mitkommen?"

„Wenn es keine Umstände macht", meinte Susan vorsichtig. „Gemütlich ist es hier unten nicht gerade. Und die Kälte tut Alex' Husten auch nicht gut."

„Ihr werdet euch aber, solange ihr mich begleitet, mit Handschellen abfinden müssen. Es sei denn, ihr wollt Mitglieder meines Ordens werden." Therese bemühte sich um ein Lächeln, gab es aber schnell wieder auf.

Sie ging auf den Eingang zu, drückte die Türe auf und wechselte ein paar Worte mit zwei uniformierten Polizisten davor. Diese kamen herein und fesselten die drei Gefangenen erneut. Diesmal hatten sie ihre Hände zwar vor dem Körper, trugen aber stählerne Handschellen. Der Inhalt der Boxen wurde in zwei durchsichtige Tüten gefüllt und Therese übergeben.

„Na, dann kommt mal mit", forderte Therese auf, so freundlich es ihr gerade möglich war. „Bleibt bitte nah beisammen."

Sie verließen den Raum, in dem die Beamten kurz darauf das Licht löschten. Die kleine Karawane zog hinter Therese die Treppe hoch bis in den ersten Stock. Sie schritten den von Sonnenlicht ausgeleuchteten Gang, das von den Fenstern des Innenhofs hereinschien, entlang.

„Wie lange bist du schon Ordensaufseherin?", frage Iris leise, die seitlich von Therese ging.

Therese antwortete: „Kommenden Dienstag wären es drei Wochen gewesen."

Susan runzelte die Stirn. *Gewesen?* „Was hast du vor?"

„Ich werde meine Bestellung zur Aufseherin aufgeben."

Was? Aber ... „Das musst du nicht. Hör zu: Die zwei Wochen, die du in meiner Zeit warst. Die sind hier doch einfach weitergelaufen, nicht wahr? Du kannst dich zwar nicht daran erinnern, aber es war so, als wärst du nie weggewesen, oder?"

Therese lief ohne zu zögern weiter. „Dem ist so, ja."

Verstehst du denn nicht, was ich sagen will? „Wieso sollte es diesmal anders sein? Du kehrst wieder zurück und führst deine Verpflichtungen als Aufseherin weiter."

Therese blieb stehen. Susan atmete auf. Sie freute sich, dass sie eine zufriedenstellende Lösung gefunden hatte.

Doch Therese drehte sich mit einer ernsten Miene zu Susan um. „*Wenn* ich zurückkehre. – Ihr versteht selbst nicht, wie diese Zeitreisen funktionieren. Schon beim ersten Mal hattet ihr keinen Schimmer, wie man uns zurückschicken sollte. Dass wir überhaupt noch am Leben sind, ist unbegreiflich."

Susan blickte beklommen in Thereses tränende Augen.

„Viele Wochen habe ich mir das Hirn zermartert und mit meinem Glauben gerungen. Ich habe in deiner Zeit Dinge gesehen und erfahren – und getan, ...

Schließlich habe ich mich dazu entschlossen, das alles hinter mir zu lassen. Und jetzt taucht ihr auf, und reißt mich erneut in diesen gottlosen Strudel. Ich werde euch helfen, doch verrate ich damit nicht die Werte meiner Familie. Ich stelle mich den Konsequenzen meiner Entscheidung und bin ehrlich gegenüber meiner ehrwürdigen Mutter, die so viel Vertrauen in mich gesetzt hatte."

Thereses verzweifelter Blick huschte von Susan über Fox und Alexandreiji, die wie versteinert vor ihr standen, bevor sie sich abwandte und an eine breite Türe eilte. Sie wischte sich die Tränen von den Wangen, atmete tief durch, klopfte und trat ein.

Susan schluckte durch ihre starre Kehle. Auch in ihren Augen fanden sich Tränen. *Therese. – Es tut mir so leid.*

Schweigen beherrschte den langen Gang. Nur gedämpfte Baugeräusche von Bohrern und Hämmern drangen durch das Gemäuer.

Mit beklommener Stimme richtete sich Susan an Iris: „Gibt es keinen anderen Weg?"

„Von keinem, dem ich wüsste. Es ist, wie Therese sagt. Wir haben keine Ahnung, wie das alles funktioniert."

Erneutes Schweigen füllte den Flur.

Die Türe öffnete sich. Susans Blick erfasste Therese, die aus dem Zimmer trat und die Türe behäbig mit gesenktem Kopf schloss. Die Hand noch auf der Klinke rührte sie sich nicht weiter. Tränen tropften laut auf den Parkettboden.

Susan machte einen behutsamen Schritt auf Therese zu. Fox stürmte an ihr vorbei, warf sich an Therese und vergrub mit gefesselten Händen sein Gesicht in ihre Schulter.

„Es tut uns leid", schluchzte er in ihre Robe. „Es tut uns so leid."

Auch in Susans Augen traten wieder Tränen. Sie eilte mit Alexandreiji auf die beiden zu und legte den Kopf an ihren.

„Dann kann's wohl los gehen", sagte Therese kurz darauf mit zitternder Stimme und drückte das menschliche Knäuel behutsam von sich.

Susan erkannte, dass ihr weißer Kragen fehlte.

„Wir wissen dein Opfer sehr zu schätzen", meinte Iris mitfühlend.

Therese nickte, blickte zur Seite und wischte sich das Gesicht trocken.

„Können wir nur bitte schnell hier weg?", überging sie das Thema rasch.

„Sicher. Du setzt dich am besten hier auf den Stuhl, den Hinterkopf an die Wand", wies Iris sachte an. „Alexandreiji und Fox, haltet ihr bitte ihre Arme?"

Susan nahm den Raumkristall in ihre gegenüberliegenden Handflächen. Nach einem Handschellenschlüssel zu fragen war gerade kein passender Zeitpunkt. Es musste auch so gehen. *Wir finden in der nächsten Zeit schon was.*

Sie richtete den Splitter erneut nach Iris' Vorgaben aus.

„Bereit?"

Therese unterbrach ihren starren Blick an die Decke mit einem langen Augenaufschlag.

Du wirst zu deiner Familie zurückkehren. Das verspreche ich. Susan holte tief Luft und drückte den Splitter fest in Thereses Stirn.

Kapitel 16 - Verdammt Gelb

Ruhig ein- ... und wieder ausatmen. Ruhig ein- ... und wieder ausatmen.

Stephanie blickte durch das Okular an ihrem Gewehr. Sie durfte das Ziel nicht aus dem Fadenkreuz verlieren. Sobald das Signal kam, musste sie sofort abdrücken.

Ruhig ein- ... und wieder ausatmen. Ruhig ein- ... und wieder ausatmen.

Wie ein Mantra sagte sie es sich vor, um damit auch jeden anderen möglichen Gedanken aus ihrem Kopf zu verdrängen. Dieser Auftrag war extrem wichtig. Die Ermittler arbeiteten seit anderthalb Jahren an diesem Fall. Wobei es sich hierbei handelte, wusste Stephanie nicht. Ihr SL kannte sicher die Hintergründe, sonst hätte sie diesen Auftrag nicht angenommen, ohne die Risiken für ihre Söldnertruppe abschätzen zu können.

Ruhig ein- ... und wieder ausatmen. Ruhig ein- ... und wieder ausatmen.

Um nichts anderes musste sich Stephanie Gedanken machen. Auf ihr Team konnte sie sich verlassen. Sie war der einzige Schwachpunkt. Der eigentliche Scharfschütze ihrer Einheit lag mit einem gebrochenen Arm auf der Krankenstation.

Verfluchter Idiot. Musste sich natürlich zwei Tage vor der Mission zu einem Basketballmatch gegen die verfickte Konkurrenz einlassen. – Mist! Nicht abschweifen! – Ruhig ein- ... und wieder ausatmen.

Stephanie war keinesfalls eine schlechte Schützin. Bei der Distanz von über 800 Metern wurde es aber schwierig.

Kann der Wichser vielleicht mal still halten?!

181

Seit einer halben Stunde justierte Stephanie ihre Waffe immer einen halben Millimeter hin und her und folgte dem auf- und abwandernden Ziel. Sie lag im Schatten, aber ihre Stirn war bereits schweißnass.

Wenigstens ist er immer nahe genug am Fenster.

Endlich blieb er mal stehen. Er holte sein Handy aus der Jackentasche.

„Ziel bekommt einen Anruf", sprach Stephanie ruhig in ihr Mikro vor dem Mund. „Habt ihr inzwischen das Audio aus dem Raum?"

„*Positiv*", kam die Antwort aus dem Knopf im Ohr.

Der Kerl stand mit dem Rücken zu Stephanie. Sie sah nicht, dass er das Telefon an sein Ohr hielt.

„*Wir hören nichts.*"

„Korrigiere. Offenbar eine Nachricht aufs Handy."

Stephanie beobachtete ihn weiter. Sie konzentrierte sich zu sehr darauf, was der Kerl machte. Das Fadenkreuz wanderte an ihm vorbei.

Er drehte sich steif herum, blickte aus dem Fenster und ließ das Handy auf den Boden fallen.

Stephanies Herzschlag stieg rasant an. „Er hat was spitz gekriegt! Soll ich schießen?!" Das Fadenkreuz lag wieder mitten auf seiner Brust.

In diesem Moment spurtete der Kerl aus dem Blickfeld.

„Er geht stiften!" Stephanie setzte das Scharfschützengewehr ab, sprang auf und entkoppelte sich von der Stabilisierungsapparatur. „Radek, Milosz. Seid ihr auf Position? Er kommt auf euch zu."

Sie konnten noch nicht auf Position sein. Dafür war die Zeit zu knapp gewesen.

„*Negativ. Drei Minuten noch.*"

Stephanie ging die Optionen des Kerls im Kopf durch. *Er läuft auf das südliche Treppenhaus zu. Entweder geradeaus weiter in den Westflügel, oder die Stockwerke tiefer oder hö-*

her. Radek und Milosz kommen von unten. Nach oben sitzt er in der Falle.

„Er läuft in den Westflügel! Haben wir eine Sicherung an der Feuertreppe?"

Stephanie wusste, dass sie die nicht hatten. Der nächste Checkpoint lag zwei Straßen weiter. Sie schnürte ihren Rucksack fester und sprang vom Dach auf das niedrigere daneben.

„Sicherung ist unterwegs."

Stephanie schwang sich auf den Skystreamer und raste in der höchsten Flugstufe in einem weiten Bogen, mit einer Gebäudereihe zwischen sich und dem Zielobjekt, auf den Westflügel zu. Sie musste sich verdeckt annähern.

In der Lücke von zwei Gebäuden sah sie ein Fenster der unteren Stockwerke des Objekts zerbrechen. Stephanie erkannte eine Frau, die ein Seil hinauswarf.

„Ziel der Alpha-Gruppe türmt durch das Fenster nach draußen."

„Roger."

Stephanie jagte weiter in einem Bogen hinter benachbarten Gebäuden auf das Ende des Westflügels zu. Sie war nur noch hundert Meter davon entfernt. Die Fluchttüre zur Außentreppe stieß auf. Das Ziel trat mit einem Trommelgewehr auf die Plattform und eröffnete sofort das Feuer.

FUCK!

Stephanie stürzte sich vom Streamer, der in einer Explosion aufging. Im freien Fall griff Stephanie nach ihrer Spule und schleuderte sie auf den Westflügel zu. Die Haken bohrten sich in den Stahlbeton. Das Stahlseil spannte sich sofort und lenkte Stephanies Fall auf das Gebäude hin.

Die Rolle zog das Seil rasend schnell ein und riss Stephanie mit sich nach oben. Sie koppelte sich kurz vor dem Haken ab und sprang mit der Restgeschwindigkeit weitere drei Stockwerke nach oben.

Ihre Hände bekamen das Geländer der Feuertreppe zu greifen.

Der Kerl war noch fünf Etagen über ihr. Er kam mit seiner Gatling die Stahltreppe heruntergelaufen. Stephanie griff mit einer Hand in ihre Gürteltasche, drückte zweimal auf die Blendgranate und warf sie steil nach oben. Unmittelbar vor dem Kerl explodierte die Granate in einem grellen Blitz und hinterließ eine violette Gaswolke, in deren Mitte der Kerl seine schmerzenden Augen rieb, und kurz darauf benommen auf die Knie sank.

Stephanie holte tief Luft und zog sich am Geländer nach oben. Sie trat auf die nächste Plattform und atmete tief durch.

Die Fluchttüre neben Stephanie sprang auf. Zwei Kerle in taktischer Ausrüstung mit schweren, daran befestigten be-schusssicheren Platten und je einer Waffe im Anschlag eilten heraus.

Stephanie lächelte ihnen entgegen. „Auch endlich da?"

Die beiden schürzten die Lippen und ließen ihre Waffen sinken. Sie sahen sich um und erkannten das Ziel durch das Gitter zwei Etagen über sich liegen.

„Status?"

Stephanie atmete nochmal durch, während sich Radek und Milosz auf den Weg nach oben machten. „Ziel Delta lebend gesichert. Delta 3, 4 und 7 unverletzt. Erbitten Retraction auf meine Koordinaten."

„Delta 1 und 2 unverletzt. Keine Retraction nötig."

„Delta 5 und 6 unverletzt. Keine Retraction."

„Delta Leader bestätigt. Eine Retraction auf Delta 7, vier Personen. Meinen Glückwunsch, Delta Team. Alpha und Echo waren auch erfolgreich."

„Das klingt danach, als würden die Teamleader heute die Zeche zahlen."

„So hab ich das auch verstanden."

Stephanie nahm den Knopf aus dem Ohr und lehnte sich mit verschränkten Armen gegen die kalte Betonwand. Sie biss sich auf die Lippe, zwang sich ein Lächeln auf und schloss die Augen.

Kapitel 17 - Verdammt Gelb 2

„Delta! Delta! Keiner ist härta! – Delta! Delta! Keiner ist härta!"

Der Sprechgesang hallte an diesem Abend nicht zum ersten Mal durch die Kasernenbar. Dabei war dieser Reim noch der beste, den Stephanies Team zu bieten hatte.

Stephanie hatte sich vor zwei Runden abgesetzt und saß mit verschränkten Armen an einem Tisch in der Ecke und belächelte ihre Kameraden an der Theke, die sich weiter mit den Alphas ein Gesangsduell lieferten.

„Was sitzt du denn so abseits?"

Stephanie schaute auf und ließ den Blick gleich darauf auf ihr Bier fallen. *Na toll.*

Sie hatte nicht bemerkt, wie sich eine Frau Ende 20 in korrekt geknöpfter Uniform ihrem Tisch genähert hatte. Alle anderen Gäste, darunter auch die Teamleader, hatten mindestens das Hemd offen. Die meisten feierten im Unterhemd. Auch Stephanie saß im Tanktop zurückgelehnt auf der Sitzbank.

„Darf ich mich setzen?"

Stephanie griff nach ihrem Glas, trank den Rest in einem Schluck aus und wischte sich über den Mund. „Sicher."

Was willst du denn von mir?

Glückwünsche vom Squadleader kamen in der Regel per E-Mail, oder zu außergewöhnlichen Anlässen im Rahmen des wöchentlichen Morgenappells.

Die Frau mit einem streng gebundenen Dutt setzte sich Stephanie gegenüber, während Stephanie mit einer Handbewegung ein weiteres Bier bestellte.

„Die Erfüllung des Auftrags heute hat unserer Einheit sehr gutgetan. Das könnte der Beginn einer regelmäßigen Beauftragung des Ministeriums sein."

Stephanie nickte, ohne der Frau auch nur einmal in die Augen geschaut zu haben. Stattdessen wanderte ihr Blick durch die Bar.

„Willst du mich nicht fragen, was ich hier mache?"

„Du wirst es mir auch so sagen. Zum Feiern bist du sicher nicht hier."

Die Frau verzog keine Miene. „Wie geht's dir?"

Stephanie zog die Unterlippe nach vorne und schüttelte langsam den Kopf. „Alles gut."

Die Bedienung brachte ein neues Glas Bier, das Stephanie sofort aufnahm und davon trank.

„Du weißt, ich mag nicht, wenn man mich anlügt." Ihre Stimme klang streng, doch Stephanie ließ sich davon nicht beeinflussen.

Sie wischte sich den Schaum vom Mund. „Was meinst du?"

Die Frau atmete laut ein und lehnte sich zurück. „Ich hab die Videoaufnahmen des Einsatzes gesehen. Du bist mit dem Oberkörper gegen die Feuertreppe gekracht."

Stephanies Blick fiel nach unten. *Verdammt!*

„Deine Rippen waren schon angebrochen. Jetzt sind sie mit Sicherheit durch, oder?"

Stephanie zuckte mit den Schultern. „Mir geht's gut."

„Wieso hältst du dann deine rechte Hand ständig auf die Stelle? Deine verschränkten Arme können mich nicht täuschen."

Stephanie öffnete die Arme. *Verw...* Sie biss sich vor Schmerz auf die Unterlippe. „Wenn dein Status abgefragt wird, dann will ich gefälligst die Wahrheit hören." Die Frau sprach immer eindringlicher auf sie ein. „Diese Verletzung könnte den nächsten Einsatz gefährden. Das Leben deiner

Kameraden dazu. Wenn du nicht hundertprozentig einsatzfähig bist, dann musst du das melden. Du gehörst auf die Krankenstation."

„Es ist nicht so schlimm." Stephanie trank noch einen großen Schluck.

„Schlimm oder nicht. Ich will, dass du dich noch heute auf der Krankenstation meldest. Hast du mich verstanden, Steph?"

Stephanie verdrehte die Augen und setzte das Glas neu an.

„Und danach schicke ich dich zwei Wochen in Urlaub."

Stephanie verschluckte sich fast. „Was?! Das kannst du verflucht nicht …"

„Drei Wochen also?", unterbrach die Frau mit stechendem Blick.

Stephanie beruhigte sich auf der Stelle. *Du weißt nicht, was du mir antust.*

„Du hattest seit einem Jahr keinen einzigen freien Tag. Du hast durchgängig überragende Arbeit geleistet. Gar keine Frage. Aber du brauchst eine Auszeit. Du musst die Kaserne auch mal außerhalb eines Einsatzes verlassen. Entspann dich, erhol dich. – Danach gehst du zwei Wochen in die Wiedereingliederung mit Ermittlungsarbeit und leichtem Einsatztraining. – Haben wir uns verstanden?"

„Ja, Schwesterherz." Susan leerte das Glas, während ein Lächeln auf das Gesicht des Squadleaders wanderte.

„Gut. Dann würde ich sagen, wir genehmigen uns noch einen Shot, und dann bring ich dich auf die Krankenstation. Zur Feier des Tages vielleicht auch zwei."

Stephanie blickte ihrer Schwester direkt in die Augen.

„Ich zahle natürlich."

Stephanie erwiderte das Lächeln erst jetzt. „Hättest du das verdammte Gespräch nicht damit beginnen können?"

Zunächst lachte nur ihre Schwester. Stephanie stimmte ein, worauf sie sich aber wieder die Rippen halten musste.

Eine Stunde später wankten die beiden Frauen aus der Bar und machten sich auf den direkten Weg zum medizinischen Gebäudetrakt.

„Und du sagst mir sicher die verwichste Wahrheit, Babs? Du hattest wirklich nichts mit Jensen?"

Ihre Schwester verdrehte die Augen. „Nein. Du hattest und hast die ganze Männerwelt nach wie vor für dich alleine. Keine Sorge. Ich komm dir sicher nicht in die Quere."

„Gut ... gut." Stephanie schaute in den Nachthimmel auf und überlegte kurz, während sie sich weiter voranschleppen ließ. „Das kann ich dir gegenüber aber nicht garantieren."

Babs schüttelte belustigt den Kopf. „Wie du meinst. – So, wir sind da."

Sie betätigte den Taster an der Türe. Gleich darauf meldete sich eine verschlafene Stimme am Lautsprecher. „Ja?"

„Commander Reuters. Ich habe eine Patientin für Sie, Dr. Ackles. Kein Notfall."

Die Türe schob sich gleich darauf zur Seite und die Schwestern traten ein. Kaum hatten sie den Vorraum betreten, klingelte Babs' Handy.

Na endlich.

Babs nahm den Anruf an. „Reuters?" Sie hörte aufmerksam zu. „Fünf Minuten." Sie legte auf.

„Ich muss ins Büro. Du wartest hier auf Dr. Ackles, ja?"

Stephanie setzte sich auf die Wartebank und nickte mit einem breiten Lächeln. „Du kannst dich auf mich verfl... drauf verlassen."

Babs lächelte ihr zu. „Genieß deinen Urlaub. Fahr wo hin, von wo man gerne Postkarten verschickt."

Stephanie kniff die Augen zusammen. „Postkarten? Klar. Dein Wunsch sei mir Befehl, Oma Reuters."

Babs verzog die Lippen zu einem schiefen Lächeln. „Mach's gut, Schwesterchen."

Sie verließ den Vorraum und eilte über den Appellplatz davon.

Soweit so gut.

Die auf der Bartoilette geschriebene Nachricht hatte ihren Zweck gerade noch rechtzeitig erfüllt. Auch wenn das eine teure Gegenleistung nach sich ziehen würde.

Stephanie richtete sich auf der Bank auf und bemühte sich, gegen ihren Rausch anzukommen, als auch schon Dr. Jensen Ackles an der transparenten Zwischentüre erschien. Er öffnete und schien überrascht. „Unteroffizier Reuters?"

„Feldwebel inzwischen. Meine Schwester wurde ins Büro gerufen. Können Sie mir bitte helfen?"

„Aber sicher. Kommen sie rein."

Dem Notfallmediziner stand noch der Schlaf in den Augen. Doch auch die Augenringe täuschten nicht über seine Attraktivität hinweg.

Stephanie stand auf und bemühte sich um einen möglichst geraden Gang hinein in das Behandlungszimmer. Dr. Ackles bat sie, auf der Liege Platz zu nehmen. „Wie kann ich helfen?"

Stephanie lächelte ihm in seine schönen blauen Augen. Doch dann legte sie die Stirn in Falten. „Ich habe Migräne. Die Kopfschmerzen bringen mich um. Haben Sie vielleicht ein Schmerzmittel für mich?"

Dr. Ackles zog die Augenbrauen nach oben. „Sicher." Er zog ein Tablet aus der Schublade hinter sich und machte ein paar Eingaben. „Nur für heute oder wollen Sie einen Vorrat mitnehmen?"

„Ein kleiner Vorrat wäre lieb, danke."

Er nahm aus einem Oberschrank einen Behälter mit mehreren Pillen, während er weiter das Tablet studierte. „Ich sehe hier, dass Ihr jährlicher Routinecheck schon seit zwei Monaten überfällig ist."

Stephanies Gesichtszüge versteinerten. *Fuck!*

„Ach ja? Das muss ich wohl übersehen haben."

„Ich kann Ihnen gleich einen Termin eintragen. Passt Ihnen übermorgen?"

„Ähm, das ist leider schlecht. Ich fahre morgen für zwei Wochen in Urlaub. Wenn ich zurück bin, kümmere ich mich sofort um das Nachholen meines Checks. Versprochen."

Dr. Ackles legte sein Tablet zur Seite. „Wie Sie wollen. Hier die Tabletten. Eine dürfte gegen die Kopfschmerzen genügen. In Ausnahmefällen nehmen Sie eine halbe Tablette mehr. Warten Sie aber mindestens zehn Minuten, bis das Mittel wirken kann, bevor Sie mehr nehmen. Und Sie müssen nüchtern sein. Also frühestens morgen früh." Er lächelte Stephanie mit einem leichten Anflug der Rüge zu.

Sie lächelte nur wenig beschämt zurück. „Wollen Sie vielleicht mitkommen und überwachen, dass ich die Tabletten nicht zu früh einnehme?"

Dr. Ackles Mundwinkel zogen sich in die Breite. „Meine Schicht läuft leider noch bis 6 Uhr morgens und danach wartet bedauerlicherweise meine Frau darauf, dass ich Brötchen zum Frühstück mitnehme."

Stephanie zog eine Schnute. *Das ist unerfreulich. – Moment. Hat Babs davon gewusst?* Ihre Augen schmälerten sich zu Schlitzen. *Natürlich hat sie davon gewusst.*

Stephanie konnte sich ihre Schwester bildlich vorstellen, wie sie hier neben ihr stand und ihr in diesem Augenblick das Lachen aus dem Gesicht fiel.

Kapitel 18 - Rennen

Alexandreiji und Fox fingen die benommene Therese auf und setzten sie auf einen staubigen Boden aus Holzbrettern ab.

„Alles in Ordnung?", fragte Iris.

Therese nickte mit zusammengekniffenen Augen und fasste sich an den Kopf.

Ein frischer Wind zog durch die Gruppe und blies einen verbrauchten Geruch von Sägespäne in Susans Nase. Sie standen auf einer riesigen Plattform mit einer hölzernen Decke über sich, die von breiten Holzpfeilern gestützt wurde. Wie ein weitläufiges Stockwerk im Rohbau mutete diese Fläche an. Hinter dem Rand konnte Susan aber nichts weiter ausmachen als einen von Wolken verhangenen Himmel.

Sie trat näher heran. Mit jedem Schritt war der Wind deutlicher zu spüren. Erst wenige Meter vor der Kante machte sie in der Ferne eine metropolartige Stadt aus. An der Stadtgrenze befanden sich weite Flächen mit großen Hallen. Selbst aus der Entfernung war der rege Straßenverkehr zu erkennen, der um das offensichtliche Stadtzentrum aus unzähligen Wolkenkratzern zirkulierte. Von der Stadtgrenze trennten sie etliche Hektar landwirtschaftliche Felder und ein dichter Laubwald, aus dem das Holzgebilde mindestens hundert Meter herausragte.

Durch manche Lücken zwischen den Holzdielen konnte Susan mehrere Stockwerke tief blicken.

Das ist eine Art Gerüst. Ein Hochhaus aus Holz.

Fox und Alexandreiji traten langsam an Susans Seite, ihre Finger in die Kleidung des anderen vergraben.

„Was ... wo sind wir hier?", stammelte Fox.

Susan verkniff sich ein Lächeln. Sie standen noch mehrere Schritte von der Kante weg, doch auch ihr war nicht wohl bei der großen Höhe. Dasselbe mulmige Gefühl wie auf dem Hochhaus in Toronto kam auf. Ihre Hände hielten den Holzpfeiler zu ihrer linken umklammert. Immer noch von den Handschellen beengt.

Susan verzog das Gesicht. Sie drückte ihre Handgelenke auseinander, um zu sehen, ob ihre Kraft ausreichte, um die Fesseln zu sprengen. Die kantigen Eisenringe pressten sich knapp neben ihren Verbänden tief in die Haut. Mit noch etwas mehr Druck hätte die Kette zwischen den Ringen vermutlich als erstes nachgegeben. Doch langsam tat es weh.

Susan ließ vorerst davon ab und lenkte den Blick wieder ins Innere des Rohbauskeletts. Therese saß noch auf dem Boden. Zwei orange schimmernde Stellen versiegten gerade an ihren Schläfen. Diverse Arbeitsgeräte und unverbautes Material lagen herum. Ein Hammer, mehrere Schraubendreher und eine Kreissäge. Auch ein Werkzeugkoffer.

Mal sehen, ob wir da drin was finden, das uns befreien kann.

Krach!

Ein blechernes Geräusch schreckte die Gruppe auf. Teile von Blechplatten stürzten an der Außenseite in die Tiefe. Gleich darauf hetzten lange Schritte über ihren Köpfen hinweg. Sägespäne und Staub rieselten herab.

Kann das ...? Susan ließ den Raumkristall für einen kurzen Moment in ihrer Hand erscheinen, um sicher zu gehen, dass einer der Kristallsplitter reagierte. Gleich darauf nahm sie die Verfolgung auf. Therese stand mit Alexandreijis Hilfe rasch auf den Beinen. Gemeinsam mit Iris und Fox liefen sie quer durch das Stockwerk dem Krachen und Poltern zwei Etagen über ihnen hinterher.

Susan hatte Mühe, mit gefesselten Händen das Gleichgewicht auf dem teils federnden Untergrund zu halten.

Sie meinte, durch die Schlitze in der Decke zwei Personen erkennen zu können. Die erste Person drehte sich immer wieder um und schmiss dem Verfolger etwas in den Weg. Susan musste dem herabregnenden Inhalt einer Packung Nägel ausweichen.

Der Grundriss wurde abstruser und nahm mit jedem Schritt den Eindruck eines lückenhaften Labyrinths an. Die Stockwerke waren jetzt nicht mal mehr eben, sondern schoben sich mit hohem Versatz ineinander. Das Sonnenlicht fand nur noch gelegentlich ins Innere, was die Sicht in dem staubigen Zwielicht erheblich einschränkte.

Ein Schwall öliger Flüssigkeit spritzte durch ein Loch auf den Boden vor Susan. Sie rutschte aus und stieß gegen eine Bambusstrebe, die aus der Verankerung gerissen wurde. Ein Balken löste sich, als der Rest der Gruppe Susan gerade eingeholt hatte. Die Decke gab nach und die zwei Personen über ihnen stürzten herab. Sie schlugen mit derartiger Wucht auf, dass auch die Ebene der Wächter nachgab. Gemeinsam brachen sie noch durch drei weitere Stockwerke nach unten.

Alexandreiji hustete wie wild durch die staubgeschwängerte Luft. Susan kämpfte sich aus einem Berg von Holzbrettern und Blechschienen hervor.

„Ist jemand verletzt?", fragte sie, während sie sich selbst an die schmerzende Hüfte fasste.

„Fuck!", schrie eine weibliche Stimme mehrere Meter entfernt auf.

„Stephanie?", fragte Iris, worauf Stille folgte.

Keiner wagte es, sich weiter zu rühren und horchte.

Weit unterhalb krachte noch gelegentlich etwas – sowohl verursacht vom Flüchtenden, als auch von weiteren Trümmerteilen.

Schließlich antwortete die Frau zögerlich: „Ja?"

„Geht's dir gut?", fragte Iris weiter durch einen dichten Staubnebel.

Darauf verfiel Alexandreiji wieder in einen Hustenanfall.

„Klar", meinte Stephanie entrüstet. „Und wen zum Teufel interessiert das?"

„Deine verdammten Wächterfreunde interessiert das", meldete sich Susan zu Wort und stieß einen Stapel Holz von sich.

„Susan?!", brach Stephanie hervor und sprang auf.

Das Sonnenlicht drang gut genug durch das dichte Staubgemisch, dass man sich zumindest schemenhaft sehen konnte.

„War das davor Iris?", überlegte Stephanie und kletterte über den Holzhaufen. „Und wen habt ihr no…"

„Au!", unterbrach sie ein mehr empörter als schmerzerfüllter Schrei.

Stephanie nahm sofort den Fuß von einem Holzbalken und blickte in die Richtung des Aufschreis.

„Foxilein!", rief Stephanie dem zuwider dreinblickenden Jungen, der unter dem Balken klemmte, fröhlich zu.

Sie packte ihn an der rechten Schulter, zog ihn mit einem Ruck heraus und half ihm auf die Beine. Fox musterte seine Befreierin aufmerksam, die in einem knappen bauchfreien Tanktop vor ihm stand. Schnell zeichnete sich ein freudiges Lächeln auf sein Gesicht.

Stephanie musste nicht Gedankenlesen können, um diesen Ausdruck richtig zu interpretieren. Ein breites Grinsen zog sich auch auf ihre Lippen.

„Schön dich wieder zu sehen, Kleiner", entgegnete sie dem Jungen und wuschelte durch seine staubenden Haare. „Was zur Hölle macht ihr hier? Und wer versucht hier, den verdammten Staub zu schlucken?"

Noch immer war schweres Husten zu hören.

Susan blickte über den Trümmerhaufen hinüber und antwortete: „Das ist Alex. Er hat sich eine Lungenentzündung eingefangen."

„Lungenentzündung!?" Stephanie hatte sichtlich Mühe, ein Lachen zu unterdrücken. Sie schaffte es rasch, sich zu fassen, und tat die letzten Schritte zu Susan, die etwas irritiert dreinblickte. Doch Susans Verwunderung legte sich schnell, als Stephanie sie an die Brust drückte.

Therese rappelte sich auf und gesellte sich dazu.

„Schwesterchen!", stieß Stephanie fröhlich heraus und nahm auch sie an die Arme. „Ist das Blut auf deiner Stirn? Hast du dich verletzt?"

„Das stammt von der Vereinigung mit dem Kristallsplitter", erklärte Iris.

Stephanie wandte sich zu ihr um, doch die erneut nach oben zuckenden Mundwinkel senkten sich gleich darauf wieder. Die suchenden Augen kniffen sich angestrengt zusammen.

„Du brauchst von Iris nicht viel mehr, als ihre Stimme zu erwarten", meinte Susan.

Damit zog sie sich einen verständnislosen Blick zu, der sogleich ein noch fragenderes Ausmaß annahm. Denn Stephanies Augen erfassten zum ersten Mal die gefesselten Hände. Selbiges nahm sie auch bei Fox wahr. Und der noch immer vom Röcheln gebeugte Alexandreiji in der Ecke machte den Eindruck, als sei seine Bewegungsfreiheit ebenfalls eingeschränkt.

Stephanies Kopf drehte sich zu Therese und fragte leise: „Wieso sind alle außer dir gefesselt?"

„Sie waren böse." Therese schmunzelte nur kurz, bevor sich ihre Gesichtszüge wieder senkten.

Stephanie zog die Augenbrauen hoch, wechselte aber dann gleich das Thema. „Ihr könnt es mir ja später erklären.

Jetzt bringen wir erst mal Alex hier raus, sonst kotzt er noch seine verfluchte Lunge auf den Boden."

Sie ging auf den gebeugten Mann zu und strich ihm zur Begrüßung sachte über den Rücken.

„Hi Alex. Alles gut?", meinte sie mit reichlich Ironie in der Stimme.

Dieser entgegnete mit einem kantigen Nicken und dem Heben seiner Hände. Stephanie führte Alexandreiji und die Gruppe zum äußeren Bereich, wo die stickige Luft klarer wurde. Das Husten wich erstickten Keuchern und schwerem Atmen.

„Was ist das für ein Ort?", fragte Therese.

„Verschieben wie die Frage/Antwort-Stunde auf später? Ich hätte da nämlich auch so die eine oder andere Frage." Stephanie zwinkerte in die Runde. „Aber schauen wir erstmal, dass wir hier runterkommen." Stephanie zog aus der Tasche ihrer über den Knien abgeschnittenen Armeehose ein zwei Finger breites Gerät hervor. Von dessen Spitze entnahm sie etwas, das dem Kügelchen einer Tintenpatrone ähnelte.

Sie zerdrückte es an einem stabil wirkenden Holzpfosten an der Fassade und betätigte eine Taste an der kleinen Fernbedienung.

Bevor sich Susan fragen konnte, was das alles sollte, durchschlug ein massiver Metallpfeil den Balken an der Stelle, die Stephanie markiert hatte. Die gesamte Gruppe zuckte zusammen.

„Wart ihr schon immer so schreckhaft?" Stephanie belächelte ihre alten Kameraden, während die Spitze des Pfeils zu Widerhaken aufklappte, die sich in das Holz bohrte.

„Eine winzige Vorwarnung hätte ich begrüßt", keuchte Alexandreiji.

„Sorry", entschuldigte sich Stephanie knapp.

Am Ende des Pfeils war eine Rolle angebracht, die ein aus der Tiefe empor gespanntes Seil wieder zurückführte.

Stephanie blickte auf die Ziffern, die das Display des Gerätes in ihrer Hand anzeige. „Der mistige Pfosten hält den Zug von nur einer Person auf einmal aus. Ich hoffe, keiner von euch hat's mit dem Herzen." Sie lächelte den verdutzten Leuten zu, als sie auf eine weitere Taste drückte.

Das Stahlseil lief in rasender Geschwindigkeit durch die Umlenkrolle. Kurz darauf kam daran ein etwa schulterbreiter Stab hochgezogen und stoppte kurz vor der Rolle.

Stephanie lächelte mit einem Anflug von Diabolik zu Alexandreiji. „Du zuerst."

Alexandreiji starrte sie mit großen Augen an. „Was soll ich?"

„Wir können uns auch teleportieren!", brach Therese hervor und riss damit auch die anderen aus ihrer aufsteigenden Panik.

Aus Stephanies Gesicht war schwere Enttäuschung abzulesen. „Ach ja. Ihr seid wieder mit den Splittern vereinigt", sagte sie niedergeschlagen und blickte auf das angetrocknete Blut an Thereses Stirn. „Keiner freiwillig? Das macht echt Spaß. Bei den ersten Malen ist es ein verdammt geiler Kick."

Ihre enthusiastische Bemühung stieß nur auf weite Augen und starres Schweigen.

„Es ist auch total sicher. Der Stab wird unter Strom gesetzt, dass sich euer Griff darum gar nicht lösen kann."

Susans Unterlippe zog sich nach vorne. *Oh, na dann. Ich fass gerne unter Strom stehende Sachen an.*

Ansonsten keine Reaktion der Gruppe. Nur Fox trat zögerlich nach vorne.

Stephanie strahlte. „Sehr schön, Kleiner. – Und von euch will sich's sonst keiner mehr überlegen?"

Geschlossenes Kopfschütteln war die Folge.

„Auch du nicht, Susan? Lieber teleportieren?", versuchte Stephanie, zum letzten Mal eine Interessentin zu begeistern.

„Mh, ja – nein danke", wählte Susan schweren Herzens Pest statt Cholera. „Ich versuch mich ohnehin, mit der Teleportation anzufreunden."

Es bestünde zwar noch die herkömmliche Art, einfach zu Fuß nach unten zu gehen. Doch durch dieses Jengahaus setze ich keinen Schritt mehr.

„Dann sehen wir uns unten", schloss Stephanie.

Susan nickte. Aber auch die anderen machten noch keine Anstalten, vorauszugehen.

Das will ich schon noch sehen.

Stephanie lächelte den Schaulustigen entgegen, während sie den nervösen Jungen an den Rand führte und mit der Einweisung begann. „Es ist ganz einfach: Nimm deine Arme nach oben und umfasse den Stab wie die Sprosse einer Leiter."

Fox streckte die Arme über den Kopf. Kaum hatten seine Handflächen den Metallstab berührt, packten seine Hände unwillkürlich zu. Er erwartete Stephanies nächste Anweisung, doch eine solche blieb aus.

Stattdessen gab sie dem Jungen einen Stoß und er fiel ungebremst in die Tiefe. Fox schrie sich die Seele aus dem Leib.

Erst fünf Meter vom Boden entfernt wurde der freie Fall abrupt abgebremst und seine Hände freigegeben. Fox' Füße schlugen auf die mit dünnen Stahlplatten ausgelegte Ladefläche eines Fahrzeugs auf. Seine Beine waren zu zittrig, als dass er hätte stehen können. Er stützte sich im Kniefall mit den Ellbogen an einer gepolsterten Sitzbank ab und atmete schwer.

Heftig. Susan und die anderen Zuschauer zogen die Köpfe von der Kante zurück.

„Ich seh gleich mal nach ihm." An der Stelle, wo Iris stand, erschien plötzlich ein kleiner Punkt, der wie ein Stern funkelte und gleich darauf nach unten schoss.

Was war das? Susans Blick wanderte über die ebenso überraschten Gesichter der anderen. „Ihr habt das auch gesehen?"

Alexandreiji und Therese nickten.

Stephanie zuckte mit den Schultern und drückte auf ihr Gerät. „Für mich ist alles neu." Der Stab schnellte wieder nach oben.

„Lasst uns erst mal hier runterkommen." Susan legte die Hände an Thereses Arm. „Ich darf doch, oder?", fragte sie mit einem beschämten Lächeln.

„Kannst du dich denn immer noch nicht selbst teleportieren?", fragte Therese überrascht.

„Doch, ich glaub schon …", erwiderte Susan. Sie spürte, dass sie diesmal gänzlich mit dem Kristallsplitter verbunden war, und damit auf das volle Potential ihrer Vorgänger zugreifen konnte. Auch um das Wissen, wie sie sich teleportieren kann.

„Ich würd nur gern etwas kleiner anfangen."

Therese beließ es mit einem tadelnden Blick und einem schmalen Lächeln.

„Wir sehen uns unten." Stephanie sprang mit nur einer Hand an dem Stab und einem breiten Grinsen im Gesicht rücklings in die Tiefe.

War das eine Aufforderung für ein Wett…?

Im selben Moment war sie mit Therese verschwunden.

Kapitel 19 - Belustigung

Stephanie raste dem Pritschenwagen entgegen. Sie hatte wenig Hoffnung, dass sie zuerst unten ankam, sollten die da oben nicht trödeln. Wenige Meter vor dem Boden erkannte sie bereits das Wellenkonstrukt ihrer Teleportation und bevor sie selbst mit den Füßen auf der Ladefläche aufschlug, verfolgten Therese, Susan und Alexandreiji den letzten Moment ihres abgebremsten Falls.

Stephanie landete mit sicherem Stand neben dem immer noch mit Adrenalin vollgepumpten und schwer atmenden Fox, kniete sich zu ihm nieder und fragte: „Und wie war's? Hat's dir gefallen?"

Fox brachte noch kein Wort heraus und nickte nur hektisch.

„Nochmal?"

Fox schüttelte mit starren Augen auf Stephanie heftig den Kopf.

Stephanie richtete sich lachend auf. Sie holte ihr Gerät aus der Tasche und betätigte wieder eine Taste. Der Eisenpfeil schlug auf der Wiese neben dem Gebäude auf, was vor allem Alexandreiji einen Schreck einjagte. Unter den faszinierten Augen der anderen wurde der Pfeil von dem Ausleger einer seilzugartigen Konstruktion rechts hinter der Fahrerkabine eingeholt.

„Dann wollen wir mal." Stephanie stieg während des Einholvorgangs vom Fahrzeug, öffnete eine Luke an der Unterseite der Ladefläche und zog einen Blechkasten heraus. Daraus pickte sie ein Werkzeug in Form eines Schlossschraubenschlüssels. Doch die Spitze hatte keine Aussparungen für den sechseckigen Kopf von Schrauben, sondern war rund, wie ein Halbmond.

„Jemand was dagegen, wenn ich euch die verfluchten Handschellen abnehme?"

Susan sprang als Erste freudig auf Stephanie zu. Doch als sie ihr die Hände entgegenstreckte, zog sie sie schnell zurück.

Stephanie blickte sie komisch an. „Ich tu dir schon nicht weh."

„Das ist es nicht." Ihr Blick streifte über die anderen, die ihr ebenfalls verständnislos entgegensahen. „Ich hab 'nen Ausschlag an den Handgelenken."

Stephanie verzog die Augenbrauen. „Papperlapapp. Her damit." Sie machte einen raschen Schritt auf Susan zu und nahm ihre linke Hand.

Sie schob den Halbkreis unter den Bügel der linken Handoberseite. Sie drehte ihn um 90 Grad, so dass die Rundung auf dem Verband an Susans Handgelenk lag und die Spitzen über die Kanten des Eisenrings ragten.

„Ganz schön dicker Verband, für einen Ausschlag."

„Damit ich nicht kratze", entgegnete Susan nach kurzem Zögern. Sie schaute ihr mit einem gedrängten Lächeln ins Gesicht.

Wie du meinst. Ich dräng dich sicher nicht zur Eröffnung deiner Krankheitsgeschichte. Stephanie bemerkte, dass sich die Schmerzen an ihrem Brustkorb langsam zurückmeldeten. „Das wird jetzt ein wenig heiß, aber du kannst dich nicht verbrennen."

Ein leises Summen ging von dem metallischen Halbmond aus. Eine Sekunde später fiel die Handschelle ab. Sie baumelte mit zwei glühenden Enden an der Kette zu der an der anderen Hand.

„Das ging ja schnell", meinte Susan beeindruckt.

Die andere Hand war ebenso rasch befreit. Susan bedankte sich und rieb sich glücklich über die Druckstellen.

„Nicht kratzen." Stephanie schenkte Susan ein schelmisches Lächeln, die es zögerlich erwiderte. Auch Alexandreiji und Fox waren die Fesseln kurz darauf los.

„Einsteigen", forderte Stephanie auf.

„Wir sollten dir erst einmal erzählen, wieso wir hier sind", unterbrach Iris Stephanies Aufbruchstimmung.

„Das könnt ihr auf dem Weg in die Stadt machen. – Oder habt ihr's eilig?"

Alle sahen um eine Antwort verlegen auf Susan, deren Augen wiederum auf die Stelle blickten, von wo Iris' Stimme zuletzt gekommen war.

Diese sagte schließlich: „Wir können gar nicht einschätzen, wie sich die Zeit in Susans Gegenwart verhält, während wir hier sind oder noch weiter in die Zukunft springen. Denn mit jedem Sprung kommen wir mit größer werdendem Zeitverzug an, wie es scheint. Fox war nur eine Woche lang von Susan getrennt, Alex schon acht Wochen."

Therese zog die Augenbrauen hoch. „Bei mir sind es sechs Monate. – Und wie lange bist du schon wieder zurück?"

Stephanie überlegte kurz: „Etwas über ein Jahr. – Aber ich würde gerne erst mal duschen, bevor wir aufbrechen. Euch würde auch keine schaden. Und frische Klamotten bekommt ihr auch."

Alle Mitglieder der kleinen Reisegruppe blickten mit verschmutzten Gesichtern auf ihre verdreckten Kleider.

„Du weißt, dass wir dich bitten wollen, dass du uns begleitest?", fragte Iris.

„Na, einen Anstandsbesuch zu verficktem Kaffee und Kuchen stattet ihr mir sicher nicht ab. Ihr könnt auf mich zählen."

„Aber du weißt doch noch gar …"

„Nebensache", unterbrach sie sofort. „Und jetzt steigt auf. Erzählt mir auf dem Weg davon. Meine Meinung werd ich schon nicht ändern."

Während sie den Werkzeugkoffer verstaute, kletterten Therese und Alexandreiji auf die Ladefläche zu Fox, der sich inzwischen beruhigt hatte.

„Darf ich in der Mitte sitzen?", fragte Iris.

Susan verharrte in der Bewegung, in die erhöhte Fahrerkabine zu klettern. „Sicher. Nach dir." Sie ging einen Schritt zurück und deutete Iris, einzusteigen.

„Danke", kam es einen Moment später von der Sitzbank her, auf die sich auch Stephanie gerade fallen ließ. Als Susan als letzte zustieg, tippte Stephanie auf einem unbeschrifteten Tastenfeld eine Kombination ein, worauf diverse Lämpchen an der Konsole aufleuchteten. Sie legte einen Hebel um, drückte ein Pedal und schon fuhren sie lautlos davon. Die einzigen Geräusche, die der elektrische Kleintransporter verursachte, stammten von dem Zugwind und den sechs Reifen auf dem befestigten Schotterweg. Die Fahrerkanzel besaß keine Türen und keine Heckscheibe. Nur eine Frontscheibe schützte vor Insekten und Schmutz.

Iris erläuterte erneut die Lage, was Stephanie mit konzentriertem Blick auf die Straße emotionslos bis zum Schluss ohne Gegenfrage aufnahm. Zwischendurch schaute sie in den Rückspiegel. Die Fahrgäste auf den Sitzbänken der Ladefläche betrachteten das Holzgebäude, in dem sie sich eben noch befunden hatten. Von außen machte es einen stabileren Eindruck, war aber ähnlich chaotisch. Es hatte etwa 70 Stockwerke und eine unregelmäßige Grundfläche von mindestens 200 Metern Länge.

„Und was ist mit Kronos?", fragte Stephanie, nachdem Iris mit den Ausführungen geendet hatte.

Sie vernahm keine Antwort.

Ihr Blick richtete sich von der Straße weg auf Susan und auf den leeren Mittelsitz, wo Iris sitzen sollte.

„Wollt ihr's mir nicht sagen oder was ist los?"

Susan reagierte nicht. Sie sah nur weiter geradeaus, als würde keine Frage in der Luft hängen. Auch von Iris kam nicht der geringste Mucks. Stephanie blickte über ihre Schulter auf die Ladefläche. Dort fühlte sich ebenfalls niemand angesprochen.

Was geht denn hier ab?

Keiner rührte sich. Nur das Wackeln des Lasters brachte Bewegung in die ansonsten starren Körper mit lethargisch blinzelnden Augen. Stephanie verlangsamte das Tempo und war im Begriff anzuhalten. Doch dann zog so etwas wie Gleichgültigkeit in ihren Sinn und sie nahm wieder Geschwindigkeit auf.

„Der Raumkristall bringt uns also weiter in die Zukunft zum chronologisch nächsten Wächter?", stellte sie eine weitere Frage, als hätte es die erste nie gegeben. „Und wenn wir alle zusammen haben, schickt er uns auch zurück zum Ausgangspunkt in Susans Gegenwart?"

„Das hoffe ich doch sehr", sagte Susan, die aus der Teilnahmlosigkeit erwachte.

Alexandreiji hustete wieder.

Therese lehnte sich nach vorne. „Können wir bei einer Apotheke Halt machen und Antibiotika für Alex besorgen? Er hört sich wirklich nicht gut an."

Stephanie lachte auf. „Antibiotika?!" Sie schüttelte belustigt den Kopf. „Die meisten Keime sind bereits seit Jahren resistent dagegen. Alex' vorsintflutliche *Lungenentzündung* dürfte zwar nicht dazu gehören; mit Penicillin kann ich dennoch nicht dienen. Es wird nur noch selten hergestellt. Aber eine Apotheke haben wir."

Sie steuerte den Wagen an den Wegesrand und stoppte. Die steigende Besorgnis in Thereses Gesicht wich einem nach Verständnis suchenden. Stephanie öffnete unter ihrem Sitz eine Schublade und holte ein Paket aus schwarzem Nylonstoff hervor. Sie faltete es auf, nahm ein Pumpfläschchen heraus und stieg damit aus der Türe. Mit einem Schwung stand sie auf der Ladefläche neben dem keuchenden Alexandreiji.

„Aufrecht sitzen und ausatmen", wies sie ihn an.

Er gehorchte. Als der Luftzug abflachte, steckte ihm Stephanie den Aufsatz in den Mund und sagte: „Tief einatmen."

Alexandreiji schlug die Augen entsetzt auf. Aber er befolgte Stephanies Anweisung und holte Luft. In diesem Moment drückte sie auf den Auslöser und spritzte damit einen massiven Sprühnebel tief in die Lunge. Der Patient röchelte kurz, als hätte er etwas verschluckt. Aber nach zwei, drei Atemzügen fühlte er sich wie ausgewechselt. Er konnte nun beschwerdefrei durchatmen, ohne ein wundes Gefühl in der Kehle.

Stephanie säuberte das Mundstück mit einem keimfreien Tuch.

„Ist das ein Asthma-Spray?", fragte Susan.

„Asthma?!", wiederholte Stephanie und lachte erneut.

Diejenigen, denen Asthma ein Begriff war, blickten wenig verständnisvoll auf Stephanie, die sich gerade eine Träne aus dem Auge wischte.

„Asthma. – Also echt. Ihr schafft mich noch." Sie winkte ab und drückte das Fläschchen Alexandreiji in die Hand. „Heute Abend noch mal und morgen früh. Dann dürfte sich das mit der Lungenentzündung erledigt haben."

Alexandreiji bedankte sich vielmals, auch wenn er nicht wusste, wie ihm geschah.

„Solch einfache Krankheiten und die meisten Allergien haben wir längst im Griff und nahezu ausgerottet", erklärte Stephanie, als sie nach vorne stieg und die Fahrt wieder aufnahm. „In manchen Ländern hat man dem bereits genetisch

entgegengewirkt. Nur Deutschland und andere Staaten verweigern sich noch. Dabei hat das nicht mal ideologische oder moralische Gründe. Viele sehen die verfickte Pharma-Lobby dahinter, die natürlich Mittel wie das produzieren, das ich Alex verabreicht habe. So oder so, es gibt in dieser Zeit für jede Krankheit eine Antwort. – Für fast jede."

Stephanie rieb sich die Rippen.

„Hast du da oben jemanden verfolgt?", fragte Fox. „Und was ist das da?"

„Ja. Ein verdammt flinker Bursche." Stephanie neigte den Kopf nach hinten, ohne den Blick von der Straße zu nehmen. Sie holte nebenbei einen Behälter aus der Seitentasche ihrer Hose, drehte den Deckel auf und steckte sich daraus eine Tablette in den Mund. „War aber nur ein kleiner Fisch. Der kommt mir schon wieder mal unter. – Der Holzverschlag war vor etwa zehn Jahren mal eine Art Protestaktion gegen die explodierenden Mietpreise, die der Stadtrat beschlossen hatte. Ursprünglich sollte das Holzgebäude nur die Symbolik haben, dass man sich selbst günstigere Wohnalternativen baue. Doch schnell fand das Projekt Unterstützer, die auch mitbauen wollten, um tatsächlich darin zu wohnen. Das Ding wurde größer und breiter. Anfangs arbeiteten nur gelernte Bauarbeiter und Ingenieure daran. Dann aber immer mehr Laien. Und ihr seht ja, wie das Ergebnis aussieht. Dem Stadtrat kam das gerade recht und er ließ das Gebäude wegen proklamierter Einsturzgefahr räumen. Seitdem halten sich Einsiedler und eine Reihe Obdachloser hin und wieder mal in den unteren Ebenen auf. Mein Kandidat hat sich etwas weiter nach oben absetzen wollen. Auf ihn ist ein Kopfgeld von 3000 Euro ausgesetzt."

„Und das nennst du *kleiner Fisch*?", fragte Susan. „Oder ist das hier nicht mehr so viel Geld?"

„Ein Laib Brot kostet knapp 20 Süd-Euro", sagte Stephanie zum Vergleich. „Mit 3000 kann man also keine großen

Sprünge machen. Man hat versucht, die Inflation durch Teilung des Eurogebiets zu bremsen. Mit mäßigem Erfolg, weil auch Skandinavien mit den Folgen des abflachenden Golfstroms zu kämpfen hat."

Der Laster hatte inzwischen den Wald verlassen und fuhr an Getreidefeldern vorüber. Unter den vereinzelten Weizen- und Gersteanbauten befanden sich vor allem Raps und nur gelegentlich ein Gemüsefeld. Kurz vor der Stadtgrenze wechselte der Straßenbelag auf recht neu wirkenden Asphalt. Das schwarze Ortsschild mit weißer Schrift zeigte *Berlin – Stadtteil Ostheide*.

Kapitel 20 - Zwischenstopp

Das Bild des Stadtteils bestimmten große Firmengelände und Lagerhallen beiderseits der Straße. Mit jedem Meter, den sie weiter in die Stadt drangen, wurde der Geräuschpegel höher. Der Teer brannte unter der hoch stehenden Sonne und trieb Susan den Schweiß ins Gesicht. Auch wenn die fehlenden Türen bislang für ein recht angenehmes Klima gesorgt hatten, wünschte sie sich nun, dass man die Fahrerkabine schließen hätte können. Wenigstens blieben sie von Abgasen verschont, was Susan überraschte; bei den vielen Transportern in mächtigem Ausmaß, die ihnen entgegenkamen oder hinter ihnen einbogen.

Die Bordsteine waren sehr hoch. Fox hätten sie sicher bis zum Knie gereicht. Doch kein einziger Fußgänger war zu sehen. Dabei waren die Gehwege überaus breit dimensioniert. Anders als die Straße, bestand der Belag nicht aus hellgrauem Asphalt, sondern aus etwa einem Meter großen, hellen Sechsecken mit dunklen Rändern.

„Sind das Solarzellen?", fragte Susan.

Stephanie folgte Susans Blick kurz. „Die Kanten? Ja. Die gesamte Platte besitzt druckempfindliche LEDs zur Straßenbeleuchtung. Fast alle Vororte und Stadtteile außerhalb des Zentrums sind damit bepflastert."

Stimmt. Keine Straßenlaternen weit und breit. Susan hätte das gerne bei Nacht gesehen. „Leuchtet dann nur die Zelle, auf der man gerade steht?"

„Je nachdem, wie schnell du dich bewegst. Mit einem Fahrrad oder Scooter wird ein größerer Bereich um dich herum ausgeleuchtet."

„In der Nähe meines Klosters gibt es eine Teststraße damit", meinte Therese. „Ist sehr angenehm darauf zu laufen."

Susan nickte beeindruckt. Sie schaute sich weiter um, aber während der gesamten Fahrt gab es nichts Neuartiges mehr zu entdecken. Nur die Ausmaße von allem schienen gewachsen zu sein. Größere Fahrzeuge mit ungewöhnlich scharfkantigen Designs und breitere Straßen mit unzähligen Wegweisern in verschiedenen Farben und Dimensionen. Zumindest die Schilder schienen nicht mehr aus einer Fläche aus Blech zu bestehen. Stephanie meinte, dass es sich dabei um transflektive Displays handelte, deren Anzeige sich automatisch dem Verkehrsfluss und den tageszeitabhängigen Bedürfnissen der Bürger anpasste.

Am Ende der bislang schnurgeraden Strecke sah Susan eine viel befahrene Querstraße, die für jede Richtung mindestens fünf Fahrstreifen haben musste. Nach rechts führte sie zum Flughafen, Einkaufscenter Nord und Nord-Ost. Nach links zum Einkaufscenter *Neue Arcaden*, Messegelände 8 und 9. Stephanie ordnete sich aber links zur Tunnelabfahrt ein, die den äußeren Hauptverkehrsring unterlief. Der Hall in der breiten, hell von den Seiten und der hohen Decke ausgeleuchtete Röhre schien von den Wänden absorbiert zu werden. Die Fahrt hier drin war ruhiger als draußen.

An der dritten Ausfahrt verließen sie den Tunnel. Das Bild war immer noch von Lager- und Werkshallen bestimmt – jedes Gebäude grau in grau, wenn überhaupt mit nur einer dezenten Beschriftung mit dem Firmennamen.

Ziemlich trostlos das Ganze. Susan hatte sich die Zukunft eher bunt vorgestellt. Farbenfrohe Reklametafeln, reges Treiben auf den Straßen vor Bars und Cafes, Geschäfte mit bummelnden Kunden. Gab es hier überhaupt noch Läden oder war alles auf Versandhandel ausgerichtet? Oder waren sie in diesen Einkaufscentern zentriert?

Stephanie bog schließlich auf ein doppelt umzäuntes Gelände ein, nachdem sich die erste von zwei hintereinanderliegenden Schranken des Haupttores geöffnet hatte. Sie steckte den linken Daumen in eine der lochförmigen Aussparungen eines Metallpfeilers und zwinkerte in eine Überwachungskamera. Die zweite Schranke schwang auf. Eine fröhliche Männerstimme verkündete aus dem Lautsprecher: „Scan abgeschlossen. Willkommen zurück, Fräulein Reuters."

„Danke, Eric", tönte Stephanie mit einem übertrieben strahlenden Lächeln. Das Strahlen versiegte, kaum hatten sie den Zufahrtsbereich hinter sich gelassen.

Sie bemerkte Susans fragenden Blick auf sich. „Es kann nie schaden, sich die eine oder andere Option offen zu halten."

„Und wie genau hältst du dir deine Optionen offen?", fragte Susan mit ironischem Ton. „Nur mit Lächeln und Augenzwinkern?"

Stephanie grinste, blieb aber einer Antwort schuldig.

Sie fuhren über einen Vorhof, der abwechselnd mit Mauern aus Sandsäcken und Betonsegmenten umrandet war.

Durch Lücken von der Breite einer Tür erkannte Susan mehrere Frauen und Männer in militärischen Hosen und Unterhemden nebeneinander am Boden liegen und in Windeseile ihre Waffe vor sich zerlegen. Auf der linken Seite befand sich offenbar der Werkstattbereich mit Fahrzeugen, von denen die Räder abgebaut waren oder deren Motorabdeckung offen stand.

Stephanie fuhr durch das offenstehende Tor links am Ende des Vorplatzes in eine große Fahrzeughalle. Sie stoppte den Transporter in einer Parklücke gleichgebauter Gefährte und bat darum, abzusteigen.

Ihr Weg führte sie eine breite Treppe hinauf, die in das Treppenhaus eines benachbarten Gebäudes mündete. Zwei Stockwerke höher traten sie in den Gang, der an den eines Studentenwohnheims erinnerte. Nur wiedermal sehr viel farbloser. Wenige Schritte weiter schloss Stephanie mit einem Wischen ihrer Uhr über eine Fläche am Türknauf ihr Quartier auf.

„Seht euch ruhig um. Was zum Essen und Trinken findet ihr da rechts", bot Stephanie an, bevor sie unter die Dusche verschwand.

Die Wohnung bestand aus einem Zimmer mit Koch- und Schlafbereich plus Badezimmer von insgesamt vielleicht 30 Quadratmetern. Es wirkte alles penibel aufgeräumt mit nur wenigen Staubfängern, wie einer leeren Vase und einem einzelnen kleinen Bilderrahmen auf einem Regal.

So ordentlich hatte sie Stephanie nicht eingeschätzt. *Mag wohl etwas mit ihrer militärischen Lebensweise zu tun haben.*

Das Angebot, sich was zum Essen und Trinken zu holen, nahm Susan gerne an. Ihr Magen knurrte und ihre Kehle war staubtrocken.

Während Fox und Alexandreiji nach wie vor von der Wirkungsweise eines Kühlschranks beeindruckt waren, empfand Susan die Portionierung der Speisen in einheitlichen transparenten Vakuumschalen als faszinierendes Detail der nahen Zukunft. Die Behälter machten nicht den Eindruck, als hätte Stephanie den Inhalt darin verstaut, sondern dass sie so im Handel angeboten oder geliefert wurden.

Sie griff nach einer der Boxen und lächelte verstohlen.

„Eine Melone für dich, Fox?"

Fox blickte sie mit steinerner Miene an. Susan lachte nur zurückhaltend, da auch Therese und Alexandreiji den Witz daran leider nicht verstanden. *Hm. Schwieriges Publikum heute.* Susan lächelte weiter.

Sie stellte die fünfgeteilte Mixbox mit der Hälfte einer Melone, zwei Äpfeln und nur noch einer Frucht, die sie nicht identifizieren konnte, zurück und nahm sich einen Tetrapak, der nach einem Trinkjoghurt aussah. Nach vorsichtiger Bewertung eines ersten kleinen Schlucks nahm sie einen zweiten. *Schmeckt nach Erdbeeren. Aber sehr unsüß. Ob Light-Produkte doch noch den Markt erobert haben?*

Susan sah sich die Verpackung genauer an. Auf der Vorderseite gab es keine Abbildung von Früchten. Nur den Schriftzug „Danone – Das fruchtige Erlebnis – Deckt den täglichen Vitaminbedarf nach nur einer Portion." Sie studierte die Zutatenliste. *Hat das hier überhaupt noch was mit echten Erdbeeren zu tun?*

Susan zuckte mit den Schultern und trank noch einen Schluck. *Abgefülltes Wasser scheint es nicht zu geben. Ob Leitungswasser trinkbar ist?*

Stephanie kam mit einem umgebundenen Handtuch aus dem Bad gesprungen. „Bitte kein Leitungswasser trinken! Hab ich vergessen zu sagen … Die Aufbereitungsanlage ist nicht die beste hier. Ihr habt doch noch nicht …?"

Susan schüttelte mit vollen Backen des letzten Schlucks aus dem Tetrapak den Kopf.

„Gut, gut. Trinkwasser ist neben der Türe in dem Schubfach." Sie verschwand erleichtert wieder im Bad.

Susan schluckte den Rest hinunter und suchte nach einem Mülleimer. *Oder kann man den Getränkekarton auch wiederbefüllen?* Sie nahm die Beschriftungen noch ein weiteres Mal unter die Lupe. Doch dann brach sie ab und schaute auf ihre Freunde. Therese blätterte durch eine Zeitung, während sie einen Apfel aß. Alexandreiji betrachtete den grafischen Fluchtplan an der Zimmertüre. Fox blickte fasziniert mit einer Brezel im Mund aus dem Fenster. *Einen tollen Zeitvertreib hab ich da. Die Aufschrift von Verpackungen ablesen. – Was Iris wohl macht?*

Stephanie verließ in sauberen Klamotten das Badezimmer, öffnete den Einbauwandschrank aus Aluminium und warf Fox daraus eine ihrer Siebenachtel-Hosen und ein altes T-Shirt zu. „Du bist dran, Foxilein."

Der Junge strahlte und verschwand sofort im Bad.

„So. Gibt es sonst noch was, das ich wissen muss?", fragte Stephanie und rieb sich die Haare trocken. Der Undercut war herausgewachsen. Die schwarzen Strähnen dagegen wirkten vor kurzem erneuert. „Oder wie ist es euch so ergangen? Etwas Interessantes erlebt?"

Sie stellte eine kleine Gepäcktasche in Camouflagemuster auf das in hellgrauer Wäsche bezogene Bett an der Wand und begann zu packen. Ihr Blick fiel auf Alexandreiji.

Dieser schüttelte gemächlich den Kopf. „Ich habe viel gelesen."

Stephanie schien gelangweilt und blickte auf Susan.

„Wir haben uns eigentlich erst vorgestern gesehen. Von daher gibt es auch bei mir nicht viel Neues."

Stephanie schien noch gelangweilter. „Außer dem Ausschlag." Sie zwinkerte ihr zu.

Was sollte das Zwinkern? Ahnt sie etwas?

„Schwesterchen! Du lässt mich aber nicht hängen, oder? Du hast bestimmt was Spannendes aus dem Kloster zu berichten."

„Ich bin keine Ordensschwester mehr", verkündete Therese trocken, ohne von der Zeitung aufzusehen und weiterzublättern.

Stephanies überdrehtes Verhalten erstarb. „Das … Tut mir leid, ich …"

Therese blickte auf. „Schon gut. Es war meine Entscheidung."

Susan schluckte schwer. *Der ganzen Wahrheit entspricht das aber nicht.* Sie hatten sie dazu gedrängt. *Wir haben dir keine Wahl gelassen.*

Susan sah es Stephanie an, wie sie mit sich rang, ob sie Therese in den Arm nehmen sollte oder nicht. Sie widmete sich langsam wieder ihrer Tasche.

Fox trat mit nassen Haaren in das unterkühlte Zimmer. Sein wohliges Lächeln verschwand, als er in die bedrückten

214

und schweigenden Gesichter blickte.

„Wer als nächstes?", fragte er vorsichtig.

„Ich war erst vor wenigen Stunden", nahm sich Therese zurück. „Ich wasche mir nur schnell das Gesicht und wechsle die Kleidung. Wir wollen nicht zu viel Zeit vergeuden. Wir sind gerade erst bei der Hälfte unserer Reise angelangt."

Susan nickte ihr zu. „Alex, geh du vor. Ich wasche mich auch nur kurz."

Dabei hatte sie sich schon darauf gefreut, die Verbände abzunehmen und die Mischung aus verkrustetem Blut und Desinfektionsmittel, die sich bestimmt darunter verbarg, abzuwaschen.

„Brauchen wir diesmal wieder Winterkleidung?", fragte Stephanie, kurz nachdem Alexandreiji die Badezimmertüre hinter sich geschlossen hatte.

Susan sah von der Küchenzeile aus, dass Stephanie bislang nur Sachen, die nur für den Hochsommer geeignet waren, einpackte.

„Das lässt sich schwer einschätzen", meldete sich Iris mal wieder zu Wort.

Sie hat irgendwie recht wenig zu unseren Konversationen beizutragen.

Stephanie hörte auf zu packen. „Ich habt gar kein Gepäck dabei, hm? Ich bin es eigentlich gewohnt, mich gut auf einen Einsatz vorzubereiten. Tut mir leid, wenn ich das so sage, aber ... Ihr habt *gar* keine Vorstellung, worauf ihr euch hier wieder einlasst, oder? Ohne Ausrüstung. Nur den Splitter im Kopf und der soll alles regeln?"

Susan war einer Entgegnung verlegen. Auch die anderen hatten nichts zu erwidern. Allen voran Iris nicht.

Was ist bloß los mit dir?

„Ich muss noch eine Hose für Alex holen. Ich hab nichts hier, das ihm passen könnte." Stephanie verließ das Zimmer.

„Iris. Hast du nichts dazu zu sagen?", fragte Susan. „Wenn du selbst Zweifel hast, dann sag das bitte."

„Ich … habe keine Zweifel", klang es fast schon gequält vom Fenstersims her. „Wenn es nur ich wäre, die die Gefahr erkennt, dann ja. Aber du hast die Doronier doch selbst gehört."

„Vertraust du ihnen?"

„Ich kenne sie nicht. Nicht so wie euch. Euch vertraue ich."

„Wir sollten zumindest in Betracht ziehen, dass die beiden was im Schilde führen. Vielleicht brachten sie uns die Splitter nicht ohne Hintergedanken."

Von Iris waren keine Einwände zu hören.

Stephanie kam mit einer dunkelgrauen Armeehose und einem weißen Poloshirt zurück. „Hab ich mir von einem Nachbarn geliehen. Eine Unterhose hab ich auch von ihm. Das war etwas awkward." Stephanies Lächeln verschwand beim Blick auf die Gesichter ihrer Gäste. „Hey. Tut mir leid, dass ich die Stimmung so zum Kippen gebracht hab. Ich meinte …"

„Nein", unterbrach Iris. „Du hast vollkommen recht. Wie würdest *du* weiter vorgehen?"

Stephanie entspannte sich und atmete tief durch. „Schwer, ohne den Feind wirklich zu kennen. Was wissen wir noch von *No'ara*, außer dass sie ein *Pain-in-the-Ass* ist? Und von ihrem verfickten Bruder?"

„Wir – können auch nicht ausschließen, dass die Doronier ein falsches Spiel spielen", warf Iris schwerfällig ein.

Stephanies Augenbrauen zogen sich nach oben. „Mhm."

Die Badezimmertüre öffnete sich einen Spalt. Bevor Alexandreiji fragen konnte, steckte ihm Stephanie die Sachen durch. „Danke", sagte er und schloss die Türe.

Stephanie atmete kurz durch. „Das einzige von dem wir bisher sicher ausgehen können, ist, dass die Herrscherin noch lebt und mit ihrem Bruder das noch intakte Andalon zerstört hat, ohne Menschenleben zu kosten. Diese haben immense magische Kräfte. Und wir haben vielleicht zwei Verbündete mit massiven körperlichen Kräften, die aber mit den anderen unter einer Decke stecken könnten. Ist von den Narach was bekannt?"

Susan schüttelte vorsichtig den Kopf.

Stephanie faltete die Hände und nahm sie nachdenklich vor den Mund. „Ich fürchte, dass sich in den verdammten Waffenkammern hier nichts finden wird, das uns vor den Kräften nur einer der beiden Parteien allein schützen könnte. Da müssen wir uns auf den verfluchten Einfallsreichtum von Zinus und der technischen Möglichkeiten seiner Zeit, oder sogar von Blues, verlassen. Was das taktische Vorgehen angeht, beratschlage ich mich lieber erst mit Ivan. Bis dahin können wir das erst mal aufschieben."

Alexandreiji trat herein und zog die Blicke auf sich.

„Fesch." Stephanie lächelte ihm zu. „Brauchst du 'nen Haargummi?"

„Einen was?"

Stephanie holte einen aus dem Schrank, drehte Alexandreiji um und band ihm die Haare im Nacken zusammen.

„Oh. Ja, danke."

„Wechselklamotten für mich und die Mädels dürfte ich genügend dabeihaben. Für die Männer muss Ivan was beisteuern. Dann machen sich Therese und Susan noch frisch und auf geht's."

Therese deutete Susan, dass sie zuerst gehen sollte. Stephanie drückte ihr Klamotten in die Hand und sie ging in das Badezimmer.

Der untere Teil des quadratischen Raums war bis auf Hüfthöhe mit Edelstahl verkleidet, der Rest mit Keramik. Susan trennte sich von den groben Leinenkleidern und den restlichen Leihnahmen aus dem Krankenhaus. Sie wischte den Dampf vom Spiegel und betrachtete ihr schmutziges Gesicht. Nach mehreren Handvoll Wasser mit Seife rieb sie die Haut trocken. Sie achtete darauf, dass die Verbände an den Handgelenken nicht zu nass wurden. Mit dem feuchten Handtuch wischte sie ein paar Mal über die Achseln, bevor sie sich der wohl konservativsten Auswahl aus Stephanies Modekollektion annahm: Eine enge dunkelrote Jeans und ein beigefarbenes ausgeleiertes Longsleeve.

Ob sie extra darauf geachtet hat, mir etwas mit langen Ärmeln zu geben, um meine Verbände zu überdecken?

Zwischen den beiden Kleidungsstücken verbargen sich noch frische Socken, und …

Bei der Unterwäsche schließlich endete die Konservativität.

Hübsch ist sie ja. Susan zog den sehr knappen roséfarbenen Tanga und den halbdurchsichtigen BH gerne an, lief sie doch bislang noch mit der Netzunterwäsche aus dem OP rum.

Als Susan komplett bekleidet in das Zimmer trat, kam ihr Therese mit einem eigenen Stapel an Kleidern entgegen und schloss sich im Badezimmer ein.

„Hab ich was verpasst?"

„Nein, ich hab etwas Proviant eingepackt und ein paar Flaschen Wasser", meinte Stephanie. „Hast du noch Wünsche?"

Susan schaute sich um. Nach kurzer Bedenkzeit schüttelte sie den Kopf.

„Hast du jemanden, von dem du dich gern verabschieden würdest?"

Stephanie hielt inne. Sie blickte auf das Regal mit dem Bilderrahmen und antwortete mit unterkühlter Stimme: „Das ist schon alles geregelt."

Susan schaute sie fragend an. *Geregelt?*

Die Badezimmertür ging wieder auf. Therese trug eine dunkle, eng sitzende Hose und ein hellblaues Hemd mit Knöpfen.

Ihr Gesicht war rot angelaufen.

Susans Mundwinkel wanderten nach oben. *Stephanie hat ihr auch was von ihrer Unterwäsche gegeben. – Ob sie allein der Anblick zum Erröten gebracht hat? Oder trägt sie sie auch?*

„Na, dann wollen wir mal", gab Stephanie enthusiastisch von sich und legte sich mit dem Rücken auf den schwarzen Kunststoffboden, mit der gepackten Tasche auf dem Bauch.

Susan schüttelte ihre Gedanken ab und holte den Raumkristall hervor. Sie kniete sich neben Stephanies Kopf, während die anderen entweder festen Körperkontakt zu Stephanie oder Susan suchten.

Iris wies Susan den richtigen Punkt, doch musste sie mit dem in einem hellen Gelb strahlenden Splitter kaum mehr korrigieren. Sie fand die benötigte Stelle fast auf Anhieb.

„Bist du bereit?"

„Jap. Kann losgehen."

Kurz bevor Susan zudrückte, wanderte ihr Blick neugierig zu Fox. Sie schmunzelte. *Was er wohl für Unterwäsche trägt?*

Kapitel 21 - Narbenweiß

Ivan stieg aus einer der Duschkabinen des Etagenwasch-
raums und trat gegenüber an die Waschbeckenrinne. Er
nahm das Handtuch vom Haken und zog es sich vorsichtig
über die kahlgeschorenen Haare. Seine Zähne knirschten dabei vor Schmerz aufeinander. Während er das Handtuch über
die Schultern führte, blickte er in den eingedampften Spiegel. Nur ein Fleck seines Spiegelbilds war erkennbar.

Ivan unterbrach das Trocknen. Er fixierte das verschwom-
mene Gebilde. Seine linke Hand näherte sich nur zögerlich
der Fläche und wischte behutsam die linke Seite seines Ge-
sichtes frei.

Ivans Wahrnehmung blendete die zwei Kameraden aus,
die mit ihm die Etage von überwiegend leerstehenden Ein-
zelzimmern bewohnten und sich ebenfalls einer morgendlichen Dusche unterzogen.

Mehrere Minuten starrte Ivan auf den freien Fleck des
Spiegels, der die gesamte Wandbreite einnahm. Er verlor
sich in seinen Gedanken und vagen Erinnerungen, die seither den Alltag bestimmten, ebenso wie die Schmerzen. Das
Brennen auf der rechten Gesichtshälfte wurde wieder stärker
und holte Ivan zurück. Er war inzwischen allein im Wasch-
raum.

Sein Blick erfasste die Uhr über dem Fenster. *Ich muss
mich beeilen.*

Sein Körper war bereits luftgetrocknet. Er steckte seine
Sachen in den Beutel und eilte mit umgeschlagenem Handtuch auf den Flur. Die Tür zu seinem Zimmer lag schräg gegenüber. Mit seinem Fingerabdruck und einem dreistelligen

Code trat er in den Raum, in dem kaum mehr als das einen Meter breite Bett Platz hatte.

Vor der Versetzung aus dem neunten Distrikt hierher in den vierten hatte ihm noch die doppelte Fläche zur Verfügung gestanden. Sogar ein eigenes Badezimmer hatte er gehabt. Aber was sollte er dem vergangenen Luxus hinterherträumen? Immerhin war er noch am Leben, was auf die meisten seiner Kollegen nicht zutraf. Ein Anschlag auf das Gebäude ihrer Einheit hatte zwei ganze Züge ausgelöscht. Das anschließende Feuergefecht überlebten nur acht. Ivan blieb dabei überraschenderweise fast unverletzt – was er seitdem jeden einzelnen Tag auf's Neue verfluchte.

Ivan blickte auf die eingerahmte Urkunde und Medaille daran, die im ansonsten gähnend leeren Regal lag. „Für außerordentliche Tapferkeit und Ehre." – *Nur dafür, nicht gestorben zu sein.*

Die Narbe brannte wieder. Ivan schob die Schranktüre zur Seite und holte eine der Sturmmasken heraus. Bevor er irgendetwas anderes anzog, streifte er sich mit aufeinandergepressten Kiefern die zu kleine Maske über den Kopf, die nur noch ein Oval zwischen Augenbrauen und Unterlippe freigab. Ivan atmete gedrängt, doch der Druck des engen schwarzen Stoffes auf der Haut schmälerte den Schmerz schnell. Er holte seine Unterwäsche heraus und danach den Einsatzanzug.

Als Letztes legte er die taktische Uhr an und blickte darauf.

Fünf Minuten bis zur Einsatzbesprechung.

Er verließ sein Zimmer und eilte zum Treppenhaus. Vier Etagen tiefer trat er mit Hilfe seines Fingerabdrucks und einem fünfstelligen Code in das zweite Obergeschoss der 4. Police Security Unit Minsk.

Unter den dreißig Kollegen, die sich in dem weitläufigen Büro tummelten, fielen nur noch einzelne belustigte oder abfällige Blicke auf den Typen, der den ganzen Tag über eine Maske trug. Darauf angesprochen hatte ihn bisher niemand. Ivan wusste nicht, ob seine Wohngenossen hinter seinem Rücken von der breiten Brandnarbe über der rechten Kopfhälfte erzählten, oder ob es eine Art Freikarte dafür war, was er mit seiner vorigen Einheit erlebt hatte.

So viel Mitleid und Zuspruch ihm anfangs entgegengekommen war, inzwischen interessierte sich keiner mehr für ihn. Es schien ihm sogar, als würde er von seinen neuen Kollegen gemieden. Ob dies ein Abwehrmechanismus war, um sich nicht mit der Möglichkeit auseinanderzusetzen, dass es ihnen genau so ergehen könnte, oder ob er es selbst durch seine wortkarge Art heraufbeschwor, war Ivan gleich. Auch er hatte kein Interesse daran, Bindungen aufzubauen. Seinen Alltag bestimmte nur noch der Schmerz.

Lindernde Mittel konnte er nicht nehmen, ohne seine Einsatzfähigkeit damit zu beeinflussen. Der Alkohol, in den er sich die ersten Wochen nach seiner Rückkehr – und nochmal nach dem Anschlag – ertränkt hatte, machte die Schmerzen sogar noch schlimmer.

Ivan lehnte sich an die Wand des Briefingraums, der bereits voll belegt war, sich aber weiter füllte. Der Captain betrat den Raum.

„Guten Morgen, zweiter und dritter Zug. Wie ihr vielleicht schon gehört habt, ist der erste Zug eben erfolgreich von seiner Aufklärungsmission zurückgekehrt. Die Ergebnisse werden gerade ausgewertet, aber es deutet alles darauf hin, dass noch heute im westlichen Bahnhofsviertel von Kolyadichi eine Sprengstofflieferung umgeschlagen wird. Die Details erhaltet ihr in einer Stunde hier an selber Stelle. Bis dahin: Ausrüstung Level 5 bis 6 überprüfen und einsatzklar machen."

Der Captain verließ den Raum, in dem sofort Bewegung und lautes Stimmengewirr ausbrach. Ivan blieb derweil noch an die Wand gelehnt stehen und blickte starr an die Stelle, an der der Einheitenführer am Pult gestanden hatte.

Ivans Ausrüstung lag immer in allen Leveln einsatzklar im Rüstungslager bereit. Täglich verbrachte er mehrere Stunden nach Dienstschluss damit, die persönlich zugeteilten Waffen, Geräte und Schutzkleidungen zu demontieren, zu reinigen, wieder zusammenzusetzen und mehrmals an- und abzulegen, bevor er sich noch in den Fitnessraum begab und dann zu Bett.

Ivan erinnerte sich zurück an die Fortbildung zu Level 5 – Einsatzsituationen mit panzerbrechender Munition. Wie ihn sein Ausbilder davor bewahrte, sich mit dem Termitstreifen nicht selbst die Hand abzutrennen, als ihn die Schmerzen wieder mal abgelenkt hatten.

Ein Lächeln geriet auf seine Lippen. So sehr er ihn angebrüllt hatte, war das der Anfang ihrer kurzen Freundschaft gewesen.

Ivan schnaufte durch die Nase aus. Zwei Jahre wer es nun her. Der Tag nach der Schlacht in der Arktis, als er in seinem Bett erwacht war. Mit der Narbe als schmerzhaftes Andenken an diese verfluchte Zeit.

Kapitel 22 - Schmerz

Ein ohrenbetäubendes Krachen inmitten einer nächtlichen Dunkelheit erwartete die Reisenden. Eine Reihe Explosionen erschütterte den Untergrund, auf dem sie lagen oder knieten. Adrenalin flutete Susans Körper. *Was zum Teufel?* Ihre Muskeln waren zum Zerreißen gespannt.

Mit Staub und Ruß angefüllte Luftmassen zogen aus schnell wechselnden Richtungen an ihr vorbei. Nur einzelne Strahlen von Licht zeichneten Konturen von sich verrückenden Tischen und Stühlen.

Scheinwerferlicht strahlte von außerhalb des Gebäudes durch große Risse nach drinnen. Die Reflexionen in zersplitterten Scheiben schmerzten in Susans Augen.

„Was geht hier vor?" Thereses lauter Ruf drang nur schwer an Susans Ohren, obwohl sie nicht mehr als zwei Meter von ihr entfernt kniete. Das Gebäude schwankte und ächzte aus jeder Spalte.

Langsam ergab sich für Susan ein Bild. Sie befanden sich in einer vollkommen verwüsteten Büroetage. Unmengen an dünnen Plastikfolien im DIN-A4-Format bedeckten den Boden oder wirbelten umher. Büromöbel rutschten durch die Erschütterungen vor und zurück.

Eine vergleichsweise Ruhe kehrte allmählich ein. Nur stetiges Ächzen der Stahlträger mischte sich mit den Windböen. Eine eisige Kälte zog durch große Löcher in der Wand, durch die einzelne Schneeflocken hereindrangen.

„Geht es allen gut?", fragte Therese. „Ist jemand verletzt?"

Stephanie kämpfte noch mit verkrampften Gesichtszügen gegen die Schmerzen der Vereinigung. Der Rest schwieg, doch die Blicke ihrer weit aufgerissenen Augen auf die Umgebung verrieten Susan, dass sie nicht minder verstört von dieser Situation waren als sie selbst.

Erst jetzt spürte Susan ein Stechen in der rechten Hand. Sie hatte den Raumkristall so stark umklammert, dass sich die restlichen Splitter in ihre Haut gebohrt hatten. Einer davon leuchtete weiß strahlend auf. Durch das helle Scheinwerferlicht und die vielen Spiegelungen ringsherum hob er sich kaum ab.

Wir sind auf jeden Fall richtig. Aber was ist hier nur los?

Eine laute Stimme war zu vernehmen – durch einen Lautsprecher. Wie auch die gewaltigen Flutlichter, hatte sie ihren Ursprung etliche Stockwerke tiefer vor dem Gebäude.

„Dies ist die letzte Warnung! Ergebt euch oder ihr werdet dort drinnen sterben!"

Susans Puls zog durch die Worte weiter an.

„Meint der uns?" Alexandreiji blickte ebenso erschrocken wie die anderen um sich.

„Ihr könnt uns mal!"

Susan hielt den Atem an. *Wer war das?*

Der Ruf kam nur wenige Meter von ihnen entfernt. Jemand keuchte durch den Staub.

Susan streckte den Hals vorsichtig und blickte über eine Tischplatte hinweg. Sie erkannte an der gesprengten Außenwand mehrere Silhouetten hinter einer Barrikade aus umgestürzten Blechschränken.

Die Ablehnung hatte den Verhandlungspartner dort unten sicher nicht erreicht. Vielleicht galt der Ausruf mehr der Motivation der eigenen Kameraden, trotz der offenbar unauswegbaren Situation.

Susan hielt den Raumkristall in ihre Richtung, doch das halbseitige Strahlen des weißen Splitters deutete woandershin. Auch die anderen folgten Susans Blick und dem Nachführen des grünen Juwels in ihrer blutigen Hand.

An der Wand rechts hinter ihnen erkannte Susan eine weitere Schanze mit weniger Leuten.

„Was sollen wir tun?", flüsterte Alexandreiji.

„Auf jeden Fall nicht trödeln", meinte Stephanie.

Gleich darauf begab sich Susan auf allen vieren vorwärts.

„Soll ich nicht zuerst nachsehen, was da ist?", fragte Iris besorgt.

„Wir wissen, was – wer da ist", entgegnete Susan, ohne innezuhalten, und bewegte sich weiter auf Knien und Unterarmen der Quelle entgegen.

Stephanie kroch Susan dicht hinterher, gefolgt von Fox, Therese und Alexandreiji.

Eine Person hinter der Reihe von Aktenschränken schreckte auf und fragte in gedämpftem Ton: „Sergeji?"

Susan stoppte augenblicklich. Im nächsten Moment sah sie in den ovalen Lauf einer Art Gewehr. Zwei Sekunden später waren sie von einer ganzen Truppe in militärischer Ausrüstung umstellt.

Jeder von dem knappen Dutzend trug einen dunklen Schirm vor den Augen, durch den sie offenbar sehr gut in dieser düsteren Umgebung sehen konnten.

„Es sind noch Zivilisten hier drin?", reagierte der Anführer entsetzt und teilte es sofort über ein Funkgerät mit.

„Verdammt!"

Der Fluch war auch ohne technisches Gerät von der anderen Seite des Büros zu vernehmen.

„Was ist das in deiner Hand?", fragte der Truppführer im nächsten Moment, als er etwas in Susans Hand funkeln sah.

Susan schluckte. „Da ist nichts." Sie ließ den Kristall verschwinden, bevor sie ihre Handfläche nach oben drehte.

„Granate!"

Was?!

Der panische Schrei ließ die Umzingelung in jede Richtung hin aufplatzen und in Deckung gehen. Nur derjenige, der die Warnung von sich gegeben hatte, kniete ruckartig nieder und blickte Susan mitten ins Gesicht.

„Augen zu!", wies er schroff an, während er schnell einen dosenförmigen Gegenstand von seiner Brust löste und an die Decke warf. Kaum hatte Susan die Augen geschlossen, blendete sie ein heller Blitz durch die Lider. Sie spürte einen festen Griff an ihrem Kragen.

„Fox! Teleportation ein Stockwerk tiefer. Sofort!" Noch bevor jeder der Freunde Ivans Stimme erkannte, packten sie einander und fanden sich gleich darauf in einer anderen Etage wieder.

Ivans Hand ließ von Susan ab und klappte das schwarze Helmvisier nach oben. Spiegelndes Scheinwerferlicht streifte die ungläubigen Gesichtszüge um seine rotgeäderten Wangen und Nase.

Er richtete sich auf und blickte auf die am Boden kauernde Wächtergruppe.

„Was habt ihr hier zu suchen?!", schrie er sie gedämpft an.

Mit einer sofortigen Antwort konnte niemand dienen. Susan atmete schwer und versuchte sich zu ordnen.

„Wir sind hier, um dich zu holen", antwortete Iris knapp, die neben ihm stand.

Ivan schreckte einen Schritt zurück und ergriff sein am Schulterriemen angebrachtes Gewehr. Er gab den Versuch, ein Ziel zu erfassen aber gleich wieder auf und fragte verständnislos in den Raum: „Iris?"

Stephanie rappelte sich als Erste auf. „Nett hast du's hier."

Ivan war sichtlich nicht zum Spaßen aufgelegt oder über das Wiedersehen erfreut. Mit stechendem Blick fixierte er einen nach dem anderen. Seine Hände hatten das Gewehr immer noch fest umklammert.

„Ihr müsst sofort von hier weg. Die legen gleich den ganzen Bau in Schutt und Asche."

„Na dann nichts wie raus hier", meinte Stephanie und suchte erneut den Körperkontakt zu Fox. Der Rest tat es ihr gleich. Nur Ivan machte keine Anstalten, auf sie zuzukommen.

Die fragenden Blicke der Wächter beantwortete er emotionsarm: „Ich bleibe hier, bei meinen Kameraden. Schaut, dass ihr Land gewinnt."

Er machte langsame Schritte rückwärts, bereit kehrtzumachen.

Die Griffe der ungläubigen Freunde lockerten sich von Fox.

„Soll das dein Ernst sein?", fragte Susan, die seine Entscheidung nicht nachvollziehen konnte. „Du willst hier sterben?"

Stephanie trat auf ihn zu. „Ivan. Wir bieten dir einen verfickten Ausweg an."

„Und wohin führt dieser Ausweg?" Eine Art Belustigung mischte sich in seine Mimik. „Glaubt mir: So aussichtslos und brutal es hier ausschauen mag. Das hier ziehe ich der Hölle vor, durch die wir damals gehen mussten. Ich finde lieber hier den Tod, als noch einmal so etwas Unmenschliches durchzumachen."

Auch wenn sie noch kein Wort über die Beweggründe ihrer Reise verloren hatten, seine Vorstellung mochte gut genug sein.

„Dann schließt du dich uns eben nicht an. Aber lass uns dich wenigstens hier rausbringen und dein Leben retten", fuhr ihn Alexandreiji in einer aufbrausenden Art an, wie man es nicht von ihm kannte. „Auch das deiner Kameraden."

Fox schloss sich flehend an: „In anderen Teil der Stadt, oder andere Stadt."

Doch Ivan wich immer noch Schritt um Schritt zurück. „Wir werden bis zum Schluss Widerstand leisten. Und ich für meinen Teil bin froh, wenn es endlich vorbei ist."

Therese schüttelte mit brechender Stimme den Kopf. „Wie kannst du so etwas nur sagen?"

„Therese. Bitte erspar mir dein Gelaber", wiegelte Ivan ihre Bemühungen schroff ab. Er öffnete den Riemen seines Helmes und setzte die eng sitzende Schale behutsam ab. Mit schmerzverzerrter Stimme zog er sich die Sturmhaube langsam vom Kopf. „Obwohl der Krieg schon über zwei Jahre zurückliegt, kann ich ihn nicht vergessen. Jede Nacht hab ich ihn vor Augen. Jeden Morgen blickt er mich an. Jeden Tag spüre ich ihn auf's Neue."

Die von tiefen Brandnarben zerfurchte Kopfhälfte seinen alten Freunden zugewandt, schaute er einem nach dem anderen in die starren, erschrockenen Augen.

Susan hielt für einen Moment den Atem an. *Um Himmels willen. Das sieht ja ...* Sie hatte die Wunde nie zu Gesicht bekommen. Nur direkt nach seinem Unfall, noch von dickem Ruß bedeckt. Nach der Behandlung trug er stets einen Verband um den Kopf, oder ein Kopftuch, unter dem nur die kleineren Ausläufer am Ohr vorbei zur Wange und zum Kiefer zu erkennen waren.

Moment. Wieso hat er die Narben überhaupt noch?! Von Susans gab es keine Spur. Wieso musste Ivan mit den Nachwirkungen der Ereignisse kämpfen, die angeblich nie geschehen waren?

Mit einem Mal fühlte sich Susan mit schuld. „Ivan ..." Sie trat mit einer mitfühlenden Miene auf ihn zu.

Doch Ivan wich einen schnellen Schritt zurück. „Bleib mir bloß vom Leib. Egal weshalb ihr hier seid. Ich will nichts damit zu tun haben. Der Schmerz erinnert mich jede Sekunde an die Barbarei, die wir durchlebt haben."

„Lass mich nochmal danach sehen", warf Iris mit einem Flehen in der Stimme ein. „Meine Heilfähigkeiten sind inzwischen sehr viel besser geworden. Ich kann bestimmt ..."

„Nein!", lehnte Ivan grob ab. „Lasst mich zufrieden. Vergeudet nicht eure Kraft und spart euch euer Mitleid. Das werdet ihr noch früh genug füreinander brauchen. Habt ihr denn alles vergessen? Jeder Schnitt in unser Fleisch. Jeder Stich in unser Herz."

Sie wichen seinem fordernden Blick aus.

Susan erinnerte sich deutlicher als alle anderen an das Gefühl des Schneidens von kaltem Metall durch ihren Körper. Das ertrinkende Gefühl durch das Blut in ihren Lungen. Lag es doch nur wenige Tage zurück.

Ivan drehte sich ohne weiteren Ton um und machte sich daran, die Maske über den Kopf zu ziehen. Susan, aber auch die anderen, fanden keine Worte, um ihn zurückzuhalten.

KAWUMM!

Eine ohrenbetäubende Explosion riss ein riesiges Stück aus mehreren Stockwerken des Hochhauses und fegte alle von den Füßen. Trümmer regneten herab und begruben die meisten unter sich. Susan packte Fox, zog ihn zu sich und flüsterte ihm etwas zu.

Die anderen befreiten sich Stück für Stück und kamen schnell wieder auf die Beine. Nur Ivan hatte größere Mühe unter einem der Wandelemente hervorzukriechen.

Susan trat auf ihn zu, um ihm zu helfen. Doch bevor sie die Platte berühren konnte, protestierte Ivan durch den Staub atmend: „Lass mich! Verschwindet endlich!"

Kawumm!

Eine weitere Explosion erschütterte die Ruine in den höheren Stockwerken.

„Also gut", meinte Susan gefühlskalt. „Wir lassen dich hier sterben, wenn du dir das einbildest. Aber lass dir eins gesagt sein: Der Tod ist ein feiger Ausweg."

Ivan lachte mit einem Kopfschütteln leise auf.

„Du verstehst schon, was ich sage?"

Ivan neigte den Kopf zur Seite und deutete auf einen schwarzen Knopf im Ohr. „Ich versteh dich sehr gut. Aber mit solchen Phrasen kannst du mich nicht umstimmen."

„Ich hab nicht vor dich umzustimmen." Susan hob das Stück Wand, unter dem Ivan eingeklemmt war, an und zog ihn mit einem Ruck darunter hervor. Noch bevor er anfangen konnte, sich in dem Glauben, dass er mit Gewalt mitgeschleift werden sollte, zu wehren, ließ sie von ihm ab und ging ein paar Schritte zurück.

In kurz aufgeflammter Panik blickte er den Wächtern entgegen, die sich – mit einem enttäuschten aber auch mitleidigen Blick auf ihn – einer nach dem anderen ins Nichts auflösten.

Nur Susan verweilte, den Raumkristall fest umklammert, wenige Meter vor der Kante, hinter der ein mehrere Stockwerke tiefes Loch klaffte. Sie schaute Ivan ein letztes Mal in die Augen.

KAWUMM!

Der Schlag durchzog alle verbliebenen Streben und Balken des Gebäudes und zerriss einen Pfeiler nach dem anderen. Das gesamte Haus schwankte und löste sich in Abermillionen Teile auf.

Sekunde um Sekunde verstrich, aber Susan rührte sich nicht vom Fleck. Ihr Herz schlug bis zum Anschlag. Ihre stechenden Augen ließen aber nicht von Ivan ab.

„Jetzt verschwinde endlich!", schrie Ivan sie an, in dem Wissen, dass das Gebäude in wenigen Augenblicken in sich zusammenfallen würde. „Ich werde dir nicht helfen."

„Dann sterben wir gemeinsam", erwiderte Susan kalt. „Du weißt, ich bin nicht die Beste in Sachen Teleportation. –

Aber ich will gar nicht, dass du mich rettest. Nicht solange du dich uns nicht anschließt."

Susan erkannte in seinem Blick, wie er mit sich rang. Wie er versuchte einzuschätzen, ob sie bluffte.

„Du bist doch verrückt!", schrie er sie an.

„Noch verrückter wäre ich, wenn ich mich abwenden und dich hier zum Sterben zurücklassen würde!"

Susan meinte es ernst. Und Ivans Augen verrieten, dass er ihr glaubte. Aus welchen Beweggründen auch immer.

Der Boden unter ihnen gab nach.

„Verdammt!" Ivan stieß sich von der zerbröckelnden Betonfläche unter seinen Füßen ab und stürzte auf Susan zu. Mit voller Wucht rammte er sie aus der zusammenbrechenden Hälfte des Hochhauses in einen zumindest noch wenige Sekunden länger stabilen Teil zwei Etagen tiefer. Ivan umklammerte sie und zog einen Enterhaken mit Pistolengriff vom Gurt.

„Halt dich fest!" Er feuerte das Seil durch die herabfallenden Gebäudeteile ins Freie in Richtung des gegenüberliegenden Gebäudes. Doch der Haken wurde von den Trümmern aus der Flugbahn geschleudert. Gemeinsam fielen Susan und Ivan inmitten des gänzlich auseinanderbrechenden Hauses in die Tiefe.

Unmittelbar bevor beide von tonnenschwerem Schrott zermalmt wurden, erschien Fox, mit der restlichen Gefolgschaft an seinen Körper geklammert, und packte Susan. Diese umschlang Ivans Kopf fest mit ihrem linken Arm und rammte ihm mit einem gezielten Stich den glühenden Splitter in die Stirn.

Die Gruppe schlug mit voller Wucht auf einem metallischen Boden auf. Sie husteten und rangen nach Luft. Susan rollte sich von Ivan weg und rieb sich die Knochen von dem harten Aufprall.

„Geht es allen gut? Sind alle da?", fragte sie mit zusammengekniffenen Augen in die Runde.

„Wir sind vollzählig", antwortete Iris harsch. „Das war ein sehr gewagter, wenn nicht sogar dummer Plan."

Susan wälzte sich weiter auf dem Boden und nahm die Tadelung hin. *Immerhin hat es geklappt.*

Sie blickte auf Ivan, der bewusstlos neben ihr lag. Therese hatte sich als erste aufgerappelt und führte ihre silbern schimmernden Handflächen über seine Stirn und Schläfen.

„Wir hätten ihn auch mit Gewalt mitschleifen können. Aber ich wollte ihm zumindest eine Art von Wahl lassen." *Wenigstens dieses Mal.*

Es folgte keine Erwiderung. Allerdings auch kein Ansatz der Zustimmung.

„Soll ich?", fragte Iris.

Therese schüttelte konzentriert den Kopf. „Ich krieg das hin."

Susan setzte sich auf und schaute sich um. Über sie spannte sich eine mächtige Kuppel, die nur halbwegs ausgeleuchtet war, wie ein geschlossener Supermarkt bei Nacht. Absolute Stille herrschte in dieser Halle von vielen Metern Höhe. Der Kontrast zu dem immensen Lärm wenige Momente zuvor sorgte für ein Rauschen in ihren Ohren. Die mit mattweißem Kunststoff verkleideten Wände schluckten die Reflexionen von jedem Geräusch. Die enorme Grundfläche der Halle ließ sich kaum einschätzen. Maschinen von unterschiedlichem Ausmaß und Aussehen reihten sich aneinander.

Susan bemühte sich, einen Ausgang auszumachen. Aber sie brauchten nicht den Weg hier raus. Ein Blick auf den Raumkristall zeigte ihr mit einem blauen Schimmern die Richtung.

Iris trat näher auf Therese zu. „Soll ich dir nicht doch helfen?"

„Nein! *Ich* mach das", gebot Therese ungewöhnlich schroff. „Ich brauche die Übung."

Die Ergänzung erschien Susan fadenscheinig. *Haben sie Ivans Worte gekränkt?*

Ivan rührte sich. Doch seine Sinne waren noch zu schwach. Er reagierte auf keine Ansprache. Der Rest der Gruppe stand inzwischen wieder auf den Beinen. Sie atmeten noch schwer. Alexandreiji trat auf der Stelle, um den immer noch anhaltenden Schock aus den Gliedern zu schütteln.

„Auch wenn es hier wohl friedlicher zugeht, sollten wir sehen, dass wir weiterkommen", regte Stephanie an.

Alexandreiji stimmte mit einem umherwandernden Blick zu. „Ich bin dafür."

Susan sah tiefe Besorgnis in seinem Gesicht. *Je weiter wir uns in die Zukunft bewegen, desto unwohler scheint er sich zu fühlen.*

Sie schaute sich ebenfalls nochmal um. Die ganzen teilweise haushohen Gerätschaften in diesem Zwielicht und die bedrückende Stille hatten tatsächlich auch auf sie eine verstörende Wirkung. Als befänden sie sich in einem Raum, in dem die Zeit stehen geblieben war.

„Sollen wir uns aufteilen?", fragte Stephanie. „Therese und Iris kümmern sich weiter um Ivan, während wir nach Zinus suchen? – Zinus ist doch der nächste, oder?"

Alexandreiji nickte. „Nach chronologischen Gesichtspunkten ja. Zinus, John und dann Blue."

Susan blickte wieder auf Ivan, der sich noch in gänzlicher Umnebelung befand. Sie wäre lieber geblieben und hätte den Raumkristall jemand anderem übergeben. Aber hier wäre sie von noch geringerem Nutzen gewesen.

„Dann mir nach." Susan richtete sich anhand des Kristallsplitters aus und ging voran.

„Merkt euch die Richtung, in die wir gehen", wies Stephanie Iris und Therese an, bevor sie sich auch in Bewegung setzte.

„Ist es wirklich eine gute Idee, uns zu trennen?", gab

Alexandreiji zu bedenken. „*Wir* können uns mit dem Raumkristall zu ihnen zurückteleportieren. Aber wenn *sie* in Not geraten, denkt ihr, sie würden uns wiederfinden?"

„Wir könnten Brotkrumen streuen. Hat jemand welche dabei?" Susan lächelte über die Schulter.

Alexandreiji blickte sie fragend an, während Fox in seinen Taschen suchte.

Susan grinste. „Vergesst es."

„Die Gebrüder Grimm waren wohl erst nach den beiden", schmunzelte auch Stephanie. „By the way: Ich fand die Aktion schon ziemlich cool, im Hochhaus. Riskant, aber gut ausgeführt."

Mit einem Blick auf die weniger begeisterten Mienen von Alexandreiji und Fox, bedankte sich Susan nur mit einem Nicken, ohne das Thema weiter zu vertiefen.

„Um auf meine anfängliche Sorge zurückzukommen ...", meldete sich Alexandreiji erneut zu Wort.

„Sieht es für dich denn so aus, als könnten sie hier in Gefahr sein?", ging Stephanie darauf ein.

Susan blickte in Alexandreijis verkrampftes Gesicht. *Offensichtlich denkt er das.*

Stephanie rieb mit einer Hand über Alexandreijis Schulter. „Entspann dich. Je früher wir Zinus finden, desto schneller sind wir wieder weg."

„Und wenn er auch nicht gewillt ist, mitzukommen?"

Susan drehte sich herum und blieb vor Alexandreiji stehen. „Denkst du, es war ein Fehler?"

„Nein", antwortete Alexandreiji rasch. „Ich hätte ihn auch nicht zum Sterben zurückgelassen. Doch sollten wir auch Alternativen suchen. Eine Möglichkeit weiterzureisen, ohne jemanden unter Druck zu setzen."

Gut, dass Therese das nicht mithört. Diese Option käme für sie nämlich etwas spät. Aber Alexandreiji hatte recht. „Egal wie sich Zinus entscheidet. Vielleicht hat gerade *er* eine Idee, wie so eine Alternative aussehen könnte."

Alexandreiji atmete tief ein und nickte.

Sie gingen weiter voran. An dieser Stelle wurden die Bauwerke etwas kleiner und sie waren in einem engeren Muster zueinander angeordnet. Der größte Teil war von weißer Folie umhüllt. Die unverhüllten bestanden meist aus Segmenten mit einer golden oder silber glänzenden Aussenhaut, die durch Schläuche und Rohre miteinander verbunden waren. Susan schlug nach jeder Ecke eine andere Richtung ein. Im Zickzack führte sie ihre Gruppe an lauter gleichen Gebilden im Ausmaß eines LKWs vorbei. Schließlich vernahm sie verschieden lange Intervalle von Tastaturanschlägen.

Susan blickte vorsichtig um die nächste Ecke. Vor einer offenen Luke saß ein Mann im Schneidersitz, der den Kopf ins Innere geneigt hatte. Daraus verliefen mehrere Kabelstränge, die mit einer Tastatur in seinem Schoß verbunden waren.

Mit einem vergewissernden Blick auf den Kristall in ihrer Hand wagte Susan eine lockere Ansprache: „How's it going, old tinkerer?"

Zinus schreckte nach hinten und sah Susan mit weiten Augen an. Seine Überraschung legte sich gleich darauf wieder. Das um die Ecke biegen der restlichen Gruppe nahm er nur noch in den Augenwinkeln wahr, als er den Kopf zurück in die Öffnung steckte. Er nahm ein Gerät, ähnlich einem Schraubendreher, auf und hantierte im Inneren der Maschine herum. „Was macht *ihr* denn hier?"

Tatsächlich war Susan weitaus mehr überrascht über diese beiläufige Kenntnisnahme ihrer Existenz, als sie Zinus' Reaktion eingeschätzt hätte. Doch etwas anderes bereitete ihr Sorgen. Der kurze Blick, den sie von ihm erhascht hatte, erinnerte nur entfernt an ihren Freund.

Das Gesicht war eingefallen, die Wangenknochen traten weit hervor und tiefe Augenringe zeugten von mehr als nur einer schlaflosen Nacht. Vor ihr hockte ein abgemagerter Zinus, der mit seinem verschmutzten Kittel und dem wirren Mehrtagebart einen verwahrlosten Eindruck machte.

„Zinus, geht's dir gut?", fragte Stephanie besorgt, worauf keine Antwort folgte.

Mit ratlosen Mienen standen sie vor dem scheinbar abwesenden Wissenschaftler.

„Die Sprachbarriere vielleicht?", kam Susan in den Sinn.

„Ich verstehe euch schon", kam es aus der Luke. „Deutsch sprechen hapert zwar noch etwas, aber zum Verstehen reicht es inzwischen. Auch Russisch klappt einigermaßen. Für Altpolnisch haben mir bedauerlicherweise die entsprechenden Angebote gefehlt. Tut mir leid, Alex."

„Ist in Ordnung. Dafür kann ich Altenglisch, was aber auch nicht nutzen dürfte", antwortete Alexandreiji mit abflauendem Elan in der Stimme. „Ebensowenig wie das, was ich gerade sage."

„Hm? Sorry, ich habe nichts verstanden."

In diesem Moment erlosch die gesamte Hallenbeleuchtung, worauf die Gruppe zusammenzuckte.

„Hat das was zu bedeuten?", fragte Stephanie vorsichtig.

Zinus lugte kurz heraus. „Ah. Sie haben es geschafft, die Stromzufuhr zu kappen. Früher als gedacht, aber noch im Rahmen", kommentierte Zinus nach einem Blick auf seine Uhr und arbeitete unbeirrt weiter.

Aus der offenen Luke mit Zinus' Oberkörper darin drang nun die einzige schwache Lichtquelle.

„Steckst du in Schwierigkeiten?", erkundigte sich Fox.

„Ah. Entweder ist Westgermanisch doch nicht so weit vom modernen Deutsch entfernt, oder du hast ebenfalls dazugelernt, Fox", entgegnete Zinus überrascht, bevor er sich der Frage selbst widmete. „Im Vergleich zu den Schwierigkeiten, die die Menschheit zu erwarten hat – unbedeutend. Aber bevor sie mich hier rausholen, beißen sie sich noch so einige Zähne aus."

„Wer will dich denn hier rausholen und wieso?", fragte Stephanie besorgt.

„Der Konzernsicherheitsdienst. Der Vorstand in erster Linie. Das hier ist ein Teil eines Satellitensicherungssystems, das in wenigen Wochen in den Orbit gebracht wird. Ich versuche, nur noch ein paar offene Hintertürchen zu schließen."

„Und die haben was dagegen?", fragte Susan nach. „Was befürchtest du denn, was passiert, solltest du das hier nicht machen?"

Zinus hielt kurz inne, führte dann aber seine Geschäftigkeit fort. „Ich versuche einfach, jede mögliche Sicherheitslücke und Schnittstelle aller 14 Satelliten – in Hard- und Software – zu schließen, damit keine radikalen Veränderungen mehr vorgenommen werden können. Ansonsten wäre die Gefahr zu hoch, dass das System missbraucht wird. Und was ist bei euch so Sache?"

„Nun, wir sind hier, um dich wieder ins Team zu holen. Die Herrscherin ist immer noch aktiv", antwortete Susan knapp. Sie machte sich mehr Sorgen um Zinus' Zustand. „Hast du seither nicht geschlafen? Wann hast du das letzte Mal was gegessen?"

„Wenn ihr es eilig habt, dann müsst ihr auf mich verzichten", überging Zinus diese Frage. „Bevor ich hiermit nicht fertig bin, geh ich nirgendwohin."

„Wie weit bist du denn?", fragte Stephanie. „Kann man dir irgendwie helfen?"

„Danke für das Angebot, aber das kann ich nur alleine machen. Das hier ist der vorletzte Satellit. Mit dem letzten bin ich in den nächsten fünf Stunden durch. Wenn ihr euch so lange gedulden könnt?"

„Danach willst du dich uns anschließen?", versicherte sich Stephanie, auch mit einem Blick auf Alexandreiji.

„Die andere Option wäre hierzubleiben und mich festnehmen zu lassen."

„Gut, dann warten wir", meinte Susan.

Auch sie fasste Alexandreiji ins Auge. *Dann ist uns Zinus schon mal sicher. Wenn John und Blue noch mitspielen, brauchen wir uns nicht weiter um Alternativen Gedanken machen.*

Nur die Rückkehr stand dann noch auf wackeligen Beinen.

„Ganz schön linke Nummer", stammelte Ivan seine ersten Worte durch die noch starke Benommenheit. Seine Arme versuchten Therese von sich zu drücken, doch sie verfehlten sie bei weitem. Wie Plastikschläuche an seinem Körper schlugen sie unkoordiniert und schwach um sich.

„Hast du erwartet, dass wir dich einfach sterben lassen?", entgegnete Therese, ohne von seinem Kopf abzulassen.

„Lass mich. Bringt mich zurück."

Therese biss sich auf die Lippe. *Für einen Schlag in sein Gesicht ist es noch zu früh. Das würde er noch nicht spüren.*

Etwas kochte in ihr. Sie wusste, es war nicht ziemlich, solche Gedanken zu haben. Mitleid und Mitgefühl für ihn wären angebracht. Doch aus einem ihr selbst unerfindlichen Grund, sträubte sie sich gegen ihre gesamte Ausbildung. Es war so, als verkörperte Ivan geradezu all ihre eigene Enttäuschung.

„Auch ich will zurück. Aber nicht so. In diesem Tod würdest du keinen Frieden finden. Und sag mir bloß nicht, das wüsstest du nicht."

Ivan zögerte mit einer Antwort. „Besser als das, worin ihr mich hineinzieht, ist es allemal."

Therese blieb stumm. Sie hatte keine Erwiderung parat.

„Ich bitte dich, mir zu vertrauen", mischte sich Iris zögerlich in das Gespräch. „Das ist sicherlich sehr viel verlangt, angesichts meiner Lüge damals, ich könnte euch jederzeit zurückschicken. Ich kann es auch diesmal nicht garantieren.

Noch weniger kann ich vorausahnen, was uns als Nächstes erwartet. Aber ich bitte dich, Ivan. Ich bitte dich, meinem Instinkt zu vertrauen. Ohne eure Hilfe wird die Welt untergehen."

Therese blickte auf die leere Stelle, von der Iris' Stimme kam. *Sie bittet nicht nur Ivan darum.* Sie musste versuchen, ihre Emotionen zu zügeln. Ebenso Ivan. Ohne vollkommene Hingabe ihrer neuerlichen Aufgabe – wie die auch aussehen mochte – würden sie mit Sicherheit scheitern.

Ivan hatte aufgehört, sich mit den Armen zu wehren und sich mit den Fersen vom Boden wegzudrücken. Er blinzelte um sich und schien langsam wieder etwas erkennen zu können. Seine Augen fixierten Therese über sich mit einem emotionslosen, aber keinem kalten Blick.

„Hast du Schmerzen?", fragte Therese behutsam. Ihrer Stimme fehlte es ebenfalls der Kühle wie noch kurz zuvor.

„Es ist besser", antwortete Ivan ruhig.

„Wie konntest du uns eigentlich alle verstehen?", fragte Therese nach einer kurzen Pause. „Du hast sicher nicht Altpolnisch studiert in den letzten zwei Jahren."

Ivans Mundwinkel zuckten für einen Moment nach oben. Er zog sich einen Stöpsel aus dem rechten Ohr und hielt ihn Therese entgegen, bevor er ihn in seiner Brusttasche verschwinden ließ.

Ivan atmete tief ein, fasste sich langsam an die Stirn und wischte das angetrocknete Blut weg. „Wollt ihr mich dann mal in Kenntnis setzen, womit wir es diesmal zu tun haben?"

Kapitel 23 - Himmelblau

Hallo Kim,

ich schreibe diese Worte vorrangig als Abschied von dir, obwohl sich unsere Wege schon vor längerer Zeit geschieden haben.

Aber ich schreibe dir auch, um mich zu entschuldigen. Und damit gleich, dir zu danken. Ich fürchte sogar, die folgenden Zeilen wechseln sich ausschließlich mit Danksagungen und noch mehr Entschuldigungen ab.

Einerseits bedaure ich, dass du zu einer solch schweren Phase in mein Leben geraten bist. Doch du gabst mir Kraft und hast mich auf dem steinigen Weg gestützt. Du warst lange die einzige Person, die noch an mich geglaubt und mich unterstützt hat, ungeachtet deiner eigenen Reputation. Ich bedaure zutiefst, dass ich dieses Vertrauen nicht ausreichend gewürdigt habe und ich allein die Ursache zu manchem unschönen Streit war. Dennoch bin ich froh, dass ich dich nicht gänzlich mit mir in den Abgrund gerissen habe, und hoffe, dass meine folgenden Taten nicht auf dich zurückfallen werden.

Entschuldige, sollte ich dir damit weitere Unannehmlichkeiten bereiten. Nichts läge mir ferner, als das zu beabsichtigen.

Ich weiß nicht, wie weit ich damit komme. Vielleicht werde ich aufgehalten, ehe ich etwas bewirken kann. Vielleicht werde ich nur gefangengenommen. Und sollte ich mein Vorhaben zu Ende führen können, werde ich mich mit Sicherheit ohne Widerstand ergeben. Doch werde ich mich bis zur letzten Sekunde nicht davon abhalten lassen.

Daher weiß ich nicht, ob dies ein Abschied für immer ist.
Sei es durch die Unmöglichkeit, je wieder mit einer Person
in Interaktion zu treten, oder dein Unwille, mich im Gefäng-
nis zu besuchen, was ich vollkommen verstehen würde.
Dessen ungeachtet werde ich dich immer in meinem Her-
zen tragen.
Danke für eine unvergessliche Zeit mit dir, nach der ich
mich gerade in diesem Augenblick am meisten sehne.
In Liebe
Zin

Zinus legte den Stift beiseite und las sich den Brief nochmal durch. *Ich hoffe, Kim kann das wirklich lesen.*
Etwas per Hand auf Papier zu schreiben, fühlte sich seltsam an. Er war es gewohnt, auf Projektionen oder Bildschirmen zu zeichnen. Überhaupt ein Stück Papier aufzutreiben
und einen Schreibstift, war nicht unbedingt einfach. Hybrid-
Marker und semi-analoge Sheets waren bereits nur noch in
einzelnen Läden lagernd. Aber für nostalgische Blätter aus
Zellulose und passende Schreibtinten musste man schon in
Antiquitätenläden stöbern.
Dabei ging es Zinus nicht mal darum, auf eine möglichst
wertschätzende Art seine Abschiedsworte festzuhalten. Aber
es war ein sehr willkommener Nebeneffekt, der Kim sicherlich gebührte.
Zinus schrieb diese Zeilen auch wohl überlegt nicht in
seinen eigenen vier Wänden. Er hatte bereits vor etlicher
Zeit bemerkt, dass sein Appartement durch Quantenvisuali-
sierung überwacht wurde. Daher saß er unter einem dichten
Baum am Rand eines kleinen Parks, den Rücken gegen eine
sehr alte Granitmauer gelehnt. Tagelang schraubte er schon
im Kopf an den Formulierungen für diesen Brief. Dennoch
fiel das Niederschreiben schwer.

Er las ihn ein weiteres Mal. *Soll ich vielleicht etwas mehr Emotion hineinbringen?*

Aber Zinus war sich unsicher. *Verschwendet er überhaupt noch einen Gedanken an mich?*

Einerseits wünschte er sich das. Dass sie beide immer noch dieselben Gefühle füreinander teilten. Doch wollte er vielmehr, dass Kim wieder ein glücklicheres, unbeschwerteres Leben führen konnte.

Zinus schüttelte den Kopf. Er faltete das leicht vergilbte Stück Papier und steckte es in einen adressierten und kodierten Umschlag. *Vielleicht sollte ich es besser lassen und ihn verbrennen.*

Er steckte den Brief in die Innentasche seiner Jacke und wägte noch weiter das Für und Wider ab, während er sich in der Abenddämmerung auf den Heimweg machte. Doch allmählich leerten sich seine Gedanken. Die endgültige Entscheidung würde er am nächsten Morgen treffen, auf dem Weg zur Lagerhalle.

Er genoss den Anblick des womöglich letzten Sonnenuntergangs zwischen den hohen Häusern, den er für eine lange Zeit würde verfolgen können, wenn nicht sogar den allerletzten.

Ab dem Moment, als er den Vorraum seines Appartementhauses betrat, nahmen seine Gedanken die Planung des nächsten Tages auf. Er ging die Schritte und Eventualitäten zum wiederholten Male durch. Kein Zufall durfte ihm in die Quere kommen.

Die Zugangsberechtigung habe ich vor zwei Stunden noch überprüft. Der nächste Aktualisierungszyklus tritt nicht vor 5 Uhr morgens ein. Zu diesem Zeitpunkt bin ich bereits in der Halle. Die ersten Ingenieure treffen üblicherweise eine halbe Stunde später ein. Aber die Nachtpforte war noch nie mit besonders aufmerksamem Personal besetzt.

Zinus betrat den Aufzug in den vierten Stock.

Das Sperrprotokoll ist auch vorbereitet und auf das aktuelle Sicherheitsupdate angepasst. Bis jemand merkt, dass die Zugänge keine gewöhnliche Fehlfunktion aufweisen, sondern womöglich ich dahinterstecke, vergehen noch anderthalb bis zwei Stunden, wenn der Abteilungsleiter eintrifft, der von den Ingenieuren informiert wird. Nur er kann die Schließprotokolle einsehen – die bis dahin fünf- oder schon sechsfach verschlüsselt sind. Ebenso die Videoüberwachung.

Er trat aus dem Fahrstuhl direkt hinein in das Appartement, das das gesamte Stockwerk umfasste und rundherum durch dimmbares Organi-Glas eingefasst war. Sein Blick wanderte über den offenen Wohn-, Küchen- und Arbeitsbereich, den er bereits seit Wochen penibel rein hielt. Er hatte seitdem jeden Tag auf den passenden Moment gewartet, der sich heute durch die Feier zum zehnjährigen Jubiläum seiner Firma, die er damals mitbegründet hatte, bot und die Chance für den folgenden Morgen ermöglichen würde.

Zinus schaute durch sein Regal an Holobuchrücken. Zwischen überwiegend technischen Abhandlungen, von denen er selbst zwei verfasst hatte, und Fremdsprachenlehrbüchern befanden sich auch klassischere Werke der theoretischen Physik.

Spacetime and Geometry und *From Eternity to Here* von Sean Carroll, *Black Holes, Wormholes and Time Machines* von Jim Al-Khalili. *The Paradoxes of Time Travel* von David K. Lewis. *Visiting our past self* von Diego Hughes. *Der Sprung in die Zukunft: Schon bald keine Science-Fiction mehr?* von Alfons Vierecker.

Er hatte sich auf das Thema Zeitreise gestürzt, als ihm nach seinen Bemühungen, das Satellitenprogramm einzustellen, diverse Berechtigungen entzogen worden waren, in dem Glauben, Zinus hätte den Verstand verloren. So zumindest die offizielle Verlautbarung, wenngleich akademischer formuliert. Doch Zinus hatte zu tief gegraben. Er hatte erkannt, dass sein eigenes Projekt dabei war, von anderen Interessen unterwandert zu werden.

Zinus hatte die Bemühungen aufgegeben. Zumindest zum Schein. Hatte es ihn bereits nicht nur seine Stellung in der Firma gekostet, sondern auch Kim. In seiner neu *gewonnenen* Freizeit widmete er sich anderen Themen, wie jener unverfänglicheren Lektüre. Er hatte es nie vor dem Untersuchungsgremium zugegeben, dass seine Befürchtungen einer Fehlfunktion oder eines Missbrauchs des Verteidigungsgürtels von einer Reise in die Vergangenheit rührten, auf der er einem Überlebenden eben dieser Folgen aus der Zukunft begegnet war. Doch sein Vorhaben verfolgte er im Geheimen weiter. Er arbeitete hart an seiner Fassade des rehabilitierten Wissenschaftlers und gewann schließlich wieder ausreichend Vertrauen, um den Plan umsetzen zu können. Sein letzter Plan. Sein Meisterstück. Unerlässlich, um Milliarden Menschenleben zu retten.

Zinus schlug seine Tasche auf dem Arbeitstisch auf und kontrollierte den Inhalt. Die mit Quecksilber gefüllte Thermosflasche, drei Wasserflaschen, zwei Bedienpanels mit mehreren Schnittstellenadaptern und seine Zugangskarte.

Sein Blick wanderte auf die drei Bildschirme vor sich. Für jemand nicht Eingeweihten mochte es wirken wie ein Bildschirmschoner. Doch die sich ineinander verschiebenden Säulen in wechselnden Farben gaben Zinus Auskunft über die prädisruptive Löschung des lokalen Speichers von etwa 75 Prozent und des Backup-Netzwerkspeichers von 40 Prozent.

Zinus atmete tief ein. *Hoffentlich hab ich wirklich an alles gedacht.*

Er atmete wieder aus. Ein letztes Mal blickte er sich um. Die Küche, in der er mit Kim ihr erstes gemeinsames Abendessen gekocht hatte. Der Esstisch, an dem sie viele romantische Abende bei Wein verbracht, als auch angeregte

Diskussionsrunden geführt hatten, die zuletzt aber meist von Streitgesprächen bestimmt worden waren.

Zinus wandte sich ab und machte sich auf den Weg ins Bett. Die letzte Gelegenheit für eine lange Zeit, sich auszuruhen und Kraft zu schöpfen.

Kapitel 24 - Den Feind ...

„Ihr habt nicht zufällig was zu trinken bei euch?" Zinus'
Kehle war staubtrocken. „Ich hab meine letzte Wasserflasche schon vor Stunden aufgebraucht."

„Sicher." Stephanie trat heran und reichte ihm eine ihrer
Flaschen aus der Tasche.

Zinus nahm sie dankend entgegen und musterte zunächst
das zylinderartige Gefäß. „Ein Schraubverschluss?"

„Ja, einfach die Abdeckung nach links abdrehen."

Zinus öffnete die Flasche und trank genüsslich. „Ahhhhh.
Vielen Dank. – Die Vergangenheit wurde also dahingehend
verändert, dass die Narach niemals auf der Erde einfielen",
resümierte Zinus Susans Ausführungen, als er seine Arbeit
parallel dazu wieder aufnahm. „Und ihr habt keine Ahnung,
was das ausgelöst haben könnte?"

Eine andere Stimme als der Vier neben ihm antwortete:
„Dieses Rätsel konnten wir bislang nicht lösen, nein."

Zinus schaute in Richtung der Wächter, die sich alle um-
wandten. *War das Iris?*

„Ihr habt uns gefunden", rief Fox freudig.

Der Schein eines Feuers beleuchtete die Wächter und
spiegelte sich in der blanken Außenhaut der Gerätschaften.
Zinus erkannte zwischen Alexandreiji und Stephanie hindurch Therese, die mit der Flamme in ihrer Hand näher trat.
Auf ihre andere Seite stützte sich Ivan, der von ihr geführt
wurde. Susan und Fox nahmen ihr Ivan ab.

„Alles okay?", fragte Susan behutsam.

Ivan blickte sie gehässig an, ließ sich aber von ihr helfen.

„Wir hatten bereits ein Gespräch."

Zinus rieb sich die Augen. *Da war sie wieder.* Doch Iris war immer noch nicht zu erkennen.

„Suchst du nach mir?" Die Stimme erklang direkt vor Zinus, worauf ihm vor Schreck die Flasche aus der Hand glitt. Er bekam sie wieder zu fassen, nachdem sie kurz auf den Boden aufgeschlagen und ein großer Schluck verloren gegangen war. „Entschuldige. Haben sie noch nicht erwähnt, dass ich unsichtbar bin?"

Zinus atmete durch. „Kann sein … Tut mir leid. Ich bin – etwas übermüdet. Vielleicht dachte ich auch, ich hätte mich verhört. Schön zu wissen, dass du noch lebst."

Er trank nochmal vom Wasser und blickte dabei in die Runde. „Es ist schön, euch alle lebendig zu sehen." Das Lächeln seiner alten Freunde zur Kenntnis genommen steckte er den Kopf wieder in das Innere des Satelliten. „Also. Wenn ihr euch nicht daran erinnern könnt, sagen die Erinnerungen unserer Vorgänger denn nichts dazu aus?"

Es dauerte etwas, bis er unter anfänglichem Gemurmel den Versuch einer Antwort erhielt.

„Offen gesagt, habe ich gerade zum ersten Mal versucht, auf Arkons Splitter zuzugreifen", gestand Alexandreiji. „Aber nein, gar nichts."

„Bei mir genauso", ergänzte Stephanie. „Auch ich hab mich eben zum ersten Mal bemüht, in Elanas Erinnerungen zu suchen. Dazu gibt es aber irgendwie nichts. Generell ist da recht wenig, was ich über sie finden kann."

„Der Kristall speichert nicht jeden einzelnen Gedanken und jede kleine Erinnerung", war Iris zu hören. „Es ist nicht mehr so, dass ihr zwei Seelen verbunden durch den Kristallsplitter in euch tragt. Nur einschneidende Ereignisse und Erfahrungen sind in dem Splitter gespeichert."

Zinus zog die Unterlippe nach vorne. *Nunja. Wenn eine fehlende Invasion nicht als einschneidend gilt, was dann?*

Oder hatten die alten Wächter gar kein Wissen über die In-vasion, gerade weil sie nicht stattgefunden hat?

Zinus schüttelte die Gedanken ab. Er hatte jetzt Wichtigeres zu tun.

„Und Kronos?", fragte Ivan. „Was ist aus ihm geworden?"

Zinus lauschte noch. Uninteressant war die Unterhaltung ja nicht. Aber er konzentrierte sich wieder auf das Ausbrennen eines Steckerkontakts.

Eine Antwort auf Ivans Frage kam Zinus jedoch nicht zu Ohren. Anders als zuvor rührte die Ruhe nicht von angestrengten Überlegungen und dem Suchen im Splitter. Ohnehin schien die Frage mehr an Iris adressiert. Allerdings kam auch von ihr kein Wort.

„Habt ihr mich gehört? Wo ist Kronos?"

Zinus erkannte den Anflug eines Schauders in Ivans Stimme. Er hätte zumindest ein zustimmendes Interesse der anderen an Kronos' Schicksal erwartet. Doch nicht mal von Susan kam eine Reaktion?

Auch ihn beunruhigte die plötzliche Schweigsamkeit. Er unterbrach seine Arbeit und blickte nach draußen. Neben ihm standen alle Wächter – ihre stoischen Gesichter vom indirekten Licht angestrahlt, ohne eine Regung. Das einzige, was die Freunde in diesem Moment von regungslosen Statuen unterschied, war das regelmäßige Blinzeln der starren Augen.

Zinus und Ivan schauten sich ratlos inmitten dieser gespenstisch anmutenden Szene an. Ivan schwankte einen Schritt von den Wächtern zurück und stützte sich an dem Satelliten ab. Dabei erkannte Zinus ein orangenes Schimmern an Ivans Schläfen. Auch Ivan nahm langsam einen gleichgültiger werdenden Gesichtsausdruck an.

„Iris?", fragte Zinus vorsichtig. „Bist du das?"

Keine Reaktion. Er legte die Tastatur beiseite und richtete sich gemächlich auf.

Das Schimmern an Ivan erlosch. Er stand nun wie ein Steingötze neben den anderen.

Was zum Teufel soll das? Zinus' Puls stieg rasch an. Mit zitternden Händen holte er einen kleinen Bildschirm aus seiner Gürteltasche. Er hielt ihn vor sich, auf die reglosen Wächter gerichtet und wischte hektisch mehrmals von oben nach unten, während er sich mit dem Rücken zur Wand des Satelliten Schritt um Schritt von der Gruppe entfernte. Der Monitor zeigte neben seinen Freunden auf verschiedenen elektroskopischen Ebenen nicht das Geringste an.

„Iris? Hörst du mich? Was hast du vor?" Angst schlich sich sowohl in seine Stimme, als auch in seinen Kopf.

Plötzlich tauchte etwas auf dem Bildschirm auf. Direkt vor ihm.

Zinus schrie auf und lief in Richtung eines fahrbaren Pultes. Er zog mehrere Schubladen auf und holte schließlich einen Handschuh aus Metallgewebe heraus, den er sich sofort überstreifte. Mit einem Tastendruck am Handgelenk aktivierte er den Handschuh und brachte ihn zwischen sich und dem angezeigten Objekt.

„Bleib mir vom Leib!", rief Zinus panisch.

Das Gebilde auf dem Bildschirm aus einer weißen Wolke aus millionenfachen Punkten, die wie ein Bienenschwarm einander umflogen, blieb wenige Schritte vor ihm stehen.

„Du kannst mich damit tatsächlich sehen?", fragte Iris kühl. „Und was macht der Handschuh?"

„Eine schwache elektromagnetische Signatur", antwortete Zinus, seinen Puls und Atmung beruhigend. „Der Handschuh ist ein Elektromagnet. Durch Umpolung stößt er dein Feld ab. – Also. Was soll das alles hier? Was hast du mit Ivan gemacht? Und mit den anderen? Bist du überhaupt wirklich Iris?"

Zunächst war von ihr nur ein sich windendes Geräusch zu vernehmen. Dann ein lautes Seufzen. „Ja, ich bin es. Zinus, bitte glaub mir. Ich habe nichts weiter gemacht. Zumindest nichts, was ihnen schadet. Ich nahm nur einen gewissen Einfluss auf das Interesse an manchen Tatsachen, die sie im Moment lieber nicht erfahren sollten."

Zinus' Herz pochte immer noch wie wild. „Was sind das für Tatsachen? Geht es um Kronos? Was willst du uns so sehr verheimlichen, dass du uns in Zombies verwandelst?" Er ließ Iris für keinen Moment auf seinem Bildschirm aus den Augen.

Iris seufzte ein weiteres Mal. „Zinus. Ich weiß, ich verlange damit sehr viel, aber bitte vertraue mir. Lass uns das auf einen Zeitpunkt vertagen, wenn die Zeit reif dafür ist. Ich habe meine berechtigten Gründe, solch einschneidende Maßnahmen zu treffen."

Zinus zog die Augenbrauen nach oben. „Dir vertrauen? Wie stellst du dir das vor? Ich soll mich freiwillig deiner Gehirnwäsche unterziehen? John und Blue auch noch und dann ist die Angelegenheit ohnehin vom Tisch?"

„Nein. Wenn wir uns darauf einigen könnten, dass ich dich in Ruhe lasse? Dann hättest du alles im Auge, bis die Zeit gekommen ist und ich den Bann von allen nehme."

Zinus erkannte eine Art qualvollen Druck in ihrer Stimme. Doch sah er keinen Weg, sich auf Iris' Vorschlag einzulassen. „Und wann soll dieser Zeitpunkt sein? Nachdem du uns alle erneut in den Krieg geschickt hast?"

„Nicht bevor wir alle in Susans Gegenwart versammelt haben …"

„… und keiner von uns mehr eine Wahl hat abzulehnen", ergänzte Zinus mit einem fassungslosen Lächeln.

Iris schwieg für einen Moment. „Zumindest die Rekrutierungsreise wollte ich damit überbrücken, ja."

Zinus starrte in die Leere vor sich, wo Iris laut dem Gerät stand. Er versuchte, wenigstens in diesem abstrakten Abbild einen Sinn hinter ihrem hinterhältigen Vorgehen zu erkennen. Aber selbst jetzt ließ sie nicht von der Geheimnistuerei ab. „Iris. Du enthältst uns absichtlich wichtige Informationen vor."

„Es sind keine, die wirklich wichtig sind für diese Mission. Nur alte Erinnerungen, die hierauf keinen Einfluss nehmen werden. Ehrlich."

Ehrlich ... „Wie soll ich dir bitte vertrauen? Du zerstörst gerade meinen ganzen Glauben in dich. Und den meiner Freunde. *Deiner* Freunde!"

„Es tut mir ja selbst unheimlich weh. Aber ..."

„Tut es das nur, weil ich dich erwischt habe, oder wirklich?", unterbrach Zinus. „Wärst du damit durchgekommen: Hättest du das jemals aufgelöst?"

Stille.

„Überlegst du dir gerade eine neue Lüge?", fragte Zinus fordernd. „Ich will Antworten, Iris. Die Wahrheit. Jetzt sofort!"

„Ich möchte dich nicht anlügen. Aber ebenso wenig kann ich es dir sagen. Tut mir leid."

Was soll das? „Dir ist bewusst, dass du kein Druckmittel gegen mich hast? Nichts, das mich auf deine Seite zieht – das mich davon überzeugt, wieso du dich so verhältst?"

„Dessen bin ich mir bewusst."

„Verdammt, Iris. Was kann so verdammt schrecklich sein, dass du uns nicht vertraust, damit umgehen zu können?"

Iris schwieg.

VERDAMMT!

Zinus versuchte, sich zu beruhigen. Er musste klar denken.

Mehrere Minuten standen sie einander schweigend gegenüber, während Zinus überlegte. Schließlich hoffte er, dass seine Urteilsfähigkeit nicht durch den Schlafmangel beeinträchtigt wurde. Er ließ den Arm sinken, deaktivierte den Handschuh und zog ihn ab.

„Ich will dein Versprechen, dass du das alles sofort auflöst, sobald wir zurück in Susans Zeit sind. Und ich will, dass du dich zu jeder Zeit mindestens fünf Meter von mir fernhältst. Hast du verstanden?"

Iris entgegnete ernst: „Ich habe verstanden. Ich verspreche es."

Zinus steckte den Handschuh in seine Bauchtasche und nahm die Einstellungen am Bildschirm vor. „Ich stelle den Scanner auf diese Entfernung ein. Er gibt Alarm, solltest du die fünf Meter unterschreiten."

„Verstanden. Vielen Dank für dein Vertrauen, Zinus."

„Von Vertrauen kann keine Rede sein. Ich weiß nur leider auch keine Alternative, als mitzuspielen."

„Aber du darfst das Thema Kronos nicht anschneiden und mich auch bei John und Blue nicht davon abhalten ihnen den Bann aufzuerlegen."

Zinus unterbrach die Eingaben. Er rang mit seinem eigenen Instinkt. *Was zum Teufel kann das sein, das sie uns nicht über Kronos verraten will? Einfach tot zu sein wäre den Aufstand nicht wert. Er muss auch überlebt haben. Aber er ist nicht mehr unsterblich. Hat er irgendwas angestellt?*

Er fühlte sich gar nicht wohl, als er diese Übereinkunft abnickte. „Und jetzt befreie sie endlich aus dieser Starre."

„Du musst nur das Thema wechseln, dann sind sie sofort wieder da."

Hm. Das sagt sie so, als wäre das alles gar nicht so schlimm. Aber Zinus bemerkte den verzweifelten Unterton in ihrer Stimme. Sie hatte sich bereits mehrere Schritte von ihm entfernt. Zinus befestigte den Bildschirm mit einem Clip an seinem Gürtel, kehrte zur Luke zurück und blickte in die ausdruckslosen Gesichter seiner Freunde.

Tut mir leid, dass ich da mitspiele. Er setzte sich mit einem krampfenden Gefühl in seinem Bauch ab und griff nach der Tastatur.

„Und durch unsere Unterhaltung werden sie nicht einfach geweckt?"

„Wie du siehst, nein. – Das ist keine Wissenschaft. Ich habe so was in der Art nie zuvor getan und habe aus der Not heraus gehandelt. Daher bin ich mir aller Abhängigkeiten auch nicht im Klaren. Aber soweit ich es verstehe, müssen sie direkt mit etwas angesprochen werden. – Soll ich?"

Zinus schüttelte in kurzen Bewegungen den Kopf. *Ich spreche sie selbst an, um mir ein Bild davon zu machen. Dann ziehen wir das halt auf eine wissenschaftliche Ebene: Reicht es, eine Frage zu stellen? Muss jeder einzeln angesprochen werden oder genügt eine Kollektivansprache?*

Zinus wagte eine erste vorsichtige Frage: „Ist das ein Verband an deinem Handgelenk?"

Augenblicklich geriet Leben in die Gruppe. Susan blickte auf ihren rechten Ärmel, der hochgerutscht war, und zog in rasch zurück bis zu den Fingerknöcheln.

„Nur ein Kratzer. Nichts Besonderes", versicherte sie kleinlaut.

Zinus atmete erleichtert auf, dass jeder aus der Starre erwacht war. *Eine offene Ansprache genügt also schon einmal.*

Er blickte kurz auf den Scanner am Gürtel und richtete die Augen auf Iris, die einen Platz hinter den Wächtern eingenommen hatte.

Gerade als er im Begriff war, sich wieder der Arbeit am Satelliten zu widmen, zerbrach ein reißendes Geräusch die Ruhe. Alle schauten erschrocken in die Richtung des weit entfernt wirkenden Krachs. In der Dunkelheit brannte ein Funkenflug aus Rot und Grün.

„Verdammt!", schrie Zinus panisch auf.

Er steckte den Kopf durch die Luke und arbeitete hektisch weiter.

„Was ist los?", fragte Ivan. „Was ist das für ein Geräusch?"

„Das ist ein Tritionenbrenner. Davon gibt es weltweit nur zwei Stück. Ich dachte, sie bräuchten ein paar Stunden länger, einen herzuschaffen. Er schneidet sich durch die Hallenwand aus 50 Zentimeter dickem Magnesit-Verbundgewebe."

„Wie lange brauchen die dann hier rein?", fragte Stephanie angespannt.

Zinus' Arbeitsschritte wurden mit steigender Nervosität unsicher. Er kämpfte mit Tippfehlern. „Zwei Minuten vielleicht. Ich muss wenigstens noch diese Einheit hier abschließen. Dann hätten sie nur noch einen Träger zur Verfügung."

„Und wie lange dauert das?", erkundigte sich Ivan.

„Ähnlich lang." Der Lötstift glitt ihm durch die Finger.

„Wir können sie aufhalten", meinte Stephanie selbstsicher.

„Das lasst mal lieber."

Dennoch ballte sich die Gemeinschaft instinktiv nah an der Luke zusammen, um den Lichtschein aus dem Inneren des Satelliten mit ihren Körpern zu verdecken.

Susan hockte sich zu Zinus und nahm den Raumkristall zur Hand. Der nach vorne gerichtete Splitter strahlte gleißend blau, als wolle er damit seine fiebrige Bereitschaft signalisieren.

Das brennende Schneiden eines grünen Punktes, das eine glühende Furche hinter sich herzog, war vielleicht 50 Meter entfernt. Das hochfrequente Sirren versiegte und eine kleine Erschütterung vom Aufschlag des herausgeschnittenen Stücks der Wand auf dem Boden drang zu ihnen herüber. Das Geräusch dagegen wurde fast gänzlich durch die Hallenisolierung absorbiert.

In der Dunkelheit war das rechteckige Loch zu erkennen, durch das helles Licht hereindrang. Der Schein wurde von vielen eindringenden Leuten gebrochen. Leises Getrampel von Stiefeln verteilte sich in jede Richtung der Halle. Doch die Masse schritt zielstrebig auf die Wächter zu.

„Zinus", flüsterte Susan, mit steigender Nervosität.

„Eine Minute noch."

„Die haben wir aber nicht", sagte Stephanie, was Zinus nicht weiter beachtete.

„Dann müssen wir uns die Minute holen", meinte Ivan und kniete sich hin.

Er drückte die flache Hand auf den Boden. Eine Druckwelle breitete sich davon ausgehend aus, die alle Schränke, Tische und Gerätschaften mit sich riss und auf die anrückenden Truppen warf. Die Einheit brach unter einzelnen Schreien auseinander, ließ sich aber nicht lange irritieren und formierte sich neu.

„Zinus", drängte Susan.

„Mhhhhh", klang Zinus gequält. „Gleich."

„Was können wir noch machen, ohne sie zu verletzen?", fragte Alexandreiji.

„Kommt näher", warf Fox ein. „Jeder muss sich berühren."

„Kann jemand eine Barriere schaffen?", fragte Ivan, während sie alle näher zusammenrückten und den Körperkontakt suchten.

„Keine, die stark genug ist, um die da aufzuhalten", sagte Therese. „Iris?"

„Tut mir leid."

Zehn Meter trennten sie noch von der Truppe.

„Fertig!"

Zinus schnellte heraus, drehte sich herum und legte den Hinterkopf an der Wand des Satelliten ab.

Ein Piepen ging von Zinus' Gürtel aus, als Susan den Kristallsplitter ansetzte und die Truppen eine halbkreisförmige Umzingelung bildeten.

„Iris?!", versicherte sich Susan.

„Hände hoch und auseinander!"

„Genau richtig!"

Susan drückte zu.

Kapitel 25 - Giftgrün

Bitte lass es ihr gut gehen. O bitte lass es ihr gut gehen.

John hetzte mit von sich gestreckter ID-Karte an den Sicherungsposten vorüber ins Lazarett. Er lief durch den kleinen Warteraum, an der Anmeldung vorbei und steuerte direkt die Frauenstation an.

„Sanchez", sprach er laut in den Gang hinein, kaum hatte er die Flügeltüre aufgestoßen. „In welchem Zimmer ist meine Frau?"

Eine Schwester blickte von den Akten auf ihrem Tablet auf und zeigte auf die zweite Türe links. „Zimmer 3. Aber zuerst in die Desinfektionskammer. Erinnern Sie sich, was wir geübt haben."

John blieb auf der Stelle stehen. Seine Lippen pressten sich aufeinander. „Ja, ja. Ich weiß."

Weniger der strenge Blick der Schwester ließ ihn einen Schritt zurückweichen, sondern die Erinnerung an die zwei Übungen der letzten Wochen. Und an die möglichen Gefahren, sollte er sich nicht an das vorgesehene Prozedere halten. Er trat schnell in die kleine Nische links, die mit rotem Licht ausgeleuchtet war. Gleich darauf schob sich die durchsichtige Türe automatisch zu. John spürte den plötzlich aufkommenden Unterdruck in den Ohren. Er steckte die Hände flach in zwei Aussparungen an den Seiten und atmete mehrere Male tief ein und aus.

Komm schon. Komm schon! – Das hat doch bei den Testläufen auch nicht so lang gedauert.

Der Unterdruck verschwand und die Innenbeleuchtung sprang auf Grün. Kaum öffnete sich die Türe, drängte John durch den Spalt hinaus.

Die Schwester lächelte ihm beim Vorüberlaufen zu. „Ich wünsche Ihnen alles Gute."

John nickte lächelnd zurück. Er drückte die Türe zu Zimmer 3 auf und stand nach wenigen Schritten an einem gläsernen Raumteiler. Dahinter lag seine Frau schwer atmend auf einem schräg gestellten Bett.

Ihre Blicke trafen sich. Johns Augen starrten sie weit aufgerissen an, während ihre tränten, ihr Mund jedoch ein erleichtertes, aber erschöpftes Lächeln formte.

Sanftes Babygeschrei lenkte Johns Aufmerksamkeit auf sich. Er verfolgte eine der Schwestern, die das in ein weißes Handtuch gewickelte Neugeborene vom gegenüberliegenden Tisch in die Arme der Mutter legte. Wie in Zeitlupe bewegte sich John um den Raumteiler herum und trat mit einer Hand an der Wand entlang auf seine Familie zu. Langsam näherte er sich dem Bett, die Augen starr auf den quengelnden Säugling gerichtet. Er nahm Karens linke Hand in seine und drückte sie fest.

„Geht es euch gut? Wie fühlst du dich?", fragte John behutsam, ohne den Blick von dem faltigen, rosa Gesicht in dem weißen Handtuchwickel zu nehmen.

„Alles in Ordnung bei uns. Und bei dir? Du siehst schrecklich aus. Als hättest du einen anstrengenden Tag hinter dir."

John blickte auf das schelmische Lächeln seiner Frau. Er bemerkte, wie angespannt nicht nur sein Gesicht, sondern sein ganzer Körper immer noch war. Seine Muskeln, als auch seine gerunzelte Stirn schmerzten.

Er ließ die Anspannung sinken, obwohl er eigentlich vor Wut brodeln sollte. Die Verladung der Transportcontainer in das Lastenflugzeug hatte sich aufgrund eines Defekts an der Hebeanlage um mehrere Stunden verzögert und damit auch die Rückreise. Die Nachricht über den Beginn der Wehen hatte ihn zum selben Zeitpunkt erreicht, wie die Hiobsbotschaft über den Schaden. John hatte unaufhörlich dabei geholfen, den Inhalt der Container per Hand zu verladen. Selbst während des dreistündigen Flugs kam er noch nicht zur Ruhe, sondern war wie auf Kohlen gesessen.

Er entgegnete seiner Frau mit einem sanften Schmunzeln, bevor er ihr einen Kuss auf Lippen gab: „Bei weitem nicht so anstrengend wie deiner vermutlich."

Sie blickte mit feuchten Augen auf ihre Tochter. „Mein Tag war absolut wundervoll bisher."

John lehnte sich an Karens Seite. „Es tut mir so leid, dass ich nicht dabei war; dass ich dir nicht beistehen konnte."

Karen schüttelte den Kopf und drückte Johns Hand. Gemeinsam betrachteten sie ihr Kind mit einem breiten, stolzen Lächeln.

Die Ärztin wandte sich an Karen und John, nachdem sie mit ihren Formularen fertig war. „Wir müssen sie noch für ein paar Tests mitnehmen."

Die Schwester trat heran, während die Ärztin sich auf den Weg in den Nebenraum machte.

John richtete sich auf. „Dr. Shelby? Darf ich sie noch kurz in den Arm nehmen?"

Sie musterte ihn mit einem Blick über die Schulter. „Sie waren in der Desinfektionskammer?"

John verzog die Lippen. „Ja, war ich."

Dr. Shelby lächelte und verließ das Zimmer.

Wieso zweifelt hier eigentlich jeder an mir?

Doch er wusste selbst, dass ihr Bedacht nicht ungerechtfertigt war. Aber egal. Er streckte die Arme nach dem Bündel in Karens Armbeuge aus und nahm seine Tochter behutsam an sich. Ganz ruhig hielt er sie vor seiner Brust und strich ihr sanft mit dem Rücken seines Zeigefingers über die dünnen Härchen auf dem Kopf.

Es war ein unbeschreibliches Gefühl. Er hatte es sich die letzten Wochen immer deutlicher vorgestellt, wie es sein würde. Aber so überwältigend war es, dass es seine Vorstellung bei weitem überstieg.

Bis vor wenigen Monaten noch, hätte er sich nicht mal erträumt, überhaupt eine eigene Familie zu haben.

Ich werde dich beschützen, bis zu meinem letzten Atemzug. Das verspreche ich dir. Nichts und niemand wird dir Schaden zufügen können. Dafür sorge ich.

Kapitel 26 - Bruch

Zinus hörte nur das Piepen des Scanners durch eine mächtige Welle an Kopfschmerzen hindurch, die seine Sinne flutete und ihn aus dem Bewusstsein zog.

Susan fing den nach hinten kippenden Oberkörper auf. Therese widmete sich sofort der Linderung der Schmerzen und wandte die Ohnmacht im letzten Moment ab.

Zinus versuchte, sich gleich wieder auf das Warnsignal zu konzentrieren, doch es war weg. Iris musste sich entfernt haben.

„Das war wieder mal in allerletzter Sekunde", hörte er Alexandreiji prusten. „Mir hat das einstürzende Hochhaus davor schon gereicht."

Zinus kniff die Augen zusammen, während Thereses Hände noch an seinen Schläfen lagen. Er hatte Mühe, sich in der sonnenüberfluteten Umgebung zu orientieren. Doch auch eine seichte Windbrise trübte die Sicht mit Sand und Staub.

Sie befanden sich auf einer verdorrten Grasfläche. Je weiter der Blick reichte, desto mehr erinnerte die Gegend an eine Wüsten- oder Steppenlandschaft. Aber mitten vor ihnen ragte ein riesiger zerstörter Turm auf. Die Reste des Monolithen standen inmitten eines langgezogenen Parks.

„Boah. Was ist das denn für 'ne verfickte Hitze?", empörte sich Stephanie.

Erst allmählich ergriff auch Zinus die extreme Temperatur dieser in Schutt und Asche liegenden Anlage.

Seine Freunde öffneten ihre Kleidung und versuchten mit vorgehaltener Hand den Staub in der Atemluft abzuschirmen.

Zinus fasste sich mit klarer werdenden Gedanken an die

blutige Stirn. Das stechende Gefühl unter der Schädeldecke war aber noch deutlich zu spüren.

Therese ließ langsam von ihm ab. „Alles gut bei dir?"

Zinus blickte zu ihr auf und nickte. „Es geht schon, danke."

Er nahm den Scanner zur Hand und begutachtete seine Stirn über die gespiegelte Kameraansicht, bevor er den Modus wechselte und eine Tomographie seines Gehirns betrachtete.

Genau zwischen den Frontallappen der Großhirnrinde machte er den Kristallsplitter aus. Neue Nervenstränge wuchsen in rasanter Geschwindigkeit auf den Kristall zu. Zinus konnte beobachten, wie beide Gehirnhälften über den Splitter miteinander verbunden wurden. Der Vorgang endete rasch, worauf auch die Kopfschmerzen abnahmen.

„Na dann, hoch mit dir." Ivan reichte ihm die Hand und zog ihn auf die Beine. Dieser stand inzwischen sicher auf seinen eigenen. Ivans Gesichtszüge hatten auch nicht mehr diesen gehässigen Ausdruck an sich, den Zinus in der Halle bemerkt hatte. Ob das ebenso von Iris' Werk herrührte?

Zinus' Magen verzog sich schmerzvoll. *War das wirklich die richtige Entscheidung?* Er selbst blieb bisher noch unbeeinflusst. Solange er das zumindest sicher sagen konnte.

Therese hatte inzwischen einen gräulich schimmernden Schutzschild um sie alle errichtet, der den Dreck in der Luft zurückdrängte, um leichter atmen zu können.

„Kann's losgehen?", trieb Stephanie an. „Hier holen wir uns noch 'nen verfluchten Hitzschlag."

Nach einem Blick auf den Raumkristall setzte sich die Gruppe mit Susan an der Spitze in Bewegung. Sie gingen an einem ausgetrockneten, rechteckigen Wasserbecken vorbei, um das sich eine Vielzahl verlassener und zusammengefallener Zelte befand.

„Das sieht nach Washington aus, oder?", fragte Therese.

„Macht mir auch den Eindruck", entgegnete Iris.

Der Weg führte durch eine Reihe morscher Bäume hindurch aus der künstlich angelegten Fläche. Auf der menschenleeren Straße standen Autos zum größten Teil ordentlich an der Seite abgestellt. Nur einzelne ragten in die Fahrbahn hinein. Bewegt wurden diese offensichtlich seit geraumer Zeit nicht mehr. Die gesamte Umgebung war von einer dünnen Schmutzschicht überzogen, in der sich keine Fuß- oder Reifenspur fand. Dies war eine Geisterstadt.

Ein mulmiges Gefühl machte sich in Zinus breit. Er mochte sich gar nicht die Frage stellen, was hier wohl geschehen war. Hatten seine Bemühungen denn keinen Erfolg gehabt? Er hatte doch alle Satelliten bis auf einen gesichert. – Es musste eine andere Erklärung für Washingtons Zustand geben. So hoffte er zumindest.

Dem Rest schien die Frage erst gar nicht in den Sinn zu kommen. Sie hatten Johns Erzählung von der postapokalyptischen Zeit sicher noch im Kopf.

Sie folgten dem grünen Splitter weiter in eine Querstraße hinein, die von lückenlosen Häuserfassaden eingefasst wurde.

„Hast du dir diesen Move in der Halle von Kronos abgeschaut?", fragte Stephanie Ivan mit einem Lächeln.

Zinus riss sich bei der Nennung von Kronos' Namen aus der Besorgnis und blickte erschrocken auf die beiden. Seine Augen suchten sofort nach Iris, um ihre Reaktion ablesen zu können. Doch davon ließ er gleich wieder ab.

Anstatt zu erstarren, reagierte Ivan gespielt verständnislos auf die Anspielung: „Hast du einen roten Kreis auf dem Boden gesehen? – Nein? – Das war eine ganz andere Technik."

Stephanie schmunzelte.

Sie erwähnen seinen Namen, aber stellen sich nicht die Frage, was aus ihm wurde. Er ist also nicht gänzlich aus ihren Gedanken gestrichen.

Ein lauter werdendes Geräusch unterbrach seine Analyse. Es hörte sich an, wie die Luftströmung aus einem Standventilator.

Die Wächter blickten die oberen Stockwerke entlang, doch alle Fenster waren geschlossen. Der genaue Ausgangspunkt war durch das Echo in der Häuserschlucht nicht auszumachen.

„Da!" Fox erkannte als Erster das Objekt oberhalb eines der Dächer. Ein Fluggerät schwebte langsam heran und schob sich in einer Höhe von zehn Metern über ihre Position. Es erinnerte an einen Helikopter mit zwei seitlich angebrachten rotierenden Scheiben statt eines Propellers.

Zinus, als wohl auch der Rest des neuzeitigeren Teils der Wächter, erwartete eine Ansprache per Lautsprecher. Nur Ivan sah er an, dass er am liebsten die Flucht ergriffen hätte. Vielleicht wurden sie gerade ins Visier genommen. Oder der Pilot wartete auf Verstärkung.

Das Ding verharrte aber an seiner Stelle wie ein Kolibri.

Im nächsten Moment ging der Gleiter in den Sinkflug und landete sacht inmitten aufwirbelnden Staubes nur wenige Meter von ihnen entfernt.

Eine Scheibe schwang zur Seite und ein breitschultriger, schwarzgekleideter Mann schritt schnell aus der Staubwolke heraus auf die Gruppe zu.

Zinus erkannte das von Zornesfalten entstellte Gesicht des Piloten, dessen Blick direkt auf ihn gerichtet war.

„John!", rief Fox freudig auf.

Doch dieser beachtete keinen der Wächter – bis auf Zinus. Er trat mitten in die Gruppe und holte mit dem rechten Arm aus. Seine Faust versenkte sich förmlich in Zinus' vom Donner gerührten Gesicht und schleuderte ihn zu Boden. Zinus spürte den Schmerz deutlich, trotz der Eigenschaften des Kristalls in seinem Kopf.

John stand mit anspannten Muskeln über ihm; die anderen

fassungslos um beide herum.

Stephanie löste sich schließlich und ging auf den Hünen zu, bevor er sich für eine weitere Stelle an Zinus' Körper entschied, in die er seine Fäuste schlagen konnte. Sie legte vorsichtig die Hände auf seine Schultern.

John wand sich mit einer raschen Drehung des Oberkörpers aus dem Beschwichtigungsversuch, ohne den Blick von seinem Opfer zu nehmen. Er atmete schwer. Seine Augen sprühten voller Verachtung. Doch er schien auch mit sich selbst zu kämpfen und sich zur Beruhigung zu zwingen.

Er ging einen Schritt zurück. Die sich klar in dem enganliegenden Ganzkörperanzug abzeichnenden Muskeln verloren an Spannung.

„John", sprach Susan ihn möglichst besonnen an. „Was sollte das?"

Er schwieg. Schwer atmend stierte er weiter auf Zinus, der im Dreck vor ihm lag.

Zinus wurde schwindelig, er wurde müde. Er mochte selbst nicht einzuschätzen, ob dies noch Nachwirkungen der Vereinigung, des Schlages oder sein Schlafmangel war.

Therese kniete sich erneut zu ihm ab, um ihm bei Bewusstsein zu halten.

„Was habt ihr hier zu suchen?", sprach John die Gruppe an, ohne jemandem in die Augen zu sehen. „Das hier ist Sperrgebiet."

„Du hast ihm das Jochbein gebrochen!", fuhr Therese John an. „Ohne den Kristallsplitter in seinem Kopf hättest du ihn umbringen können!"

In Johns Blick erkannte Zinus keine Reue.

„Was ist denn überhaupt los?", fragte Stephanie mit bemüht ruhiger Stimme.

John atmete noch ein-, zweimal durch. Er griff in die seitliche Beintasche seines Anzuges, der an den Gelenken mit dunkelblauen Protektoren bestückt war. Er zog ein Tablet von wenigen Millimetern Dicke hervor und tippte darauf herum.

Er hielt Stephanie den Bildschirm mit den Worten entgegen: „Lies selbst. Das wurde vor etwa drei Monaten bekannt."

Zinus' Puls stieg. Er hatte eine ungefähre Vorstellung davon, was nun folgen würde. Er hoffte nur, dass es nicht annähernd mehr die Ausmaße angenommen hatte, von denen John damals berichtet hatte.

„Seite 223 der Ermittlungsakte. Top Secret. Singh-Hill, Zinus – Dr. Dr. tech. bio. hum.; geboren am 20. August 2665 in Seattle. Leitender Entwickler des zu Grunde liegenden Satellitensystems von 2691-2697. Er wird als Nr. 8 auf der Liste der Hauptverantwortlichen geführt. Es wird ihm zu Last gelegt, zumindest wissentlich über die Sicherheitsmängel (aufgeführt in Teil D) Kenntnis gehabt zu haben, wenn nicht sogar maßgeblich an der Vertuschung derselben beteiligt gewesen zu sein. Zu seinem Verbleib nach Eintreten der Katastrophe und seiner Tätigkeit bis zu seinem Tod gibt es keine Informationen. Seine Leiche …"

„Er ist dafür verantwortlich, dass neun Milliarden Menschen starben", unterbrach John lautstark.

Wie ein Hammer – schwerer als Johns Faustschlag – traf es Zinus mitten in die Brust. Seine Atmung flachte auf der Stelle ab und ihm wurde schwarz vor Augen.

Kapitel 27 - Theorie

Was zum ...?! Ein kalter Wasserschwall klatschte auf Zinus' Körper und riss ihn mit einem Aufschrei aus dem Schlaf. Er lag in einem kühlen, länglichen Raum aus gräulichem Kunststoff mit mehreren nebeneinander installierten Duschköpfen. Das Wasser wurde abgedreht.

„Lange genug geschlafen."

Zinus sah sich John alleine in der Gemeinschaftsdusche gegenüber.

„John! Bitte!", brach Zinus panisch hervor.

„Mach dir nicht ins Hemd", beschwichtigte John emotionskarg. „Ich tu dir nichts."

Ach ja? Zinus traute dem Braten nicht und musterte den Koloss vom Boden aus. Er fürchtete, ein falsches Wort oder eine Bewegung könnte die Situation zum Kippen bringen.

„Die anderen meinten, dass du so abgehalftert aussiehst, weil du alles daran gesetzt hast, das Satellitenprogramm zu sabotieren?"

Sabotieren? – So kann man das eigentlich nicht nennen. Er sparte sich die Korrektur aber. „Nur leider ohne Erfolg, wie man sieht. Ich hatte es geschafft, alle bis auf einen Satelliten unschädlich zu machen. Ich kann mir nicht vorstellen, wieso es dennoch zu der Katastrophe kommen konnte."

„Vielleicht bist du doch nicht so eine große Leuchte."

Soll ich das jetzt als schnippische Bemerkung oder Beleidigung auffassen? Er entschied, diesem eher keinerlei Beachtung zu schenken und rappelte sich langsam auf. Sein Blick richtete sich beschämt auf den mit verschränkten Armen an der Wand lehnenden Muskelberg.

„Es tut mir aufrichtig leid. Ich habe wirklich alles ..."

„Spar es dir", unterbrach John, noch mit einer Spur Verachtung in der Stimme.

Zinus blickte zu Johns Füßen. Er atmete durch. „Wie ist es dir seither ergangen? Dein Fluggerät, dieser Anzug?"

„Ich bin seit ein paar Jahren Teil der Sicherungstruppen und als solcher kann ich mich nicht beklagen. Wenigstens für regelmäßige Mahlzeiten, sauberes Trinkwasser und Hygiene ist hier gesorgt."

Zinus freute sich, das zu hören. Doch zufrieden konnten damit weder er noch John sein. *Was hätte ich denn noch machen müssen, um das hier zu verhindern? Wo hätte ich noch ansetzen müssen?*

„Hör auf zu grübeln." John hatte seinen abwesenden Blick bemerkt. „Die Quittung hast du von mir schon erhalten."

Zinus schaute auf und erkannte den Anflug eines Lächelns.

„Jetzt rasier dich erst mal", wies John im Befehlston an. „Du siehst grauenvoll aus."

Er drehte sich um und öffnete die Türe.

Zinus sah Ivan und Stephanie dicht neben dem Türrahmen stehen. Es war deutlich zu erkennen, wie ihre Anspannung abfiel, als sie Zinus ohne weitere Verletzungen vorfanden. John verließ den Duschraum und schloss die Türe hinter sich.

Zinus richtete sich auf und ging auf einen von acht Spiegeln über je einem Waschbecken zu. Er stützte sich mit beiden Armen auf einer der Kunststoffarmaturen ab. Der Bart und die Haare sahen allein für sich schon verwahrlost aus. Das geronnene Blut darin machte den schäbigen Eindruck jedoch perfekt.

Am benachbarten Waschbecken lagen ein Nassrasierer mit Rasiergel, Kamm, Handtuch und Seife bereit. Auf Zinus' Gesicht zeichnete sich ein behäbiges Lächeln ab. Er gab die

Hoffnung nicht auf. Immerhin begab er sich ein weiteres Mal durch die Zeit. Vielleicht eine weitere Chance, sollte er wieder zurückkehren können.

Er streifte den nassen Kittel ab, zog sich das Hemd vom Körper und begutachtete sein kantiges, abgemagertes Gesicht.

Therese muss ihre Heilfähigkeiten verbessert haben. Er erkannte keinen Hinweis mehr auf den Bruch. Nicht mal eine Schwellung. Oder war das gar nicht Therese?

Iris! Er blickte hektisch auf seinen Scanner. Doch seine kurz aufgeflammte Besorgnis legte sich gleich wieder. Die Erinnerung war noch da. Jedoch musste er verärgert feststellen, dass Wasser in den Scanner eingedrungen war. Der Bildschirm blieb dunkel.

Er verdrängte den Verlust. *Immerhin weiß sie nicht, dass er nicht mehr funktioniert.*

Susan befand sich mit John und der restlichen Gruppe in einem hellen Hangar, der als militärische Gemeinschaftsunterkunft genutzt wurde. Im hinteren linken Eck der länglichen Halle erkannte Susan einen Fitnessbereich mit allerlei Sportgeräten und Gewichten; gegenüber einen Freizeitbereich mit mehreren Sitzgelegenheiten um einen großen Bildschirm und einem spärlich mit Büchern ausgestatteten Regal.

Sie aber saßen und standen in der von einer Seite mit Kunstglas abgetrennten Gemeinschaftsküche zusammen und hatten John inzwischen in alles eingeweiht. Er trug Ivans Ohrstöpsel, der ihm fremdsprachige Beiträge verständlich übersetzte.

„Ich soll also meine Position hier aufgeben, um wieder gegen die Herrscherin zu kämpfen? Das hört sich nicht gerade verlockend an, versteht ihr?"

„Ich versteh das."

Alle Blicke auf sich gerichtet, hatte Therese kein Bedürfnis, dies weiter auszuführen und wandte den Kopf ab.

„Gibt es diesmal die Chance zurückzukehren?", fragte John karg.

„Garantieren kann ich es leider nicht", antwortete Iris. „Wir hatten noch keine Gelegenheit, das zu untersuchen. Fakt ist jedoch, dass wir nicht weiterreisen können, solange nicht alle Kristallsplitter vergeben sind."

„*Dem* seid ihr euch aber sicher?", zweifelte John. „Das ist wirklich die einzige Möglichkeit weiterzukommen?"

„Zumindest ist es der einzige Weg, der sicher funktioniert", entgegnete Susan. „Für Experimente war bisher keine Zeit."

„Ihr habt doch gar keine Ahnung, was weiter geschehen wird", bremste John seine alten Kameraden aus. „Ihr wisst doch nicht, was die Herrscherin im Schilde führt."

„Was denkst du denn, was sie vorhaben könnte?", zeigte Stephanie kein Verständnis für solche Ausflüchte „Lässt ihr bisheriges Verhalten einen verfickten Zweifel aufkommen, dass sie nach wie vor die Menschheit vernichten oder versklaven will?"

„Aber wir sind hier in der Zukunft. Die Menschheit wurde nicht ausgelöscht – zumindest nicht ganz. Und das mit dem Satellitensystem ist wohl eher nicht ihr zuzurechnen, oder? – Therese: Du bist am nähesten an Susans Zeit dran. Macht sich in deiner Zeit das Auftauchen der Herrscherin irgendwie bemerkbar?"

Therese überlegte kurz, schüttelte dann aber mit resignierendem Blick den Kopf. „Zumindest nichts, das direkt auf sie und die Narach hinweist."

„Stephanie?", wandte sich John an sie.

Auch sie schüttelte den Kopf. „Gar kein Hinweis."

John sah um sich in ratlose Gesichter. „Iris. Das Handeln

der Herrscherin in Susans Zeit sollte sich doch auf unsere auswirken, nicht wahr? Doch es fiel nichts vor, das die Menschheit in den Abgrund gestoßen hätte. Wir sind nicht von der Finsternis versklavt oder vernichtet worden."

Von Iris kam kein Widerwort.

Betretenes Schweigen erfüllte die ansonsten menschenleere Baracke.

„Da muss erst *ich* kommen, um euch mit der Nase darauf zu stoßen?" John blickte belustigt durch die Reihe sprachloser Gesichter.

„Die Vergangenheit lässt sich nicht verändern."

Alle Augen wandten sich Zinus zu, der nachdenklich im Türrahmen stand. Die zum Mittelscheitel gekämmten Haare waren noch feucht, die Haut glattrasiert. Er trug ein Handtuch über seinen nackten Schultern.

Darunter erkannte Susan, wie abgemagert er tatsächlich war, was sein Gesicht bisher nur vermuten ließ. *Das kommt von deutlich mehr als nur zwei schlaflosen Nächten.*

Zinus strickte seine Überlegungen weiter: „Besser gesagt, Veränderungen in der Vergangenheit haben keine direkten Auswirkungen, weil die Zeit nicht linear verläuft. Wir springen nicht nur auf einer Zeitachse vor und zurück, sondern bewegen uns mit jedem Sprung in eine parallele Realität.

Stellt es euch wie nebeneinander fahrende Züge vor. Die Züge sind vollkommen identisch. Nur dass sie zeitversetzt zueinander fahren. Der Raumkristall lässt die Züge nicht schneller vorwärts oder gar rückwärts fahren, sondern transportiert uns nur in einen identischen Zug, der weiter vorangefahren ist, oder zurückliegt. Zu einem Zeitpunkt, der aus unserer Sicht vergangen, oder noch gar nicht geschehen ist."

„Müsste das dann nicht bedeuten, dass wir in jedem anderen Zug für die Dauer unseres Aufenthaltes doppelt vorhanden sind?", fragte Therese mit zusammengekniffenen Augen, die ihr Bemühen um Verständnis vermittelten. „Es müsste uns also nach jedem Zeitsprung zweimal in dem Zeitstrang geben?"

„Ja, ganz genau." Zinus war froh, dass man dem folgen konnte, was er sich gerade konstruierte. „Wäre ich hier in Johns Zeit noch am Leben, also etwa 110 Jahre alt, dann könnte ich mir selbst begegnen. In meiner Ursprungszeit gelte ich aber vermutlich als verschollen. Dort existiere ich nicht mehr, weil ich hier bin."

„Wieder nur Theorie, oder?", fragte John skeptisch.

Zinus überlegte kurz. „Die Akte, aus der Stephanie vorgelesen hat. Was stand da über meine Leiche?"

John nahm das Tablet zur Hand und las vor: „Seine Leiche wurde 2698 erhängt aufgefunden. Selbstmord wird als wahrscheinlich angenommen."

Zinus schluckte nur kurz, bevor er seinen Gedankengang Weiterführte. „Also, hier in Johns Zug habe ich beim ersten Mal das Jahr 2697 nie verlassen, um mit euch gegen die Narach zu kämpfen. Auch nicht kürzlich mit euch das Jahr 2701, um hierher zu springen. Ich habe hier die Satelliten nie sabotiert, sondern nur in meinem eigenen Zeitstrang.

Unser aller Züge fahren parallel zueinander. Wenn ich jetzt aufgrund eines Unfalls sterben würde, dann müsstet ihr nur ein paar Minuten zurück in einen anderen Zug springen, mich retten und schon habt ihr wieder einen lebendigen Zinus in der Gruppe. Doch springt ihr hierher zurück, dann bin ich immer noch tot. Zweimal Zinus hier, der eine lebendig, der andere tot. So könnten wir für unendlichen Ersatz für jeden von uns sorgen – sofern der Raumkristall willkürliche Zeitreisen gestatten würde."

Susan drehte sich der Magen um bei diesem Gedankenspiel. „Dann würde zwar die eine Realität davon profitieren, aber was bedeutet das für die unzähligen anderen? Wir können uns doch nicht willkürlich unserer Doppelgänger aus Parallelwelten bedienen, weil es unserer gerade nutzt. Immerhin sprechen wir hier immer noch über uns selbst. Als hätten unsere anderen Ichs weniger Bedeutung als wir."

Therese sponn den Faden kleinlaut weiter: „Oder andersherum: Unser Leben, unser eigener Tod wäre von geringerer Bedeutung. Wir wären beliebig austauschbar."

„Moment. Ich sagte nicht, dass wir so was in Erwägung ziehen sollten. Nur dass es theoretisch möglich wäre, sollte das alles so funktionieren, wie ich mir das vorstelle. Ich baue damit auf einer Theorie aus dem 21. Jahrhundert auf. Eine von vielen Theorien der Eigenschaften der Raumzeit und der Beschaffenheit des Kosmos."

„Würde das dann heißen, du bleibst so lange in deiner Zeit verschollen, bis du wieder in deinen eigenen Zug zurückkehrst?", nahm Stephanie den Gedanken wieder auf. „Susan ist aktuell also auch in ihrer Zeit verschollen, bis wir mit ihr zurückkehren, richtig?"

„Richtig", bestätigte Zinus mit einem Lächeln, das aber dennoch Raum für Unsicherheit ließ.

„Demnach kehren wir voraussichtlich genau zu dem Zeitpunkt auch wieder zurück, als Susan und ich ihre Zeit verlassen haben?", fragte Iris.

„Da möchte ich mich jetzt nicht festlegen. Entweder ja, genau zum selben Zeitpunkt. Oder aber den während der Zeitsprünge durchlebten Zeitraum hinzuaddiert. Immerhin altern wir ja währenddessen weiter. Also wenn wir jetzt eine Stunde unterwegs wären, dann kommen wir auch eine Stunde nach eurem Verschwinden wieder an. Dies würde zumindest unseren bisherigen Beobachtungen entsprechen. Jeder von uns kam die zwei Wochen in Susans Zeit später in seine Zeit zurück. Eine dritte Möglichkeit wäre noch eine exponentielle Addition der Aufenthalte in den einzelnen Zeiten. Ausgehend von den unterschiedlichen Zeitverschiebungen, die wir erlebten, müsste ich das aber erst noch berechnen, um eine Einschätzung treffen zu können."

„Demnach haben die Geschehnisse in Susans Zeit also keine Auswirkungen auf unser aller Zeiten, nicht wahr?", schlussfolgerte Ivan.

Susan schluckte. Ihr wurde immer übler.

John ergriff wieder das Wort. „Ihr wollt also damit sagen: Egal wie ich mich entscheide, es hat keinerlei Auswirkungen auf das Hier und Jetzt, auf mich und meine Zeit? Der Unterschied wäre nur, dass ihr hier festsitzt, oder wir gemeinsam weiterziehen und unser Leben riskieren, um ausschließlich Susans Zug zu retten?"

Susan blickte durch die ratlosen Gesichter ihrer Kameraden, deren Blicke sich für einen winzigen Moment verstohlen auf sie richteten. Sie fühlte sich plötzlich wie eine Ausgestoßene.

John ließ kein Schweigen zu und fragte weiter: „Sagt, wie steht ihr dazu, jetzt wo ihr wisst, dass es euch gar nicht betrifft, sondern nur eine von uns?"

Ein schlechtes Gewissen engte Susans Brust ein. Ihre Haut kribbelte. Niemand wagte eine Antwort zu geben.

Iris? Du vielleicht?

Susan war zum Heulen zumute. Sie war doch auch nicht freiwillig hier.

Therese durchbrach die gemeinschaftliche Ratlosigkeit. „Ich bleibe bei meiner Entscheidung. Ich kämpfe nicht nur für eine Freundin, sondern für das Richtige. Es ist die richtige Wahl, sich für seine Mitmenschen einzusetzen und alles Mögliche zu tun, um sich Gewalt und Unterdrückung entgegenzustellen. Ob nun in einem fremden Land oder einer anderen Zeit. Unabhängig davon, ob der Missstand mich betrifft oder nicht."

Susan blickte auf Therese. *Vielen, vielen Dank.*

Alexandreiji nahm mit ruhiger Stimme das Wort auf: „Meine Heimat war von vornherein nie betroffen. Meine

Zeit liegt hinter Susans. Aber ich wäre froh um jede Hilfe, wenn es sie beträfe."

„Gerade einer verdammten Freundin sollte man treu zur Seite stehen", meldete sich Stephanie. „Egal welche parallele Version von ihr gerade betroffen ist. Sie ist nicht weniger wert, als die Susan in meinem Zeitstrang."

„Auch in meinem Zeitstrang gibt es eine Susan", pflichtete Ivan bei. *„Ihr* würde ich helfen. Wieso sollte ich es bei dieser hier nicht."

„Ich würde für euch in jeden Zug springen", sprach Fox laut in die Gruppe hinein, was diverse Mundwinkel zu einem Schmunzeln animierte.

„Wir stehen zusammen und lösen die Herausforderungen gemeinsam", schloss sich Zinus an.

Alle Augen richteten sich nun auf John.

Seine Miene war wie aus Stein. Doch gleich darauf bekam sie Risse und formte einen erleichterten Ausdruck.

„Erschreckend, wie man euch verunsichern kann. Ich hatte wirklich Angst, dass sich das hier ins Gegenteil schaukelt."

Er strahlte Susan mit einem aufmunternden Lächeln an. „Her mit meinem Splitter."

Susan fiel eine riesige Last vom Herzen. Eine Träne lief ihr von ihrer Wange.

Auch die Wächter atmeten auf.

„Du hast das provoziert?", fragte Ivan skeptisch.

„Ich bin froh, dass ihr euch richtig entschieden habt, sonst hätte ich euch windelweich prügeln müssen." Er lachte auf. „Außerdem kann ich euch hier nicht brauchen. Die Essensrationen sind so schon knapp. Daher bring ich euch erst mal hier weg."

Susan versuchte sich das Schmunzeln zu verkneifen. „Danke, John", sprach sie leise. „Ich danke euch allen."

Die Freunde nickten ihr mit einem aufmunternden Lächeln zu.

Doch nicht nur Dankbarkeit beschwor diese Entwicklung in Susan herauf. Bis eben kämpften sie alle für dasselbe Ziel; für ihr aller Wohl, das ihrer Freunde und Familie. Doch jetzt traten sie alle nur für Susan ein. So sehr sie sich bislang als Teil eines Teams gesehen hatte, wurde sie mit einem Mal zu einer Ungleichen.

Unsicherheit zog ihr die Eingeweide zusammen. Und Enttäuschung. *Hatte Iris denn gar nichts dazu zu sagen?*

„Gebt mir noch einen Moment, dann können wir los", trieb John an.

„Hättest du vielleicht etwas Trockenes für mich zum Anziehen?", fragte Zinus behäbig.

„In deiner Größe sicher nicht." Er schmunzelte. „Aber wir finden schon was. Komm mit."

„Wie sieht es mit Waffen aus?", warf Stephanie ein.

John überlegte kurz. „Ich hab zwar Zugang zur Waffenabteilung. Aber ich kann sie nicht ausräumen und meine Einheit leer dastehen lassen. Wir haben ohnehin nur Standardausstattung für Objektsicherung. Aber ich nehme meine persönliche Ausstattung mit."

„Ist uns bestimmt 'ne verfickte Hilfe." Stephanie zwinkerte ihm zu und ging Richtung Toilette.

„Hat sich gar nicht verändert, oder?", wandte er sich leise an Alexandreiji, der gerade an ihm vorbeiging.

Dieser blickte ihr kurz mit einem Seufzen hinterher. „Ihr Mundwerk auf jeden Fall nicht. Du dagegen …"

John blickte ihn verständnislos an.

„Du scheinst mir irgendwie weiser als beim letzten Mal. Wie alt bist du inzwischen?"

John verzog die Augenbrauen. „41."

Alexandreiji lachte auf. „Ha! Dann bin nicht ich länger der Opa in der Runde."

John packte ihn am Kragen und zog ihn bedrohlich nah zu sich heran.

Alexandreiji blickte ihn mit großen Augen an. „Vielleicht hast du dich doch nicht so stark verändert." Seine Stimme zitterte. „Bist du noch kräftiger geworden?"

Ein Lächeln zog sich auf Johns Gesicht. Er stellte Alexandreiji zurück und klopfte ihm mehrmals fest auf die Schulter. „Danke, *Opa*."

Alexandreiji nickte erleichtert und suchte ebenfalls die Toilette auf.

„Was grinst du so?", fragte John schroff.

Susan hatte alles genüsslich mitverfolgt. Sie ging auf ihn zu und schloss ihn in die Arme. „Danke, John."

Er atmete tief ein und strich Susan zögerlich über den Rücken. „Schon gut, Kleine. Bedank dich lieber erst, wenn wir das alles überstanden haben."

„John?"

Die beiden trennten sich voneinander. Zinus stand fröstelnd vor ihnen und wartete noch auf neue Kleidung. So heiß es draußen war, die Klimaanlage in der Baracke funktionierte tadellos.

„Ach ja. Komm mit." Er winkte ihn heran und ging mit ihm auf die andere Seite der Halle. „Und wegen deinem Gesicht ..."

„Alles okay", winkte Zinus ab. „Wenn es das auch für dich ist."

„Hey John!", rief Stephanie vom Eingang der Duschen aus. „Ist das Wasser aus der Leitung Trinkwasser? Ich würd gern unseren Vorrat auffüllen."

„Ja, ist unbedenklich!"

Susan lächelte. Fast alle Freunde wiedervereint. Sie freute sich über den neuerlichen Zusammenhalt. Dabei fühlte sie sich aber selbst als Fremdkörper. *Wieso muss das ausgerechnet in meiner Zeit passieren?* Doch sie wünschte es sich auch nicht für die anderen. Und eine ihrer eigenen Versionen hätte es ohnehin getroffen.

„Wie geht's dir?", fragte Iris zu ihrer rechten Seite.

„Ach, dich gibt's auch noch?" Susans Stimme nahm einen verärgerten Ton an. „Danke für deine Unterstützung."

Sie wollte Iris gerne noch mehr Sachen an den unsichtbaren Kopf schmeißen. Immerhin war sie allein der Initiator dieser Sammelaktion durch die Zeit. Und der Anstoß für eine neue Auseinandersetzung auf Leben und Tod – vermutlich zumindest. Immerhin gab es noch keine konkreten Beweise für eine Bedrohung. Wenngleich die mühelose Zerstörung Andalons und die Geschichte um das Schicksal Doronias keine guten Schatten vorauswarf.

„Ich hatte nicht das Gefühl, dass ein Einwurf von mir von Vorteil sein würde. Die Diskussion hat sich doch gut entwickelt. Oder findest du nicht?"

Susan konnte dagegen kaum etwas einwenden. Vielleicht mussten sie wirklich alleine zu ihrem Bekenntnis finden. Ohne Iris' wiederholte Beteuerungen. Um ehrlich zu sein, war Susan selbst Iris' Versprechungen überdrüssig. Doch sie vertraute ihr. „Schon gut."

Kurz darauf fanden sich alle wieder zusammen. Den Wasservorrat aufgefüllt, Zinus in ein überdimensioniertes Shirt gekleidet, und Johns Bewaffnung aus drei unterschiedlichen Faustfeuerwaffen und einem Kurzgewehr auf Stephanie, Ivan und sich selbst aufgeteilt.

„Setz dich bitte auf den Boden, mit dem Rücken an die Wand", wies Iris an.

Susan holte den Raumkristall herbei, auf dem nur noch zwei Splitter prangten. Johns gleißend hell in grüner Farbe.

Eine Station noch. Dann kehren wir alle zurück in meine Zeit. Zu Mum und Dad.

Ein Schauder von Traurigkeit und Angst durchlief Susans Körper.

Sie wollte gerade ansetzen, als ein Piepen zu hören war. Überrascht blickte Zinus auf ein Gerät an seinem Gürtel, doch der Bildschirm blieb schwarz. Er betätigte eine Taste an der Seite des Geräts, worauf es verstummte. Die Gruppe rückte weiter zusammen und bildete einen Reigen um John und Susan.

„Kann's losgehen?", fragte Susan und schaute reihum.

Sie blickte in freudige, entschlossene Gesichter. Jeder schien sich darauf zu freuen, ihr letztes Mitglied wiederzusehen und ihr altes Team zu vervollständigen.

Susan drückte zu und die Gemeinschaft befand sich auf dem Weg zum letzten Halt ihrer Reise durch die Zeit.

Kapitel 28 - Dunkelheit

Zinus konnte sein Gleichgewicht in der absoluten Dunkelheit, die sie erwartete, gerade noch halten. Doch jemand anderes stolperte nach vorne und stürzte platschend auf die Knie in niedriges Wasser.

„Iiiiih!", gab Therese angeekelt von sich.

Zinus war es so, als würden sie auf einer Insel aus gefüllten Müllsäcken herumtreten. Der zweite Eindruck, den er gleich darauf erhielt, schien seine Einschätzung einer mülldeponieartigen Umgebung sogleich zu bestätigen. Denn Thereses Ausruf mochte weniger dem Stolpern in das Wasser an sich gegolten haben, sondern dem beißenden Gestank. Auch die anderen stießen Laute von beispiellosem Ekel aus.

„Was verwichst nochmal ist das?!", sprach Stephanie angewidert durch ihre Handfläche hindurch.

Zinus nahm Nase und Mund in die Armbeuge und versuchte durch das Atmen durch den Stoff von Johns Shirt den penetranten Geruch zumindest etwas zu filtern. Die Luft war unangenehm warm und feucht.

Er verspürte den Drang, erkennen zu wollen, wohin sie hier geraten waren. Im selben Augenblick dachte er, dass der Rest sicher denselben Gedanken hatte und schrie sofort: „Kein Feuer! – Untersteht euch auch nur einen Funken heraufzubeschwören!"

Die Gemeinschaft gab keinen Ton von sich. Womöglich hatte er den einen oder anderen gerade noch im richtigen Moment vor einem fatalen Fehler bewahren können.

„Das riecht nach Schwefelwasserstoff", ergänzte Zinus etwas ruhiger. „Neben Methan ein Faulgas. Hochexplosiv."

Und giftig. Wenigstens schien die Konzentration nicht zu bedenklich zu sein, sonst lägen sie bereits tot am Boden.

„Therese. Kannst du einen Schild gegen diesen Gestank aufbauen wie gegen den Staub in Washington?", fragte Ivan würgend.

Ohne zu sehen, ob Therese etwas versuchte, wurde die Luft schnell klarer. Sie wurde dadurch aber auch dünn. Sehr dünn sogar. Doch der beißende Geruch war weitestgehend vertrieben.

„Danke." Ivan schluckte schwer, als hätte Therese ihn damit gerade davor bewahrt, sich zu übergeben. „Vielen Dank."

Zinus blickte sich um. Er erwartete, dass sich seine Augen an die Dunkelheit gewöhnten. Aber nicht die geringste Lichtquelle war auszumachen, die zumindest ein Zwielicht verursacht und Schemen zu erkennen gegeben hätte. Seine Atmung beschleunigte sich unwillkürlich. Auch das tiefe Schnauben der anderen durch die sauerstoffarme Luft war deutlich zu hören. *Wir müssen schnell hier weg, sonst verlieren wir bald das Bewusstsein.*

„Sind wir hier in der Kanalisation?", brach John das Schweigen, worauf Zinus auf den Boden blickte und das Gefühl seiner Füße neu bewertete.

Alexandreiji machte einen Schritt zurück.

Knacks.

Ein markerschütterndes, brechendes Geräusch durchzuckte Zinus' Körper.

„War das – ein Ast?", fragte Fox zögerlich.

„Das will ich lieber gar nicht wissen", meinte Alexandreiji kleinlaut.

Das Echo des Brechens spiegelte sich nur von oben, aber nicht von der Seite. Also befanden sie sich in keiner Röhre eines Abwasserkanals. Aber sie hatten eine Decke über sich in vielleicht drei Metern Höhe.

„Was machen wir?", drängte John. „Jemand eine Idee?"

„Sollen wir nach Blue rufen? Sie muss ja irgendwo in der Nähe sein", schlug Therese vor.

„Wir wissen nicht, wer uns noch hören kann. Wer hier vielleicht noch ist", gab Iris zu bedenken.

„Ich bezweifle, dass hier überhaupt jemand in der Nähe ist, der uns hören könnte", beschwichtigte John. „Wer hält sich hier denn freiwillig auf?"

„Sollte nicht Blues Splitter längst aufstrahlen?", fragte Alexandreiji. „Du hast den Kristall doch noch in der Hand, Susan?"

Eine winzige Pause folgte, bevor Susan antwortete. „Ja, aber kein Strahlen geht davon aus."

Stephanie atmete enttäuscht aus. „Dann sind wir hier falsch."

Zinus kam noch ein anderer Verdacht. Einer, der ihm die Eingeweide verzog.

„Blue!", schrie er ungeachtet einer möglichen Gefahr und die aufkommende Angst davonscheuchend. „Blue!"

Auch Stephanie und Therese stimmten in die Rufe in verschiedene Richtungen ein.

Der Schall brach sich an der niedrigen Decke und erst weit entfernt an Wänden.

Sie stellten die Rufe ein und horchten. Eine beängstigende Stille erfüllte diese unter Wasser stehende Höhle oder Kammer.

Schweiß stand Zinus auf der Stirn. Es herrschten Temperaturen und die Luftfeuchtigkeit wie in einer Sauna.

Da war ein Plätschern zu hören. Ganz gering. Wie von einem Tropfen eines undichten Wasserhahns in ein gefülltes Waschbecken.

Die Gefährten drehten sich in die Richtung und starrten in die Dunkelheit.

Ein weiteres Plätschern.

Jemand bewegte sich als erstes auf das Geräusch zu. Zinus nahm gleich darauf die Verfolgung auf und tastete sich mit einem Schritt nach dem anderen über die Bündel. Er trat in das Wasser und spürte in Knöcheltiefe einen ebenen Boden. Die ganze Gruppe watete vorsichtig voran an einzelnen Müllbündeln vorbei.

„Schhh", flüsterte Susan an vorderster Stelle.

Alle hielten inne und lauschten. Sie waren etwa zwanzig Schritte vorangekommen.

Stille.

„Blue?", fragte Susan mit gedämpfter Stimme – danach noch mal etwas lauter. „Blue?"

Sie hörten das Geräusch nochmal.

Die Gruppe orientierte sich neu und setzte sich wieder in Bewegung.

„Ah!, schrie Fox auf. Er stolperte und stürzte rücklings in die Lache.

Zinus machte einen Schritt auf ihn zu und kniete sich langsam hinab. Er tastete nach seinen Armen. „Gib mir deine Hand. Ich helf dir auf."

Mit einem Ruck zog er den Jungen wieder auf die Beine und wandte sich dabei an die ganze Gruppe: „Passt auf, dass ihr kein zerstäubtes Wasser einatmet, oder gar etwas davon verschluckt. Wer weiß, was für Bakterien da rumschwimmen."

Fox merkte mit besorgter Stimme an: „Ich hab was in den Mund bekommen. Nicht viel." Er spuckte ein paar Mal aus.

„Blue?", fragte Susan erneut in die Dunkelheit, worauf die anderen wieder aufhorchten.

Als das folgende Plätschern den wackeligen Gang der Wächter fortführte, ergänzte Fox: „Das Wasser schmeckt süß. Aber auch irgendwie nach Metall."

Zinus blickte zur linken Seite, wo der Junge nicht zu sehen nebenher trabte. *Süß und metallisch?* Sein Blick wanderte nachdenklich nach unten. Da erfassten seine Augen einen schwachen Schein durch den Hemdschlitz von seiner Hüfte ausgehen. Er tastete danach und hatte im nächsten Moment den Scanner in Händen.

Der defekte Bildschirm fluoreszierte. Der Schimmer war so gering, dass er nur die Finger, die das Gerät am Rand hielten, erfasste.

Zinus führte den Scanner in der linken Hand und die rechte Handfläche nah aneinander vors Gesicht. Er bestrahlte die Hand, mit der er Fox aufgeholfen hatte, mit dem schwachen Licht. Die Haut glänzte in der gräulich-grünen Beleuchtung schwarz.

Zinus überkam eine erschreckende Ahnung. Er nahm die Zungenspitze an die Flüssigkeit, um sicher zu sein, und spuckte es mit reichlich Spucke wieder aus.

Der Rest hielt inne, worauf Susan erneut nach Blue rief.

Das nächste Plätschern folgte, das nicht mehr als zehn Meter entfernt sein konnte.

„Lasst mich bitte alleine weitergehen", bat Zinus energisch, bevor die Gruppe weiter voranschreiten konnte.

Da nach dem aufmerksamen Schweigen keine Erklärung kam, fragte Iris: „Aus welchem Grund?"

„Iris. Vertraust du mir?"

Ihr musste klar sein, dass die Frage einen größeren Vertrauensbeweis als nur für diese Situation hier bedeutete.

„Ja. Ich vertraue dir."

Zinus nahm es wortlos an und forderte Susan auf: „Gib mir bitte den Kristall."

Susan zögerte kurz, tastete ihm aber dann den Raumkristall zu.

„Halt, Herr Professor", trotze John bestimmt. „Keine Geheimniskrämerei. Was hast du vor?"

Zinus überlegte kurz, um sich eine brauchbare Antwort zurechtzulegen. „Ich glaube, dass uns das Geräusch tatsächlich zu Blue führt", gab er schließlich von sich. „Der Kristallsplitter reagiert aber aus irgendeinem Grund nicht auf sie. Und das will ich zuerst alleine überprüfen, bevor wir uns alle in Gefahr begeben."

Er hatte eine recht genaue Vorstellung davon, wieso Blues Splitter dunkel blieb, doch wollte er es seinen Kameraden nicht zumuten. Sie mussten jetzt einen klaren Kopf bewahren.

„Wir gehen zu zweit", beschloss John rasch und trat auf ihn zu. „Nicht dass du dich aus dem Staub machst."

Es war keine Zeit für Diskussionen, daher fügte sich Zinus wortlos und ging voran. John folgte dicht auf, während der Rest zurückblieb. Die beiden schritten aus Therese Schild heraus, doch sie rissen sich zusammen und atmeten durch den Stoff ihrer Ärmel.

Trotz des Gestanks wandte sich John an Zinus. „Also. Klär mich auf. Was sollen wir nicht mitbekommen?"

„Anstatt zu erklären und du daran zu zweifeln, kann ich es dir zeigen."

John verstand zunächst nicht. „Zeigen?"

„Gib mir dein Tablet."

„Denkst du, daran hätte ich nicht auch schon gedacht?", erwiderte John. „Mit dem Bildschirm kannst du nichts anleuchten. Der ist nur reflektiv."

„Verstehe." Damit hatte Zinus nicht gerechnet. Es mochte wohl taktische Gründe haben, ein militärisches Gerät ohne eigene Lichtquelle auszustatten. „Geh trotzdem in die Hocke. Ich habe selbst etwas mit geringen Lichtemissionen bei mir."

Er holte seinen Scanner hervor und ging zusammen mit John in die Knie. Zinus führte den schwach leuchtenden Bildschirm dicht über die dunkle Oberfläche. Er ließ den Lichtschein nur wenige Zentimeter darüber wandern, bis der Rand der spiegelnden Fläche erreicht war.

Wie sehr sich Zinus wünschte, dass er sich irrte. Sein

Herz schlug ihm bis zum Hals. Er erkannte an manchen Stellen Stoffe, durchnässt oder teils verkrustet. Sie umhüllten zu einem geringen Teil verschieden große Bündel. Bündel mit ledriger Oberfläche. Einige gegerbt, andere noch frisch. Haare. Und Finger.

John schnellte wieder in den Stand. Doch kein Mucks verließ seinen Mund.

Dieser Raum war angefüllt mit Teilen von menschlichen Körpern. Sie wateten nicht durch knöcheltiefes Wasser, sondern in Unmengen an Blut.

„Was bedeutet das für Blue?", fragte John mit trockener Kehle.

Bevor Zinus antworten konnte, hörten sie wieder das sanfte Schlagen auf die Oberfläche des Blutteichs. Die beiden richteten sich danach aus und schritten weiter voran. Sie setzten die Füße behutsamer als zuvor auf, bis sie nach wenigen Momenten ihr Ziel erreichten.

Zinus hockte sich hin und führte den Scanner über den Boden. Das Licht erfasste eine linke Hand, deren Finger in das Blut getaucht waren. Zinus ließ den Schein nach oben den Arm entlang wandern. Schließlich beleuchtete er Blues, von schwarzem Blut verschmiertes Gesicht.

„Blue?", fragte John hinter ihm entsetzt.

Die Finger waren erneut zu hören, wie sie vor den beiden auf die Blutoberfläche schlugen.

Zinus tastete den kaum spürbaren Puls, worauf er den Kopf an Blues linkes Ohr nahm und flüsterte: „Blue, hier ist Zinus. Alles wird gut. Wir holen dich hier raus. Hörst du? Wir sind gekommen, um dich zu retten."

Zinus meinte, ein winziges Lächeln auf ihrem Gesicht erkennen zu können. Er führte den Raumkristall heran, worauf ein geringes violettes Schimmern von Blues Splitter ausging, kaum heller als das Leuchten des Scanners. Bevor er aber den Kristall auf ihre Stirn setzte, leuchtete er mit beiden

Lichtquellen ihren Körper ab. Er wollte darauf gefasst sein, was gleich für eine Arbeit anstehen würde. Erst danach nahm Zinus den Splitter behutsam an Blues Stirn.

„Traust du dir das zu?", fragte John unsicher.

Zinus antwortete konzentriert: „Der Splitter muss exakt in die Fissura longitudinalis cerebri vor die Spitze des Broca-Arr…"

„Okay, okay. Hab schon verstanden."

Zinus setzte den Splitter vorsichtig an und steckte den Scanner weg. Im nächsten Moment schrie Zinus über die linke Schulter: „Hört zu! Es muss jetzt schnell gehen! Ich habe Blue! Nehmt euch alle an der Hand! Wenn der Raumkristall aufleuchtet, teleportiert ihr euch ohne zu zögern zu mir! Beachtet nichts anderes um euch herum. Packt mich, so schnell ihr könnt! Sobald ich euren Kontakt spüre, drücke ich zu und wir sind hier weg!"

Zinus wartete auf keine Antwort oder Nachfrage und drückte den Splitter leicht an Blues Stirn, worauf der Raumkristall aufstrahlte. Nahezu im selben Moment schlugen mehrere Hände auf Zinus' Rücken und krallten sich in sein Hemd. Der Scanner piepte.

Zinus führte die Bewegung zu Ende und die Gruppe stolperte auf einen ebenen, gepflasterten Boden. Die Wächter ließen von Zinus ab und husteten in die frische Luft hinein.

Es war Nacht, aber der Platz hell erleuchtet. Zinus nahm Blue auf die Arme und lief ein paar Schritte aus der Gruppe heraus. Er blickte sich hektisch um und erkannte durch das grelle Licht der Laternen, dass er vor einem Krankenhaus stand.

Perfekt!

Im nächsten Moment teleportierte er sich mit Blue in das gläserne Eingangsportal der Notaufnahme, und ließ die anderen hinter sich.

Kapitel 29 - Ernüchterung

„Was sollte das?!", keuchte Ivan.

Die wenigen, die es überhaupt begriffen hatten, dass Zinus verschwunden war, schauten sich schwer atmend nach ihm um.

Bevor Susan nach ihm fragen konnte, schrie Therese auf: „Fox! Was ist mit dir passiert?!"

Alle Augen richteten sich auf den Jungen, der selbst erschrocken an sich hinabblickte. Er war vom Unterkiefer abwärts vollkommen mit einer dunkelroten Flüssigkeit benetzt.

„Therese! Du auch!", stieß Stephanie hervor.

Die Blicke widmeten sich ihr. Auch sie selbst sah, dass ihre Beine bis zur Hüfte rot gefärbt waren.

„Ist das Blut?", stammelte Alexandreiji.

Susan schluckte schwer. *Das kann nicht von ihnen stammen.* Sie sah es den blassen Gesichtern an, dass alle selbst ihren Aufenthalt in dieser stinkenden Dunkelheit neu bewerteten.

„Was ist geschehen?", erklang eine melodische Stimme in Susans Rücken.

Sie drehte sich herum und erfasste Nihko und Yuhna, die die Gruppe mit weit aufgerissenen Augen musterten.

„Das vermag wohl gerade niemand zu erklären", gab Iris zurück.

„Und das sind …?", fragte Ivan angespannt.

Susan wandte sich wieder den Wächtern zu. „Das sind Nihko und Yuhna. Ich bin mir nicht sicher, ob wir euch allen von ihnen erzählt haben."

Sie schienen alle zumindest die Namen schon mal gehört zu haben. Nur Stephanie und Therese nickten behäbig. Sie betrachteten die fremden Wesen mit vorsichtiger Neugier. Fox' Augen dagegen strahlten bei ihrem Anblick.

„Bevor wir mit einer Vorstellungsrunde beginnen", warf John ein. „Hat jemand Zinus und Blue gesehen?"

Auch die Letzten erkannten nun, dass Zinus und Blue nicht unter ihnen waren. Nur der Raumkristall lag zu ihren Füßen.

„Ihr sucht nach den zwei Personen, die mit euch ankamen?", fragte Yuhna, während sich Susan nach dem Kristall bückte.

„Ja. Habt ihr gesehen, wo sie hin sind?", entgegnete John.

Iris dolmetschte Johns Frage, worauf Nihko auf den linken Gebäudeflügel des Krankenhauses zeigte. „Sie sind dort drin."

„Wieso?", fragte Stephanie, ohne von jemandem eine Antwort zu erwarten.

Doch tatsächlich diente John mit kleinlauter Stimme damit. „Blue ist – in keinem guten Zustand."

Susan blickte in Johns verkniffenes Gesicht, während Iris für Yuhna und Nihko Johns Erwiderung übersetzte.

„Wie meinst du das?" Als Susan die Frage zögerlich über die Lippen brachte, verband sie zeitgleich im Kopf Blues möglichen Zustand mit dem Ort, an dem sie sie aufgefunden hatten. Es hatte nach Tod und Verwesung gestunken.

„Wir sollten uns erst mal zurückziehen." Alexandreiji zeigte auf den Haupteingang des Krankenhauses, vor dem sich mehrere Pflegekräfte sammelten und in ihre Richtung blickten.

Therese bemerkte, dass Iris auch Alexandreijis Einwurf für die Doronier übersetzte. „Können sie uns nicht verstehen?", vergewisserte sie sich. „Das könnte auf Dauer anstrengend werden."

Iris antwortete nachdenklich: „Da magst du recht haben. Aber das kann ich vielleicht gleich ändern." Sie wandte sich an Yuhna und Nihko mit der Bitte, für einen kurzen Moment ihre Gedanken miteinander verbinden zu dürfen, um ihnen einen Teil des irdischen Sprachvermögens zu vermitteln, um die Wächter zu verstehen.

Auf ihre rasche Zustimmung folgte nur ein kurzes oranges Aufleuchten an der Stirn der Doronier.

„Das war's schon?", fragte Alexandreiji.

Ein leichtes Lächeln von Yuhna und Nihko richtete sich auf ihn und signalisierte, dass sie ihn tatsächlich verstanden.

Im nächsten Moment hörte Susan ein Piepen. Sie erfasste Zinus und die Reste seines wellenförmigen Teleportationsportals.

Er wollte gerade etwas sagen, als er sich genervt den Scanner vom Gürtel zog und ihn gegen die Wand des Parkhauses feuerte. Während die gesamte Gruppe mit großen Augen zusah, wie die Einzelteile hinter eine Hecke rieselten, sprach Zinus hektisch in die Runde: „Iris. Ich brauch dringend deine Hilfe."

„Wie geht es Blue?", warf John dazwischen.

„Kann ich helfen?", bat sich auch Therese an.

„Nicht jetzt", wiegelte Zinus ab. „Iris, bitte klink dich bei mir ein."

„Das funktioniert bei Teleportationen leider nicht", bedauerte Iris. „Wo soll ich hinkommen?"

„In einen der OP-Säle." Im selben Augenblick war Zinus wieder verschwunden.

„Wir ziehen uns derweil in den Gemeinschaftsraum der Jugendherberge zurück", warf Susan schnell ein.

„Verstanden", bestätige Iris und zerfiel zu einem hellen Leuchten, das auf die Notaufnahme zuschoss und durch die Mauer verschwand.

Susan atmete durch. *Ich hoffe, ihr bekommt das hin. Bitte, Blue. Sei stark.*

Das Geräusch eines einbiegenden Autos lenkte die Aufmerksamkeit der Wächter und Doronier auf die andere Seite des Vorplatzes.

Eine Polizeistreife!

„Die sollten uns besser nicht in die Hände bekommen mit dem ganzen Blut an uns", meinte Ivan.

„Und sie auch nicht." Stephanie nickte sachte in Richtung der Doronier. „Vielleicht wurde die Polizei wegen ihnen gerufen und deshalb ist das Krankenhauspersonal auf den Beinen."

„Die suchen nach *mir*."

Alle Augen richteten sich auf Susan. Sie schluckte schwer.

„Wieso sollte die Polizei nach dir suchen?", fragte Ivan.

„Wenn wir noch länger warten, werden sie es uns selber erzählen", unterbrach John die Diskussion.

Ohne einen weiteren Moment verstreichen zu lassen, trat Stephanie auf Nihko und Yuhna zu. „Ich hoffe, euch macht es nichts aus, dass wir euch mitteleportieren?" Sie legte zögerlich je eine Hand an ihre Arme.

Sie zuckten nicht zurück. Stattdessen deuteten sie ein Nicken an.

Ich hoffe, das bedeutet bei denen genau so viel, wie bei uns. Susan nahm ihre Hand auf Fox' Schulter.

Als der Streifenwagen die Straße zur Notaufnahme einschlug, zeugte nichts weiter von ihnen, als eine Reihe blutiger Schuhabdrücke.

Iris entdeckte Zinus kniend in der freien Ecke eines OP-Saals. Er wurde von dem Notoperationsteam nicht bemerkt, das in der Mitte des Saals konzentriert aber auch in einer dosierten Hektik an Blue hantierte.

„Ich bin da", flüsterte Iris ihm sachte ins Ohr.

Zinus nickte. „Einen Moment noch", gab er leise zurück.

Iris beobachtete, wie Blues heruntergeschnittene Kleidung in einem bläulich transparenten Beutel entsorgt wurde. Zwei Schwestern reinigten ihren Körper auf einer fahrbaren Trage aus Edelstahl mit Schwämmen grob von Schmutz und Blut. Der Chirurg streifte sich Handschuhe über, während ein weiterer Arzt nebenan noch am Waschbecken mit der Reinigung der Hände beschäftigt war. Zu viert hievten sie Blue auf den Operationstisch. Gleich darauf wurde sie an mehrere Maschinen angeschlossen. Der Herzmonitor gab das Geräusch eines sehr schwachen und langsam schlagenden Herzens von sich. Die bisherige manuelle Beatmung mit einen Plastikbeutel wurde durch die Verlegung eines Schlauchs in ihren Mund nun ebenfalls von einem Gerät übernommen. Das OP-Team setzte Zugänge, durch die zunächst Blutproben entnommen wurden und Blue anschließend diverse Flüssigkeiten zugeleitet wurden.

„Was soll ich tun?", flüsterte Iris zu Zinus, der hinter dem fahrbaren Defibrilatortisch kauerte.

„Ich möchte, dass du einen nach dem anderen dazu bringst, den Saal zu verlassen", antwortete Zinus leise.

Hätte Iris Augenbrauen gehabt, wären diese sichtbar verständnislos nach oben gewandert. *Was beabsichtigt er damit?*

„Schaffst du das?"

„Ja schon. Aber …"

„Blue ist stabil und in Kürze gut versorgt. Von hier an kann ich ihr besser helfen, als die dort."

„Wie kommst du darauf?"

Zinus' Stirn runzelte sich über einem flehenden Blick. Er flehte damit nicht nach ihrem Handeln, sondern forderte ihr Vertrauen.

Iris wischte ihren Anflug von Skepsis weg. *Ich darf nicht an ihm zweifeln!*

Sie richtete sich auf.

„Also gut," flüsterte sie mehr als Ansporn für sich selbst, als für Zinus' Bestätigung.

Iris trat behutsam an den Tisch heran, auf dem ihre letzte Gefährtin an etlichen Stellen mit Unmengen von Desinfektionsmitteln eingerieben wurde. Sie bereitete sich mit jedem Schritt mehr auf den Anblick vor. Ein Gefühl wie von einer beengten Kehle erfasste sie.

Der Chirurg widmete sich der offensichtlich schwersten Verletzung: An der rechten Schulter, an der eigentlich ihr Arm sitzen sollte, klaffte eine Wunde, aus der eine Vielzahl feiner Drähte herausragte. Die Stelle blutete nicht. Sie schien vielmehr ausgebrannt worden zu sein.

Aus dem rechteckigen Loch am linken Oberschenkel dagegen triefte das frische Fleisch um den offen liegenden Knochen deutlich.

Iris' Blick wanderte unter Schock über den blassen Körper nach oben. Er verharrte schließlich auf dem weißen Gesicht mit den blauen Lippen, zwischen denen ein breiter Plastikschlauch herausragte. Die schwarzen Haare waren noch feucht und von nach Rost und Schwefel stinkendem Blut verklebt.

Was ist nur mit dir passiert?

Iris zögerte. Doch dann widmete sie sich zuerst der Schwester, die zwei Schritte hinter dem Team um den Tisch stand. Diese wartete auf eine Aufforderung des Arztes, ihm eine neue Ladung Tupfer zu reichen, mit der er den Rand der Wunde am Bein auspolsterte.

Das orange Schimmern an den Schläfen war nur wenige Sekunden zu sehen. Mit leerem Blick setzte sich die OP-Schwester in Bewegung, zog die schwere Schiebetüre auf und verließ unbemerkt den Raum.

Iris trat auf die Schwester am Tischende zu, die dem Chirurgen assistierte. Auch sie ging unvermittelt auf den Ausgang zu. Gleich darauf stellte der Assistenzarzt die Arbeit ein, nahm die Hände von der Wunde und marschierte davon.

Als sich auch die letzte Schwester von der Seite des Chirurgen trennte, schaute dieser kurz auf. Doch im nächsten Moment war es ihm bereits gleichgültig, dass er nur noch alleine am Tisch stand. Er folgte den Kollegen in gemächlichem Schritt.

Zinus sprang auf, drehte das Wasser am Waschbecken auf und schob die Schiebetüre zu. Er blockierte die Schiene der Türführung durch Eis, das er aus dem umgelenkten Wasserstrahl schuf. Mit einer Eisfläche verschleierte er auch die Sicht des Glasfensters in den Nebenraum.

„Danke", gab Zinus knapp von sich und trat rasch auf das Waschbecken zu.

„Wie kann ich noch helfen?", fragte Iris.

„Ich sehe sie mir jetzt erst mal genauer an", antwortete Zinus, während er sich bis zu den Unterarmen mit Seife einrieb.

„Ich werde dir dann verschiedene Sachen nennen, die ich brauche. Schreib sie bitte auf einen Zettel." Er hielt kurz inne. „Kannst du dir die Sachen merken? Es werden nicht wenige Dinge sein."

„Ich kann dir die Inventurliste des ganzen Krankenhauses aufzählen, wenn ich sie nur einmal höre", versicherte Iris.

Zinus nickte zufrieden.

Ivan tastete im Halbdunkel der durch die Fenster dringenden Morgendämmerung nach dem Lichtschalter. Als die Deckenlampen aufflackerten, sahen sich die Wächter und Doronier im Gemeinschaftsraum um.

Für manche von ihnen war es tatsächlich fast wie gestern, als sie hier eine ihrer letzten Besprechungen abgehalten hatten.

Susan betrachtete Nihko und Yuhna, die von der Teleportation unbeeindruckt blieben. *War vielleicht nicht ihr erstes Mal. Oder sind sie einfach so furchtlos?*

„Also. Wieso sucht man nach dir?", riss John sie aus den Gedanken. Er blickte mit zusammengezogenen Augenbrauen auf sie. Auch die anderen schauten sie wissbegierig an. Nur Fox trat an das kleine Waschbecken neben der Türe und wusch sich das bereits angetrocknete Blut vom Hals.

Susan starrte zunächst auf die weiße Wand gegenüber und ordnete ihre Gedanken. *Wie weit soll ich ins Detail gehen?* Ihr Herz pochte mit jedem Schlag härter. *Wie werden sie das aufnehmen? Werden sie mich als Feigling bezeichnen? Was wird Therese dazu sagen, dass ich mich umbringen wollte?*

Sie schloss die Augen und atmete tief ein. „Ich lag bis vor wenigen Stunden noch im Krankenhaus und hab mich rausgeschlichen."

Susan zog die Ärmel bis über die verbundenen Handgelenke zurück, so dass sie jeder sehen konnte. Sie wickelte den linken Verband ab und nahm die sterile Abdeckung von der Wunde.

Ungläubige und entsetzte Blicke schnellten von der Verletzung auf das abgewandte Gesicht Susans. Ihr Herz schlug ihr bis zum Hals.

Therese trat auf Susan zu und nahm ihre linke Hand. Sie strich sanft über die Nähte des Handgelenks.

„Ich konnte offenbar etwas schlechter damit umgehen als ihr", sagte Susan leise, als sich alle mit Nachfragen zurückhielten.

Therese drückte sie an sich. Dabei schaute Susan über ihre Schulter auf Ivan, der in diesem Moment besonders betroffen wirkte. Susan ließ sich von Therese zur Couch an der Wand leiten. Gemeinsam setzten sie sich. Die weiter fragenden Blicke auf sich, erzählte Susan in kurzen Zügen von ihrer wirren Aktion vor den Augen ihrer Eltern. Dabei schnürte sich ihre Kehle immer enger zu. Stephanie ließ sich an Susans anderer Seite nieder und drückte sie ebenfalls an sich.

„Ich hoffe, ihr nehmt mir das nicht übel."

Während der Rest um einen passenden Kommentar verlegen war, bemühte sich Therese um beistehende Worte. „Allem voran sind wir froh, dass es dir gut geht. Und ich finde es eine starke Leistung, dass du mit Reue von deinem Handeln Abstand genommen hast."

Susan lächelte ihr gedrängt zu. *Danke.*

Von den meisten Wächtern unbemerkt, drang ein sternhaftes Leuchten durch die Fensterscheibe und löste sich auf.

„Ist etwas vorgefallen?", fragte Iris.

Susan erhob sich vom Sofa. „Nein. Alles okay. Was ist mit Blue?"

„Ihr Zustand ist stabil, aber sie hat ein paar gravierende Wunden. Darunter fällt auch ein fehlender Arm."

Die Mienen der Wächter verdüsterten sich weiter.

„Zinus kümmert sich in einem okkupierten Operationssaal um sie. Er braucht aber noch etliche Sachen, die wir für ihn besorgen sollen."

„Um die kümmere ich mich", sagte John und zog sein Tablet aus der Seitentasche.

Das Gerät war schnell auf das offene WiFi der Herberge eingestellt. Während John im Internet nach den gesuchten Utensilien recherchierte, widmeten sich die anderen den Fremden.

„Wie lange sucht ihr schon nach den Ka'ara?", fragte Therese.

„Knappe 170 Zyklen", antwortete Nihko.

Iris ergänzte: „Ein Doronia-Zyklus sind circa 53 Erdenjahre."

„Also 9.000 Jahre?!", rief Alexandreiji aus, wodurch der Rest das ansätzliche Rechnen gleich wieder einstellte.

„Wie alt werden Doronier denn?", fragte Ivan.

„Doronier haben eine Lebensspanne von etwa 70.000 Erdenjahren", erklärte Iris. „Ihr *Jugendalter* endet mit 2.000 Jahren. Danach altern sie nur noch marginal. So etwas wie Altersgebrechlichkeit kennt ihr Volk nicht. – Eine Reihe Titanstäbe mit den ungefähren Maßen drei auf fünf Millimeter."

Mit dem letzten Satz widmete sie sich wieder John, der mit erhobenem Kopf auf den nächsten Punkt in der Einkaufsliste wartete.

„Dabei gestaltete sich unsere Suche leider nicht sehr aufschlussreich", fuhr Yuhna fort. „Wir harrten nur darauf, bis sich uns endlich eine Möglichkeit bot, die Ka'ara aufzuspüren. Aber sie schotteten ihre Heimatwelt ab, so dass wir sie nicht lokalisieren konnten. Erst vor kurzem spürten wir zum ersten Mal wieder einen der ihren. Wir zögerten keinen Moment, hierher zu kommen. Aber die Zeitverzögerung mit dem Auftauchen der einen Ka'ara betrug zu lang. Sie war bereits weg."

„Die eine? Ich dachte, es befanden sich beide Geschwister auf Andalon?"

„Das war kurz *nach* unserer Ankunft auf der Erde. Was uns aber hierher lockte, war die Anwesenheit nur einer einzelnen Person. Allerdings waren ihre Spuren ungewöhnlich schwach."

„Kann es sein, dass die Anwesenheit der verdammten Herrscherin nach ihrer Befreiung aus dem Kristall von den beiden immer noch gespürt werden kann? Selbst nach der Veränderung der Realität?", wandte sich Stephanie an Iris.

„Das mag ich nicht mit Sicherheit zu sagen. Aber sie haben wirklich ein außergewöhnlich feines Gespür. Und wenn sich das Geschehene noch in unseren Erinnerungen befindet: Wieso sollte es nicht auch Rückstände auf anderen Ebenen geben, die von der Schlacht in den Ruinen von Andalon zeugen? – Pneumatische Zylinder in verschiedenen Größen. Wenige Millimeter bis zu 30 Zentimeter."

Alexandreiji sinnierte: „9.000 Jahre also. – Iris. Kamst du nicht etwa um diese Zeit auf die Erde?"

Iris ging nicht auf die Frage ein und blieb stumm.

„Iris?", hakte Alexandreiji nach.

Von ihr kam nur ein beiläufiges „Hm?"

„Ich fragte, ob du nicht auch vor 9.000 Jahren zum ersten Mal die Erde betreten hast. Also ungefähr zur selben Zeit, als die Narach und Ka'ara in Doronia einfielen?"

„Ja. – Schon ein seltsamer Zufall."

Diese Antwort klang mehr als unbeholfen.

Susan sah den anderen Wächtern an, dass auch in ihnen ein beunruhigendes Gefühl aufstieg. John unterbrach sogar seine Suche und ließ das Tablet sinken. So ein Verhalten kannte man von Iris nicht.

Susan erinnerte sich: „Als die beiden zum ersten Mal davon erzählten, dass ihr Volk von den Ka'ara ausgelöscht wurde, hast du ungewöhnlich stark betroffen reagiert. Gerade so, als wäre dein eigenes …"

Susan unterbrach den Satz. Sie hatte eine ungute Vorahnung. Auch der Rest schien sich ihrem Gedankengang anzuschließen.

„Bei deiner Vorstellung damals sagtest du, du hättest deine Heimat verloren", stieß Stephanie die Unterhaltung wieder an. „Heißt das …"

Schweigen und vermeintlich erkenntnisvolle Blicke, in die trauriges Mitgefühl einzog, erfüllten den Raum.

Schließlich war von Iris ein verzweifeltes Ausatmen zu vernehmen.

Die Versammelten hörten ihre nervöse und geradezu ängstliche Stimme: „Ich denke, es ist an der Zeit, euch allen die Wahrheit zu sagen."

„Du musst nicht …", setzte Therese an.

Doch Iris unterbrach sie mit zitternden Worten: „Dies wird in erster Linie keine Geschichte, für die ihr mich bemitleiden werdet."

Iris atmete tief durch, während ratlose Blicke auf den Ursprung ihrer Stimme gerichtet waren. „Vor 9.000 Jahren begleitete ich meinen Mentor Nerosa-El auf eine Welt, die er schon oft besucht hatte. Er kannte den Herrscher dieser Welt persönlich. Der Gebieter und seine gesamten Untertanen sollten von gutem Gemüt sein und über außergewöhnliche Fähigkeiten verfügen. Ihr Reich unter einer gelben Sonne an einem weißen Himmel. Blühende Landschaften in Gelb und Rot. – Das Oberhaupt trug den Namen Sa'ren. Und die Welt von der ich spreche war Ka'ara."

Ausnahmslos jeder Zuhörer hielt den Atem an.

Susan war geschockt. Wie konnte Iris ihnen so lange verheimlichen, dass sie bereits in der Heimat des Feindes gewesen war? Waren diese Informationen es denn nicht wert, preisgegeben zu werden? Aber noch wollte sie ihr keinen Vorwurf machen. Vielleicht bot sie noch eine plausible Erklärung.

„Wir nahmen die Gestalt der Bewohner an, wie wir es immer taten und begaben uns nach Ka'ara. Doch dort erwarteten uns keine gutmütigen Personen. Und noch weniger eine blühende Landschaft unter einer strahlenden Sonne. – Wir erblickten vom Gebieterschloss herab eine karge, im Nachtschatten liegende Eiswelt. In der Ferne erkannten wir tausende Narach, die sich im Kampf mit einer deutlich kleineren Gruppe Ka'ara befanden. Nerosa-El entschloss sich, einem verletzten Mädchen zu helfen, obwohl wir uns nie in Angelegenheiten anderer Völker einmischten. Und der Anführer dankte es ihm, indem er ihn gefangen nahm."

Iris legte ihre Nervosität ab. Stattdessen erzählte sie immer intensiver und aufgeregter: „Nerosa-El verhalf mir zur Flucht. Ich war erleichtert, es zurück nach Medina geschafft

300

zu haben. Ich sammelte die Kasten, um Nerosa-El zur Hilfe zu eilen. Die Hohepriester waren sich noch nicht einig, als sich ein Tor öffnete und die Narach auf Medina einfielen.

Doch noch mehr als nur die Narach folgte durch das offene Tor. Ein unbändiges Hassgefühl überkam mich. Voller Panik floh ich auf eine andere mir bekannte Welt – in der Hoffnung, dort sicher zu sein. Aber auch dort öffnete sich ein Tor, durch das mir die Narach folgten. – Und dieser beängstigende Hass."

Iris' Worte drückten sich zu diesem Zeitpunkt wie durch eine von Tränen beengte Kehle. „Ich eilte in eine andere Welt. – Gleich darauf in die nächste und in weitere. Doch ich konnte meine Verfolger nicht abschütteln. Mir fielen auf die Schnelle keine Welten mehr ein, auf die ich mich hätte retten können. Daher sprang ich nur noch auf Sicht. Auf Meteoriten, unbewohnte Planeten – bis zur vollkommenen Erschöpfung.

Mein letzter Zufluchtsort war der Mond dieser Erde. – Kein Tor öffnete sich mehr hinter mir. Ich musste sie auf dem Weg abgeschüttelt haben. Hatten sie das Interesse an mir verloren, oder hatte sie etwas aufgehalten? Ich wusste es nicht, und es war mir in diesem Moment auch egal."

Mit einem berstenden Krachen brach der Parkettboden unter Nihko auf, in den sich ihre Fußkrallen bohrten. Alle Blicke waren erschrocken auf die Doronier gerichtet, deren Fell an Nacken und Ohren zu Berge stand. In Nihkos Gesichtszüge unter dem rotbraunen Flaum zeichneten sich Falten voller Wut; in Yuhnas ein Ausdruck von unfassbarer Abscheu.

„*Du* hast sie nach Doronia geführt?", brach Nihko hervor. „Wir dachten, wir hätten für einen kurzen Moment eine Medinae gespürt. Das warst tatsächlich du? Du bist dafür verantwortlich, dass wir die letzten unserer Art sind?"

„Ich war in Panik!", verteidigte sich Iris lautstark. „Es tut mir wirklich unendlich leid. Nicht nur das Blut von Doronia klebt an meinen Händen. Wer weiß, in wie viele Welten ich noch das Verderben brachte. Angefangen mit meiner eigenen."

Die beiden atmeten schwer. Besonders Nihko konnte ihre Wut kaum im Zaum zu halten. Aber was sollten sie einem Wesen antun, das sie weder sehen noch berühren konnten?

Während sich Fox tiefer in seinen Sessel drückte, trat Ivan einen vorsichtigen Schritt nach vorne, als wollte er sich zwischen Iris und die Doronier stellen.

Susan fühlte sich gezwungen, mit irgendwelchen Worten die Situation zu beschwichtigen. Doch wie sollte sie das tun? Was konnte sie denn als Argument anbringen? Sie hätte Iris gerne in Schutz genommen. Aber sie selbst wusste nicht, wie sie Iris' Geständnis aufnehmen sollte.

Gerade als Therese aufstehen wollte, um ein vermittelndes Wort zu sprechen, wandte sich Nihko ab. Sie brach mit einem Sprung durch die explodierende Außenwand nach draußen. Yuhna folgte, ohne die Anwesenden eines letzten Blickes zu würdigen.

Staub der zerstörten Mauer zog durch den Raum, in dem die Wächter wie angewurzelt saßen oder standen. Als die letzten herumfliegenden Steine zur Ruhe kamen, sprach John mit gediegener Stimme: „So viel zu unseren Verbündeten."

Kapitel 30 - Basis

Bereits der erste Moment auf diesem besonderen Boden nahm den Wächtern nahezu alle Sinne. Dieser Ort war angefüllt von prickelnder Energie und besaß eine geradezu erdrückende Ausstrahlung.

Susan spürte die Erhabenheit und Sagenträchtigkeit in jeden Winkel ihres Körpers ziehen. Für einen Moment befürchtete sie einen Abwehrmechanismus der Insel, der ihre Anwesenheit wie ein Immunsystem bekämpfte. Doch das Prickeln auf ihrer Haut ließ nach. Ihre Augen nahmen wieder etwas wahr, aber viel zu erkennen gab es nicht. Ein bläulicher Dunst umgab sie, der die Helligkeit der frühen Morgensonne nur gering einschränkte. Hinter sich hörte Susan Wellen, die ruhig und gleichmäßig unter einem dichten Nebel hindurch an das Ufer schwappten.

Iris hatte die Wächter nach Afallon gebracht, vor die Küste Großbritanniens. Die sagenumwobene Insel, die auf magische Weise aus der Menschenwelt entrückt worden war. Seit Jahrtausenden Heimat der Elfen.

Die Wächter schienen hier geduldet, denn neben den rechtmäßigen Bewohnern sollten nur ihre ausdrücklichen Gäste die Insel betreten können, oder gar ohne Hilfe erst finden. Ob sie die Kristalle in ihren Köpfen dazu auswiesen oder sie selbst sogar zur Elfengleichheit erhoben, mochte in diesem Moment ohne Belang sein.

Iris führte sie vom Strand aus feinem Kiesel heraus auf einen gepflasterten Weg. Susans Sichtweite durch den Dunst betrug nicht mehr als einen Steinwurf – einen *normalen* Steinwurf.

In der Ferne ließ sich die Silhouette von Hügeln nur erahnen. Moos und Gras durchwuchsen die Fugen der weißen Pflasterplatten, auf eine nicht ungepflegte Weise. Der leicht gewundene Pfad führte zunächst durch satte, grüne, vom Tau bedeckte Wiesen und Sträucher. Vorbei an mehreren kleinen und wenigen größeren Wasserbecken sowie an kunstvoll verzierten Springbrunnen.

Susan war beeindruckt von den filigranen Meißelarbeiten und den glattpolierten Reliefs. Diesen Detailreichtum kannte sie schon vom Griff ihres Schwertes. Doch dieselbe Qualität hier in vielfacher Größe an fast jedem Zentimeter der Bauwerke zu sehen, konnte nur Staunen erwecken. Auch die Köpfe der anderen richteten sich mit jedem gemächlichen Schritt auf ein weiteres Detail oder ein neues Kunstwerk beiderseits des Weges. Keinerlei Statuen fanden sich hier. Keine Abbildungen von Personen oder Szenen, wie Susan es von anderen Kulturen aus diversen Dokumentationen erwartet hätte. Die einzigen Skulpturen hier bildeten Pflanzen ab, von Blumensträuchern bis hin zu meterhohen Bäumen. Keine, die Susan kannte oder hier beheimatet zu sein schienen. Auch mit Andalons Gewächsen aus Celes' Erinnerungen hatten sie nichts gemein. Dabei empfand Susan diese in ihren Träumen schon als exotisch.

Schließlich erreichten sie mehrere Gebäude mit Säulen statt Außenwänden. Nur seidene Laken verhüllten den Einblick ins Innere weitestgehend.

Iris bedeutete den Wächtern, in eines der römisch oder altgriechisch anmutenden Häuser einzutreten. Während Susan die antiken Vorbilder als stets rechteckige Gebäude in Erinnerung hatte, war die Grundfläche hier durchgängig rund oder oval.

An der Innenseite der Säulen hingen Kerzen, die den Raum in der Größe eines Klassenzimmers hell ausleuchteten. In der Mitte des Zimmers stand eine niedrige Bronzeschale mit glimmenden Kohlen, die eine angenehme Wärme verbreiteten.

„Und hier können wir einfach so unser Lager aufschlagen?", zweifelte Alexandreiji. „Sollten wir uns nicht erst jemandem vorstellen?"

„Hier gibt es niemanden, dem wir uns vorstellen könnten", sagte Iris. „Die Elfen haben die Insel vor etwa 1.000 Jahren verlassen."

„Verlassen?", fragte Stephanie. „Wohin verlassen?"

„Ich weiß weder wohin, noch kenne ich den Grund dafür. Sie waren von einem Tag auf den anderen verschwunden."

„Das hier sieht aber alles andere als unbewohnt aus", merkte Ivan an. „Als hätte es sich gerade jemand gemütlich gemacht."

„Die Kerzen brennen solange, bis sie gelöscht werden", erklärte Iris. „Die Elfen sind in mancher Hinsicht ein bequemes Volk. Daher ist fast alles auf irgendeine Weise verzaubert."

„Löscht man in der Regel nicht alles, wenn man für längere Zeit sein Haus verlässt?", meinte John.

„Die wenigen geduldeten Siedler aus Druiden und Mondpriesterinnen auf der gegenüberliegenden Seite der Insel sprachen damals von lauten, tobenden, aber auch verzweifelten Stimmen. Seit diesem Tag waren sie nicht mehr aufzufinden", führte Iris an.

„Ein überstürzter Aufbruch oder gar eine Flucht?" Stephanie drehte sich herum. „Auch wenn es dafür zu verdammt ordentlich aussieht."

„Solange wir selbst nicht mit dem Grund konfrontiert werden, ist mir das egal." John ließ sich genüsslich in einen Berg Kissen fallen. „Ich kann es hier gut aushalten."

„John. Wir haben alle noch Blut an uns", tadelte Therese.

Johns entspannter Gesichtsausdruck verschwand und er kämpfte sich aus den Kissen.

„Bevor wir es uns hier bequem machen, versuchen wir erstmal herauszufinden, was die Ka'ara beabsichtigen", führte Ivan an.

Susan blickte ihn mit gerunzelter Stirn an. *Woher der plötzliche Antrieb?*

Seine ganze Körpersprache strahlte eine nervöse Motivation aus. Als hätte man seine Griesgrämigkeit und sein Widerstreben weggespült.

„Wir tragen wieder eine Funkausrüstung zusammen. Mal sehen, ob wir hier Funk- oder Satellitenempfang haben. Zinus muss sich dann nur noch um die Konfiguration kümmern."

„Das kann ich auch", meinte John, worauf ihn alle zweifelnd anblickten. „Was? Denkt ihr, ich kann nur meine Fäuste schwingen und die Klappe weit aufreißen?"

Niemand wagte zu antworten.

„Danke", kommentierte John mit einem angesäuerten Blick. „Ich habe in den letzten Monaten bei den Sicherungstruppen viel gelernt. Das schaff ich schon. Soll sich unser Genie nur weiter um Blue kümmern."

„Hast du seine Liste zusammen?", fragte Susan.

„Alles bereit. Inklusive passender Besorgungsorte. Wir müssen in mehrere verschiedene Läden."

„Ich sorge erstmal für die Stromversorgung hier", warf Stephanie ein. „Und Fox will mir mit Sicherheit dabei helfen, oder?"

Sie wuschelte dem verlegen lächelnden Jungen durch die Haare. Er schien das vermisst zu haben.

„Braucht ihr noch einen Dritten im Bunde?", bot sich Alexandreiji an.

„Klar. Ich weiß nicht, wie viel es zu schleppen gibt."

Susan wandte sich an Therese, John und Ivan. „Dann bleiben wir vier noch für die Besorgungstour von Zinus."

„Ich sehe derweil nach ihm und Blue", meldete sich Iris zu Wort. „Ihr könnt den Raumkristall benutzen, um nachzukommen, sobald ihr die Sachen habt."

Man bedachte Iris nur vereinzelt mit kurzem Nicken, worauf sie sich zu dem kleinen Leuchten reduzierte und durch eines der seitlichen Laken schoss, ohne dieses zu beschädigen.

Susan verzog kaum merklich das Gesicht. Iris hatte sie in diesem Augenblick tatsächlich für einen Moment vergessen. Sie war natürlich einfach zu übersehen. Aber Susan merkte es auch den anderen an, dass nicht ihre Unsichtbarkeit alleine sie zu einem Außenseiter gemacht hatte.

Auch wenn es sicher die richtige Entscheidung war, das Schweigen endlich zu brechen und ihre Schuld offen zu legen. Sie büßte damit so viel Autorität und noch viel mehr Vertrauen ein.

Doch war Iris ihr Handeln wirklich vorzuwerfen?

„Zwei Kanister reichen fürs Erste." Stephanie hielt Fox zurück, der sich gerade zu dem nächsten Blechbehälter umwandte. „Ich bin ohnehin gespannt, ob wir das Aggregat so ohne weiteres teleportiert bekommen."

Der Stromgenerator war kleiner als eine Geschirrspülmaschine, aber hatte das Vielfache an Gewicht. Stephanie konnte ihn aus dem Schwerlastregal einer Baufirma dank ihrer gesteigerten Körperkraft zwar ohne Mühe heranrücken. Aber ob sich die Masse auch bei der Teleportation bemerkbar machen würde?

Alexandreiji sorgte mit seinem glühenden Kristallstab für die Beleuchtung in dem dunklen Lagerraum. Es roch nach Treib- und Schmierstoffen, daher wollten sie auch hier lieber nicht mit offenem Feuer hantieren.

„Und das Ding soll Geräte auf Afallon versorgen?", fragte Fox zweifelnd.

„Ja. Das steckt im Grunde genommen in jedem Auto." Stephanie lachte auf. „Weißt du noch, wie du dich erschreckt hast, als du zum ersten Mal eins gesehen hast?"

Fox verzog die Lippen. Er erinnerte sich ungern daran, wie er panisch vor dem Auto davonlief, kaum hatten sie Susans Haus verlassen, um das Schwimmbad aufzusuchen.

Doch bei dem Gedanken konnte er sich ein klein wenig in Iris einfühlen: Er hatte Angst – unsägliche Todesangst vor etwas Unbekanntem, das auf ihn zuraste. Alles war aus seinem Kopf gewischt. Nur der bloße Überlebenswille und die Flucht beherrschten ihn.

Auch Alexandreiji lächelte, als er sich die damalige Situation ins Gedächtnis rief. Dabei war er davon selbst überfordert gewesen. Nur anstatt zu flüchten, erstarrte er vor Angst wie ein Reh vor Autoscheinwerfern in der Nacht.

„Ich will es erst mal allein versuchen", bat Stephanie. „Kommt mit den Kanistern nach."

Sie legte die Hände auf den Sechszentner-Klotz und konzentrierte sich. Die Luft um sie und den Generator herum verschwamm. Im nächsten Moment stand sie bereits auf Afallon. Die Luftwellen hatten sich gerade geglättet, als auch schon Fox und Alexandreiji folgten.

„Das war einfach", stellte Stephanie ernüchternd fest. „Kein Unterschied."

„Und wie funktioniert das Ding nun?", fragte Fox aufgeregt.

„Du schraubst dort den Deckel ab und füllst Diesel rein. Bis einen Finger breit unter die Öffnung."

Fox befolgte Stephanies Anweisung und füllte sehr bedächtig den Treibstoff ein.

Derweil kontrollierte Stephanie nochmals den Ölstand. Sie staunte still darüber, wie problemlos sie solch komplexe Gegenstände teleportieren konnten. Ihre eigenen Körper waren zwar auch nicht einfach gestrickt. Die Kristallsplitter in ihren Köpfen verband sie aber vielleicht auf irgendeine Weise, so dass sie sich sogar gegenseitig teleportieren konnten. Aber was Fremdes? Sie fragte sich, ob es irgendwo eine Grenze gab, was Komplexität, Größe oder Masse betraf.

„Fertig." Fox stellte den Kanister ab und drehte den Tankdeckel wieder auf.

Stephanie lächelte dem aufgeregten Jungen entgegen. „Dann kann's auch schon losgehen."

Sie stemmte sich mit einem Bein gegen den Generator und riss mit aller Kraft an dem aufgewickelten Starterseil, das beim Anschlag abriss. Der Motor schien zu bocken und nur nach zwei Rumplern wieder stehen bleiben zu wollen. Stephanie blickte fluchend auf das abgerissene Seil in ihrer Hand. Doch dann nahm der Verbrennungsmotor Fahrt auf. Der lautstarke Lauf wurde schnell gleichmäßiger.

Erleichtert legte Stephanie das Seil daneben. Aber es ärgerte sie weiter. Ein Bruchteil der Kraft hätte schon ausgereicht. Ein Wunder, dass sie alle nicht aus Gewohnheit beim Öffnen einer Türe die Klinke in der Hand hielten, oder gar die ganze Türe aus den Angeln rissen.

Stephanie lächelte. Sie erinnerte sich bei dem Bild in ihrem Kopf an ihrer aller Erwachen in Susans Zimmer zurück. Susan hätte dies fast vollbracht, als sie in den Flur hetzte, um ihre Mutter zu tadeln.

„Das ist verdammt laut." Fox hielt sich die Ohren zu. Seine Stimme war nur gedämpft am Generator vorbei zu hören.

Allerdings. Stephanie blickte sich um. Die Wellen des Meeres waren trotz des Nebels zu erkennen, aber nicht mehr zu vernehmen. Stumm verteilten sie sich am Strand. Sie waren bislang das einzige Geräusch gewesen, das die Insel bestimmt hatte. Keine Vögel, keine Insekten hatten sich bisher bemerkbar gemacht. Dieser Ort befand sich in einem Schlaf, den sie mit ihrer Anwesenheit störten.

Vielleicht findet sich im Kristallsplitter eine Lösung dafür.

Die andere Gruppe um Ivan, Susan, Therese und John stöberte in mehreren Elektronikläden des nächtlichen Florida nach Ausrüstung und Werkzeug. Die Alarmanlagen an den Türen und Fenstern beeindruckten sie nicht weiter. Nur die Geschäfte mit Kameraüberwachung mieden sie.

Ivan verglich gerade verschiedene Kabelstärken mit der Aufschrift der Behälter, als Therese aus dem Nebenzimmer kam. Sie hatte die druckfrischen Ausgaben der Financial Times und USA Today durchgeblättert, die vor dem Laden lagen. Auf einem Fernseher lief CNN im Hintergrund.

„Also aktuell deutet zumindest nichts auf offensichtliche Aktionen der Feinde hin."

„Vielleicht fangen sie wieder damit an, zuerst im Verborgenen zu agieren", meinte Susan, als sie eine Endstufe aus dem Regal räumte.

„Da hätte uns das Gespür der Doronier sicher weiterhelfen können", bedauerte Ivan. *Mit ihnen haben wir nicht nur zwei mächtige Verbündete verloren, sondern auch einen immensen Wissensquell über die Feinde.* „Was hat sich Iris nur dabei gedacht?"

„Dass sie ihnen die Wahrheit gebeichtet hat? Oder dass sie in Todesangst flüchtete und damit die Doronier ins Verderben stürzte?", fragte John beiläufig, als er drei verpackte LCD-Bildschirme zu dem Haufen stellte, den sie mitnehmen wollten.

Ivan verzog nachdenklich die Lippen.

Susan versuchte sich an einer Antwort, während sie tiefer gelegene Türen der Wandschränke aufschob: „Ich denke, dass sie nur das tat, was in diesem Moment richtig erschien – nicht in der Lage, einen Gedanken auf mögliche Konsequenzen zu lenken."

Ivan streckte sich und atmete tief ein. Dabei fasste er Susans Handgelenke ins Auge.

John legte zwei Rollen Drähte in eine offene Pappschachtel, in der sich noch diverse andere Feinelektronik befand, und drückte sie in Ivans Arme.

„Das ist alles, was Zinus braucht. Geh damit vor und lass dich von Iris zu ihm bringen."

Wieso ausgerechnet ich?, dachte sich Ivan, und blickte wieder auf Susan. Er blieb lieber in ihrer Nähe. Wobei ... Irgendetwas widerstrebte ihm. Ein komisches Gefühl im Magen sagte ihm, dass etwas an seiner Anwesenheit nicht stimmte.

„Na los. Hopp." John gestikulierte mit den Händen, dass er sich davonmachen sollte.

Ivan fügte sich kommentarlos und teleportierte sich nach Afallon.

„Ich habe die Sachen für Zinus", meinte er in behäbigem Ton, als er auf das Trio um den Generator zutrat.

Eine Barriere wie eine dicke Glasglocke aus Eis umhüllte das Gerät und dämmte das Betriebsgeräusch fast gänzlich ein.

„Dann bring sie gleich zu ihm." Alexandreiji deutete nach drinnen. „Der Raumkristall dürfte noch auf dem Tisch liegen."

Ivan nickte und trat in das Gebäude. Er nahm das Juwel auf und musste nur an Zinus denken, um sich direkt zu ihm zu teleportieren. Doch er hielt für einen Moment inne.

Susan ging ihm einfach nicht aus dem Kopf. Seine Gedanken drehten sich unkoordiniert um sie, ohne klar zu erfassen wieso. Er hatte eine Schwäche für sie – immer noch. Sie wollten das eigentlich bereden, damals, wenn der Krieg vorbei sein sollte. Aber das war ihm im Moment nicht wichtig. Dieses Gefühl. Da schwelte etwas anderes in ihm.

Ivan schüttelte den Kopf. Das Zeug in dem Karton musste zu Zinus. Er musste jetzt an Blue denken.

Ivan blickte auf den Raumkristall in seiner rechten Hand. Doch, anstatt sich zu teleportieren, stand er weiter auf demselben Fleck.

Er erinnerte sich zurück an die junge, außergewöhnlich hübsche Frau. Und an die Schuldgefühle ihr gegenüber, nachdem er sie mit der Feuerwalze entstellt hatte. Hatte er sich dafür überhaupt bei ihr entschuldigt?

Ivans Magen zog sich zusammen. Sein Herz grollte. Unwillkürlich nahm er den Raumkristall in einen festen Griff und verschwand.

Kapitel 31 - Veilchenlila

Rumrum Rumrum.

Blue hätte den projizierten Benachrichtigungston in ihrem rechten Ohr fast überhört. Die Aufbereitungsanlagen waren zwar nicht übermäßig laut, aber die etwa dreißig aneinandergereihten Geräte bestimmten mit ihrem Betrieb doch deutlich den Geräuschpegel. Ihre Wäsche dauerte anhand der Anzeige noch fünf Minuten. Blue hob den linken Unterarm vor die Brust und wischte mit der rechten Handfläche darüber. Ein holographisches Display blendete sich ein und öffnete ihren Posteingang.

Von der Medizinischen Aufsichtsbehörde? Von dieser vorstehenden Instanz der zwölf Distriktabteilungen hatte sie noch nie eine Nachricht erhalten. Von der für sie zuständigen Abteilung selbst hatte sie vor Monaten den letzten Kontakt zur Routineüberprüfung des körperlichen und geistigen Zustands gehabt.

Blue öffnete zögerlich die Nachricht. „An Blue Six Tetherton 4-S, Ihr Urin (Gemessen: 07/03/3053//0621) zeigte Auffälligkeiten. Bitte melden Sie sich persönlich (Termin: 07/03/3053//1540) in der Medizinischen Aufsichtsbehörde der Sektion 3. Ihre beruflichen Pflichten wurden für die Dauer der Einbestellung aufgehoben.

Medizinische Aufsichtsbehörde III - G-Angeles, Main Street 3/467/1-5.“

Blue atmete tief durch ihre Filterabdeckung ein. *Was könnten sie gefunden haben, dass ich gleich zur Behördenniederlassung gerufen werde?*

Direkt zuständig war diese für Seuchenbekämpfung. Hätte sich Blue aber mit etwas infiziert, wäre sie jetzt schon in

Gewahrsam des MedCorps und würde nicht vorbestellt werden. *Der einzige weitere Grund könnte sein ... – Bin ich schwanger?*

Unwillkürlich wanderten ihre Mundwinkel nach oben. Sie blickte hinab auf ihren flachen Bauch. Ihre Haut kribbelte vor Aufregung.

Ich und schwanger? Blue schüttelte den Kopf und vertrieb damit die aufgekommenen Tränen und das Lächeln wieder. *Nicht durchdrehen. Das ist nur Spekulation.*

Über 40 Prozent der Bevölkerung waren steril. Der Rest nahezu unfruchtbar. Dass eine Schwangerschaft überhaupt ohne die Agentur für Nachwuchsregulierung und Labor zustande kommen könnte, wäre ein halbes Wunder.

Blue wischte sich die Überlegungen aus dem Kopf. Es könnte auch was anderes sein. Aber sie nahm regelmäßig ihre Eisen- und Kalziumrationen ein. Selbst wenn nicht, wäre zunächst eine Verwarnung durch die Abteilung gekommen. Aber sie hatte sich nicht falsch verhalten. Mit Sicherheit nicht.

Ein anderer Gedanke drängte sich Blue auf. *Was Jin wohl zu einer Schwangerschaft sagen würde?* Sie biss sich auf die schwarz gefärbte Unterlippe.

„Wollen Sie die Maschine nicht langsam ausräumen?" Blue bemerkte die Frau neben sich zunächst genauso wenig, wie das Piepen der Aufbereitungsanlage, das das Ende des Programms seit einer halben Minute kundtat. „Hey!"

Blue schreckte aus ihren Gedanken auf und blickte perplex auf die Frau mittleren Alters, die neben weiteren Kunden auf eine freie Maschine wartete.

„Oh! Verzeihung." Sie öffnete hektisch die untere Klappe und holte drei unterschiedlich große Boxen mit ihrer einzeln eingeschweißten Kleidung aus dem Fach. Mit einer weiteren Entschuldigung klippte sie die Kisten an ihren Tragegurt und verließ die Waschhalle.

Auf der immer dunstigen Straße blieb sie zwischen zwei Verkaufsständen von synthetischen Blumen allerlei Farben und ebenso künstlichem gefrorenen Fisch stehen. Ihr Blick fiel auf eine Pflanze mit violetten Blütenblättern. Sie wusste nicht, wie das Gewächs hieß, ob sie überhaupt einen ordentlichen Namen trug oder nur eine Replizierungsnummer. Doch sie erkannte die Blume. Sie war ihr Geburtstagsgeschenk gewesen, weil sie dieselbe wunderschöne Farbe hatte wie ihre Augen. *Soll ich Jin anrufen?*

Nicht, bevor sie sicher war, um was es sich handelte. Vielleicht war das alles nur ein Irrtum. Ihre Toilette könnte auch einen Defekt haben und ein Test bei der Behörde würde diese Auffälligkeit wieder revidieren. Ein RepTeam würde die Toilette austauschen und die Aufregung wäre vollkommen umsonst gewesen.

Blue blickte an dem gegenüberliegenden Wohnblock hinauf, an halbdefekten Leuchtreklamen vorbei, durch die Schienen der Upper-Metro hindurch, in den dichten Nebel aus Wasserdampf und Rückständen der chemischen Filteranlagen hinein.

Würde man mir überhaupt erlauben, das Kind selbst aufzuziehen?

Kapitel 32 - Lasten

Mehrere Töne in gleichmäßigem Muster bestimmten die Kulisse im OP-Saal. Doch keines der Geräusche war es, das Zinus aus dem Schlaf riss.

Iris wartete noch einen Moment, nachdem er die Augen aufgeschlagen und sich orientiert hatte, bevor sie ihn ansprach. „Ich hätte nicht gedacht, dass du nach so kurzer Zeit von selbst aufwachst."

Zinus streckte sich und rieb sich die Augen. „An den Tagen, als ich an den Satelliten arbeitete, habe ich mir auch nicht mehr als eine Stunde gegönnt." Er erhob sich vom kühlen PVC-Boden. „Ich nehme an, mein Körper hat sich bereits an kurze Schlafphasen gewöhnt."

„Draußen ist man sich noch nicht einig, ob man mit Gewalt hier eindringen soll", meinte Iris, die die Zeit zum Erforschen genutzt hatte, was vor dem OP-Saal vor sich ging. „Dass du alle Geräteanzeigen in die Richtung der Überwachungskamera gedreht hast, und nicht zuletzt dein Zettel lässt sie vorerst weiter abwarten. Sie besorgen sich aber schon Hilfe mit schwerem Werkzeug, um nötigenfalls die Türe aufzubrechen."

An der unteren Kante des Herzmonitors hing mit einem Klebestreifen ein Blatt mit der Aufschrift: „Don't worry. I will take good care of her".

„Sollen sie die Türe ruhig aufbrechen. Ich habe den Eingang noch mit einer Barriere verschlossen. Sie ist zwar durchsichtig, aber mich stört es nicht, wenn sie zusehen. Vielleicht mache ich eine Lehrstunde daraus."

Nicht allein aufgrund seines müden Lächelns auf den Lippen war sich Iris sicher, dass er nicht wirklich daran dachte, Blue als Anschauungsobjekt zu missbrauchen. Ihren nackten Körper hatte er mit mehreren Tüchern bedeckt, so dass nur noch ihr Kopf zu sehen war.

„Wie geht es ihr?", fragte Iris bedächtig.

„Physisch gesehen ist sie in keinem allzu schlechten Zustand und ihr Organismus erholt sich rasch. Das Loch am linken Bein habe ich provisorisch verschlossen. Der Blutdruck deutet auf keine inneren Verletzungen hin. Der fehlende Arm stellt auch keine größere Sorge dar."

Iris begab sich näher an den Tisch. „Ihre Lippen sind nicht mehr blau."

„Ihr Blutverlust ist kaum nennenswert. Sie litt an diesem Ort nur unter akutem Sauerstoffmangel. Wer weiß, wie lange sie dort schon lag."

Iris betrachtete weiter das zarte, unschuldige Gesicht. *Was mag bloß mit ihr geschehen sein? Was war das nur für ein Ort?*

Inmitten des fragenden Schweigens tauchte Ivan auf. In der linken Hand den Karton, mit der rechten den Raumkristall fest umklammert.

„Hast du alles?", fragte Zinus und ging rasch auf ihn zu.

Ivans Blick war vom ersten Moment an auf Blue gerichtet. Er ließ sich das Paket wortlos abnehmen und schritt langsam an den Operationstisch heran.

„Ich stell mir gerade vor, wie die da draußen am Überwachungsmonitor reagieren", war Iris bemüht, etwas Lockerheit in die Situation zu bekommen.

Ivan beachtete es nicht weiter. Er machte Anstalten Blue mit zwei Fingern durch das Haar zu streichen, doch er zog die Hand zurück. Sie hätten sich sofort in der klumpigen Blutmasse verfangen.

„Dann geben wir ihnen gleich noch mehr Grund, aus der

Haut zu fahren", kündigte Zinus an, während er die Kiste neben das Waschbecken stellte und mit einer schnellen Inventur begann. „Iris. Kannst du nachsehen, wo sich ein Tomograph befindet? Ich will mir ihr Gehirn und die Drahtverbindungen zur Schulter genauer ansehen."

„Sofort." Sie begab sich durch die Wand hindurch und eilte in das Foyer des Krankenhauses. Die Wegweiser führten sie durch zwei Gänge Richtung Notaufnahme bis in den Warteraum der Kernspinabteilung.

Für den schnelleren Rückweg reduzierte sich Iris zu einem winzigen Leuchten und kehrte zurück in den OP-Saal.

„Meinetwegen kann es losgehen. Ich kann euch den Standort in eure Gedanken projizieren, wenn ihr wollt."

Zinus stimmte zu und ließ vom Inhalt der Kiste ab, den er bereits ausgeräumt hatte und dabei war zu ordnen. „Ivan. Nimm du sie bitte an den Beinen. Wir heben sie vom Tisch hoch und teleportieren uns direkt dorthin."

Iris strich zuerst Ivan und dann Zinus über die Schläfen, worauf beide ein klares Bild vor Augen hatten, wo es hinging. Zinus entfernte rasch die Elektroden, stöpselte die Schläuche von den Zugängen ab und zog den Tubus aus dem Mund. Sie hoben den Körper vorsichtig an. Als Blues Gesäß als letztes den Tisch verlassen hatte, verschwamm die Luft um sie herum.

Sie tauchten in Iris' Begleitung im Wartebereich auf. Zinus blickte sich kurz um und bewegte sich auf die Türe neben den Umkleidekabinen mit der Aufschrift *Nur für Personal* zu. Er drückte die Türklinke mit dem rechten Ellbogen nach unten.

In dem Raum saßen zwei Ärzte, die sich überrascht dem Eingang zudrehten. Doch bevor sie weiter reagieren konnten, befand sich Iris bei ihnen. Gleich darauf verließen sie das Vorzimmer des Tomographen.

Zinus ging rückwärts mit Blue und Ivan im Schlepptau auf die nächste schwere Glastüre zu. Sie traten in einen Saal, in dessen Mitte der klobige Röhrenapparat stand.

Kaum war Blue sicher auf der Schiene des Geräts abgelegt, rannte Zinus zurück in den vorigen Raum, in dem die Computer zur Bedienung und Auswertung standen. Er spannte die gleiche Barriere über die Zugangstüren wie im OP auf. Er atmete tief durch und schüttelte die Hektik aus den Gliedern. „Dann sehen wir mal, wie das Ding funktioniert. Schnall ihren Kopf bitte fest in die Halterung."

Ivan rückte zunächst manche Tücher zurecht, die durch den Transport nicht mehr an ihrer Stelle saßen. Erst danach nahm er sich der Fixierung des Kopfes mit zwei Klettverschlüssen an einem Gestell aus Kunststoff an. Er ging sehr behutsam vor. Seine Mimik strahlte etwas Gequältes aus.

Iris konnte es ihm nachfühlen. Es war ein grausamer Anblick sie so hilflos zu sehen.

Nachdem Ivan und Iris den Tomographenraum verlassen hatten, ließ Zinus seine Finger über die Tastatur klackern. Die drei beobachteten durch die große Glasfront hindurch, wie sich Blues Oberkörper langsam in die Röhre schob und der lautstarke Untersuchungsprozess begann.

„Hm. Laut Anzeige dauert das länger, als ich dachte." Zinus lehnte sich im Stuhl zurück, drehte sich zu Ivan und verschränkte die Hände hinter dem Kopf. „Was gibt es bei euch Neues?"

Ivan überlegte kurz, doch Iris kam ihm mit einer kleinlauten Bemerkung zuvor. „Ich habe da was, das du auch wissen solltest."

Zinus' gespannte Augen auf sich, atmete Iris tief ein. Ein zweites Mal musste sie ihre Geschichte erzählen. Doch beinhaltete diese noch nicht die Bewandtnis ihrer Abmachung.

Susan hatte John angeboten, die Gerätschaften mit aufzubauen. Dabei wollte sie ihm aber nur in zweiter Linie zur
Hand gehen. Vorrangig verschaffte sie damit den anderen
einen Vorsprung beim Duschen.

Sie war froh, dass ihr Suizidversuch durch Iris' Offenbarung rasch in der Versenkung verschwand. Stünde sie aber
nun mit ihren Freundinnen unter der Dusche, wären ihre
Handgelenke unweigerlich wieder Thema geworden.

Während John die Kartons mit den Bildschirmen öffnete,
stellte Susan ein paar der kleinen Beistelltische aus Metall-
geflecht in ihrem Quartier zusammen. Sie blickte immer
wieder aus den Augenwinkeln auf den deutlich gealterten
Hünen.

Die Seiten seiner Frisur wiesen graue Strähnen auf und
die Falten um seine Augen waren klar zu erkennen. Abgesehen von dem Ausbruch bei ihrer erneuten ersten Begegnung schien John sehr gelassen – ausgeglichen. Von dem
feurigen Temperament, das ständig im Raum geschwebt hatte, spürte man hier kaum mehr etwas.

„Wie viel Zeit ist eigentlich bei dir vergangen?"

John blickte zu Susan auf. Nach einer kurzen Pause und
einem rechnenden Blick an die Decke antwortete er: „Etwa
6, 7 Jahre?"

Susan machte große Augen. „Wow. So lange schon?"

Wie viel Zeit bei Blue erst vergangen sein muss?

John schob die Unterlippe nach vorne und nickte. „Ich
habe euch auf den ersten Blick gar nicht mehr erkannt. Seither ist wirklich viel geschehen. Unsere letzte Unterhaltung
scheint mir eine Ewigkeit her."

„Wir beide hatten aber auch wenig Gelegenheit."

Das war gelinde ausgedrückt. Tatsächlich hatten sie zuvor
noch nie ein Gespräch allein unter sich geführt. Und auch
sonst hatte sich Susan lieber von dem Miesepeter ferngehal-

ten.

John lächelte. „Ich kann mich noch gut erinnern, wie du mir über den Mund gefahren bist, in der Jugendherberge."

Susan kniff die Augen zusammen. „War das nicht Therese?"

John blickte erneut an die Decke. „Ja, stimmt." Er lachte auf. „Ist wirklich lange her."

„Und wie ist es dir sonst so ergangen seitdem?" Susan zog eines der Verlängerungskabel zu den Tischen, auf den John die Monitore platzierte. Der freudige Ausdruck in Johns Gesicht nahm ab. Doch dann mischte sich wieder ein Lächeln hinein. „Ich wurde mit vielen schönen Momenten gesegnet."

Susan blickte erwartungsvoll in seine glasigen Augen. John riss sich aus der Erinnerung und räusperte sich. „Den Rest schaffe ich allein. Du kannst dich dann schon mal frisch machen."

Hm. Susan zog die Augenbrauen zusammen, während John den Blickkontakt mit ihr mied und die Kabel der Bildschirme einsteckte. Die Ausflucht war nicht mal vom Mond aus zu übersehen, aber Susan hielt sich mit Nachfragen zurück. *Bei mir sollte lieber auch niemand nachbohren.*

„Gut. Ruf einfach, solltest du doch noch bei etwas Hilfe brauchen."

John nickte mit zusammengepressten Lippen, ohne aufzuschauen.

Susan ließ ihn hinter dem blauen Vorhang der Unterkunft zurück und trat ins Freie. Obwohl das Gebäude nur von diesen dünnen Laken umhüllt war, hielten sie die stetig kühle Brise der Insel ungewöhnlich gut vom Inneren fern. Es musste bereits Mittag sein, doch das trübe Wetter hatte sich seit ihrer Ankunft kaum verändert. Nur etwas mehr Helligkeit drang durch die dichten Nebelbänke.

Susan überquerte den gepflasterten Weg und betrat behutsam das Badehaus. Sie sah gerade noch Stephanie frisch geduscht im Nebenraum verschwinden und atmete auf. Auch von Fox und Alexandreiji war nichts zu sehen.

Die Dusche bestand aus einer Quelle, die in mehreren kleinen Wasserfällen von einem drei Meter hohen Felsen in ein großes Becken mit kunstvollem Marmorrand plätscherte.

Der Stein stand mittig in dem hohen Saal und bot zusammen mit zahlreichen Girlanden aus gehauenem Stein, die das Becken einfassten, genügend Sichtschutz, so dass sich die Männer zeitgleich mit den Frauen haben waschen können.

Hinter einer Abtrennung aus mehreren goldfarbenen Laken legte Susan ihre blutverkrustete Hose ab und trennte sich von dem vor Schweiß müffelnden Longsleeve.

Sie betrachtete die Narbe an ihrem linken Handgelenk. Selbst hatte sie die Wunde noch gar nicht so recht in Augenschein genommen. Susan zählte acht einzelne Schlaufen eines dicken blauen Fadens in der mit Rückständen des Desinfektionsmittels und Blut bedeckten Nahtstelle. Sie tastete mit der Kuppe des rechten Zeigefingers den verhärteten Bereich vorsichtig ab.

Die Schmerzmittel in ihrem Blutkreislauf mochten sicher nicht mehr wirken, doch spürte sie bestimmt aufgrund des Splitters keine Schmerzen. Sie strich mit dem Fingernagel sachte auf der Handfläche und an den Fingerinnenseiten entlang. Sie stellte überall ein leichtes Kribbeln fest. Es fühlte sich normal an. *Die Nerven sind wohl nicht betroffen. Glück im Unglück.* Oder hatte sie das Iris zu verdanken?

Susan wickelte das rechte Handgelenk aus und sah ein ähnliches Bild mit zehn Schlaufen entlang einer mehr schräg verlaufenden Linie. Auch diese Hand bestand den Empfindlichkeitstest.

Sie atmete auf. Wenigstens etwas, worüber sie sich freuen

konnte. Wenn sie aber an die Gesichter ihrer Eltern dachte, war das Gefühl nichts wert.

Tränen stiegen in ihr auf. Susan wollte den Gedanken an ihre Mutter und ihren Vater beiseite wischen, doch bemerkte sie erst jetzt, dass sie seit diesem Vorfall zum ersten Mal alleine war. Ohne Iris' Geist um sich oder Freunde, die sich gezwungen fühlen würden, sie zu trösten. Susan musste nicht – sie brauchte nicht getröstet werden. Sie wollte ihren Tränen einfach nur freien Lauf lassen.

Therese hatte sich als Erste aus der Dusche zurückgezogen und trat, gehüllt in ein breites Tuch, vom Badesaal in einen niedrigeren Nebenraum.

Auch dieses Gebäude besaß keine richtige Mauern. Nur blütenweiße, grau marmorierte Säulen und dazwischen gespannte Laken in meist blauer Farbe trennten einzelne Räume voneinander oder nach draußen ab.

In der Mitte des runden Zimmers, über das sich eine gewölbte Decke mit vielerlei Ornamenten spannte, befanden sich mehrere Truhen aus dunklem Holz. Genau vier Stück hier, in dem benachbarten Raum fünf weitere.

Auf ihrer ersten kurzen Erkundungsrunde hatten sie darin Kleidung vorgefunden. Nun zog es Therese besonders zu einer dieser Truhen hin. Sie hatte das Gefühl, dass diese speziell für sie bestimmt war und öffnete den Deckel. Darin befand sich ein weißes Gewand aus dicht gewebtem Stoff, das aber leicht wie eine Feder war.

Bevor sie diese Mischung aus Kleid und Toga überstreifte, kramte sie tiefer in der Truhe. *Hm. Von Unterwäsche haben Elfen offenbar noch nichts gehört.*

Ein Wechsel kam wohl frühestens nach einer neuerlichen Diebestour durch Bekleidungsgeschäfte in Frage.

Stephanie kam herein und wuschelte mit den Fingern

durch die nassen Haare ihres sich schüttelnden Hauptes. Sie trug ein Tuch in derselben Größe wie Thereses um den Körper gebunden. Doch Stephanie hatte es doppelt gelegt, so dass es nur knapp über ihrer Brust und überhalb ihrer Knie lag.

Therese wandte den Blick ab. Von ihr sah man neben dem Kopf nur die Unterarme und die Füße unbedeckt. Sie störte sich nicht wirklich an Stephanies stets dürftigen Outfits. Sie hatte einen attraktiven Körper und das Selbstbewusstsein, ihn gerne zu zeigen. Einerseits beneidete Therese sie dafür. Nicht für die Kurven – wobei … – Nein. Die Unbekümmertheit war es, wie sie damit umging. Dazu gehörten nicht nur freizügige Klamotten. Der Besuch in ihrer Kaserne gab Hinweise darauf, dass sie auch in anderen Bereichen weniger moralische Umgangsformen pflegte.

Das konnte kein Neid sein. Sie war keusch erzogen worden. In ihren Jugendjahren mit gehörigem Nachdruck, ja. Aber sie hatte sich seither ihrem Gelübde verschrieben.

„Nicht gerade mein Stil", urteilte Stephanie vor einem Spiegel, der vom Boden bis zur Decke reichte.

Auch sie hatte sich an der Garderobe der Elfen bedient und drehte sich in dem weißen Gewand hin und her. „Da muss ich noch einiges kürzen."

Therese presste die Lippen aufeinander und zog sich ihres über. Das leichte seidenartige Kleid fühlte sich angenehm an. Als würde man in ein frisch bezogenes Bett fallen. Definitiv keine Kampfmontur, aber etwas anderes fand sich hier nicht.

Therese erkannte ein freudiges Lächeln im Spiegel. Sie gefiel sich in dem in wallende Falten gelegten Stoff, trotz des dezenten Ausschnitts. Oder gerade wegen? Sie hatte noch nie etwas getragen, das nicht bis zum Hals zugeknöpft war. Durfte sie sich überhaupt so gefallen?

Therese sah in der spiegelnden Fläche, dass ihr Lächeln

verschwunden war.

„Schon viel besser", strahlte Stephanie beim zweiten Trageversuch.

Mit einem Dolch hatte sie die Ärmel und die Beine bis unters Knie abgetrennt. Ein goldenes Band schnürte von den Kniekehlen an nach oben den Stoff hauteng an den Körper bis unterhalb der Brust.

Therese presste wieder die Lippen aufeinander. Sie griff in ihre Truhe und schnallte sich nur einen silbernen Gürtel um die Taille und wagte keinen weiteren Blick in den Spiegel. Sie suchte sich durch verschiedenes Schuhwerk von Sandalen bis hin zu Lederstiefeln. Zu Letzteren mit niedrigen Absätzen entschied sich Stephanie, Therese für flache Schuhe, die knapp über die Knöchel reichten. Sie fühlten sich äußerst angenehm an, ganz ohne Socken.

„Wie passen dir die Schuhe?", fragte Therese.

„Wie angegossen. Und dir?"

Therese nickte. Die Passgenauigkeit war verblüffend. *Als wenn dies alles für uns bereitgelegt worden wäre.*

„Therese, Stephanie. Seid ihr fertig?", drang Johns Stimme von draußen herein.

„Ja, komm rein", bat Stephanie.

John trat in den Raum und wollte gleich sein Anliegen vorbringen, blieb jedoch stumm am Eingang stehen. Obgleich mehr von Stephanie zu sehen war, verweilte sein Blick auf Therese.

„John?", riss ihn Stephanie aus den Gedanken.

Er drehte den Kopf zu ihr. Gleich darauf fiel ihm wieder ein, wieso er hier war.

„Ich habe jetzt alles eingestellt. Der Empfang ist gut. Kannst du die Senderauswahl vornehmen? Dann kann ich mich derweil waschen."

Therese war verunsichert, was Johns große Augen auf

ihr zu bedeuten hatten und wandte sich noch mal zum Spiegel.

„Sicher", stimmte Stephanie zu und machte sich auf den Weg.

John folgte ihr, blieb aber noch einen Moment stehen und schaute über die Schulter zu Therese. Als sich ihre Blicke über das Spiegelbild trafen, wandte sich John ab.

„Du siehst hübsch aus", vernahm Therese, bevor John aus dem Zimmer trat und sie mit geröteten Wangen zurückließ.

Kapitel 33 - Einstellung

Stephanie hatte bereits über zwanzig Radiosender einge-stellt, sich in diverse Notrufzentralen eingeklinkt und durch-forstete gerade Internetportale nach einem weiteren Auftre-ten der Feinde. Sie legte den Kopf von links nach rechts, um ihren Nacken zu strecken, bis sie beiderseits ein leises Kna-cken hörte. Mit einem tiefen Atemzug richtete sie sich auf dem Kanapee sitzend auf.

Sie zuckte zusammen. Der Schmerz in ihrer Flanke mach-te sich wieder bemerkbar. Ihre Hand legte sich sachte auf die Stelle, während sie unter einer zusammengefalteten Hose in ihrer Reisetasche den Behälter mit den Schmerztabletten hervorholte.

Für dich muss ich mir noch etwas überlegen.

Das Elfengewand hatte leider keine Taschen, um die Ta-bletten zu transportieren. Aber bald schon würde sie auf ihre Wechselklamotten zurückgreifen müssen. Immerhin gab es für jeden von ihnen nur einen Satz an blütenweißen Klei-dern.

Moment. Wieso mache ich es nicht so wie Susan? Stepha-nie erinnerte sich daran, dass sie nicht nur ihr Schwert ver-schwinden ließ, sondern auch ihr Fahrrad.

Sie blickte den Behälter an. Im nächsten Moment sirrte die Luft darum und er war verschwunden. Gleich darauf hielt sie ihn wieder in der Hand. *Nicht schlecht.*

Stephanie nahm eine der Tabletten in den Mund und schluckte sie gerade hinunter, als John mit noch feuchten Haaren zurückkam.

Er trug eine kurze Toga. Ebenfalls ganz in weiß, aber mit goldenen Rändern. Sie zeigte sogar mehr Haut als Stephanies angepasste Kleidung.

Mit einem Blick auf Johns muskulöse Beine geriet ein Hercules-Film in ihren Kopf, den sie vor einigen Jahren gesehen hatte. *Du wärst eine deutlich bessere Besetzung gewesen.*

„Und? Funktioniert alles?", fragte er.

Stephanie wandte sich wieder zu den Bildschirmen und den Gerätschaften, die sie wie eine Mauer umgaben. Sie sah darüber hinweg auch Ivan von der anderen Seite des Raumes eintreten.

„Ja, alles einwandfrei. Nur gibt es bislang keinen Hinweis auf Aktivität", bestätigte Stephanie rasch. „Wie geht es Blue?"

„Den Umständen entsprechend gut", merkte Ivan erleichtert an. „Die CT zeigte keinerlei Auffälligkeiten. Man könnte sie jederzeit aufwecken. Doch Zinus will ihr noch Ruhe gönnen und ihr in der Zwischenzeit einen mechanischen Arm bauen."

So was hab ich mir schon gedacht. Die ganzen Pneumatik-Zylinder und Leichtmetallstreben ... „Wie sie sich wohl fühlen wird, wenn sie aufwacht?" *Ob sie überhaupt weiß, was mit ihr geschehen ist? Dass sie nur noch einen Arm hat?*

Stephanies Magen zog sich zusammen. Sie sah es John und Ivan an, dass sich dasselbe Gefühl durch ihre Eingeweide arbeitete.

John raffte sich auf. „Also selbst wenn diese ganze Zeitreise-Aktion zu nichts anderem gut gewesen sein sollte: Zumindest haben wir Blue da rausgeholt und sie lebt." Er versuchte, sich offenbar von diesem Gefühl zu befreien, und lächelte Stephanie und Ivan dabei an. Seine Mimik war deutlich erzwungen, aber es erfüllte den Zweck, Ivan und Stephanie aufzumuntern.

Stephanie lächelte zurück. „Schon mal ein verdammt

wichtiger Erfolg."

Ivan nickte. „Und was habt ihr zu berichten?"

„Das Badehaus hat seinen Test bestanden und erwartet auch dich", antwortete John mit einem Schmunzeln. Ivan war neben Zinus der Einzige, der noch in blutverkrusteten Klamotten umherlief. „Die anderen bereiten sich gerade für das erste Training vor, um zu sehen, was noch an Wissen vorhanden oder vielleicht hinzugekommen ist. Jetzt da wir direkt mit den Kristallen verbunden sein sollen, ohne die alten Wächter in uns. Ihr könnt euch ihnen anschließen. Ich kümmere mich derweil um den Video-Zugang zu ein paar Satelliten."

Stephanie klatschte die Hände auf die Oberschenkel und erhob sich hinter der Mauer an Bildschirmen. Ivan machte große Augen, als er Stephanie in dem engen Gewand vor sich stehen sah.

Sie lächelte und schaute John an. „Bei dir sind ihm die Augen nicht so rausgeplatzt. Dabei siehst du aus wie ein verdammter griechischer Gott."

Ivan und John blickten einander an. Sie liefen rot an und senkten beschämt die Köpfe.

Stephanie lachte und nahm ihre Tasche auf. „Ach, Jungs …"

Sie klopfte John auf die nackte Schulter und verließ den Raum.

Auch Susan war inzwischen geduscht und steckte in einem der Elfengewänder. Sie hatte es ebenfalls angepasst. Zwar nicht so drastisch wie Stephanie, aber sie band die ausladenden Ärmel und Hosenbeine oberhalb der Ellbogen und der Fußknöchel zusammen. An den Oberarmen befestigte sie noch zwei goldene Spangen in einem filigranen Blumenmuster, durch das sich eine Schlange wand.

„Geht's dir gut?"

Susan erschrak für eine Sekunde, als sie gerade das Badehaus verließ. Iris' Stimme lag nur eine Armlänge von ihr entfernt.

Wie lange war sie schon zurück? Hatte Iris sie Heulen gehört, oder sogar gesehen?

„Wieso fragst du?" Susan bemühte sich, nicht zu misstrauisch zu klingen, sondern es eher als beiläufige Frage wirken zu lassen.

Sie trat mit niedrig geschnittenen Stiefeln aus Leder auf das weiß-grau marmorierte Pflaster. Die eigenen blutgetränkten Schuhe lagen gewaschen im Umkleidezimmer zum Trocknen.

„Dies ist der erste Moment nur zwischen uns beiden, seit …", erklärte Iris zögerlich.

Seitdem du mich unter Drogeneinfluss aus dem Krankenhaus gelockt hast? Seitdem du unsichtbar und tot in meinem Zimmer aufgetaucht bist und mich in den Selbstmord getrieben ben …

Susan unterbrach die unausgesprochenen Vorwürfe. Sie wusste, damit tat sie Iris Unrecht. „… seit wir uns in meinem Zimmer umarmten. Bevor du dich für uns alle geopfert hast."

Iris erwiderte kein Wort.

Sie hatte wirklich alles gegeben. Ihr eigenes Leben nur für eine Chance getauscht.

Auch jetzt wäre ein Moment der Umarmung gewesen. Doch wie sollte Susan der körperlosen Iris ihre Wertschätzung physisch ausdrücken? Worte waren manchmal einfach nicht genug. Als stünde zwischen ihnen eine unüberwindbare Distanz. Nur per Sprache, wie durch ein Telefon hindurch, waren sie einander nahe.

Susan sah zwei Gebäude weiter, wie sich die Wächter auf einem kleinen Platz sammelten. Sie musste die Zeit allein mit Iris auch noch für etwas anderes nutzen als zu einem Be-

330

haglichkeitsgespräch.

„Gehen wir ein paar Schritte?", flüsterte sie Iris zu. „Ich würde gerne etwas mit dir besprechen."

„Sicher", entgegnete Iris unsicher. Sie heftete sich an Susan, die rasch in die entgegengesetzte Richtung des Platzes davonschritt.

Erst etwa hundert Meter außerhalb der Siedlung verlangsamte Susan ihr Tempo. Sie überlegte noch, wie sie das Thema formulieren sollte. Ihr Magen zog sich zusammen. Nach weiteren Sekunden, die Susan nachdenklich vor sich hinschlenderte, eröffnete sie schließlich mit der Frage: „Hast du damals die Narach auch *hierher* gebracht?"

„Nein", gab Iris ohne zu zögern zurück. „Das waren Endor und Endara."

Susan hatte zwar eine einfache Antwort erwartet. Der Zusatz überraschte sie aber deutlich. „Was? Die beiden? Woher weißt du das?"

„Sie selbst berichteten davon. Endor und Endara brachten die Narach unbeabsichtigt durch das Elfentor nach Afallon. Oberon wurde dabei schwer verwundet und konnte gerade noch gerettet werden. Er schickte die Geschwister nach Andalon, um dort zu helfen. Sie kehrten aber nur mit dem schwerverwundeten Kronos zurück. Er konnte nur geheilt werden, indem Oberon ihm die Elfengleichheit zugestand und er damit unsterblich wurde."

Susan musste das erst verdauen. Sie hatte sich vorher nie die Frage gestellt, woher die Narach stammten und wie die Invasion begonnen hatte. Es war bislang noch von keinerlei Bedeutung gewesen. Und nun noch von sehr viel geringerer. „Aber das alles geschah nun gar nicht, oder?"

„Ich kann mich nicht von der Verantwortung freisprechen, dass ich der initiale Grund dafür bin, dass die Narach Ka'ara verlassen konnten und seitdem in eine Welt nach der anderen einfielen. Darunter wohl auch Eilia, die Heimatwelt der

Elfen. Aber nein, Endor und Endara schritten alleine durch das Elfentor, ohne von den Narach verfolgt zu werden."

Susans Gesicht verzog sich zu einer Mischung aus Verwunderung und Wissensdurst. „Und wieso diesmal nicht?"

„Wir vermuteten, dass es etwas mit dir zu tun hatte."

Susans Blick gab nur noch Verwunderung von sich. „Mit mir? Wieso sollte ich das beeinflusst haben?"

„Wenn du es nicht weißt …?"

„Wie kommt ihr auf die Idee?"

„Womöglich nur eine Ahnung", antwortete Iris unbeholfen.

Susan ging in sich und suchte nach etwas, wovon sie nicht wusste, worum es sich handelte. Sie rief sich den letzten Kampf mit der Herrscherin ins Gedächtnis. War sie denn nicht tot? Hatte sie ihr Leben nicht durch No'aras Hand verloren?

Aber woher stammten diese vagen Erinnerungen an Kronos' Enthauptung – *Chris'* Enthauptung? Seinen Kopf in ihren Händen.

Susan überkam ein Gefühl – ein ziehendes Gefühl. Ihr Blick richtete sich auf ein prächtiges Gebäude, auf das sich Susan weiter unbewusst zubewegte. Es konnte kein Wohnhaus sein, auch kein Palast. Aber ein mächtiges Gebilde war dort in den aufragenden Fels der Insel geschlagen. Eine Masse an hohen Säulen wie bei einem altgriechischen Tempel ragten auf und stützten Teile des Bergmassivs über sich.

„Was ist das da vorne?"

„Das ist ein Mausoleum", antwortete Iris. „Eine Totenstätte für besondere Menschen."

„Menschen?", fragte Susan unsicher. Sie erkannte eine aufkommende Nervosität in Iris' Stimme.

„Bedeutende Freunde der Elfen. Aber drehen wir lieber wieder um. Lass uns den ewigen Frieden derer nicht stören."

Susan zog die Augenbrauen hoch und blickte auf Iris, als

könnte sie etwas aus dem nicht vorhandenen Gesicht ablesen.

Plötzlich verschwamm die Luft vor Susans Augen. Im nächsten Moment stand John mit dem Raumkristall in der Hand vor ihr und sprach hektisch: „Wir haben da was!"

Sofort griff Susan nach Johns Hand, während sie sah, wie an Iris' Stelle ein Lichtpunkt aufstrahlte. Susan folgte John per Teleportation zurück in das Quartier, in dem die anderen um die Monitore versammelt standen. Auch Iris' Lichtpunkt schoss durch die Tücher der Seitenwände, ohne diese zu durchlöchern oder gar mit einem Luftzug zu beeinflussen, und verblasste unter den Wächtern.

Stephanie saß an den Geräten und lauschte verschiedenen Stimmen aus den ein Dutzend Lautsprechern. „In vier Städten gleichzeitig?" Sie räumte mit dem Blick auf den Bildschirmen träge den Platz für John.

„Ja, entlang der Ostküste der USA. Und in jeder nicht nur ein paar. In jeder Stadt soll eine ganze Armee von Narach wüten."

Susan schaute durch die Reihe ratloser Gesichter. Zweifelsfrei mussten sie etwas unternehmen. Dafür waren sie ja immerhin zurückgekommen.

Doch Motivation sah anders aus. Sich gleich zu Beginn mit der gesamten Narach-Streitmacht anlegen? Keiner strahlte die Zuversicht aus, sich wieder ohne weiteres in einem Schwertkampf behaupten zu können. Oder Feuerbälle heraufzubeschwören und gar zu beherrschen.

„Mit welcher Stadt fangen wir an?", fragte Alexandreiji kleinlaut, wohl in der Hoffnung, dass sie damit nicht nur ihren Sterbeort wählten.

„Beginnen wir mit der Stadt, die am weitesten von Washington entfernt ist, für das die meiste militärische Hilfe zur Verfügung stehen dürfte", meinte John.

Er zoomte das Satellitenbild in die Mitte Bostons hinein.

Auf dem Bildschirm daneben waren Szenen von Kamera-aufnahmen eines Nachrichtensenders zu sehen. Eine schwarze Welle aus Kreaturen strömte durch die morgendlichen Straßen, brach in Gebäude und fegte jeden Menschen mit sich fort.

Die Narach hielten sich nicht damit auf, sich ihrer Seele zu bemächtigen. Sie wurden niedergemetzelt. Neben den bekannten geschwungenen Klingen schnitten sich auch Arten von Lanzen und Dolchen durch die Körper.

Die fürchterlichen Schreie ließen Susan das Blut in den Adern gefrieren. Kreischende Hilferufe erfüllten den Raum mit erstarrten Wächtern darin. Sie waren bislang immer zu spät gekommen. Noch keinen einzigen Menschen konnten sie direkt vor dem Tod durch die Hand eines Narach bewahren. Wohlwollend hätte man behaupten können, dass ihr Auftauchen vielleicht den Übergriff auf weitere Opfer verhindert hatte. Doch jetzt konnten sie zum ersten Mal intervenieren und verheerenden Schaden abwenden. Sie *mussten* einschreiten.

„Wir setzen hier auf." Ivan riss sie alle aus der Bestürzung und zeigte auf den Bildschirm. „Ich schaffe uns Platz, ähnlich wie in Zinus' Lagerhalle und halte den Bereich frei, während ihr die Aufmerksamkeit der Front dort auf euch zieht."

Susan blickte reihum in die nervösen Gesichter. Nach und nach gaben sie alle ein knappes Nicken von sich. Sie tasteten nach ihren Händen.

„Dann auf drei." Ivan zählte. „Eins ..."

Susans Muskeln zuckten.

„Zwei ..."

Sie atmete tief ein.

„Drei!"

Kapitel 34 - Kriegskunst

Ivan stanzte ein Loch von mehreren Metern Durchmesser in die schwarze Welle und zerschmetterte neben Dutzenden Narach auch zurückgelassene Autos. Er zog den Rand auseinander, an dem die Gegner auf der Cambridge Street zurückgedrängt wurden.

Der Rest teleportierte sich an die Front der Kreaturen, die durch die Straße zog. John, Stephanie und Alexandreiji zerteilten mit einem einzelnen Hieb zielsicher eine Kreatur nach der anderen, die gerade dabei waren, davonstürmende Menschen an sich zu reißen oder ansatzlos zu erschlagen. Susan mit Fox, und Stephanie auf der anderen Straßenseite, hinderten die Narach daran, den Flüchtenden in die Geschäfte und Gebäude zu folgen, in die sie sich zu retten versuchten. Gemeinsam bremsten sie so die Welle zumindest auf einer Seite und lenkten die Aufmerksamkeit auf sich.

„Das genügt!", rief John.

In hohem Bogen, gut sichtbar für nahezu die gesamte Armee, sprangen sie über die Menge hinweg und formierten sich um Ivan, der die Barriere einen Moment zuvor fallen hatte lassen. Die meisten Gegner strömten zurück auf die freie Fläche. Auch von den Dächern und aus den Fenstern sprangen die Narach auf die sieben Wächter zu.

Iris hielt sich in der Nähe bereit, um durch die schnelle Verarztung von Wunden zu unterstützen. Doch vorerst sollte Iris arbeitslos bleiben.

Der uneingeschränkte Zugriff auf den Splitter, ohne ihn sich mit einer wiedergeborenen Seele teilen zu müssen, entfesselte ein immenses Potential in den Wächtern. Susans Schwert flog geradezu durch die feindlichen Truppen. Die

Bewegungen waren geschmeidig wie nie zuvor. Mehr als von ihrer eigenen Waffenführung begeistert war sie aber von Therese. Sie tanzte mit ihrem geschlossenen Waffenring nahezu durch die Ströme von Angreifern. Keine Sorge war zu erkennen, dass sie sich selbst oder ihre Kameraden damit verletzen hätte können.

Sie alle setzten ausschließlich auf den Gebrauch ihrer Waffen, die sich zielgenau durch die Horden schnitten. Zunächst sollte noch keine Energie auf magische Angriffe verwendet werden.

Trotz der unentwegten Ströme aus den unterschiedlichsten Richtungen gelang es ihnen, zu widerstehen. Die Leichen der Gegner zersetzten sich nicht schnell genug, so dass die Wächter rasch auf einem Teppich toter Körper standen. Fox kniete sich hin und sorgte, wie Ivan anfangs, für Platz und schleuderte die Überreste samt der neuen Angriffswelle hinter die kreisförmige Front.

Gelegenheit für nur einen einzigen tiefen Atemzug ohne Bedrängnis, denn die nächsten Narach stürzten bereits nach. Der Fluss riss nicht ab. Wie erhofft, konzentrierte sich die gesamte Armee nur noch auf diesen Punkt, anstatt sich weiter in der Stadt auszubreiten. Wie auf einen Abfluss in einer riesigen Badewanne schienen sie zuzuströmen und verschluckt zu werden.

Minute um Minute vollster Konzentration verstrich. Die ersten Fehler schlichen sich durch Susans ermüdende Muskeln ein. Sie wurden aber zum Glück nur durch leichte Blessuren bestraft. Auch von ihren Kameraden hörte sie immer häufiger einen kurzen Aufschrei des Schmerzes oder ein Knurren der Verärgerung, dass sie von einer Klinge gestreift wurden.

Nach wie vor kein Grund, für Iris einzuschreiten.

Stephanie machte einen Satz auf die Fassade des dritten Stocks des nebenstehenden Gebäudes zu. Bevor sie sich davon abstieß, schaute sie sich rasch um.

„Die Hälfte könnten wir tatsächlich schon haben!", schrie sie ihren Kameraden mit schweißbedecktem Gesicht zu und stürzte zurück an ihre Seite.

Während die anderen diese Information durchaus positiv aufnahmen, sah John eine weniger gute Nachricht auf sich zukommen. Hinter den gegnerischen Reihen sah er etwas Großes auf sie zuschreiten. Die breiten Schultern ragten aus der Masse heraus, auf denen die Reste eines dunkelvioletten Umhangs hingen. Es sah nicht danach aus, als würde das Ungetüm direkt auf John zusteuern. Doch dieser begrüßte es, dass er in den Genuss der Begegnung kam. Und er wollte auch nicht darauf warten, bis der Feldherr ihren Kreis erreichte.

Er stürmte in die feindliche Wand hinein auf seinen – und vor allem Thereses – Peiniger zu. Ivan erfasste Johns unüberlegtes Handeln gerade noch. Er teleportierte sich in die Schneise, die John in die Masse trieb, um ihm Rückendeckung zu geben. Orh sah die beiden auf sich zukommen und blieb stehen. Er wartete auf die zwei und verfolgte interessiert den Zug auf sich zu.

Johns Schwert schlug noch zweimal durch die Menge vor sich, bevor er vor Orh stand.

„Erinnerst du dich an mich?", schrie er ihn voller Zorn an.

Der Feldherr betrachtete ihn nur unbeteiligt, ohne zu antworten. Johns Klinge glühte auf und war im Begriff sich von unten nach oben durch den Körper zu schneiden. Doch bevor das Schwert in ihn tauchte, blieb es in der Luft verankert stehen.

Tiefer und zahlreicher schnitten sich die axtartigen Waffen und Spitzen von kurzen Ausführungen von Speeren in Ivans Fleisch, bei dem Versuch die Angriffe der Narach mit hektischen Schwüngen seitens Schwertes von sich und John abzuwehren.

Fox erschien zwischen beiden und teleportierte sich mit ihnen aus der Menge heraus. Alexandreiji erschuf eine kuppelförmige Barriere, deren Außenhaut einem splittrigen Rohdiamanten glich.

„Was sollte das?!", schrie Ivan John an, während sich Iris um die Behandlung seiner Wunden kümmerte.

John brüllte zurück: „Das war der Typ, der mich und Therese auf dem Gewissen hat!"

„Wie soll er sich daran erinnern? Dies ist ihr erstes Auftauchen auf der Erde. Hast du das vergessen?"

Tatsächlich begriff John es erst jetzt. Er hatte sich bei dem Anblick dazu hinreißen lassen, Rache für etwas zu verüben, das eigentlich gar nicht stattgefunden hatte.

Susan beobachtete die Szene zusammen mit den anderen, während Alexandreiji den Schutzschirm aufrechterhielt und für eine Verschnaufpause sorgte. Sie sah es John an, dass sein Gemüt trotz der Erkenntnis gleich wieder umschwingen würde. *Für ihn fand das sehr wohl statt.*

Doch noch mehr erkannte Susan, was in seinem Kopf vor sich ging. Seine Emotionen waren so stark, dass sie meinte, seine Gedanken spüren zu können. Thereses Tod hatte sich in sein Gehirn gebrannt, wie Susan der Abend in der Gasse.

John suchte Thereses Gesicht und wollte Verständnis in ihrem Blick lesen. Doch Susan sah allen an, dass sie sich den eigenen Schmerz noch gut genug in Erinnerung rufen konnten, wie ihr Leben aus dem Körper gebrochen worden war.

Das änderte aber nichts daran, dass die Narach wohl noch keine irdische Sprache beherrschten. Es war nutzlos, sie mit etwas zu konfrontieren, an das nur sie Wächter sich erinnerten. Ebenso rüttelte aber nichts daran, dass man sie nach wie vor aufhalten musste.

„Ich hatte genug Zeit zum Ausruhen", trieb John sich wieder an. „Wie steht's mit euch?"

Ivan blickte ihn streng an.

„Ich hab mich im Griff, keine Sorge", beschwichtigte John.

Ivans Anspannung löste sich langsam. Er atmete kurz durch, bevor er einen Taktikwechsel vorschlug. Der Plan war in wenigen Sätzen ausgeführt, während die Gegner vor der Barriere geduldig warteten. Orh fixierte durch die transparenten Segmente der Kuppel hindurch die ganze Zeit über John, was keinem der Wächter entging.

Schließlich sprangen die Gefährten je in eine andere Richtung auf die Wand der Kuppel zu – Susan zusammen mit Fox. Nur John verblieb in der Mitte und starrte mit Orh um die Wette. Kurz bevor die Wächter im Sprung die Barrierewand erreichten, löste Alexandreiji sie auf. Die Wächter gingen auf die feindliche Armee nieder, die sie mit gefletschten Zähnen erwartete. Nur wenige konnten es nicht erwarten und jagten ihnen entgegen. Mächtige Feuersäulen räumten den Wächtern den Weg frei und schafften damit einen sicheren Landeplatz in der Menge, deren Ränder sich verbanden und den gegnerfreien Bereich um John erweiterten. Die gegnerische Masse strömte auf die Wächter in den schwelenden Flächen zu. Doch verweilten diese nicht, sondern verschwanden mit von sich gestreckten Armen ins Nichts.

John stand immer noch reglos in der Mitte und lieferte sich mit Orh ein Starrgefecht, während sich die Narach zu einer einzigen kreisförmigen Wand formierten, die auf ihn zustürmte. Unbemerkt tauchten alle verschwundenen Gefährten mit auf Orh gerichteten Handflächen in einem Halbkreis hinter seinem Rücken auf. Sie feuerten die gewaltigsten gebündelten Blitze ab, die sie vollbringen konnten, kaum hatten sie sich rematerialisiert. Sie zerfetzten den Feldherren regelrecht, ohne den Hauch einer Reaktionschance für ihn. Die Stärke des Angriffs war bei weitem überdosiert. Keinen Bruchteil einer Sekunde vermochte seine Rüstung die immense Energie zu absorbieren. Sie hatten unbedingt auf Nummer sicher gehen wollen.

Die Energiebündel schnitten sich kreuzend durch die Menge und auf John zu. Er war vorbereitet und schaffte es, wenngleich nur knapp, sich vor der im wahrsten Sinne des Wortes, blitzschnellen Attacke in Sicherheit zu bringen.

Die Blitze streuten weiter durch die gegenüberliegende Masse und rissen eine immense Lücke. Bis über den Rand der Armee hinaus zuckten die sich trennenden Strahlen und brachen Löcher in die Häuser entlang der Straße.

Der Angriff versetzte die Wächter selbst in Staunen. Doch zehrte er ordentlich an ihren Kräften. Susan wurde kurz schwarz vor Augen. Durch ihr beengtes Blickfeld erkannte sie auch bei Therese und Ivan rechts von ihr einen Moment des Schwindels. Fox knickte sogar mit einem Schritt nach vorne auf die Knie ein.

John breitete eine ähnliche Kuppel um die Gruppe aus wie Alexandreiji zuvor. Doch anstatt selbst darin Schutz zu suchen, wütete er durch die letzten verstreuten Feinde, die der massive Angriff übrig gelassen hatte. War es ihm schon nicht vergönnt sich Orh anzunehmen, wollte er zumindest die Genugtuung haben, in dem er hier aufräumte.

Susan sah ihm aufmerksam zu. Auch die anderen gaben acht, dass er sich nicht übernahm, während sie sich selbst erholten. Doch tatsächlich begriff Susan mit jedem Gegner, den John mit seinen weiten Schwertschwüngen auslöschte, dass es ihnen gelang, siegreich aus einer Schlacht mit einer ganzen Narach-Armee hervorzugehen. Sie schaute durch die halbkreisförmige Reihe ihrer Freunde. Ihre Kleidung war zerrüttet und von Rissen und Schnitten übersät. An vielen Stellen klebte der Stoff durch Schweiß oder Blut an ihrer Haut. Stephanie hielt eine Hand an ihre Rippen, doch ihre Schmerzen schienen sich in Grenzen zu halten.

Erschöpftes Lächeln trat in ein Gesicht nach dem anderen,

während Iris' orangenes Leuchten über Ivans restliche Schnittwunden wanderte.

Schließlich stand John keuchend vor der letzten zerteilten Kreatur und ließ die bereits schwächelnde Barriere um seine Gefährten fallen.

So sehr sie alle in Feierlaune waren, für lauten Jubel war es noch zu früh. Es gab drei weitere Kriegsschauplätze.

Johns Tablet erschien in seiner Hand. Er tippte schwer atmend darauf und holte das Satellitenbild der Ostküste auf den Bildschirm. „In Washington erkenne ich deutliche Truppenbewegung des Militärs zu – zu Boden und zu Luft – und eine Menge Explosionen. In Philadelphia sind die Narach noch unbehelligt. Der Kern der Gegner befindet sich um den Rittenhouse Square."

„Kannst du auch den verkackten Feldherren ausmachen?", fragte Stephanie. „Es wäre sicher von Vorteil, wenn wir uns zuerst um den kümmern könnten."

John suchte weiter. Doch trotz der hohen Zoomstufe war es schwer einen Einzelnen aus einer Menge von Tausenden zu erkennen. Er neigte den Bildschirm, so dass auch die anderen mitschauen konnten.

„Da. Etwas Weißes." Fox zoomte mit den Fingern an eine Stelle am rechten Rand.

Der Feldherr mit weißem Umhang ging auf dem Dach eines Hochhauses mit Swimming-Pool umher. Von dort aus beobachtete er das Treiben der Untergebenen. Diese fegten über einen Park hinweg und rissen die fliehenden Besucher mit sich.

„Wie wollen wir vorgehen?", fragte Ivan.

Zweifellos musste es wieder ein Überraschungsangriff sein. Aber auf die Blitzattacke wollten sie diesmal verzichten. Sonst hätten sie keine Kraft mehr für seine Armee. Das rasche Auf- und Abgehen machte es noch dazu äußerst schwierig ihn im Rücken abzupassen. Gerade eben wechselte er sogar mit einem Sprung auf ein benachbartes Dach.

Alexandreiji bückte sich nach einem Trümmerteil in der Größe einer Mandarine. Es war so verrußt, es hätte ein Bruchstück einer Mauer sein können oder ein Teil eines Autos. Er reichte es Ivan neben sich. „Wirf das möglichst knapp an mir vorbei. Nicht zu zaghaft. Ich will etwas ausprobieren."

Allen voran zog er Ivans fragenden Blick auf sich, während Alexandreiji ein paar Schritte rückwärts machte. Nach einem gleichgültigen Schulterzucken schleuderte Ivan den Brocken in Alexandreijis Richtung. Dieser drehte sich in einem Teleportationskonstrukt davon weg und verschwand zusammen mit dem Trümmerteil. Gleich darauf tauchte er um mehrere Meter seitwärts versetzt noch in seiner Drehbewegung wieder auf. Das Teil flog weiter an Alexandreiji vorbei und schlug nach einem Bogen mit einem metallischen Klang auf dem Boden mehrmals hintereinander bis zum Stillstand auf.

„Sehr schön." Alexandreiji trat mit einem zufriedenen Lächeln zurück in die Runde. „Objekte verlieren während einer Teleportation nicht an ihrem Momentum, ihrem Bewegungsimpuls. Wir könnten unsere Waffen gleichzeitig auf einen Punkt werfen. Kurz bevor sie das Ziel erreichen, teleportieren wir sie zum Feldherren. Die Umzingelung lässt eine gewisse Zielungenauigkeit durch seine Bewegung zu."

„Bekommen wir das alle zeitgleich hin?", brachte Therese vorsichtige Zweifel an. „Das Werfen und Teleportieren? Wenn ihn die erste Waffe verfehlt, hat er womöglich Zeit, darauf zu reagieren, bevor eine andere ihn trifft."

„Wenn ihr auf mich werft, bringe ich alle ins Ziel", schlug Fox selbstsicher vor.

„Auf dich zielen?", wiederholte Stephanie ungläubig.

„Am besten knapp über meinen Kopf. Dann landen die Treffer mitten in seinem Körper."

„Wir spielen doch nicht Eulenspiegel mit dir", empörte sich Susan.

„Ich schaffe das", versicherte Fox, ohne Susans Argument zu verstehen. „Wirklich."

„Kriegst du das auch in der Hocke hin? Halt dein Schwert nach oben und wir zielen auf die Spitze", schlug Ivan eine sicherere Variante vor.

Fox nickte überzeugt.

Auch der Rest gab sich damit einverstanden.

„Also los, stellt euch auf", trieb John an.

Sie bildeten einen gleichmäßigen Kreis über die gesamte Straßenbreite hinweg mit Fox in der Mitte. Mit einer Hand streckte er hockend die Schwertspitze in die Höhe. Mit der anderen hielt er Johns Tablet und beobachtete den Standort des Feldherren, der sich inzwischen auf dem Dach eines Appartementhauses befand.

„Bereit?!", erkundigte sich Ivan, was von Susan nach wie vor nervös abgenickt wurde.

Hoffentlich geht das gut. Sie atmete tief ein und konzentrierte sich.

„Dann wieder auf Drei! – Eins!"

Die Wächter suchten einen festen Stand.

„Zwei!"

Sie erhoben die Waffen und fixierten Fox' Schwertspitze. „Drei!"

Fox blickte auf und erfasste mit einer schnellen Drehung alle der auf ihn zuschneidenden Waffen. Beim Erreichen eines Radius von zwei Metern erschuf er ein Teleportationsband um sich, in das alle eintauchten und er mit ihnen verschwand.

Im nächsten Moment teleportieren sich die Wächter auf das Dach des Hochhauses in Philadelphia und sahen den Feldherren zusammenbrechen. Vier Waffen steckten in dem Körper. Nur Ivans und Johns Schwert hatten das Ziel verfehlt und waren wohl weiter über die Dachkante hinweg geflogen. Doch bereits die Kluft, die Thereses Waffenring in den Rumpf geschlagen hatte, bedeutete für den Narach eine tödliche Verletzung. Fox erhob sich nur einen Meter von dem zusammenbrechenden Körper entfernt aus der Hocke und blickte mit einer Mischung aus Stolz und Erleichterung auf seine Kameraden.

Stephanie kam jubelnd auf ihn zugesprungen.

Indessen fiel Susan ein Stein vom Herzen. *Das hätte auch ins Auge gehen können.* Fox war ebenfalls durch die Schlacht zuvor geschwächt. *Ob er die Gefährlichkeit der Aktion wirklich gut genug einschätzen konnte?* Aber was sollte sie an Fox zweifeln? Während er der Professor für Teleportationen war, war sie weniger als eine Grundschülerin, trotz des Wissens, wie man eine durchführt. Auch hier her hatte sie sich an Alexandreiji geklammert.

Die Wächter ließen ihre Waffen in dem zerfallenden Körper unter sirrendem Knistern verschwinden, nachdem sie alle Fox ihre Anerkennung gezollt hatten.

„Dann machen wir da unten weiter", sagte John.

Gleich darauf teleportieren sie sich an verschiedene Stellen mehrere Meter über das durch die Straßen flutende Heer und stürzten herab. Wie Ivan stanzten sie durch einen massiven Luftdruck ein Loch hinein und setzten in einer weiten, kreisförmigen Formation auf dem Teppich aus Fleisch und Knochen auf.

Jeder einzelne erschuf einen dichten Schild aus Feuer um sich und drückte ihn von sich weg. Die Flächen verbreiterten sich und fraßen sich als Feuerwalzen durch die Menge, bis sie sich zu größeren Wänden verbanden und einen gemeinsamen flammenden Ring um die Wächter schufen.

Susan war beeindruckt. Ohne diese Aktion im Detail besprochen oder jemals vorher getestet zu haben, stimmte das Timing perfekt. Susan bemerkte durch ihre Überraschung hindurch gerade noch rechtzeitig etliche Dutzend Feinde von den oberen Etagen aus dem Innern der Gebäude springen. Sie entging der ersten herabfallenden Klinge durch einen steilen Sprung nach oben, an allen niederstürzenden Narach vorbei. Mit einer breiten Feuersäule vernichtete Susan die meisten der in der Luft befindlichen Gegner. Nur wenigen gelang es, die Flugbahn mit einer Flucht durch eine schwarze Verzerrung zu unterbrechen und den Flammen zu entgehen.

Susan setzte wieder auf der freien Fläche auf und verkohlte weitere Feinde durch gezielte Feuerstrahlen. Sie strich sich den Schweiß von der Stirn und blickte um sich.

Auch auf Therese kamen aus sämtlichen Richtungen Narach zugestürzt. Wie einen Boomerang in einem Wirbelsturm ließ sie ihren Waffenring um sich wüten. Dabei zerteilte sie einen Angreifer nach dem anderen, so dass sie nicht einmal in Thereses Nähe gelangten.

Davon inspiriert nahm Alexandreiji die beiden abgebrochenen Rotorblätter eines in den Häuserschluchten niedergegangen Pressehubschraubers per Telekinese auf und ließ diese um sich kreisen. Doch gelang es ihm nicht, sie schnell und präzise genug zu steuern. Zu viele der Kreaturen drangen daran vorbei, so dass er sie mit seinem Kristallstab unschädlich machen musste. Er ließ von den Rotorblättern ab.

Stephanie nahm sich eines zerstörten Hydranten an. Sie formte ein Stück der Wasserfontäne zu einem flüssigen Strick, den sie wie eine Peitsche um sich schwang. Das dünne Ende schnitt tödliche Verletzungen in einzelne angreifende Narach. Stephanie führte aber auch den breiteren Teil um sich, der mit einer gewaltigen Masse an Wasser wie ein mächtiger Hammer ganze Gruppen zerschmetterte.

John riss große Trümmer aus einer Granitfassade und erschlug damit die Gegner, die auf ihn zustürmten. Die Platten zerschlugen sich mit jedem fatalen Treffer zu kleineren

Bruchstücken, bis hin zu spitzen Splittern, die ebenfalls ihren Zweck erfüllten.

Fox nutzte die zahlreichen abgerissenen Äste des bewaldeten Parks. Er brach durch Konzentration des Luftdrucks dutzende Stöcke daraus, die er per Telekinese zuhauf in die anstürmenden Narach wie Speere versenkte. Die Überreste spreißelte er weiter zu scharfen Fragmenten herunter, so klein wie groben Staub, die beim ersten Atemzug der Feinde deren Atemwege zerfetzten.

Ivan widmete sich auch der Luftzufuhr der Gegner, hielt sich aber an die Luftmanipulation. Er sorgte bis auf seine unmittelbare Nähe für ein Vakuum, indem er in sämtlicher Umgebung die Luft verdrängte.

Die anstürmenden Narach atmeten während des Angriffs aus und hatten im nächsten Moment nichts mehr, womit sie ihre Lungen füllen konnten. Sie stolperten nur noch auf Ivan zu und brachen zu Hunderten bewusstlos vor seinen Füßen zusammen.

Alles wirkte so natürlich. Jede Bewegung mutete wie choreographiert an, als hätten sie diesen Kampf und ihre Angriffe schon unzählige Male geübt. Befand sich das Wissen, das Können in dem Splitter?

In wieviele Konflikte unsere Vorgänger wohl verwickelt waren, um solch ein Repertoire zu schaffen? Diese Routine löste nicht nur ein Gefühl von Respekt in Susan aus, sondern auch Unbehagen. Die Wächter sollten ursprünglich eine Leibgarde zum Schutz der Königsfamilie darstellen. Aber muteten sie nun vielmehr einer Kriegsmaschinerie an. *Das alles konnten sie sich doch nicht untereinander in Trainingseinheiten einfallen lassen haben.*

Susan vernahm die Rotorengeräusche von drei Militärhubschraubern. Auch die anderen nahmen den Hall zwischen den Hausfassaden durch das Geschrei der bereits deutlich dezimierten Narach-Armee wahr. Die Wächter behielten sie dort oben im Auge, sollten sie *Friendly Fire* zu erwarten haben. Aber das Geschwader hing aufmerksam in der Luft und beobachtete das Gemetzel, das nur sieben Menschen anrichteten.

Susan schuf einen kleinen Schild vor ihrem Kopf, der das Gesicht in Richtung der Hubschrauber wie durch trübes Glas erscheinen ließ. Die mit Gewissheit mitgefilmten Beobachtungen würden höchstwahrscheinlich nicht an die Öffentlichkeit und damit auch nicht zu Susans Eltern geraten. Jedoch: *Sicher ist sicher.*

Der Schirm schränkte ihren Rundblick zwar etwas ein, verursachte bei der rasch sinkenden Zahl an Gegnern aber keine bemerkenswerten Sicherheitseinbußen mehr.

Kapitel 35 - Konsequenzen

Sogar der letzte verbliebene Gegner machte nicht im Geringsten Anstalten, den Rückzug anzutreten. Vollkommen allein stürzte er sich mit Kampfgebrüll in Johns glühende Klinge.

Welch Verschwendung von Leben, trauerte Iris über die aberhunderten Wesen vor sich, die sich in massiven Rauchschwaden in den Himmel erhoben. *Was für eine immense Motivation kann nur in ihnen stecken, sich der ungerechten Sache hinzugeben?*

Sie hatte schon viele Völker erlebt, die anhand menschlicher, als auch ihrer Auffassung nach, irrational handelten. Aber so konsequent in dieser Aufgabe der Vernichtung aufzugehen? Der einzige Lebensinhalt die Auslöschung von Leben?

Es hatte zwar den Anschein, dass sich die Wächter mit Leichtigkeit gegen die Narach behaupten konnten. Doch ihre schweißgebadeten Gesichter zeugten von der Anstrengung, die ihnen die Angriffe und Konter abverlangt hatten.

Sie sammelten sich schwer atmend auf den Straßen der Innenstadt.

Iris trat zu Alexandreiji. „Lass mich dir helfen."

Sie kümmerte sich um eine tiefere Schnittwunde am linken Oberarm.

Derweil setzte sich Fox auf einen der wenigen freien Flecke des Asphalts, die nicht von rauchenden Leichen bedeckt war, und stütze sich mit nach hinten gestreckten Armen ab.

Nur zögerlich begaben sich Überlebende aus den oberen Stockwerken der größeren Gebäude ans Fenster. Mit Handzeichen und Hilferufen versuchten sie, die Aufmerksamkeit der Hubschrauberbesatzungen auf sich zu lenken, die sich vorsichtig näherten.

„Und weiter?", keuchte Stephanie. „Ich bin ehrlich gesagt ziemlich durch."

John holte unter den wachsamen Hubschraubern sein Tablet hervor. „Washington ist weiterhin hart umkämpft, aber das Militär hat wohl die Oberhand gewonnen, wenn auch mit großem Kollateralschaden. Die halbe Stadt brennt. – In Baltimore sind inzwischen ebenfalls mehrere Truppen vor Ort und befinden sich im Kampf. – In einem verlustreichen."

„Nutzt es, wenn wir uns total ausgepowert mit ins Getümmel stürzen?", fragte Therese. „Wir würden uns wohl nur gegenseitig behindern, ohne ein gemeinsames Vorgehen mit den Militärs abgesprochen zu haben."

Sie blickte zu den Hubschraubern auf, die weiter abwarteten und keinen Kontakt suchten.

„Die warten vermutlich solange, bis Bodentruppen da sind", meinte John.

„Und was machen wir?", fragte Ivan. „Wir haben zwar allein die Hälfte der Streitmacht hinter uns gebracht. Aber lasst uns bitte nicht leichtsinnig werden."

Iris wechselte von Alexandreijis Verletzungen zu Johns. Sie mischte sich nicht weiter in taktische Belange ein, sondern brachte sich nur noch möglichst dezent mit ihren Heilkräften ein. Zu mehr war Iris nicht zu gebrauchen und darüber war sie keineswegs traurig. Sie freute sich sogar verhalten, dass es eine gute Entscheidung war, sie alle wieder zu versammeln. Die Wächter erfüllten ihre Aufgabe glanzvoll. Sie waren keine Schüler mehr, sondern ihrer Fähigkeiten vollkommen bewusst.

Iris blickte in die Runde. Ihre einstigen Schützlinge atmeten immer noch schwer. Ivan und Stephanie lehnten an einer Wand, Susan und Therese stützten sich auf den Knien ab. Ihren Blicken aufeinander sah man es an, dass sie selbst erkannten, dass sie mit noch einem Teil der Narach-Armee in erhebliche Schwierigkeiten geraten würden.

Ich stärke euch weiter den Rücken. Egal, ob ihr euch dafür, oder dagegen entscheidet.

„Zumindest dem hier sollten wir uns noch annehmen", meinte John und hielt den anderen das Tablet vor.

Auch Iris warf einen Blick darauf. Der dritte Feldherr, deutlich zu erkennen an seinem roten Umhang, stieg höher in die Lüfte als alle seine Untergebenen. Er zerfetzte einen Militärhubschrauber und einen Panzerwagen nach dem anderen. Dabei verschwand er nach jedem Angriff in einer schwarzen Verzerrung und tauchte kurz darauf beim nächsten Ziel auf.

„Machen wir ihn unschädlich, dann haben wir den Löwenanteil gestemmt und das Militär kann sich dem Rest annehmen, ohne dass wir uns in die Quere kommen", schlug Susan vor. „Danach ziehen wir uns zurück und beobachten die Lage von Afallon aus. Wir ruhen uns einen Moment aus, um später eventuell nochmal eingreifen zu können. Okay?"

Alle Wächter stimmten ohne zu überlegen zu.

Mindestens zwei von ihnen mussten den Feldherren in dem roten Umhang als ihren Mörder in den Ruinen Andalons kennen. Die Berichte, die Iris nach ihrem unverhofften Erwachen erhielt, waren nicht ausführlich genug, um zu wissen, wer durch wessen Hand starb. Und sie hatte nicht nachgefragt. Was hatte es denn schon für eine Bedeutung?

Auch aus einzelnen Gesichtern ließ sich nun nicht mehr Antrieb ablesen, als bei anderen. In allen stand gleichermaßen die Erschöpfung, aber ebenso eine beeindruckende Entschlossenheit.

„Wie wollen wir gegen den Wichser vorgehen?", fragte Stephanie. „So aktiv, wie er da involviert ist, erwischen wir ihn nicht mit einer einzelnen Attacke."

Susan erkundigte sich bei John und Alexandreiji. „Denkt ihr, Zarh könnte sich aus der Splitterbarriere befreien?"

Iris erkannte etwas in Susans Augen, als sie den Namen des Feldherren aussprach. Dasselbe, das sie schon bei John bemerkt hatte, als er Orh gegenüberstand. Susan kannte nicht nur den Namen. *Zarh war Susans Mörder!*

John zuckte mit den Schultern und entgegnete ratlos: „Das brauchst du mich nicht fragen. Ich hab das zum ersten Mal gemacht."

„Die Barriere stammt aus einem neueren Fundus von Arkons Splitter", antwortete Alexandreiji. „Soweit ich das beurteilen kann, ist es weder körperlich noch mit der schwarzen Verzerrung der Narach möglich, einzudringen oder zu fliehen."

„Hört sich doch gut an", meinte Susan.

Iris war sich nicht sicher, ob Susan unbewusst gegen Zarh antrieb, oder sich bemühte, ihre Gefühle herunterzuspielen, um es sich nicht anmerken zu lassen. Sie wusste anhand Celes' Erzählung vom Ende Susans, das ihr die Kontrolle über ihre Leiche verliehen hatte.

Während Susan das Vorhaben im Detail erläuterte, schloss Iris die oberflächlichen Schnittwunden an Ivans Schultern. Wie auch die anderen Kameraden beachtete er Iris' Handeln nicht weiter und nahm ihre Bemühungen einfach nur hin. Nicht dass sie auf Dankesworte scharf gewesen wäre. Sie sollten sich lieber auf Wichtigeres konzentrieren. Aber ein kleines Wort, oder winziges Lächeln hätte sie zumindest davon überzeugt, dass sie nach wie vor in ihren Reihen willkommen war. Die Eröffnung in der Herberge saß ihnen allen sicher noch schwer im Magen.

Wie sie wohl erst reagieren werden, wenn ich das Versprechen, das ich Zinus gegeben habe, einlöse?

Die Wächter richteten sich auf und bereiteten sich auf die Teleportation vor. Sie blickten im Kreis auf Johns Tablet und prägten sich Zahrs Bewegungen genau ein. Im selben Moment, als ihre Freunde verschwanden, zerfiel Iris in ein strahlendes Funkeln und schoss ihnen hinterher nach Baltimore. Sie hoffte zumindest, dass sie sie noch als Freunde bezeichnen durfte.

Die Wächter passten Zahr bei einem weiten Sprung auf einen Hubschrauber ab. Therese schleuderte ihren Ring auf ihn, dem er sich mit einer Körperdrehung gerade noch entziehen konnte. Statt eines vernichtenden Erstschlags, zog Fox seine Aufmerksamkeit durch einen minder gut platzierten Feuerball auf sich.

Durch eine schwarze Verzerrung hindurch, tauchte er neben Fox auf dem Dach eines Hochhauses auf, doch Fox war im selben Moment bereits verschwunden. Stattdessen stand ihm John auf der anderen Seite der Betondecke gegenüber. Vollkommen ruhig und entspannt, ohne dass eine Gefahr von ihm ausging.

Zahr wartete einen Augenblick zu lange, um die Situation einzuschätzen. Denn im selben Moment entzog Ivan vom Innern des benachbarten Gebäudes aus, Zahrs Umgebung die Atemluft und Alexandreiji schloss seine Barriere um ihn. Trotz größter Bemühungen durch Hiebe seiner Pranken gelang es ihm nicht, sich aus dem luftleeren Gefängnis zu befreien. Die ringsum verstreuten Wächter sammelten sich auf dem Flachdach vor dem hellen Gebilde und blickten erwartungsvoll auf den sich windenden Feldherren.

Susan verfolgte mit einem Kribbeln in ihren Muskeln die schwächer werdenden Schläge gegen die Innenwand. Zarh war kurz davor, leblos zusammenzubrechen.

Die Wächter hatten ihre Etappe geschafft. Doch während ein erleichtertes Lächeln durch die Gesichter der Freunde zog, blieb Susans Blick ernst auf Zarh gerichtet.

Ja, es war widersinnig. Zarh konnte sich nicht an Susan erinnern und an seine Taten ihr gegenüber. Und gegenüber Stephanie, und Zinus, und Endor. Dennoch war es etwas Persönliches. Er würde es wieder tun, ohne Zweifel. Susan konnte erst loslassen, wenn er seinen letzten Atemzug getan hatte.

Eine dunkle Fingerspitze stach von hinten durch die helle Barriere. Die kristallene Außenhaut zerbrach wie Glas und löste sich auf.

Durch die sich auflösenden Scherben kam eine Gestalt zum Vorschein, die vom Licht der berstenden Kuppel überblendet wurde. Doch das Strahlen nahm rasch ab. Die Konturen verdeutlichten sich.

Bereits als sich die erste Ahnung in Susans Gedanken kratzte, zog Gänsehaut über ihren gesamten Körper. Mit flacher Atmung starrte sie dem Wesen entgegen, das langsam über den am Boden röchelnden Feldherrn hinweg aufstieg und auch Ivans Vakuumblase mit einem Handstreich wegwischte.

Susan stand der Herrscherin vorher noch nie persönlich gegenüber. Doch lag Celes' Erinnerung lupenrein in ihrem eigenen Gedächtnis. Jeder Moment und jede Emotion des letzten Aufeinandertreffens hatte sich in den Kristallsplitter gebrannt.

Höchste Verachtung füllte Susans Blick auf das unschuldig wirkende Mädchen. Mit verschränkten Armen und einem herablassenden Lächeln blickte das Übel auf die Wächter hinab. Ihre langen schwarzen Haare umstrichen sanft die blasse Haut und das violette Kleid.

Obwohl sie die Erschöpfung zeichnete, befand sich Susan in höchster Anspannung. Auch diesmal machte No'ara nicht den geringsten Eindruck des Interesses an einem Angriff. Doch Susan wusste um die Macht und Schnelligkeit dieses kleinen, unscheinbaren Geschöpfs.

„Welch vertrautes Bild", vernahm Susan die verhasste Stimme zum ersten Mal mit eigenen Ohren. Unverfälscht durch Celes' Erinnerungen, oder durch No'aras Körper, in dessen Inneren sich Susans Seele befunden hatte. In einer metallischen Kühle drang sie durch den Lärm des Kampfgeschehens viele Stockwerke unter ihnen. „Aber ihr seid gar nicht vollzählig, muss ich leider feststellen. Haben eure Kameraden denn etwas Besseres zu tun? Oder denkt ihr, dass ihr mir diesmal gewachsen seid?"

„Sie kann sich an uns erinnern?", flüsterte Ivan durch den Spalt seiner Lippen.

Muss sie ja, beantwortete Susan seine Frage für sich selbst. *Weshalb sonst sollte sie ausgerechnet als Erstes auf Andalon auftauchen? Sie hat nach uns gesucht.*

„Hör auf mit deinem Getue und lass uns gleich zur Sache kommen!", rief John mit zum Zerbersten gespannten Muskeln.

Auch Susan verspürte den Drang, auf No'ara einzuschlagen, doch hatte sie Angst, es zu überstürzen. Sie war einfach nicht in der Verfassung, auch noch *ihr* vernünftig die Stirn zu bieten. Hier kam es auf jedes Quäntchen Aufmerksamkeit und Kraft an.

Die kindliche Ka'ara allerdings ließ sich nicht aus der Ruhe bringen. Sie drehte sich mit noch immer verschränkten Armen zur Seite. „Aber, aber", gab sie mit einem beschwichtigenden Tonfall von sich. „Lasst uns doch nicht den Augenblick verstreichen, uns näher kennen zu lernen." Sie nahm in der Luft einen Schritt nach dem anderen und begann, kreisförmig um die Wächter herumzuwandern.

Ein Militärhubschrauber begab sich hinter sie und übertönte die Szene. Mit einer sachten Handbewegung senkte No'ara nicht nur die Geräuschkulisse der Rotoren, sondern auch die der Kampfgeschehnisse in den Straßen Baltimores.

„Mich würde interessieren, wieso ihr überhaupt noch am

Leben seid", fragte sie in die nun herrschende Stille um sich herum. „Sollten eure Seelen nicht meiner Befreiung gedient haben?"

Susan war entsetzt von ihrer Scharfsinnigkeit. *Sie erkennt, dass wir nicht die alten Wächter in unseren Körpern sind.*

Wie Susan selbst, machte Keiner Anstalten auf ihre Frage einzugehen. Sie ließen nicht von ihrer Konzentration ab.

„Und was hatte es mit der fliegenden Insel auf sich? Sollte sie nicht in Schutt und Asche im Eis dieser Welt liegen?"

Sie hat noch alle Erinnerungen, bis zum letzten Augenblick. Aber auch sie versteht es nicht.

Auch hierauf erhielt sie keine Antwort. Die Wächter drehten sich stumm mit der um sie kreisenden Herrscherin.

„Zumindest diesem Missstand konnte mein Bruder bereits Abhilfe schaffen."

Susan bemerkte ihren Blick aus den Augenwinkeln seitwärts auf sie zu.

Eine Provokation?

Niemand sprang darauf an. Kaum ein Muskel spannte sich stärker, als sie es ohnehin schon taten. Sie rechneten jeden einzelnen Augenblick mit einem Angriff oder einem Hinterhalt. Fox und Ivan hielten auch die rückwärtige Seite im Auge.

„So sehr ich froh bin, dass mein Bruder eure kleine Heimat vom Himmel holte, bin ich doch überrascht, dass er eure Existenz nicht spüren konnte. Er meinte, nur Bewohner ohne außergewöhnliche Begabung erkennen zu können. – Nicht, dass ich euch als begabt bezeichnen würde, aber hier seid ihr."

Weil ich zu dem Zeitpunkt noch nicht mit meinem Splitter verbunden war, du Miststück.

„Aber noch jemand fehlt. Wo habt ihr euren Prinzen versteckt? Wo ist Kronos?"

Erwartungsgemäß erhielt No'ara wiederum keine Antwort. Allerdings nahm sie nur zwei Schritte später wahr, dass sich etwas verändert hatte. Sie wandte den Kopf den Wächtern zu, die regungslos auf die Stelle starrten, an der sie sich vor wenigen Sekunden noch befunden hatte.

Iris erzitterte. *Nein! Bitte nicht!* Auch ihr stach es im selben Augenblick eiskalt durch ihr gesamtes Wesen. Doch zu spät, als dass sie rechtzeitig mit was auch immer hätte reagieren können.

No'aras Augen färbten sich blutrot. Sie erkannte die Gelegenheit, die sich ihr bot und stürzte zuerst auf Susan zu. Sie erhob ihre in grünen Flammen aufgehende Hand. Die gekrallten Finger zielten auf Susans Kehle, die ihr erstarrter, nach oben gerichteter Kopf feilbot.

Iris schrie auf. Doch No'ara hatte sie bereits erreicht.

Ein abartiges Geräusch von zerreißendem Fleisch und brechender Knochen hallte über das Dach.

Zusammen mit einem Donnern.

Iris wusste im ersten Moment nicht, ob sie es wahrhaben sollte:

No'aras Hand hatte ihr Ziel um wenige Zentimeter verfehlt. Ihre Füße setzten zurücktaumelnd auf dem Boden auf. Benommen blickte sie an sich hinab und erkannte mit geweiteten, sich wieder blau färbenden Augen, dass ein großer Teil ihres Brustkorbs fehlte. Die gesamte linke Flanke zwischen Arm und Hüfte war herausgerissen. Dort klaffte ein riesiges Loch, aus dem blaues Blut schoss und Gedärme drangen.

No'aras sich schnell leerender Blick wanderte unter Schock zur Seite. Vor ihr richtete sich eine Gestalt mit blau triefender Pranke auf.

Im nächsten Moment brach sie zusammen. Bevor ihr Körper auf dem Boden aufschlug, tat sich unter ihr eine schwarze Verzerrung auf, in der sie eintauchte und verschwand.

Zarh rappelte sich im Hintergrund schwer atmend auf und fauchte laut. Nach und nach stellten die Reste seiner Armee die Kampfhandlungen gegen das Militär ein und traten, wie ihr Feldherr selbst, den Rückzug durch eigene Verzerrungen an.

Ungläubige Erleichterung zog in Iris auf. Noch vollkommen außer sich starrte sie auf Yuhna, die sich mit zwei schnellen Bewegungen das Blut von der Hand wedelte.

In verhaltenem Ton wandte sie sich an Iris: „Könnt ihr uns bitte helfen? Wir haben einen weiteren Ka'ara gefunden."

Mit diesen Worten geriet wieder Leben in die Wächter. Sie schauten sich hektisch um, doch sie fanden No'ara nicht. Stattdessen blieben ihre Blicke auf der Doronierin hängen und den Unmengen blauen Blutes, das weit über das Flachdach versprenkelt lag.

„Einen weiteren Ka'ara sagst du?", fragte Iris, die selbst erst wieder in der Lage war, einen klaren Gedanken zu fassen.

„Wollt ihr bitte mitkommen?", bat Yuhna karg.

„Was zum Teufel ist mit der Herrscherin?", brach John hervor. „Und wo sind die Narach geblieben?"

Kapitel 36 - Tot geglaubt

„Und wieso kann sich keiner von uns daran erinnern?",
rief Ivan den anderen mitten im Sprung zu.

„Ihr erschient mir abwesend", meinte Yuhna, die ihre Geschwindigkeit den Wächtern anpasste. „Irgendwie erstarrt."

Sie hatten sich mit ihr an die englische Küste teleportiert,
von wo aus sie die letzte Strecke zu Fuß zurücklegten.

„Dann hat sie es tatsächlich geschafft uns zu bannen?",
brachte Therese mit einem verärgerten Unterton hervor.

Iris sah ihr die Verzweiflung an. Sie hatte bemerkt, dass
Therese während No'aras Abschreiten unsichtbare Schutz-
kreise um jeden einzelnen Wächter gezogen hatte, die die
Beeinflussung ihrer Körper verhindern sollten.

Aber die Kreise haben nicht versagt. Iris wusste es besser.
Ihre eigenen Zweifel waren größer als jemals zuvor.

Sie dachte an Zinus. Doch sie konnte es noch nicht auflö-
sen. Nicht jetzt. An ihrem bevorstehenden Ziel erwartete sie
laut Yuhna kein Kampf. Daher schob sie es vorerst weiter
auf. Vielleicht war es gar nicht mehr nötig, es aufzuklären.
Nun, da die Herrscherin unschädlich gemacht worden war.

„Ist sie denn wirklich tot?", fragte Stephanie.

Yuhna widmete der Frage keine Antwort.

Aber auch Iris blieb stumm, obwohl sie neben Yuhna die
Einzige war, die das Ausmaß der Verletzung beurteilen
konnte. Sie hätte mit einer Erwiderung für Gewissheit unter
den Wächtern sorgen können. Doch wollte sie sich im Moment lieber nicht zu Wort melden und sich weiter in der Unsichtbarkeit verstecken. Nicht dass sie jemand zu dem
Blackout befragte – wie *sie* es erlebt hatte.

Iris folgte der voranspringenden Gruppe als sternförmiges Funkeln an hoch aufragenden Felswänden entlang. Schließlich erkannte sie an den Wächtern vorbei Nihko am schmalen Strand knien. Vor ihr lag ein bewusstloser junger Mann mit kurzen weißen Haaren. Er war komplett durchnässt und teilweise von Sand und kleineren Resten von Algen bedeckt. Größere Stücke davon lagen um beide herum, von denen ihn Nihko offenbar befreit hatte.

Nihko blickte zur Gruppe auf. „Könnt ihr ihm helfen?"

„Helfen?" Alexandreijis Stirn runzelte sich.

„Wieso sollten wir einem Feind helfen?", setzte John verständnislos nach.

„Er ist kein Feind. Sein Name ist To'sun", erklärte Yuhna.

Ein bedeutungsvoller Wechsel von fragenden Blicken unter den Wächtern folgte. Nur Susan reagierte auf den Namen: „Der Widerstandskämpfer? Ich dachte, er kam bei Doronias Zerstörung um?"

„Das war unsere feste Überzeugung", bestätigte Nihko. „Wir waren uns sicher, dass er nicht überlebt hatte. – Bitte, könnt ihr nach ihm sehen?"

Während alle Angesprochenen noch zögerten, kniete sich Therese ab und überprüfte seine Vitalzeichen. „Die Atmung ist flach und sein Puls schwach. Körperlich scheint er keine Verletzungen aufzuweisen, soweit ich das beurteilen kann. Soll ich versuchen, ihn aufzuwecken?"

Die Frage richtete sich nicht nur an die Doronier, die mit ihrem Nicken zur Schulter zustimmten. Die Wächter machten dagegen keinerlei Anstalten, ein Für oder Wider zu äußern. Sie waren mit den Kräften am Ende und würden auf eine neuerliche Bedrohung kaum reagieren können.

Doch allen voran blieb Iris vorsichtig. Sie war sich nicht sicher, aber mit jeder Sekunde, die sie den bewusstlosen Ka'ara in Nihkos Armen betrachtete, wurde sie nervöser.

Therese legte schließlich die rechte, silbern glänzende Hand auf die Stirn des blasshäutigen Mannes.

Nach wenigen Sekunden atmete To'sun tief ein. Seine Augen schlugen auf und blinzelten in den hellblauen Himmel über sich. Noch halb blind von der Helligkeit erfasste er die Doronierin über sich.

„Nih…?", versuchte er, heiser ihren Namen zu krächzen.

Doch dann krümmte er sich und würgte Meerwasser heraus. Schwer atmend stützte er sich seitlich auf die Arme und fragte mit kratzender Kehle: „Wo sind wir? Was ist passiert?"

„Diese Welt hier wird Erde genannt", antwortete Nihko sichtlich erfreut über die Unversehrtheit ihres Freundes. „Du wurdest an einen Strand gespült. – Wo warst du die ganze Zeit? Wie konntest du von Doronia fliehen?"

„Fliehen?" To'sun wandte den Blick ab und überlegte scharf. Dabei bemerkte er erst jetzt die Riege der Wächter um sich. Er blinzelte unsicher durch die Reihe.

„Sie sind ungefährlich", versicherte Yuhna. „Es sind Bewohner der Erde, die für dieselbe Sache kämpfen."

Seine Augen weiteten sich mit einem Mal. Er blickte entsetzt zu Nihko auf.

„Doronia ist zerstört, nicht wahr?"

Nihko senkte den Kopf.

Auch To'suns Blick fiel nach unten. Er schien in sich zu gehen und nach etwas zu suchen. Doch seine Augen kniffen sich immer mehr zusammen.

„Ich weiß nicht, wie ich von Doronia hierher kam." Seine Fäuste pressten sich an die Stirn. Er kämpfte offenbar mit aufkommenden Kopfschmerzen.

Nihko legte ihre Hand an seine Schulter. „Du kamst sicher nicht direkt von Doronia zur Erde. Immerhin liegt der Untergang 170 Zyklen zurück."

To'sun starrte sie an. „170 Zyklen?"

„Es sei denn, er machte einen Zeitsprung", merkte Alexandreiji an.

To'sun neigte den Kopf in seine Richtung. „Was versteht Ihr bitte unter einem *Zeitsprung*? Reisen durch die Zeit? Das erscheint mir doch sehr unwahrscheinlich."

„Na, da wirst du dich noch auf mehrere Überraschungen einstellen können", feixte John kleinlaut.

„Er versteht uns?", fragte Stephanie verdutzt.

„Ka'ara kennen so etwas wie eine Sprachbarriere nicht", antwortete Iris zögerlich. „Sie kommunizieren nicht nur audiovisuell, sondern in Kombination mit einer Art Gedankenübertragung. Daher brauchen sie eine Sprache vorher nie gehört zu haben, um die Bedeutung des Gesprochenen zu verstehen."

Iris sah To'suns Augen direkt auf sie gerichtet. Sie erschauderte. Ihr war so, als stäche sein Blick nicht nur durch den leeren Raum, an dem sie stand, sondern mitten durch ihr Innerstes.

Sie meinte, diese Person schon einmal gesehen zu haben. Aber konnte das wirklich sein? Es war über 9.000 Jahre her. In der Dunkelheit einer Eiswüste in der Menge von hunderten Ka'ara?

Auch an No'ara hätte sie sich als das Mädchen in den Armen ihres Bruders erinnern müssen, deren Leben Nerosa so selbstlos gerettet hatte. Doch bei ihr erkannte sie kaum eine Ähnlichkeit zwischen dem wehrlosen Kind damals auf Ka'ara und dem grausamen Wesen aus Celes' Erzählungen, dem sie vor wenigen Momenten selbst gegenübergestanden hatte.

To'sun ließ von ihr ab und nahm wieder die Hände an die Stirn. „Mein Kopf fühlt sich an, als hätte jemand mit einem Stock darin gerührt."

„Wir sollten dich trocknen", meinte Nihko.

„Ihr könnt mit uns nach Afallon kommen", stieß Fox aus, was bei den anderen Wächtern für Atemnot sorgte.

Iris war sich ebenfalls zumindest bei dem Ka'ara sicher, dass eine Einladung nach Afallon überstürzt war.

Doch die Doronier lehnten ab. „Danke für eure Hilfe, aber wir bevorzugen zunächst weiter einen gewissen Abstand."

Iris wusste, dass *sie* der Grund hierfür war.

„Wir haben zu danken", entgegnete Susan und reichte Yuhna die Hand.

Yuhna hob zögerlich ihren Arm und ahmte die Handbewegung unbeholfen nach. Sie hatte diese Geste inzwischen sicher schon bei anderen Menschen beobachtet.

Nihko führte ihre Arme unter To'sun hindurch und erhob sich mit ihm. Yuhna trat an ihre Seite und stützte To'suns Kopf. Sie gingen gemeinsam in die Knie und waren gleich darauf verschwunden. Nur aufgeschleuderter Sand peitschte in einer kurzen Windböe um die Wächter.

Iris atmete auf. Auch den anderen sah sie die Erleichterung an.

Die Wogen zu den Doroniern schienen sich etwas geglättet zu haben. Doch dieser To'sun machte ihr Kopfzerbrechen.

Aber nicht nur ihr. Zurück auf Afallon diskutieren die Wächter die jüngsten Ereignisse, während sie auf ihr Quartier zuschritten. Iris lauschte ihren Bedenken und Überlegungen, ohne sich selbst einzubringen.

Konnte man To'sun trauen? Wie würde No'aras Bruder auf ihren Tod reagieren? Therese erzählte auch von den Bannkreisen, die sie aus dem Fundus von Terras Wissen heraus geschaffen hatte. Aber wieso konnte die Herrscherin dann ihren Bann auf sie anwenden? Waren die Kreise nutzlos oder hatte Therese etwas falsch gemacht?

Erneut zog Iris' Schuld herauf. Wie sollte sie diese Angelegenheit bloß versöhnlich aus der Welt schaffen?

„Zinus!", rief Fox freudig und lief auf ihn zu.

Ivan dagegen zeigte sich besorgt. „Was machst du hier? Ist mit Blue alles in Ordnung?"

Zinus entgegnete mit einem breiten aber müden Lächeln. „Das kannst du sie selbst fragen."

Er trat zur Seite und bat mit einer ausladenden Bewegung seines Armes alle herein.

Iris eilte hinterher und blickte über die Schultern der kurz hinter dem Eingang verharrenden Wächter.

Blue lag auf einer gepolsterten Liege auf den linken Arm gestützt unter einer Decke. Sie sah ihren Kameraden erschöpft entgegen. Ihre Augenbrauen drückten Verunsicherung aus – ihre sacht erhobenen Mundwinkel Freude.

Fox eilte als Erstes heran und fiel ihr vorsichtig um den Hals. Der Rest reihte sich schnell um sie auf und suchte ebenfalls zumindest den Hauch eines Körperkontakts zu ihr.

Stephanie streichelte ihr behutsam über den Rücken. „Wie fühlst du dich?"

„Mein Hals kratzt noch von der Intubierung", brachte Blue heiser hervor. „Aber sonst kann ich mich nicht beschweren. Mir fehlt es nur etwas an Kraft."

„Wir päppeln dich schon wieder auf", versicherte Therese. „Ich besorge dir gleich was zu essen."

Bevor Blue ablehnen konnte, teleportierte sie sich fort.

„Seit wann seid ihr zurück?", fragte Alexandreiji. „Gab es Schwierigkeiten?"

„Nein. Es lief alles gut", beruhigte Zinus. „Zu meiner eigenen Überraschung wachte sie bereits vor einer halben Stunde auf. Die Sedierung hätte noch mindestens zwei Stunden anhalten müssen. Kurz darauf habe ich den OP-Saal freigegeben und wir sind hierhergekommen."

„Auf die Gefahr hin, dass ich indiskret wirke", tastete sich John vor. „Aber was um Himmels willen ist dir nur zugestoßen?"

Blue schluckte einmal schwer und krächzte: „Ich weiß nicht."

Sie streckte sich zu einem Beistelltisch, auf den Zinus ein Glas Wasser bereitgestellt hatte.

Gebannte Blicke folgten der aus dem rechten Ärmel eines Elfengewands ragenden schwarzen mechanischen Hand, die nach dem Wasserglas griff. Die künstlichen Finger bewegten sich vollkommen natürlich. Ganz und gar nicht abgehackt oder wie an einer Schiene geführt, wie man es von einem Roboter erwarten würde. Bestünde die Hand nicht aus dünnen Titanplatten und Pneumatikzylindern hätte man meinen können, sie trüge nur einen schwarzen Handschuh.

Unter den gebannten Blicken ihrer Freunde näherten sich die Finger vorsichtig dem hohen viereckigen Kristallglas und umfassten es langsam. Im nächsten Moment zerbrach es mit einem lauten Klirren in hundert Scherben.

„Es fehlt noch an der Feinjustierung", entschuldigte sich Zinus, obwohl Blue viel peinlicher berührt wirkte. „Daran arbeiten wir noch."

Susan holte schnell ein neues Glas und füllte es mit Wasser aus einer Karaffe. Stephanie half Blue sich besser aufzusetzen. Fox legte ihr mehrere Kissen unter den Rücken. So hatte Blue den linken Arm frei, um das Glas in ihre menschliche Hand zu nehmen.

Sie bedankte sich und trank kleine Schlucke. Susan nahm ihr das Glas wieder ab und stellte es auf den Tisch neben die Kristallscherben und dem darauf liegenden Raumkristall.

Das folgende ratlose Schweigen wurde schnell von Stephanie beendet: „Wir sind froh, dass du wieder bei uns bist."

Sie schloss die Arme von hinten um ihre Freundin, worauf auf Blues Gesicht ein wohliges Gefühl abzulesen war.

Iris lenkte ihren freudigen Blick von Blue auf Zinus. Die Sorge um ihr Verbrechen war sofort wieder präsent. Sie entschloss sich, zum ersten Mal selbst einen Rat einzuholen.

„Kann ich dich kurz alleine sprechen?", flüstere Iris von hinten in Zinus' Ohr.

Er neigte den Kopf über die Schulter und nickte. Unbemerkt verließen sie das Gebäude und ließen die Gruppe um Blue hinter sich.

Zinus ging weiter in dieselbe Richtung, ohne selbst mit der Unterredung zu beginnen. Er wartete geduldig auf Iris' Eröffnung, aber außer einem gequälten Seufzen hier und da brachte sie noch nichts hervor.

Nach dem zweiten Wasserbecken setzte Iris mehrmals vergeblich an, worauf Zinus schließlich die Initiative ergriff: „Was willst du mir denn sagen?"

Iris atmete tief durch. „Wir sind in unseren ersten Kampf verwickelt worden."

„Ja, so sehen die anderen auch aus", kommentierte Zinus. „Ich bin froh, dass ihr alle unversehrt seid."

„Ja. Da kann man aber nur von Glück sprechen", merkte Iris immer verzweifelter an. „Meine Beeinflussung hätte sie fast ins Verderben gestürzt. Die Herrscherin war kurz davor, Susan zu zerfetzen. Yuhna konnte sie im letzten Moment retten."

„Diese Versteinerung wie in der Werkshalle setzte während das Kampfes ein?", vergewisserte sich Zinus mit verlierender Fassung.

„Ja. Wie du, hatte sie Kronos angesprochen." Iris' Stimme stieg in der Lautstärke an. „Ich hätte nie vermutet, dass der Blackout auch in so einer Situation eintreten kann. – Ich hatte doch nur die besten Absichten."

„Und was machen wir beide jetzt hier draußen?", fragte Zinus verständnislos. „Wieso sprichst du mit mir darüber und löst das nicht endlich auf?"

„Ich habe Angst vor ihren Reaktionen", gab Iris den Tränen nahe von sich. „Ich habe bereits die Doronier durch mein Schuldbekenntnis gegen mich aufgebracht."

„Das hast du nicht mit deinem Bekenntnis, sondern mit deinen Handlungen. Das alles wäre dir nicht einmal vorzuwerfen. Nur je länger du es vertuschst, desto schlimmer wird es. – Ich weiß gar nicht, wieso wir hier darüber sprechen. Du siehst doch selbst, dass nur deine Geheimniskrämerei eine wirkliche Gefahr darstellt."

Schweigen. Nur gedrungenes Atmen gab Iris von sich, das sich nach und nach beruhigte. Zinus traf den Nagel auf den Kopf. „Du hast vollkommen recht. Ich werde den Bann gleich von ihnen nehmen und euch alles erzählen, was ihr wissen wollt, wenngleich nicht wissen müsstet – oder solltet."

Zinus verzog das Gesicht. Er schüttelte den Kopf.

„Los jetzt", trieb er Iris an. Er machte sich auf den Weg ins Quartier. Iris folgte ihm rasch. Sie trat hinter Zinus in den Schlafraum und bemerkte, dass Therese zurück war. Blue kaute gemächlich auf einer Banane herum, als Zinus mit ernster Stimme ankündigte: „Bitte alle zuhören. Iris hat etwas mitzuteilen."

Iris hatte sofort die ungeteilte Aufmerksamkeit aller. Sie fühlte sich gehetzt, gedrängt. Zinus ließ nicht mehr locker.

Es muss jetzt sein.

Sie blickte noch einmal in alle Gesichter, bevor sie ansetzte. Doch dann fragte sie überrascht: „Wo ist Susan?"

Die Wächter schauten sich ratlos um und zuckten mit den Schultern.

Iris allerdings hatte eine Ahnung.

Kapitel 37 - Beichte

Susan hätte vielmehr durch die zahllosen Gänge und Abzweigungen des Mausoleums irren müssen. Doch stattdessen bewegte sie sich zielstrebig durch das Labyrinth. Irgendetwas zog sie an und hielt sie auf dem richtigen Weg.

Bereits das von mächtigen Säulen flankierte Eingangsportal wäre mehrere Minuten beeindruckten Staunens wert gewesen. Im Innern säumten zahlreiche bis knapp unter die hohe Decke aufragende filigrane Statuen die schmalen, verwinkelten Gänge.

Susan ging ungeachtet daran vorbei. Etwas wartete auf sie. Sie hatte das Gefühl, zu spät zu sein – viel zu spät.

Nach einer weiteren Kreuzung folgte ein Tunnel. Dunkles Gestein schloss sich an den weißen Marmor des Bodens, der Wände und der Decke an. Der Tunnel führte zu einem niedrigen Tor, das wieder in weißen Marmor eingefasst war. Susan trat hindurch in ein langgezogenes Gewölbe. Sie schritt an einer Reihe Sarkophage vorüber, auf deren Deckelplatte die Ebenbilder der darin ruhenden Menschen in hellgrauen Marmor geschlagen waren. Während die Gänge zuvor von einem weißen Licht erfüllt waren, tauchten Fackeln an den Wänden den Raum in sich bewegendes Gelb und Orange.

Susan schritt an eines der letzten Gräber in der Reihe heran. Ihr leerer Blick heftete sich auf Kronos. Doch nicht auf ein steinernes Abbild. Keine Marmorstatue ruhte auf der Sargplatte, sondern der leibhaftige Prinz Andalons.

In diesem Moment rematerialisierten sich die Wächter neben ihr und Iris' gleichzeitig eintreffender Stern, dessen Leuchtkraft mit einem Mal versiegte.

Sie richteten ihre Blicke abwechselnd auf Susan und Kronos.

„Susan. Alles in Ordnung?", fragte Iris besorgt.

„Ich bin mir nicht sicher", antwortete Susan halb abwesend. „Sollte ich mich nicht fragen, wieso Kronos hier liegt? – Er atmet. – Er lebt. Ich glaube, mich wundern zu müssen, aber ich weiß nicht wieso."

Sie blickte zu den Wächtern. Auch in ihren Augen stand dieselbe beängstigende Teilnahmslosigkeit. Nur Zinus strahlte Nervosität aus.

Susan hörte, wie Iris unmittelbar vor ihr tief einatmete.

Sie blinzelte mehrmals. Die Vernebelung ihrer Gedanken ließ nach. Als hätte man einen Dimmer in ihrem Kopf gedreht, erschloss sich Susan nach und nach, was sie hier vorfand. Susan erkannte ein oranges Aufleuchten an der Stirn der Wächter, einer nach dem anderen. Auch aus ihren Gesichtern schwand der stoische Ausdruck und wich schmalen Augen oder einer gerunzelten Stirn.

Susan ging die letzten Schritte auf Kronos zu und wandte sich an Iris: „Was macht er hier? Er sollte doch gar nicht mehr unsterblich sein, oder?"

„Eigentlich nicht, nein", antwortete Iris gefasst. „Doch das war Kronos wohl nicht bewusst, als er Oberon darum bat, ihn in einen ewigen Schlaf zu versetzen. Er nahm vermutlich irrtümlich an, dass seine Unsterblichkeit noch besteht."

„Wieso hast du uns das nicht früher erzählt?", fragte Therese. „Willst du nicht, dass wir ihn wecken, damit er uns hilft?"

„Das war nicht der Grund. Er lässt sich ohnehin nicht erwecken. Oberons Wort ist Gesetz. Er versetzte Kronos auf eigenen Wunsch in einen ewigen Schlaf. Und die Ewigkeit wird er hier auch schlafend verbringen."

„Es gibt wirklich gar keine Möglichkeit ihn zu wecken?",
vergewisserte sich John.

„Nein, tut mir leid. Oberon selbst wäre nicht in der Lage,
sein gesprochenes Wort zurückzunehmen. Seine Beschlüsse
sind höchstens erweiterbar, lassen sich aber nicht verrin-
gern."

„Und wenn Susan ihn küsst?", fragte Stephanie, selbst
wenig von ihrer Idee überzeugt.

Doch Susan horchte auf. Sie wollte die Antwort darauf
hören.

„Kronos ist nicht Dornröschen", kommentierte Iris, darum
bemüht, nicht allzu belustigt zu wirken.

Susans Anspannung löste sich. Sie wunderte sich über die
eigene Enttäuschung. Sollte sie einen weiteren Beweggrund
haben, ihn zu küssen, als einen mächtigen Mitstreiter zu gewinnen? Immerhin lag hier Kronos, und nicht Chris.

Er war gealtert. Nicht allzu sehr, aber dennoch deutlich.
Wieso hätte er davon ausgesehen sollen, dass seine Unsterblichkeit noch bestünde? Die einzelnen grauen Haare an den
Seiten und die Fältchen an den Augen waren nicht zu übersehen.

„Wieso hat er sich überhaupt einschläfern lassen?", fragte
Therese. „Was wurde aus Celes? Hatten sie denn keine Kinder?"

„Celes starb bei der Geburt ihres gemeinsamen Kindes."

Susan blickte schockiert auf Iris. Während das leichte
Raunen der Wächter durch die Ahnenkammer hallte, kehrte
sich Susan nach innen. Sie lenkte zum ersten Mal seit der
neuerlichen Verbindung mit dem Kristallsplitter ihre Gedanken auf Celes' Erinnerungen. *Wieso erst jetzt?*

Susan sah sich in einem niedrigen Wasserbecken liegen,
ihre Beine gespreizt. Sie krallte sich kreischend in Kronos'
linke Hand, während seine rechte sanft auf ihrem Kopf ruhte. Noch weitere Personen standen um sie versammelt, doch

sie waren nur verschwommen zu erkennen. Ihr weißes Kleid war schweißgetränkt und ebenso nass wie der Teil, der im Wasser lag.

Sie drückte sich noch einmal mit aller Kraft gegen den Beckenrand. Der schmerzhafte Druck in der Lende ließ mit einem Mal nach. Celes' Körper entspannte sich. Kronos hielt sie fest, damit sie nicht ins Wasser glitt.

In diesem Moment hörte sie einen leisen Schrei. Celes streckte den Hals und versuchte durch ihre tränenden Augen etwas zu erkennen.

Man reichte ihr das in ein weißes Laken gehüllte schreiende Baby. Mit einem überglücklichen Lächeln blickte sie auf den kleinen Schreihals. Kronos, ebenfalls unter Tränen, drückte den Kopf an den ihren. Gemeinsam betrachteten sie ihren ganzen Stolz.

Müdigkeit zog in Celes ein. Ihre Lider wurden schwer. Man nahm ihr den Säugling ohne Widerstand ab. Celes' Augen blinzelten noch mehrmals und blieben schließlich geschlossen.

Susan kam wieder zu sich. Eine bedrückende Stille hielt sich in dem Gewölbe.

„Konntest du sie denn nicht heilen?", fragte Susan.

„Die inneren Verletzungen waren zu gravierend", bedauerte Iris. „Ich tat mein Bestes, aber sie hatte bereits zu viel Blut verloren. Damals gab es noch keine Blutkonserven oder vergleichbare Ersatzflüssigkeiten."

Eine trauernde Stille trat ein.

Fox flüstere: „Was wurde aus dem Kind?"

Susan blickte auf den Sarkophag neben Kronos. Auf ihm ruhte eine Statue aus Marmor.

„Ihr Sohn Torian wurde von Kronos liebevoll aufgezogen. Aber von Celes' Verlust hatte er sich nie erholt. Er nagte an ihm. Nachdem er Torian im Alter von 17 Jahren die Regentschaft übergab, suchte er Oberon auf und bat ihn um den ewigen Schlaf."

„Und Oberon hat ihn einfach so in dieses andauernde Koma versetzt? *Er* zumindest hätte wissen müssen, dass Kronos nicht unsterblich ist."

„Soweit ich weiß, hat er Kronos' Wunsch ohne weiteres entsprochen. Wäre ich dabei gewesen, hätte ich dagegen protestiert. Doch ich erfuhr erst davon, als es schon zu spät war. Er hat niemanden eingeweiht. Nicht mal seinen Sohn."

„Könnt *ihr* denn nicht auf die Erinnerungen der alten Wächter zugreifen?", wunderte sich Susan. „Was wurde denn aus Terra, aus Arkon und den anderen?"

Iris hielt sich diesmal mit einer Antwort zurück. Stattdessen kramten die Freunde sichtbar in ihren Köpfen.

Therese berichtete als Erste: „Sie verließen zusammen mit dem König und dem Thronfolger noch lange vor Torians Geburt Andalon, um in der Elfenwelt gegen die Narach zu kämpfen."

„Es war ein langer – ein harter Krieg", führte Alexandreiji weiter durch die Erinnerungen Arkons. „Und dann ist alles dunkel."

„Sie starben auf Eilia", schloss Stephanie beklommen.

Alle verfielen sie zurück in eine stille Trauer.

John beendete die Kondolenz mit einer an sich selbst zweifelnden Frage: „Wieso beschäftigt uns das eigentlich erst jetzt?"

„Ich hatte nach Kronos gefragt, als ihr in meiner Zeit aufgetaucht seid", antwortete Stephanie. „Doch im nächsten Augenblick schien es mir nicht mehr wichtig."

„Ich habe auf eure Gedanken Einfluss genommen, der euch kein Interesse an dem Schicksal der alten Wächter haben ließ. Dass euch die Herrscherin damit unbeabsichtigt versteinern lassen konnte, habe ich allerdings nicht kommen sehen."

„*Du* warst dafür verantwortlich, dass wir dieser Göre schutzlos ausgeliefert waren?", schrie John auf.

„Der Grund, wieso ich euch die Erinnerungen an Celes' frühen Tod ebenso wie den Verbleib von Kronos vorenthalten habe, war, dass ihr euch nicht mit diesen tragischen Momenten auseinandersetzen müsst", brachte Iris sofort eine Verteidigung an. „Ich hatte mit Susan bereits einen schlechten Start."

Mit den Blicken der Wächter auf Susans Handgelenke, stach ihr dabei ein Gefühl der Schuld ins Herz.

John war außer sich. „Und jetzt, da wir alle hier sind, ohne Wissen, wie wir uns in unsere Heimat entziehen können, setzt du uns darüber in Kenntnis? Weil uns nun keine andere Wahl bleibt, als zu kämpfen, nicht wahr? – Wieso machst du das? – Schon wieder?!"

„Ich wollte euch wirklich nicht hinters Licht führen, um euer Mitkommen zu erzwingen", erklärte Iris weiter. „Ich habe es getan, um Susan zu schützen."

Die Wächter blickten fragend auf Susan.

„Ich nahm an, dass sie sich von jedem nach Kronos hätte fragen lassen müssen", fuhr Iris fort. „Oder besser gesagt nach Chris. Ich wollte euch eigentlich vorerst nur über ihn im Dunkeln lassen. Doch dann begannen unerwartet die ganzen Zeitsprünge und ich unterband kurzerhand auch noch andere heikle Themen, um auf Nummer sicher zu gehen. – Ich bedaure es wirklich sehr, dass ich euch manipuliert habe. Es war bestimmt nicht die beste Entscheidung. Ich habe sie zu überstürzt getroffen und habe den Augenblick versäumt rechtzeitig einzulenken."

Die Gemüter um Kronos' Ruhestätte senkten sich. Susans Blick kreuzte sich mehrmals mit denen ihrer Freunde, die mit sich zu ringen schienen. Auch Susan hieß Iris' Handeln in weiten Teilen für falsch. Doch sie erkannte ihr Eingeständnis und ihre Beweggründe an. Immerhin konnte sie selbst einen gewissen Teil der Verantwortung nicht von sich weisen. Dennoch blieb ein unguter Beigeschmack zurück.

Susan vernahm vom Eingang her ein leises, regelmäßiges Klacken, dessen Echo im Gewölbe immer lauter wurde. Durch die sich rasch umwendenden Wächter hindurch erblickte Susan eine Frau, die selbstsicher auf sie zuschritt.

„Entschuldigt die Unterbrechung", sprach sie aus der Entfernung.

Ihre hochhackigen Schuhe klackten weiter im Takt zu einem eleganten Gang mit einem dezenten Hüftschwung. Sie trug einen dunkelgrauen Hosenanzug mit einer tief ausgeschnittenen weißen Seidenbluse. Ihre schulterlangen braunen Haare waren an den Seiten enganliegend nach hinten gekämmt und das Haupthaar leicht auftoupiert.

Susan spürte eine steigende Spannung in ihrem Körper und sah auch den anderen an, wie mit jedem Schritt, den die Frau näherkam, sie eine diskrete Abwehrhaltung einnahmen.

Die Frau blieb etwa zwei Sarkophaglängen vor den Wächtern stehen. Sie ging in einen lockeren Ausfallschritt und stemmte die rechte Hand in die Hüfte.

„Es ist mir eine Freude, euch persönlich zu begegnen." Sie lächelte mit erhobenem Kinn und blickte hinter einer auffälligen weißen Brille hervor.

„Wer seid Ihr? Und wie kommt Ihr hierher?", entglitt John die überraschte Frage schroff.

„Mit der Barke", kam die Antwort dagegen in sehr ruhigem Ton. „Wie jeder Mensch, der in der Lage ist, sie zu benutzen. – Ich sehe, ihr seid zwar gekleidet, doch noch nicht ausgerüstet. Hat euch denn niemand in Empfang genommen?"

„Wer sollte uns hier erwarten?", antwortete Susan mit einer Gegenfrage. „Wir sind die einzigen hier."

Die geraden Augenbrauen der Dame zogen sich wütend zusammen.

„Dieser verdammte P…"

Sie brach mitten im Satz ab. Das Wort, das sie aussprechen wollte, verließ ihren Mund nicht. Die Haut ihrer Lippen zog sich förmlich auseinander, als hätte man sie mit Sekundenkleber aneinandergeheftet.

Erst als der Drang nachließ, den Namen auszusprechen, trennten sich die Lippen wieder voneinander.

Sie sprach mit neu gefundener Ruhe weiter: „Dieser Nichtsnutz war noch nie zu anderes zu gebrauchen als für Schabernack. Gut, dass ich nach dem Rechten sehe."

„Wer bitte seid ihr?", fragte Therese ungeduldig.

„Mein Name ist Andrea Thomasson. Doch meine Person soll nicht weiter von Belang sein. Ich bin nur hier, um sicherzustellen, dass ihr eure Ausrüstung erhaltet. Bitte folgt mir."

Sie drehte sich mit einer nachschwingenden Bewegung der Arme herum und schritt mit dem lautstarken Auftreten ihrer Absätze davon.

Die Wächter blickten einander unsicher an.

„Iris?", fragte Susan leise.

„Ich weiß auch nicht", flüsterte Iris zurück. „Aber mit der Barke können nur Eingeweihte reisen. Sie muss in irgendeiner Verbindung zu Afallon stehen."

„Das heißt, wir sollen ihr vorerst vertrauen?", fragte Stephanie.

Iris zögerte.

Sie weicht vielleicht dem Rat, jemandem zu vertrauen, aus. „Sehen wir uns an, was sie uns zu zeigen hat", sprang Susan mit einer Entscheidung ein. Nach einem gemächlichen Nicken nahmen die Wächter die Verfolgung auf. Sie verließen das Gewölbe und gingen den Tunnel zurück und über die Kreuzung der Gänge hinaus.

Susan bemerkte erst jetzt, dass Ivan in ihrer Gruppe fehlte. Er war sicher in der Unterkunft bei Blue zurückgeblieben. *Dann steht Ivan die Befreiung von Iris' Manipulation noch bevor. – Wie sich das wohl auf seine Einstellung der Sache gegenüber auswirken wird?*

Dabei war sie selbst nicht sicher, was sie davon halten sollte. *Hat Iris mich schon im Krankenbett beeinflusst? Hatte ich je eine Wahl?* Ausdrücke wie *unverzeihlich* oder *ungeheuerlich* kamen ihr in den Sinn. Doch leider musste gerade Susan Verständnis für Iris' Handeln aufbringen. Welche Wahl hatte Iris denn gehabt? Dabei zuzusehen, wie die Narach bereits in diesem Moment die halbe Welt vernichtet hätten?

Susan selbst hatte Ivan keine Wahl gelassen. Aber das ließ sich nicht anders bewerkstelligen. Die Alternative wäre sein unmittelbarer Tod gewesen. *Und hier ist es ein schleichender.*

Am anderen Ende des Gangs führte eine Wendeltreppe ein Stockwerk höher. Nach dreieinhalb Umrundungen erreichten sie einen Saal mit gewölbter Decke in dessen Mitte ein breiter, kreisrunder Tisch aus einem dunkelgrauen Marmorblock stand.

Andrea ging um den Tisch herum und wartete, bis sich alle Wächter in dem Raum ihr gegenüber aufgefächert hatten. Sie schnippte mit den Fingern, worauf sich mehrere aus Spiegeln bestehende Wandsegmente seitlich ineinanderschoben. Dahinter kamen, wie an durchsichtigen Fäden gehalten, neun silber-graue Rüstungen zum Vorschein. Die Form erinnerte entfernt an die ihrer Vorgänger. Allerdings anstatt einheitlichen, glatt polierten Flächen waren die Brustpanzer, breiten Schulterabdeckungen sowie Unterarm- und Beinschienen von einem beeindruckenden Damaszenermuster gezeichnet. Entlang der goldenen Ränder waren feinste Ornamente in den jeweiligen Farben ihrer Kristallsplitter eingearbeitet.

Der Anblick dieser Kunstwerke ließ den Wächtern die Münder offen stehen. John war bereits an den ausladendsten

Brustpanzer herangetreten. Er nahm den Schutz, der in seinen Händen so leicht wie eine Pappschachtel anmutete, heraus, hielt ihn sich an den Oberkörper und war noch mehr beeindruckt. „Der passt ja perfekt."

Wie auch schon die Elfengewänder, dachte Susan. Sie trat an die Rüstung mit den filigranen Verzierungen in Pink und Gold und nahm sich eine der Unterarmschienen. Die Schnallen zum Festzurren befanden sich in einem komfortablen Abstand zu ihren Wunden. *Zufall?*

„Ihr scheint euch hier gut auszukennen", sagte Alexandreiji mit Bedacht. „Wisst Ihr mehr über die Insel? Könnt Ihr uns sagen, wohin das Elfenvolk verschwunden ist? Wo sind Endor und Endara?"

„Tut mir leid. Dazu kann ich mich leider nicht äußern", bedauerte Andrea, ohne im Entferntesten Traurigkeit auszustrahlen, und trat auf den kreisförmigen Tisch zu.

Sie schob eine der darauf angebrachten Steinplatten zur Seite und nahm aus der Öffnung darunter einen mehreckigen zylinderförmigen Kristall in der Länge einer Handfläche hervor.

„Dies soll euch ein zusätzliches Geschenk sein." Sie überreichte den türkisschimmernden Kristallstab Stephanie, die ihr am nächsten stand. „Brecht ihn entzwei, sollte sich euch kein anderer Ausweg eröffnen."

Als alle Augen noch auf das Gebilde in Stephanies Hand gerichtet waren, verabschiedete sich Andrea unvermittelt. „Weiter kann ich leider nicht behilflich sein. Ich wünsche euch viel Glück."

Susan drängte es auf, sie für weitere Nachfragen aufzuhalten. Doch sie war bereits um die Biegung der Wendeltreppe verschwunden. „Vielen Dank", rief sie ihr noch hinterher. Keine Erwiderung folgte. Nur das leiser werdende Klacken der Absätze die Treppe hinab war zu vernehmen.

Die Wächter probierten weiter die Rüstungen an und betrachteten ihr Spiegelbild an den Wänden.

„Schaut." Zinus stand am einzigen Fenster in diesem Raum.

Die anderen traten näher heran. Susan erkannte, wie Andrea über den Strand schritt. Das Eintauchen ihrer Schuhe in den Untergrund schien sie nicht an ihrem energischen Hüftschwung zu stören. An einem hölzernen Steg ging sie an Bord eines kleinen langgezogenen Bootes. Dieses legte gleich darauf ab, ohne dass man ein Ruder schlagen sah.

In der Barke stehend blickte Andrea über die Insel. Sie wirkte wehmütig, bevor sie in den Nebeln Afallons verschwand.

Kapitel 38 - Verluste

Ivan füllte Blues Glas auf und reichte es ihr. „Und du kannst dich an nichts erinnern, was deinen Zustand erklären könnte?"

Blue trank einen Schluck und schüttelte den Kopf, während sich Ivan an die Bettkante setzte. „Ich befand mich bei einer ärztlichen Untersuchung. Mir wurde Blut abgenommen, es wurden noch ein paar Tests gemacht und das wars. Meine letzte Erinnerung war in dem Untersuchungszimmer."

Dass sie zu diesem Zeitpunkt im siebten Monat schwanger gewesen war, verschwieg sie auf Anraten von Zinus. Blue schätzte, dass Ivan zurückgeblieben war, um sich um sie zu kümmern, aber sie hätte unbedingt einen Moment allein gebraucht. Nein, vielmehr wollte sie so schnell wie möglich zurück. Doch die Umstände ihres Auffindens, von denen Zinus sprach, machten ihr Angst. Sie befühlte unauffällig ihren flachen Bauch. Sie kämpfte gegen die Tränen.

Ivan schüttelte den Kopf. „Wichtig ist, dass du dich jetzt gut erholst. Du hast schon wieder etwas mehr Farbe im Gesicht. – Du siehst gut aus."

„Hm?" Blue blickte ihn mit gerunzelter Stirn an. Sie hatte sich selbst noch nicht im Spiegel gesehen. Aber bis zum Zeitpunkt ihrer letzten Erinnerung war es mindestens neun Jahre her, als sie sich zum letzten Mal sahen. Und wenn sie so alt aussah, wie sie sich fühlte …

Ivan lächelte sie an. „Das meine ich ernst."

Blue spürte Röte in ihrem Gesicht. Sie wandte den Kopf ab. Ihr Blick fiel auf ihren mechanischen Arm und heftete sich daran.

„Was ist das für ein Gefühl?", fragte Ivan sachte.

Blue hob die Hand und ließ die Fingerspitzen aneinander reiben. „Durch die Sensoren spüre ich Druck an den Fingerkuppen. Doch alles andere ist taub."

Die zurechtgebogenen Metallstreifen als Finger zu bezeichnen war zwar abstrakt, aber sie erfüllten ihren Zweck.

„Dass etwas fehlt. So fühlt es sich an."

„Es sieht aber cool aus, oder?"

Blue sah Ivan verständnislos an. Sein erzwungenes Lächeln schwand, während sein Kopf nach unten sank.

„Ich weiß es zu schätzen, dass du mich aufbauen willst. Aber … Ich will auch gar nicht undankbar erscheinen. Was Zinus da für mich gemacht hat. Ich bin ihm unendlich dankbar dafür. Dass ich überhaupt hier sitzen darf."

Ivan blickte auf. „Wir sind unheimlich froh, dass du hier bist. Auch ich werde versuchen, mein Bestes zu geben, dass es dir schnell wieder besser geht. Ich bin leider kein geborener Seelsorger wie Therese, bei der jedes Wort sitzt. Daher entschuldige bitte, sollte es zu dem einen oder anderen Fehlversuch kommen. "

Blue lächelte. „Soll ich dir ein paar Freikarten ausstellen?"

„Wenn du welche zur Hand has…" Ivan erstarrte mitten im Satz.

Blues Mundwinkel zogen sich höher, bis ein seichtes Lachen aus ihr herausquoll. Ivans Gesichtszüge lösten sich. Gleich darauf stimmte er zurückhaltend in ihr Gelächter ein.

Blues Lachen ging zum Ende hin in ein Gähnen über. „Oh, Verzeihung."

„Macht nichts. Ruh dich noch ein wenig aus." Ivan stand auf, beugte sich über Blue und gab ihr einen Kuss auf die Stirn.

Erneut drang Röte auf ihre Wangen. Während Blue sich fragte, was das sollte, blieb Ivan kurz nach dem Kuss über sie gebeugt. Sie blickte ihn mit großen Augen an. Seine verharrten auf Blues Haaren.

„Ivan?", fragte sie unsicher.

„Es tut mir sehr leid. – Das mit dem Feuer damals."

Blue schnaubte belustigt. „Das ist schon ewig her. Mach dir keine Gedanken darüber. Ich gebe dir nicht die Schuld daran."

Ivan atmete auf und schenkte ihr ein sanftes Lächeln. „Wenn du wieder wach bist, können wir deine Haare waschen. Wenn du magst."

Blue zog sich eine ihrer nach wie vor verkrusteten Haarsträhnen vor Augen und befühlte sie mit ihrer menschlichen Hand. Sie roch daran und verzog das Gesicht. „Das wäre sehr lieb. Danke."

Ivan freute sich sichtlich. „Ich lass dich jetzt in Ruhe. Wenn du irgendwas brauchst, ich bleibe in Rufweite."

„Vielen Dank, Ivan."

Er nickte ihr zu und wandte sich ab.

Blue lehnte sich langsam zurück in die Kissen und entspannte die Muskeln. Ihre Lider blinzelten noch ein paar Mal an die Decke, während sich ihre Hände sanft auf ihren Bauch legten.

Blue schlug die Augen auf und blickte in den halbdunklen Schlafraum hinein. Es war schwer auszumachen, ob das schummrige Licht durch die Vorhänge von der Morgen- oder Abenddämmerung stammte, oder von einem sehr nebligen Tag herrührte.

Sie hob den Kopf und erkannte mehrere Betten, die im Kreis an den Wänden entlang angeordnet waren. Teilweise tiefes Ein- und Ausatmen ging davon aus. Die anderen mussten sich auch hingelegt haben.

Rechts von ihr meinte sie, Ivan erkennen zu können. Links von ihr wurde Johns Gesicht von etwas illuminiert, das er über sich hielt.

„Kannst du nicht schlafen?", flüsterte sie.

John zuckte zusammen und riss das flache Gebilde schützend an seine Brust. Er entspannte sich sofort wieder und schaute Blue mit einem halbherzigen Lächeln entgegen. „Ich schlafe generell schlecht."

„Was hast du da? Ein Foto?"

John blickte auf das Gerät zwischen den Händen und seiner Brust. Er biss sich auf die Unterlippe und schien zu überlegen – mit sich zu kämpfen.

„Entschuldige, ich …"

John schüttelte den Kopf. „Es ist ein Foto von meiner Tochter", sprach er sehr leise.

Blue wollte sich für ihn freuen und es ihm sagen. Aber sein Blick machte einen gequälten Eindruck.

Soll ich nachfragen?

Sie schwieg.

John richtete die Augen nach oben an die Decke, während er Blue mit dem rechten Arm das Foto reichte.

Blue nahm es vorsichtig an sich. Mit pochendem Herzen blickte sie auf ein strahlendes Mädchen von vielleicht zwei Jahren. Sie spielte in einem Sandkasten. Mitten beim Schaufeln in Förmchen schaute sie auf und lachte direkt in die Kamera. Wilde dunkelbraune Locken umwaberten ihr rundes olivbraunes Gesicht.

Blue strich mit den mechanischen Fingerkuppen über die Bildfläche. „Sie ist wunderhübsch. – Wie ist ihr Name?"

„Louisa."

„Vermisst du sie?"

„Sehr. – Sie starb vor einem Jahr."

Blues Herzschlag setzte aus. *Was?! – Das tut mir* … „Das tut mir so leid."

John nickte ganz leicht, ohne den Blick von der Decke zu nehmen.

Blue blickte nochmal auf Louisas unbeschwertes Lachen. Sie streckte John das Bild entgegen. Er drehte den Kopf zur Seite, nahm es zurück und drückte es wieder an die Brust.

„Ein Genschaden ließ ihre Lungen nur sehr langsam wachsen. Ein passendes Spenderorgan war nirgendwo aufzutreiben. Künstliche Lösungen waren wegen der Umstände meiner Zeit nicht effizient genug." Ein Schluchzen mischte sich in sein Flüstern. „Wir haben alles versucht."

Um Blues Herz schnürte sich eine Kette. *Wie furchtbar.*

Ihre künstliche Hand legte sich unwillkürlich auf ihren Bauch. „Ihre Mutter?"

„Unsere Ehe zerbrach ein paar Monate danach."

Blue streckte den menschlichen Arm nach John. *Das tut mir so schrecklich leid.*

John drehte den Kopf zu Blue. Er blickte auf ihre Hand. Seine linke Handfläche legte sich auf ihre und drückte sie fest. „Danke." Er lächelte. „Wir sollten versuchen, noch etwas zu schlafen."

Blue nickte ihm zu. „Wenn du mal über Louisa erzählen magst. Ich würde mit Vergnügen mehr über sie erfahren."

Johns Augen wurden wässrig. „Sehr gerne. – Schlaf gut."

„Du auch."

Kapitel 39 - Familie

Susan brauchte einen Moment, um zu begreifen, in welchem Bett sie erwachte. Wem es ursprünglich gehörte, vermochte sie nicht zu sagen. Aber es stand in ihrer Unterkunft auf Afallon.

Susan konnte nicht sagen, wie lange sie geschlafen hatte, aber es war inzwischen taghell. Ihre Freunde lagen noch reglos in den kreisförmig angeordneten Betten des ovalen Schlafsaales.

Therese hatte am vorigen Tag gleich mehrere Tüten mit Lebensmitteln herangeschafft, von denen nicht nur Blue satt wurde. Nachdem jeder gespeist hatte, legten sie sich schlafen und erholten sich vom zurückliegenden Kampf. Nur Ivan bat Iris zuvor, ein paar Schritte mit ihm zu gehen.

Susan war noch wach, als er zurückkehrte. Ihre Blicke trafen sich. Seine Miene wirkte mehr enttäuscht als verärgert. Ohne Umwege begab er sich zur Liege an Blues Seite, auf der seine Rüstung lag, die ihm John mitgebracht hatte.

Er ist vermutlich nicht nur auf Iris schlecht zu sprechen. Susan war sich sicher, dass Iris auch die Aktion im Hochhaus unterdrückt hatte, um sein Gemüt zu beruhigen.

Nun verharrte Susan zunächst unter der seidenen Decke. Sie nutzte die Gelegenheit, um weiter in Celes' Erinnerungen zu stöbern. Dabei zog mehr und mehr Traurigkeit in ihr eigenes Herz.

Celes war es nicht vergönnt, auch nur einen gemeinsamen Moment mit ihrem Kind zu verbringen? Sie hatte nie sein Lächeln sehen dürfen? Das Laufenlernen, Aufwachsen?

Wie grausam diese Welt auch ohne fremde Bedrohung schon sein konnte.

War es schlimmer, als Kind ohne Mutter aufzuwachsen oder als Mutter seine Tochter zu verlieren?

Susan fragte sich, wie es ihrer eigenen Mutter gerade ging. Dachten ihre Eltern, dass ihr Verschwinden Ausdruck für einen guten Gesundheitszustand war oder machten sie sich nur noch mehr Sorgen?

Ein Druck stieg in ihrer Brust an. Ein sehnsüchtiger, nach Hause ziehender Druck.

Sie musste ihre Eltern sehen. Und zwar jetzt!

Susan schaute sich zu Fox um, der noch friedlich vor sich hinschlummerte.

Nein! Damit muss Schluss sein. Sie durfte sich nicht länger an seine Hilfe klammern – den anderen mit ihrer Verweigerung nicht länger eine Last sein.

Susan atmete mehrmals tief ein und aus. Panik wollte in ihr aufsteigen, aber die Sehnsucht nach ihrer Mutter drängte sie zurück. Das Wissen über die Teleportation war da. Ganz deutlich. Susan musste sich nur überwinden. Sie hielt den Atem an und suchte nach einem Ort, der ihr genau in Erinnerung stand. Im nächsten Moment schlug sie hart auf einer Betonfläche auf.

Ah, Mist. Der Höhenunterschied. Die minderen Schmerzen durch den Aufprall wurden sofort von einem Glücksgefühl übertüncht. *Es hat geklappt!*

Gleich darauf ernüchterte sich ihre aufflackernde Begeisterung. Sie befand sich in der wohlbekannten Gasse. Der schmale Weg wurde von der hoch stehenden Sonne gut ausgeleuchtet und hatte damit einen großen Teil des Schreckens eingebüßt. Dennoch war es ein unangenehmes Gefühl.

Wieso ausgerechnet hierher? Gab es denn nichts Vertrauteres? Aber was blieb schon übrig, wenn sie sich bemühte, nicht gerade direkt im Haus aufzutauchen und ihren Eltern einen weiteren Schock einzujagen?

Sie schob den Gedanken beiseite und machte sich auf den Weg. Bei jedem Auto, das an ihr vorüberfuhr, und jedem Fußgänger wandte sie sich ab und verbarg das Gesicht. Dabei fiel ihr jetzt erst auf, dass gerade ihr weißes Elfengewand der Blickfänger schlechthin war. Nach einer weiteren Dusche hatten sie in den Truhen wie von Geisterhand eine neue Garnitur an Kleidung gefunden. Zu Stephanies Freude sogar schon auf ihre Bedürfnisse angepasst.

Als sie in ihre Straße spähte, erkannte sie in der offenstehenden Garage nur den Wagen ihrer Mutter. Zumindest ihr Vater musste außer Haus sein. Dass das Tor überhaupt offen stand zeugte von einem raschen Aufbruch. Vielleicht waren ihre Eltern schon seit dem Morgengrauen unterwegs, nachdem sie erfahren hatten, dass sie aus dem Krankenhaus verschwunden war.

Susan fasste ihren eigenen Balkon ins Auge und teleportierte sich, wie es Iris früher getan hatte, kurzerhand darauf und lugte in ihr Zimmer. Sie horchte nach Geräuschen aus dem Haus. Im nächsten Moment stand sie vor ihrem Schrank und holte eine Jeans und einen Kapuzenzipper heraus. Während sie sich beides über das Seidengewand zog, fiel ihr Blick auf die Kleiderstange mit ihrer Abendgarderobe.

Dort hing ihr Lieblingskleid in Rot und Schwarz. Susan neigte den Kopf zur Zimmertüre und fand am Kleiderhaken ihre farblich passende Handtasche vor.

Ein Lächeln voller Erleichterung geriet auf Susans Gesicht. *Sie hat mich tatsächlich davor bewahrt.*

Ein Blick auf ihre Handgelenke vertrieb die Freude sofort wieder. Bevor sie sich zurückzog, kam Susan in den Sinn, eine Nachricht zu hinterlassen. Mit einem Kugelschreiber schrieb sie auf einen aufgeschlagenen Schulblock die Worte: „Mir geht es gut. Macht euch bitte keine Sorgen. Ich liebe euch."

Sie riss das Blatt heraus und legte es mitten auf ihr Bett. Nachdem sie sich noch kurz in ihrem Zimmer umgesehen hatte, und hoffte, dass sie bald wieder zurück sein würde, teleportierte sie sich erneut in die Gasse. Sie machte sich ein weiteres Mal auf den Weg zu ihrer Straße – in ihrer unauffälligeren Kleidung nun ohne diverse Blicke behaftet. Sie wählte eine alternative Route um den Block herum, die sie auf die parallele Querstraße brachte. Vom dortigen Bushäuschen aus hatte sie eine gute Sicht auf ihr Haus und das andere Ende der Straße. Von dort würden ihre Eltern einbiegen. Susan wollte sie unbedingt sehen – und wenn es nur aus 100 Metern Entfernung war. Sie setzte sich auf die Bank und hielt den Kopf über die linke Schulter auf ihr Zuhause gerichtet.

Viele Minuten vergingen, in denen sich Susan weiterhin Vorwürfe machte und sich ausmalte, wie sich ihre Mutter fühlen musste.

„Hast du 'ne Uhr?", drang eine dunkle Frauenstimme von der Seite her.

Susan schreckte herum. Zwei Schritte neben ihr stand ein Mädchen, beide Hände in die Taschen eines schwarzen, bis zu den Knien reichenden Mantels vergraben, das den Fahrplan studierte. Aus der aufgezogenen, hinter dem Haaransatz sitzenden Kapuze drangen pechschwarze Haare und zwei Kabel eines Ohrhörers.

„Nein, tut mir leid", antwortete Susan, während sich ihr Adrenalinpegel senkte. „Zeigt dein Musikplayer denn keine Uhrzeit an?"

Das Mädchen wandte den Kopf zu Susan und lächelte ihr zu. „Wollte mit dir nur irgendwie ins Gespräch kommen. Sorry. Bin nicht sehr geschickt darin."

Susan erwiderte mit einem unsicheren Lächeln, das schnell einem nachdenklichen Zusammenkneifen ihrer Augen wich.

„Hab ich dich nicht schon mal irgendwo gesehen?"

„Ja. Saß auf 'ner Mauer und hab 'nen Apfel gegessen", antwortete sie.

Susan erinnerte sich. *Und auch bei Marks Unfall.*

„Und wo willst du hin?"

„Verzeihung, aber ... Wer bist du?"

„Oh. 'Tschuldige. Hab mich noch gar nicht vorgestellt."

Das Mädchen ging auf Susan zu, setzte sich direkt neben sie und streckte ihr die rechte Hand entgegen. „Selina."

Die kurze Vorstellung begleitete abermals ein Lächeln.

Bevor Susan etwas erwidern konnte, zog eine Eigenartigkeit in Selinas Gesicht ihre Aufmerksamkeit auf sich. Die linke Augenbraue wurde von einer senkrechten Narbe geteilt.

Doch das war nicht alles. Noch etwas anderes ließ dieses zarte Gesicht irgendwie surreal wirken. Susan konnte aber auf die Schnelle nicht ergründen, was es war.

Sie erwiderte den Handschlag zögerlich. „Susan."

Moment. Hat sie zwei verschiedene Augenfarben?

„Also? Was machst du hier?", fragte Selina und lehnte sich zurück. „Der nächste Bus kommt erst in 'ner halben Stunde."

Susan besann sich auf ihr Vorhaben und blickte über die linke Schulter. In diesem Moment bog der X3 ihres Vaters auf die Einfahrt und stoppte vor der offenen Garage. James stieg aus dem Auto. Susan erkannte auch ihre Mutter auf der anderen Seite das Fahrzeug verlassen.

Ihr Vater machte einen gefassten, neutralen Eindruck. Nur der Seitenscheitel war ungewohnt zerzaust.

Ina kam um das Heck des BMW herum. Auch ihre Haare waren unfrisiert. Doch noch mehr fielen die aufgedunsenen Augen über den dicken Augenringen auf. Die eingefallene Körperhaltung entsprach ganz und gar nicht der stets fröhlichen und lebensfrohen Person, die Susans Mutter war.

Susan schmerzte der Anblick ihrer niedergeschlagenen Mutter so sehr, dass Tränen ihren Blick verschleierten. Als sie sich die Augen trocken gerieben hatte, waren ihre Eltern bereits im Haus verschwunden.

Nach einem kurzen Durchatmen drehte sie sich wieder Selina zu. Doch der Platz neben ihr war frei. Sie blickte sich um, aber von dem Mädchen fehlte jede Spur.

Im nächsten Moment rematerialisierte sich Ivan vor ihr, mit dem Raumkristall in der Hand. Er trug seine komplette Rüstung.

„Alles in Ordnung bei dir?", erkundigte er sich besorgt.

Susans unentschuldigtes Verschwinden hatte offenbar für Aufruhr gesorgt.

„Alles okay", meinte Susan.

Sein Blick zeugte davon, dass er das bezweifelte. Doch er beschäftigte sich nicht weiter mit ihren geröteten Augen.

„Es tut sich was", sagte er aufgeregt.

Susan stand sofort auf und griff aus Reflex nach Ivans Arm. Gleich darauf befanden sich beide zurück auf Afallon.

In ihrem Quartier hielt sich nur noch Blue auf, die besorgt vor den Monitoren saß. Der Rest war bereits ausgeflogen.

Ivan erläuterte die Sachlage, während sich Susan mit seiner Hilfe die Rüstungsteile über Weste und Jeans schnallte. „Eine Streitmacht wütet in Baltimore, genau dort, wo unser letzter Kampf endete. Doch den Beschreibungen der Zeugen nach handelt es sich um keine Narach."

Blue blickte sorgenvoll auf die sich rüstenden Freunde. „Ich würde gerne mit euch kommen, aber meine Beine sind noch zu schwach."

„Du bleibst schön hier und ruhst dich aus", entgegnete Susan mit einem Anflug von Strenge. „Schau uns auf den Monitoren zu, und du kannst uns danach berichten, wie wir uns gemacht haben."

Blue verzog unzufrieden die Lippen. „Passt auf euch auf."

Ich bin bestimmt nicht die erste, die was in der Art zu ihr gesagt hat. Susan nickte Blue zu, während Ivan ihr ein warmes Lächeln schenkte.

„Los geht's", stimmte sich Susan ein und klatschte in die Hände.

Gleich darauf nahm sie mit Ivan die Verfolgung ihrer Freunde auf.

Kapitel 40 - Zerstörung

Was zum Teufel ...!?

Nach außen hin wäre Susans fassungsloser Schrei sofort
versiegt, kaum hätte er ihren Mund verlassen. Ein ohrenbe-
täubender Lärm umhüllte sie und Ivan.

Susan blickte vom Dach eines Hochhauses hinab auf eine
Häuserschlucht, die der Bezeichnung tatsächlich einmal gerecht wurde. Wie ein kantiger Graben lag der Straßenzug vor
ihr. Die Wände aus Gebäudemauern bröckelten in die Tiefe
und einzelne Häuser stürzten in sich zusammen. Gasleitun-
gen explodierten in den demolierten Wohnblöcken und löchrigen Straßen. Unter den unzähligen Trümmern erkannte Susan Autos, die so zerknäult aussahen, als bestünden sie aus
Papier. Tonnen von Staub peitschten die Luft in drückenden
Wellen durch die Ruinen bis zu ihnen herauf.

Susan schluckte. Am Ende der Straße machte sie, durch
den dichten Dunst an Dreck hindurch, Kolosse aus, halb so
hoch wie die Gebäude um sie herum. Mit vier mächtigen
elefantenartigen Beinen ragten sie aus dem Trümmerfeld
heraus. Ihre vier kaum weniger massiven Arme hämmerten
in die Gemäuer oder vergruben sich wie Schaufelräder darin.
Brocken schleuderten auch aus den Seiten- und Querstraßen
empor, woraus Susan schloss, dass hier noch mehr Ungetüme wüteten, als die drei vor ihren Augen.

Die grau-oliv farbene Haut schien dick und sich bei jeder
Bewegung wie große Schuppen übereinander zu schieben.
Auf jeden Schlag folgte ein brachiales Geräusch wie von
Donner.

Susan sah die Wächter, die sich schwertaten, in Nah-
kampfdistanz zu kommen. Sie sprangen um sie herum und

waren mehr damit beschäftigt, den zerstörerischen Schlägen und herumfliegenden Trümmerteilen auszuweichen.

Susan und Ivan schlossen von Dach zu Dach zu ihnen auf. Dabei bewährte sich die neue Rüstung bereits. Sie lenkte Splitter und kleinere Trümmer ab, noch bevor sie das Metall berührten. Sogar den Kopf und andere Körperstellen, die die Rüstungsteile nicht einfassten, wurden durch einen magischen Schild geschützt.

Sie führen keinen einzigen Schwerthieb aus, stellte Susan fest.

Vielleicht hatten ihre Freunde es nach ein paar Versuchen aufgegeben. Die dicken Schuppenpanzer, die die Körper der Gegner umhüllten, ließen kaum erwarten, dass sie mit den Waffen einen nennenswerten Schaden hätten verursachen können. An den massiven Beinen erkannte Susan Reste von Eisblöcken, die mehrere Meter davor zerschmettert in den Straßen lagen. Bemühungen die Riesen damit an den Boden zu fesseln waren offensichtlich ins Leere gelaufen. Zinus setzte einen konzentrierten Feuerball auf einen der Kolosse. Doch der verpuffte auf der Außenhaut geradezu. Die Ungetüme ließen sich davon nicht beirren und hämmerten sich weiter durch die Straßen.

Plötzlich zerriss ein anderes Geräusch die Luft der ohnehin schon schmerzend lauten Umgebung. Drei Militärjets flogen über ihre Köpfe hinweg.

Ein roter Lichtstrahl kam aus den Tiefen der Häuserschlucht. John sprang zu Susan und Ivan hoch. Gleich darauf standen alle Wächter mit Iris auf dem Dach des Transamerica Tower versammelt.

„Das war mit Sicherheit ein Überflug zur Aufklärung!", brachte John schwer atmend an. „Wenn sie zurückkommen, wird es hier noch weitaus ungemütlicher! Wir müssen uns mindestens 500 Meter von hier entfernen!"

„Dort, am Hafen!" Zinus zeigte in östliche Richtung auf ein einzelnes ungewöhnlich aussehendes Hochhaus in der passenden Distanz. Ohne weitere Diskussion teleportierten sie sich, in Begleitung von Iris' Leuchten, auf das Gebäude mit einer fünfeckigen Grundfläche. Im nächsten Moment beobachteten sie die zurückkehrenden Jets, die je eine Rakete abfeuerten. Sie zischten durch die Luft in direktem Kurs auf die lebenden Abrissbirnen. Alle trafen sie ihr Ziel entlang der parallel angeordneten Straßen Baltimores. Doch die Explosionen brachten die Monster höchstens ins Schwanken. Schaden richteten sie kaum an.

„Na, das war wenig spektakulär", meinte Ivan. „Hat von euch jemand eine Idee?"

Susan blickte in die Runde. Alexandreiji stand sprachlos mit großen Augen da. Ebenso Fox, doch seinem Gesicht sah man die Begeisterung an. Alexandreijis stattdessen zeigte puren Schock. Ob dieser von der ersten Begegnung mit einem Flugzeug herrührte oder dem Beiwohnen der Wirkungsweise einer neuzeitlichen Kriegswaffe, vermochte Susan nicht zu sagen.

John bremste das eigene Wiedereingreifen ein. „Geben wir dem Militär noch eine Chance. In dieser Zeit gibt es doch auch panzerbrechende Waffen, oder?" Sein Blick richtete sich auf Susan. Diese nickte. Zumindest hatte sie den Begriff schon mal gehört.

Im selben Moment setzte ein zweites Geschwader vom Süden her zum Überflug an. Eines der Flugzeuge feuerte eine einzelne Rakete ab. Das Geschoss glitt in einem leichten Sinkflug auf die Stadt nieder und in den Straßenverlauf hinein. Es perforierte den Rumpf eines Wesens und drang durch den Panzer. Die mit nur einem dumpfen Knall zu vernehmende Explosion im Inneren des Körpers ließ den Riesen sofort zusammenbrechen. Er blieb regungslos liegen.

Susan jubelte zusammen mit dem Großteil ihrer Freunde. Eher verhalten auch Alexandreiji, der sich langsam aus seiner Schockstarre befreite. Stephanie nickte nur mit nach vorne geschobener Unterlippe. „Der hat gesessen."

Zwei weitere Wellen zogen in kurzem Abstand über sie hinweg, die ebenfalls einen Flugkörper abfeuerten. Auch diese bohrten sich in die Kreaturen, doch nicht alle Treffer befanden sich diesmal in der Körpermitte. Manche Geschosse trennten nur Gliedmaßen ab und hinderten das Vorrücken nur bedingt.

Ein weiterer Überflug blieb zur Überraschung der Wächter aus.

„War es das?", fragte Alexandreiji nach wie vor etwas verunsichert.

John zuckte mit den Schultern. „Die werden ihre Jets erst mit den passenden Raketen bestücken und nachladen müssen."

Stephanie trat einen Schritt nach vorne und blickte voller Tatendrang in die Gesichter ihrer Kameraden. „Sollen wir bis dahin tatenlos zusehen, wie sich die Dinger weiter durch die Stadt graben?"

„Wir könnten uns bei einem Militärstützpunkt selbst mit panzerbrechenden Waffen ausrüsten", brachte Ivan einen Vorschlag an, der Johns und besonders Stephanies Augen voller Begeisterung aufblitzen ließ.

Susan dagegen verdrehte es bei dem Gedanken den Magen. Sie stellte sich vor, in einem der Flugzeuge zu sitzen, oder in einem Panzer. Selbst John mit seiner militärischen Ausbildung konnte diese Maschinen sicher nicht auf Anhieb bedienen. Gab es solche Waffen denn auch einfach zum Rumtragen?

„Seht da!", rief Therese und zeigte in die Richtung eines Gebäudes, an dem der Schriftzug *Sun Trust* angebracht war.

Die Entfernung war zu groß, als dass sich Susan sicher sein konnte. Aber eben war aus einer dunklen Verzerrung eine Person über dem Schlachtfeld aufgetaucht. Sie schwebte aufmerksam darüber hinweg und beobachtete die gefallenen Kolosse und das weitere Vorgehen des vielleicht noch restlichen Dutzends. Sie trug ein violettes Kleid. Auch die wehenden schwarzen Haare ließen keinen Zweifel daran, um wen es sich handelte.

„Das Miststück lebt noch?", stieß John aufgebracht aus.

Wie konnte sie sich von dieser Verletzung erholen? Und auch noch so schnell?

„Schlagen wir der Schlange erst mal den verdammten Kopf ab", forcierte Stephanie.

Die Wächter nickten entschlossen.

„Ich bleibe im Hintergrund und umhülle euch alle wieder mit einem Schutzkreis gegen ihren Bann", wies sich Therese ihre Aufgabe zu. „Diesmal hält uns nichts auf."

Susan führte den Schlachtplan weiter aus: „Ich teleportiere mich mit John, Ivan und Stephanie direkt in ihre Nähe. Wir umzingeln sie und greifen sie an."

„Fox, Alex und ich unterstützen aus mittlerer Entfernung und achten auf die Umgebung", schloss Zinus.

Susan atmete tief durch und hielt den Augenkontakt zu ihrem Teil der Gruppe. Sie beschworen ihre Schwerter und holten mit gespannten Muskeln hoch aus. Im nächsten Moment tauchten sie in einem engen Kreis überhalb der Herrscherin auf und ließen die Waffen auf sie hinabschnellen.

No'aras Überraschung mit weit aufgerissenen Augen fiel leider zu kurz aus. Sie entzog sich durch die einzige Lücke, die die Umzingelung offenließ, indem sie ihre Schwebe beendete und gemeinsam mit den Wächtern in die Tiefe stürzte. Die Klingen erreichten sie nicht mehr und schnitten nur noch durch wehende Haare knapp an ihrem Kopf vorbei.

Mist!

Stephanie teleportierte sich im Fall von ihrer Position aus auf die Höhe der Herrscherin und holte mit ihrem Schwert zu einem waagrechten Schlag aus. Doch No'ara wich zurück. John setzte mit einer Teleportation nach. Dann auch Ivan und danach Susan. Sie teleportieren sich im Takt von Bruchteilen einer Sekunde an No'aras ständig wechselnde Position. Diese wich bei jeder neuen Aktion in eine andere Richtung aus. Seitwärts, vor und zurück, höher und tiefer. Sie war nicht zu fassen.

Je mehr sich Susans Trupp bemühte und je schneller sie wurden, desto breiter wurde No'aras Grinsen.

Sie spielt mit uns. Susans verärgerter Blick ging an No'ara vorbei und erfasste Zinus auf dem schräg gegenüberliegenden Hochhaus. Er hielt ein Bündel von Blitzen in seiner erhobenen Hand bereit und nickte ihr zu.

„Zurück!", rief Susan Stephanie, Ivan und John zu, die sofort ihr Nachsetzen einstellten. Im selben Moment zuckte Zinus' breiter Strahl auf No'aras Rücken zu. Sie ließ sich wieder fallen, aber diesmal direkt in eine schwarze Verzerrung hinein.

„Fuck!", machte sich Stephanie über die misslungene Aktion Luft.

Ist sie geflohen?

Während sich Susan mit ihrem Trupp im freien Fall befand und sich dabei umsah, ließ Alexandreiji seinen Stab niedersausen. Susans Augen richteten sich auf das Eck des Gebäudes, das er damit abtrennte, an der Stelle, wo No'ara gerade wieder aus einer schwarzen Fläche gedrungen war. Sie wollte sich von dem in die Tiefe stürzenden Gebäudekeil abstoßen, doch Fox tauchte in ihrem Rücken auf. No'ara bemerkte Fox' Schwerthieb noch rechtzeitig und schnellte ein weiteres Mal nach unten in eine dunkle Verzerrung hinein.

Die Wächter sammelten sich auf dem Dach und schauten sich hektisch um, erblickten sie aber zunächst nicht.

„Da!", rief Fox und zeigte auf das niedrigere Dach eines entfernteren Gebäudes.

Susan erkannte ein leuchtendes Farbenspiel in ihren Augen, das aber gleich darauf verblasste. Ebenso ihr Lächeln.

Hat sie gerade versucht, uns zu bannen?

Susan schaute auf Therese, die sich weit abseits auf dem höchsten Dach als Einzige nicht auf No'ara konzentrierte, sondern auf die Wächter. Susans Blick schnellte wieder zu No'ara, aber die war verschwunden.

„Therese!", schrie Stephanie auf.

Susans Herz setzte einen Schlag aus. Ohne es zu sehen, wusste sie, dass No'ara den Grund für ihren misslungenen Bann kannte und nun Therese als Ziel hatte.

Therese ließ trotz Stephanies Warnruf nicht von ihren Schutzkreisen um sie herum ab. Hatte sie ihn überhaupt gehört? Sie stand wie angewurzelt da, die halbleeren Augen weiter auf die Wächter gerichtet. Sie alle teleportieren sich sofort zu ihr, doch No'ara tauchte nicht auf.

Susans Herzschlag beruhigte sich. Aber ihr war das nicht geheuer.

Das wäre die Gelegenheit für sie gewesen. Sie wären definitiv zu spät gekommen, um Therese vor No'ara zu schützen. Hatte sie selbst gezögert? Hatte sie Angst, erneut in einen Angriff der Doronier zu laufen? Vermutete sie eine Falle?

Alle Wächter schauten sich unruhig in jede Richtung um.

Wo ist sie? Susan hielt nach schwarzen Flecken Ausschau, generell nach schwarzen Farben, die sich dunkel von ihrem Hintergrund abhoben. Das Morgenlicht der noch tiefstehenden Sonne drang durch die massiven Wolken an Staub sehr gedämpft hindurch. Also konnte sie sich auch nicht im Gegenlicht verstecken.

Therese schrie auf.

Susan schnellte herum. „NEIN!"

Therese stürzte in eine schwarze Verzerrung, die sich direkt unter ihren Füßen auftat, und war im nächsten Moment verschwunden.

Susan wollte ihr sofort hinterherspringen, doch sie rührte sich nicht vom Fleck. Bevor sie sich fragen konnte, wieso, fluchte sie in sich hinein. *Verdammt!*

Auch die anderen standen wie versteinert an Ort und Stelle. Nur ihre Köpfe waren von dem Bann nicht betroffen.

Die Verzerrung schloss sich nicht. Im nächsten Moment drang No'ara daraus hervor. Therese folgte ihr gleich darauf. Doch anders als bei den restlichen Wächtern schien kein Bann auf ihr zu liegen. Die Glieder hingen schlaff herab, die Augen geschlossen, das Kinn vornüber auf der Brust.

Susans Puls raste von einem Moment auf den anderen.

Mit rollenden Augen begegnete No'ara den angsterfüllten Blicken. „Nein, sie ist nicht tot. Was denkt ihr von mir?"

Susan atmete für einen kurzen Augenblick auf. Dabei kam ihr die Galle hoch. Wie sie diese überhebliche Art ankotzte.

No'ara blickte auf Therese. „Den wenigsten Lebewesen bekommt das Durchschreiten unseres Tores gut. Nur einige davon erleiden einen bleibenden Schaden. Die meisten verlieren nur das Bewusstsein." Mit einem selbstgefälligen Lächeln wandte sie sich zu den Wächtern. „In diesem Fall war es aber ausreichend, um wieder für einen ruhigeren gemeinsamen Moment zu sorgen."

Immer noch war das Toben der Riesen unter ihnen zu vernehmen. Die massiven Schwaden an Staub drückten sich weiter in hoher Schlagfrequenz herauf.

No'ara zog die Wächter schwebend an sich heran. „Wo waren wir stehengeblieben?", überlegte No'ara mit gespielt nachdenklichem Blick in den Vormittagshimmel. „Ach ja. Ich fragte nach eurem Prinzen. Wo ist denn nun Kronos?"

„Das sollte im Moment deine geringste Sorge sein", meinte John verächtlich.

In No'aras Augen blitzte nur kurz Enttäuschung auf, wohl darüber, dass die Frage diesmal keine Wirkung zeigte. Sie folgte Johns Blick. Auch Susan erkannte hinter ihr das herannahende Geschwader.

No'ara schaute zurück auf John und lächelte verstohlen. Die schwarze Verzerrung unter ihr dehnte sich zu einem Ausmaß von mehreren Metern aus, bis unter die gebannten Wächter hinweg.

Wie ein aufgeschreckter Fledermausschwarm stieg daraus eine Unmenge an zwergenhaften, hageren Wesen mit hellgrauer Haut herauf und zog an den Wächtern vorbei. In einem dichten Strom bewegten sie sich schnell und flügellos auf die Kampfjets zu. Diese reagierten zu spät und flogen in die Wolke. Lange Krallen schnitten sich durch Metall und Kunststoffverbindungen und zerfetzten die Flugzeuge förmlich. Nur wenigen gelang es, ihre Raketen zu starten, bevor sie den Schleudersitz betätigten. Die Hälfte der abgefeuerten Waffen wurde ebenfalls von den Kreaturen zerstört. Ihr Ziel fanden nur noch fünf der Sprengkörper, während die Überreste der Jets in einem Bogen auf das Wohnviertel südlich des Stadtzentrums regneten.

Mist!

Der Schwarm formierte sich zu einem Kreis, der die Innenstadt wie eine wilde Vogelschar umkreiste und einen Verteidigungsgürtel gegen weitere Luftangriffe bildete.

No'ara blickte genüsslich in die Gesichter der Wächter, aus denen die Zuversicht schwand. Sie hingen weiter hilflos über dem klaffenden schwarzen Abgrund.

In den Tiefen der Straßen tobten nach wie vor mindestens drei oder vier der Riesen.

„Ich denke, die Vorteile liegen nach wie vor bei mir", sprach No'ara selbstsicher. „Hat mein Bruder nicht eine beeindruckende Armee zusammengesammelt?"

Die Lage war kritisch. Ohne Thereses Hilfe, die sich in einem Zustand der Ohnmacht befand, konnten sie sich nicht befreien.

Da erkannte Susan ein oranges Leuchten an No'aras Schläfen. Ihre Lider zuckten für einen Moment, worauf sich der Bann langsam lockerte.

Iris!

Unter No'aras leerer werdendem Blick bewegte Susan vorsichtig die Finger. Zu mehr war sie noch nicht in der Lage. Sie tastete in ihrem Inneren nach dem Augenblick, der eine Teleportation möglich machte. Susan sah Stephanie, wie sie bereits einen ganzen Arm bewegen konnte. Es machte den Eindruck, als wollte sie etwas greifen.

Plötzlich sprang aus der schwarzen Fläche unter ihnen eine Gestalt an No'aras Seite. Iris schrie schmerzerfüllt auf. Das orange Leuchten an No'aras Kopf verschwand auf der Stelle, worauf der Bann auf die Wächter wieder die volle Wirkung entfaltete.

Das Wesen in einer grauen verschlissenen Kutte richtete sich mit dunkler Stimme beeindruckt in Richtung der keuchenden Iris in der Ecke des Dachsims. „Eine Medinae? Eine ungewöhnliche Erscheinungsform. Wie lautet dein Titel?"

Susan meinte, aus Iris' Ächzen herauszuhören, dass sie sich vor Schmerzen krümmte.

„Mit wem sprichst du?", fragte No'ara und schaute in Iris' Richtung.

„Mit einer unsichtbaren Weltenwanderin. Gleich da drüben." Das Wesen zeigte exakt auf Iris.

„Du kannst sie sehen?", tat sich No'ara schwer, jemanden zu erfassen.

„Nein. Im Augenblick verrät sie nur ihr Keuchen."

Obwohl alles an dieser Gestalt mehr von Fetzen, als von einem zusammenhängenden Kleidungsstück verhüllt war, spürte Susan ein diabolisches Lächeln davon ausgehen. Sie hatte schon von so etwas wie einer *Aura* gehört. Bislang war das immer nur etwas Mystisches, Esoterisches für sie gewesen. In diesem Moment aber meinte sie, zum ersten Mal die Präsenz einer Person zu spüren.

Das Gefühl reichte an all ihren anderen Sinnen vorbei und berührte sie in ihrem Kern. Es drückte gegen ihr Inneres, ohne ihr zu schaden. Dennoch jagte ihr das, was sie dort vor sich hatte, eine ungeahnte Art des Schauderns durch den ganzen Körper.

Iris war kaum mehr zu hören. Sie versuchte wohl, ihre schmerzgedrängten Laute zu ersticken.

Die Neuformierung der schwärmenden Kreaturen am Himmel zu einer neuerlichen Wolke zog die Aufmerksamkeit aller auf sich. Im nächsten Moment schossen Nihko und Yuhna durch die Wesen hindurch, direkt auf die beiden Feinde zu. No'ara und die Gestalt konnten dem Angriff gerade noch ausweichen. Die Doronier trafen auf die Wand des gegenüberliegenden Hochhauses und schnellten mit einem Krachen zurück.

Nihko hielt die Gegner durch eine Abfolge von Sprungattacken in Schach, zu denen sie sich immer wieder von den Gebäudemauern abstieß. Yuhna fischte währenddessen einen Wächter nach dem anderen aus der Luft und sammelte sie auf einer Parkfläche auf der nördlichen Seite des Stadtzentrums.

Entweder war No'ara zu sehr damit beschäftigt, Nihko auszuweichen, oder die Entfernung war groß genug, sich ihrem Einfluss zu entziehen, denn der Bann löste sich von den Wächtern. Auch Therese kam langsam wieder zu sich.

„Teleportiert euch sofort hier weg", wies Yuhna an, nachdem alle Wächter vollzählig waren. „Wir erledigen den Rest."

„Wir können euch nicht alleine lassen", erwiderte Fox.

Stephanie schüttelte den Kopf. „Ohne uns vor dieser verwichsten Versteinerung zu schützen, ist hier für uns nichts zu holen."

„Ich … ich mach das schon." Therese saß am Boden nach vorne gebeugt, die Hände an die Stirn gepresst.

„Wirklich?", fragte Ivan zweifelnd.

Therese nahm die Hände nach unten und schaute Ivan mit blutunterlaufenen Augen und einem von Kopfschmerzen verzerrten Gesicht entgegen. „Ich schaff das." Sie streckte die Arme nach oben. „Helft mir auf."

Stephanie und Fox griffen nach ihr und holten sie mit einem Ruck auf die Beine.

„Wie ihr wollt. Kümmert euch aber erst mal um die übrigen Riesen", meinte Yuhna, bevor sie davonsprang.

Stephanie schaute verdutzt in die ebenfalls überraschte Runde. „Meint die, dass *wir* die anderen zur Strecke gebracht haben?"

„Seht mal." Fox zeigte in den Himmel. „Sterben die?"

Die fliegenden Wesen, die sich im Kreis um die Stadt bewegten, wurden zusehends langsamer, ihre Bewegungen schwerfälliger. Einzelne brachen tatsächlich aus der Formation aus und stürzten ab.

„Der Sauerstoff in der Luft ist Gift für Selonen", erklärte Iris.

„Ein großes Problem weniger", meinte Alexandreiji, ohne besonders erleichtert zu klingen.

„Diese Miniaturgodzillas sind problematisch genug", meinte John.

Alexandreiji richtete sich besorgt in Iris: „Bei dir alles wieder gut?"

„Ich denke schon", wiegelte sie ab. „Konzentriert euch auf den Kampf."

„Also gut. Folgender Plan." Zinus zurrte seine Armschienen fester. „Alexandreiji und ich nehmen Therese in unsere

Mitte und schützen sie vor Übergriffen, sollte die Herrscherin oder ihr Begleiter den Doroniern entwischen. Der Rest versucht, diesen Titanen beizukommen. Okay?"

Sie nickten sich entschlossen zu und verschwanden in ihren Teleportationsportalen. Iris folgte. Nur Susan zögerte.

War sie denn die Einzige, die es spürte? Diese Aura? Auch jetzt, in dieser Entfernung war sie noch da. Nicht so stark wie zu dem Zeitpunkt, als Susan nur wenige Meter neben dem Wesen stand. Doch ihr war es so, als würde sich das unsichtbare Strahlen ausbreiten. Sie alle umhüllen.

Kapitel 41 - Eingeschlossen

Der Anblick der monströsen Bulldozer mit vier Armen und vier Beinen aus der Nähe beschwörte ein gehöriges Maß an Respekt in Susan herauf.

„Hat das Ding irgendeine Achillesferse?"

Blenden konnte man diese Wesen nicht. Sie besaßen keine Augen, wie man sie von Säugetieren oder Reptilien kannte. Vielmehr schien der gesamte Kopf von Facettenaugen bedeckt. Dabei hob sich der *Kopf* kaum von den Schultern ab. Er wirkte wie eine umgedrehte Schüssel. Zwischen den Unmengen fliegenartiger Augen gab es rundherum verteilt einzelne waagrechte Spalten, die sich unregelmäßig öffneten und schlossen. Vielleicht mehrere Münder oder sie dienten der Atmung?

Dass diese überhaupt die Luft hier vertrugen? Auch die Doronier. Ob sie auf ihrer Heimat eine stärkere Schwerkraft hatten und nur deshalb hier so weit springen konnten?

Iris' Antwort riss Susan aus den abschweifenden Gedanken. „Mir ist keine bewusst. Der Panzer der *Nuk* umschließt den gesamten Körper. Selbst die Augenfläche sitzt darauf."

„Also doch panzerbrechende Waffen besorgen?", fragte Stephanie.

„Ich seh mal, was ich ranschaffen kann", meldete sich John sofort freiwillig.

Er setzte zu einer Teleportation an. Aber nachdem seine Umrisse nur kurz flimmerten, stand er nach wie vor an Ort und Stelle.

Die Kameraden sahen ihn fragend an.

„Ich kann mich nicht teleportieren", stellte er nach einem zweiten Versuch fest.

„Es hat doch gerade noch funktioniert", entgegnete Alexandreiji.

Im nächsten Moment tauchte er durch ein Teleportationsportal an Johns Seite auf. Gleich darauf Fox.

Eine Explosion hoch über ihren Köpfen zog ihre Blicke auf sich. Die Trümmerteile einer Rakete glitten herab, wie an der Außenseite einer Kuppel.

Verdammt! Susan sah es den blassen Gesichtern ihrer Freunde an, dass sie dieselbe Ahnung hatten. Sie konzentrierte sich auf einen Ort, außerhalb von Baltimore. Doch nicht mal mehr der Ansatz einer Wellenbewegung um sich herum war auszumachen.

„Wir sind gefangen!", stellte Alexandreiji für sie alle mit einem Anflug von Panik fest.

„So ein Mist!", fluchte John. „Wir hätten uns zurückziehen sollen, wie Yuhna gesagt hat."

Susan war sich nicht sicher, ob es zu diesem Zeitpunkt nicht schon zu spät war. Jetzt allerdings verspürte sie eine feste Grenze über sich. Die Aura besaß eine undurchdringliche Außenwand, ähnlich einer ihrer Barrieren, die sich über die Stadt spannte.

Zinus atmete durch. „Eins nach dem anderen. Konzentrieren wir uns erst mal auf die Kolosse."

Er schaffte es offenbar, nicht nur in Susans Kopf die Panik zu verdrängen. Sie alle holten tief Luft und nahmen die Riesen wieder ins Visier. Doch von Zuversicht waren sie weit entfernt.

„Hat jemand eine Idee?", fragte John ratlos in die Runde.

Die Gebäude, durch die sich die Dinger unentwegt gruben, schienen vom Einfall der Narach bereits vollständig evakuiert worden zu sein. Sie mussten nichts überstürzen. Doch wenn hier gar keine Opfer zu erwarten waren, wozu diente dieser zweite Angriff dann überhaupt?

Sie will uns. *Seitdem sie zurück ist, sucht sie nach uns und versucht uns anzulocken. Das Miststück will ausschließlich* uns*!*

Susan blickte zu den Häusern, mehrere Blöcke entfernt. Über den Dächern und zwischen den Gebäuden erkannte sie die Herrscherin und ihren Begleiter, wie sie Mühe hatten, den raschen Angriffen der Doronier auszuweichen.

„Das Prinzip von panzerbrechender Munition ist, dass sich eine beschleunigte 800 Grad heiße Kupferspitze binnen Bruchteilen einer Sekunde durch einen Panzer schmilzt", erklärte Zinus. „Weiß jemand, wie heiß unsere Waffen werden können?"

„Lassen wir's drauf ankommen", zögerte John nicht lange und ließ seine Klinge aufglimmen.

Rasch wurde das gleißende Licht so hell, dass Susan die Augen davon abwenden musste.

John ging in die Knie und sprang zunächst auf eine Hauswand zu. Davon stieß er sich mit den Beinen in Richtung der Kreatur ab und schleuderte das glühende Schwert auf den Nacken.

Die Kristallklinge brannte sich durch eine der überlappenden Panzerschuppen und drang bis zum Heft ein. Der Riese bäumte sich mit einem Schmerzensschrei auf, wie ein durchgehendes Pferd. Doch von einem fatalen Treffer konnte man bei weitem nicht sprechen.

John kehrte durch eine Teleportation zurück. Im nächsten Moment hielt er wieder sein Schwert in der Hand, dessen Helligkeit langsam abnahm. „Schon mal deutlich besser."

Stephanie und Ivan taten es John gleich und stießen sich kurz nacheinander von derselben Hauswand ab. Danach folgten Susan und Fox. Ihre Waffen perforierten den massiven Körper. Doch außer großen Schmerzen konnten sie dem Ding nicht weiter zusetzen. Unentwegt grub das Wesen seine Arme weiter in die Fassaden.

„Wir müssen uns auf eine Stelle konzentrieren!", schlug Ivan vor. „Iris. Sitzt das Gehirn im Kopf?"

„Das sensorische im Kopf, das motorische darunter!", entgegnete Iris. „Etwa zwischen den Schultern!"

„Versuchen wir erstmal, die Bewegung einzuschränken", schlug Stephanie vor. „Wenn wir es erst der Sinne berauben würden, galoppiert es uns vielleicht blind durch die ganze verfluchte Stadt."

Während Alexandreiji und Zinus weiter Therese schützten, sprang der Rest gleichzeitig über den Rücken der Kreatur. Sie schleuderten die glühenden Waffen auf die von Iris beschriebene Stelle zwischen den Schultern. Fast kreisförmig stanzten sie ein Loch in den Panzer.

Der *Nuk* schrie laut durch die vielen spaltenförmigen Öffnungen entlang der Augen auf. Er wankte und die Koordination der Arme war beeinträchtigt, doch aufzuhalten war das Ding nicht.

Verdammt, sind die zäh.

In dem eingestanzten Kreis lag immer noch das Stück des Panzers. Wenn sie es irgendwie herausbekommen könnten – herausbrechen mit einer Art Hebel. Oder hineindrücken? Wie den Korken in eine Flasche, wenn man keinen Korkenzieher hat.

Susan sprang erneut hinauf und schleuderte ein massives Bündel an Blitzen auf die Wunde. Der Riese schrie auf. Die Beine sackten unter dem massigen Körper zusammen. Regungslos blieb der Nuk liegen. Nur klagende Laute gingen noch von ihm aus.

So wie dieses Wesen dalag, erinnerte es an einen angestochenen Bullen in einer Stierkampfarena. Susan fragte sich bei dem mitleiderregenden Gejammer, ob das der richtige Weg war.

Waren die Kreaturen nicht nur Gefangene, denen nichts anderes übrig blieb, als die Befehle ihres Unterjochers auszuführen?

Oder war dieses Mitleid ganz fehl am Platz? Die Narach hatten auch keine Skrupel und taten ihren Spaß am Morden sogar offen kund.

Kaum zu vernehmende Hilfeschreie aus den oberen Stockwerken eines Gebäudes weckten Susan aus der zweifelnden Überlegung. Sie blickte sich um. Die Schreie richteten sich zu Dutzenden genau an die Wächter.

„Wieso sind hier immer noch Leute?!", fragte Alexandreiji entsetzt.

Susan erkannte unter vielen vereinzelten Zivilisten auch Gruppen von Feuerwehr und Polizei.

Vielleicht wurde ihr Fluchtweg blockiert. Oder die Angst hielt sie gefangen und sie hatten sich stattdessen verschanzt.

Auch aus einem Hochhaus mit rotbrauner Steinfassade, das gerade von einem weiteren der Ungetüme angegangen wurde, drangen Hilferufe. Die untere Fassade war bereits so tief herausgeschlagen, dass das Haus drohte, in Kürze einzustürzen.

Fox schleuderte sein Schwert, ohne einen Moment zu verschwenden, auf den Arm des Gegners, der gerade im Begriff war, ein weiteres Stück aus dem Gebäude zu schlagen.

Während der Nuk den verletzten Arm betrachtete, tauchten die Wächter in seinem Rücken auf und setzten auch ihn auf dieselbe Weise außer Gefecht, wie das Ungetüm zuvor.

In der nächsten Seitenstraße hörte Susan einen weiteren Riesen toben.

Wir werden den Leuten aus den Häusern helfen, sobald wir alle beseitigt haben.

Als die Wächter um die Ecke eilten, kamen Yuhna und Nihko herangesprungen. Sie traten dem Geschöpf durch gleichzeitige Sichelbewegungen die rechten Beine unter dem Körper weg. Der Nuk verlor das Gleichgewicht und stürzte auf die Seite. Mit einem hohen Sprung spaltete Nihko der Kreatur den gigantischen Schädel, doch die Gliedmaßen schlugen weiter um sich.

Die Wächter setzten mit ihrem Angriff dem Amoklauf ein Ende.

Die Doronier blickten überrascht auf die Gemeinschaft.

„Dann hatten wir bei dem anderen zuvor Wohl einen Glückstreffer", meinte Nihko, nachdem Iris sie kurz über den Sitz der zentralen Motorik aufgeklärt hatte.

„Waren das alle?", fragte Fox in die Runde.

Susan hörte sich um, doch kein durch die Straßen wütendes Monster war mehr zu vernehmen. Die Geräuschkulisse war nur noch bestimmt von einzelnen, sich ablösenden Trümmerteilen, die auf dem Boden aufschlugen. Von großen, laut knisternden Feuerherden und dem leiser werdenden Schmerzensgeschrei der ersten beiden von den Wächtern besiegten Riesen.

Unter den stetigen, bereits heiseren Hilferufen der Menschen hörte Susan vereinzelt Jubel.

Sie atmete erleichtert durch. *Eine weitere Etappe geschafft.*

Sie haben es unbeschadet überstanden. Doch waren diese Nuk eigentlich keine Gegner. Sie hatten nur auf die Gebäude eingewirkt. Wer weiß, wieviele Menschen sie damit töteten, aber war das überhaupt ihre Intention?

Letzten Endes war es ein einseitiger Kampf. Die Wächter wurden ignoriert, obwohl sie den Nuk Schaden zugefügt hatten. Keine Abwehrhandlung oder nur die Spur eines Konters hatten sie angesetzt, sondern gingen stur weiter nach dem gleichen Muster vor. Befolgten sie damit klar ihren Befehl und wichen davon aus Loyalität, Einfältigkeit oder gar Angst nicht ab?

Es war ein Sieg mit einem sehr üblen Nachgeschmack irgendwie.

„Was ist mit No'ara und dem in der Kutte?", fragte John.

„Sie konnten unseren Angriffen immer wieder entgehen", antwortete Nihko. „Doch kostete es sie wohl zu viel Kraft, uns ständig auszuweichen und sie zogen sich zurück."

Ein höhnisches Lachen drang von hoch über ihren Köpfen herab. Susan blickte mit angespannten Gliedern auf No'aras herabschwebenden Begleiter.

„Ich gebe zu, ich musste kurzzeitig Platz zwischen uns schaffen. Direkte Konfrontationen sind nicht meine Stärke. Aber keineswegs ergriffen wir dir Flucht. Ich brauchte nur etwas mehr Zeit, um euren Käfig fertigzustellen. Ihr habt ihn inzwischen sicherlich bemerkt. – Und wie ich sehe, hat auch Gebieterin No'ara die Zeit genutzt."

Die Gemeinschaft schaute sich vorsichtig um.

Als das kindliche Unheil heranschwebte, gefror Susan das Blut in den Adern. Nicht bei dem Anblick No'aras, sondern dessen, was sie bei sich trug.

Vor ihrer offenen rechten Hand hielt sie das Genick einer regungslosen Frau.

„Blue!", schrien die Freunde entsetzt auf.

Fassungslos starrte Susan ihre nahezu bewusstlose Freundin an. Ihr Körper war von der Brust abwärts vollkommen zerquetscht.

„Ich habe sie unter Trümmern aufgelesen", erläuterte No'ara knapp. „Ich dachte mir: *Die kenne ich doch.* – Ist es nicht nett von mir, euch zusammenzuführen?"

Unvermittelt sprangen die Doronier auf No'ara zu, um ihr Blue zu entreißen. Doch sie verharrten mitten im Sprung in einer Art Schwerelosigkeit.

„Ihr habt euch lange genug eingemischt", verkündete das verhüllte Wesen.

Yuhna und Nihko hingen in der Luft und strampelten sich ab, ohne sich auch nur einen Zentimeter von der Stelle zu bewegen.

No'ara genoss noch einen Moment die entsetzten Blicke der Wächter. Ihr eigener fiel auf Therese, die sich bemühte, die Schutzkreise um alle aufrecht zu erhalten, worauf sie mit einem gelangweilten Augenaufschlag tief einatmete. „Ich denke, ich habe genug von euch."

Sie schleuderte Blue auf ihre Kameraden zu. Ivan sprang ihr entgegen und teleportierte sich mit ihr in die Reihen der Wächter. „Seher, wir ziehen uns zurück."

„Wie ihr wünscht, Gebieterin No'ara", antwortete das Wesen in den grauen Fetzen.

Susan versuchte, sich weiter auf die beiden zu konzentrieren. Vielleicht war es nur ein Bluff. Doch ihr Blick schweifte zur sich schwach räkelnden Freundin in Ivans Armen.

Tatsächlich verschwanden No'ara und der Seher durch eine gemeinsame Verzerrung. Kaum hatte sich das schwarze Loch geschlossen, vernahm Susan ein knirschendes Grollen. Sie blickte in den Himmel und erkannte, wie sich die Außenhaut ihres Gefängnisses rasant zusammenzog.

„Die Kuppel implodiert!", schrie Zinus panisch.

Hinter sich erblickte Susan eine sich rasch nähernde Zerstörungswelle, die wie eine mächtige Tsunamiwelle alle Gebäude vom Erdboden fegte. Sie pulverisierte alles, was ihr in den Weg kam und hinterließ absolut nichts.

Die Wächter versuchten, sich zu teleportieren, doch sie waren noch immer gefangen.

„Ich habe am Monitor gesehen, dass ihr den Kristall verloren habt", hörte Susan Blues schwache Stimme in Ivans Schoß.

Sie richtete den Blick auf Blues mechanischen Arm – das einzige Gliedmaß, das noch halbwegs intakt war.

Die Hand drehte sich.

Susan erkannte in der Handfläche den elfischen Kristallstab, den sie auf Afallon als Geschenk erhalten hatten. Ihr Blick schnellte zu Stephanie, die den Kristall mit weit aufgerissenen, tränenden Augen anstarrte.

Die Zerstörungswelle kam näher und würde sie in wenigen Augenblicken verschlucken. Blues Finger schlossen sich und brachen den Kristall entzwei.

Kapitel 42 - Schmerzhafter Frieden

Das Poltern der auf dem Holzparkett aufschlagenden Wächter und Doronier hallte kurz durch einen hohen halbdunklen Raum. Ansonsten herrschte vollkommene Stille. Dadurch war das Dröhnen in Susans Ohren nur noch deutlicher zu spüren.

Doch egal wo sie sich im Moment befanden. Egal welches Gebrechen sie gerade geißelte. Nichts war von Bedeutung, außer der Freundin in ihrer Mitte. Ivan hielt sie weiter fest in den Armen. Ihre Brust hob und senkte sich, kaum merklich. Ihre Augen waren geschlossen.

Die einzige Lichtquelle bestand aus den niedrigen Flammen eines offenen Kaminfeuers, welche sich in den polierten Holzmöbeln um sie herum spiegelten. Ebenso in den wässrigen Augen der Freunde und in dem vielen Blut, das Blues Haut benetzte und ihre Kleidung durchnässte.

Niemand rief nach Hilfe, suchte nach einem orangenen Schimmern auf ihr. Weder Iris noch ein Krankenhaus waren mehr in der Lage, Blues Schicksal abzuwenden. Das war nicht zu bezweifeln – nicht zu übersehen.

Susan musste ihr danken. Sie alle mussten ihr danken. Und ihr zeitgleich ihre Unüberlegtheit, ihre Leichtsinnigkeit, ihre Dummheit vorwerfen.

Wieso hast du das getan?, wollte sie fragen.

Doch dazu war keine Zeit mehr. Niemals wieder wäre dafür Zeit.

Susans Stimme überschlug sich unter all den Tränen, die ihr von den Wangen liefen.

„Vielen, vielen Dank."

Ein sanftes Lächeln mischte sich in Blues letzten Atemzug. Ihre Lippen formten noch eine Erwiderung, doch kein Laut drang mehr hervor.

An ihrer Stirn glimmte ein Leuchten auf. Ihr Kristallsplitter schob sich langsam in aschfahler Farbe heraus und fiel auf den Boden.

Susans Herz ergriff ein zerreißender Schmerz. Schluchzen gesellte sich zu den zahlreichen Tränen in den Gesichtern der Wächter und dem gelegentlichen Knistern des Feuers. Therese schloss die Augen und faltete die Hände. John ballte die Fäuste, während in seinen Gesichtszügen unbändiger Hass und Trauer gegeneinander rebellierten. Yuhna und Nihko standen schweigend mit vor der Brust gekreuzten Armen im Hintergrund.

„Das ist meine Schuld."

Susan blickte auf Stephanies gesenkten Kopf.

„Hätte ich den verdammten Kristall nicht fallen lassen, wäre Blue noch auf Afallon in Sicherheit", fuhr Stephanie mit tränenüberflutetem Gesicht fort.

Alexandreiji begab sich an ihre Seite und legte eine Hand auf ihre Schulter. „Hör auf, dir Vorwürfe zu machen. Das ist keinesfalls deine Schuld."

Ein Geräusch schreckte die Wächter und Doronier auf.

Auf dem umlaufenden Balkon des zweistöckigen Raumes ging eine rundbogige Flügeltüre auf, durch die helles Licht hereindrang. Eine Silhouette zeichnete sich in dem Gegenlicht ab, die langsam näher an das Geländer herantrat. Die Gestalt stützte sich mit beiden Armen darauf und sah auf die Ankömmlinge hinab.

Eine ruhige Stimme richtete sich, mit dem Anflug müder Freudigkeit an sie: „Willkommen, Wächter Andalons – und Fremdlinge. Guten Abend, Susan. Ich wusste doch, dass wir uns eines Tages wieder begegnen."

Er klatschte in die Hände und die Deckenbeleuchtung sprang an.

Auf den ersten Blick befanden sie sich in einer antiken Privatbibliothek mit dunkler Holzvertäfelung und Bücherregalen an den Wänden bis unter die Decke.

Vor allem Susan und Fox blickten verdutzt auf den Mann im rotsamtenen Morgenmantel. Seine langen, nach hinten gekämmten, grau-melierten Haare waren noch durcheinander vom Schlaf.

„Sir Edgar?", platzte es ungläubig aus Susan heraus.

„Inzwischen höre ich auf den Namen Edward, ohne das *Sir*."

Er lächelte behäbig, wandte sich nach rechts zu einer leicht geschwungenen Treppe und war im Begriff herabzusteigen. Doch er hielt inne. Sein Blick erfasste erst jetzt die tote Frau in ihrer Mitte.

Er kam mit sachten Schritten herunter und richtete seine gesenkte Stimme an die ganze Gruppe: „Ich bedaure euren Verlust zutiefst."

Die Wächter ignorierten die Beileidsbekundung und schauten dem Mann nervös entgegen.

„Sind wir wieder in deiner Zeit?", fragte Fox Alexandreiji leise.

„Das bezweifle ich stark. Das ist elektrisches Licht. Und den Buchdruck gab es in meiner Zeit auch noch nicht. Du und Susan, ihr kennt ihn?"

„Wir sind ihm begegnet, bevor uns Pavel zu dir ins Haus holte", antwortete Susan. „Das ist dieser Ordensritter."

„Halt! Sagt uns erst, was wir hier machen. Wer seid Ihr?", forderte John den unverhofften Gastgeber auf.

Edward blieb auf der letzten Treppenstufe stehen und setzte den Hauch eines Lächelns auf. „Meine Person tut nichts zur Sache. Aber seid versichert, dass euch von mir keine Gefahr droht. Dass ihr euch hier eingefunden habt, spricht dafür. Dass ihr den Kristall tatsächlich benutzen musstet, ist allerdings ein unerfreulicher Umstand."

Stephanie ließ zutiefst beschämt den Kopf sinken. Auch Susan und die anderen Wächter wandten den Blick in neu aufwallender Trauer ab.

Edward steuerte gemächlich auf Susan zu. Diese schreckte nicht zurück, als er beide Hände an ihre Arme legte. Sie blickte ihm direkt in die Augen und erkannte ein hellblaues Schimmern.

„Dass ich es damals noch nicht bemerkte? Dabei ähnelst du ihr doch überaus."

„Wem ähnle ich?", fragte Susan unsicher.

Edward schüttelte den Kopf, als würde er sich selbst wieder zu Sinnen bringen wollen, und ließ von Susan ab.

„Das ist doch …", entfuhr es Therese, worauf sich alle ihr zuwandten. Sie ging rasch auf eine Reihe von Antiquitäten zu, die unterhalb des Balkons nebeneinander aufgereiht waren. Auch die anderen erkannten schnell, welches Artefakt sie gerade entdeckt hatte. In einer rahmenlosen Glasvitrine stand eine wohl bekannte Waffe.

„Was hat Kronos' Schwert hier zu suchen?", platzte John heraus.

Edward lächelte verwegen. „Ich bin Antiquitätenhändler. Meine Geschäftsräume befinden sich nebenan."

„Und wie kommst du an dieses Schwert? Wie viel willst du dafür?", fragte Therese zweifelnd.

„All diese Gegenstände sind unverkäuflich", antwortete Edward belustigt. „Das Schwert bewahre ich so lange auf, bis der rechtmäßige Besitzer es wieder in Empfang nimmt."

„Darauf kannst du lange warten", spottete Ivan kleinlaut.

Seine Trauer um Blue wandelte sich zusehends in Wut. Seine Gesichtszüge glichen allmählich denen von John.

Edward winkte mit einem Lächeln ab. „Ich habe Zeit."

„Aber wieso lagert es nicht auf Afallon?", fragte Alexandreiji.

„Das hat seine Gründe", blieb Edward weiterhin geheimnisvoll.

„Und wenn wir es dir einfach wegnehmen?", versuchte John zu provozieren, was allerdings keine Wirkung zeigte.

„Dann könnte ich euch nicht daran hindern."

Damit gestand Edward zweifelsohne seine Unterlegenheit ein. Aber ohnehin konnte man ihn nicht als feindselig bezeichnen. Die ganzen Umstände wiesen ihn bislang als ihnen wohlgesonnen aus, wenn nicht sogar als Verbündeten.

„Könnt Ihr uns helfen?", fragte Susan mit flehendem Ton.

Edward wandte sich ihr mit seiner gesamten Aufmerksamkeit zu. „Mehr Hilfe ist nicht vorgesehen. Tut mir leid. Mir sind die Hände gebunden. – Wenn ihr mich nun entschuldigen würdet. Ich muss meinen Laden in zwei Stunden aufsperren, und ich würde mich gerne noch eine letzte Stunde zu Bett begeben."

„Das war alles?", fragte Alexandreiji enttäuscht. „Wir haben eine Freundin verloren, und Ihr bittet uns zu gehen, um Euch schlafen zu legen?"

„Ich befürchte, so ist es", bestätigte Edward mit mitleidsvollem Blick, den Susan aber nicht für voll nehmen konnte. „Solltet ihr allerdings die nächsten drei Jahre überstehen, kann ich euch deutlich mehr Hilfe angedeihen lassen. Doch was eure Freundin angeht: Übergebt sie in meine Obhut, dann sorge ich für eine angemessene Ruhestätte für sie."

Er machte einen gemächlichen Schritt auf die Runde um Blue zu. Die Wächter wechselten rasche Blicke voller Unsicherheit und wichen zögerlich zurück. Ivans Finger umklammerten dagegen Blues Schultern und drückte sie an seine Brust.

„Ihr wollt sie bestatten? Wo?", fragte Susan.

„Wir wollen dabei sein!", rief Fox. Seine Augen tränten noch immer.

„Ich lasse es euch wissen. Vertraut mir."

Wie können Leute, die sowas sagen, immer erwarten, dass man ihnen plötzlich vertraut, wenn man es den Moment davor noch nicht tat?

Dennoch hatte Susan keinen Grund, dem Mann – dem wohl unsterblichen Mann – zu misstrauen. Sie alle hatten keinen Grund dazu. Doch Susan las von den Gesichtern ihrer Freunde die Unsicherheit ab. Sie selbst wäre eines guten Rates dankbar.

„Was meinst du, Iris?", fragte sie in den Raum.

Es kam keine Antwort. Nicht mal ein überlegendes Schnauben.

„Iris?", legte Therese etwas lauter nach.

Unbehagen und Angst ergriffen Susans Körper. „Iris?! Bist du da?!"

Kapitel 43 - Rückkehr

„Ahhhhh!", stieß No'ara ihre Erleichterung aus.

Sie drehte sich in ihrem neuen Kleid auf dem schwarz spiegelnden Boden und bewegte sich in Richtung des leeren Throns.

„Und diese lästigen Wächter haben das mit Sicherheit nicht überlebt?"

Der Seher glitt neben ihr entlang und antwortete kühl: „Ich habe darauf geachtet, dass man ausschließlich durch das von Eurem Bruder geschaffene Tor entfliehen kann. Ihr könnt Euch gerne selbst davon überzeugen, dass ich alle Transportwege bedacht habe."

No'ara schüttelte den Kopf. Ihr genügte diese Antwort. Ohnehin würde man vor Ort keine Spuren finden, die auf Überleben oder Sterben hätten hindeuten können. Doch sie schien zwiegespalten. In einem Moment strahlte sie Zufriedenheit aus, im nächsten eine Art Unverständnis.

„Ich freue mich, meinem Bruder davon zu berichten", nahm sie ihre Fröhlichkeit wieder auf. „Er wird stolz auf mich sein, nicht wahr?"

„Ganz ohne Zweifel", entgegnete der Seher. „Aber fürchte ich, ist seine Hoheit im Moment nicht zugegen."

„Was? Schon wieder nicht?" No'ara blieb enttäuscht stehen. „Bereits beim letzten Mal wollte er mich nicht empfangen. – Was plant er? Was hat er vor? Wieso bezieht er mich nicht mit ein?!"

„Ich unterbreite ihm Euren Wunsch gerne, sobald er zurückkehrt", versicherte der Seher. „Zunächst solltet Ihr Euch aber von dem Kampf erholen."

No'ara wirkte bis zu dieser Erwiderung absolut nicht müde, sondern mit Energie angefüllt. Doch mit einem Mal war deutliche Erschöpfung von ihrer Körperhaltung und von ihrem Augenaufschlag abzulesen. Sie widersprach dem Seher nicht und betrat einen niedriger gelegenen Gang seitlich des Throns. Der Seher sah ihr noch einen Moment nach, bevor er sich der Gestalt zuwandte, an der beide eben vorbeigegangen waren, ohne Notiz von ihr zu nehmen.

„Ich bin nach so vielen Jahrtausenden einer Deinesgleichen begegnet", redete er auf die stillstehende Person in weißer Robe ein. Doch diese reagierte nicht im Geringsten darauf.

Iris hielt den Atem an. Das Wesen redete in Iris' Heimatsprache?

Sie war dem Seher und No'ara unbemerkt durch die Verzerrung nach Ka'ara gefolgt und verbarg sich hinter einer breiten Säule.

Den anderen geht es mit Sicherheit gut. Sie haben bestimmt einen Ausweg gefunden, betete sie still in sich hinein. *Aber Blue ...*

Iris drängte ihre Hoffnungen und Befürchtungen beiseite. Sie musste sich konzentrieren, sich nicht zu verraten, und Informationen sammeln.

Sie wagte einen weiteren vorsichtigen Blick an der Säule vorbei, um das einseitige Gespräch in Augenschein zu nehmen.

„Sie war visuell nicht zu erfassen. Nein – vielmehr nicht vorhanden. Aber von Unmöglichkeiten dürfen wir uns schon lange nicht mehr überraschen lassen, nicht wahr?"

Das Gesicht der starren Gestalt war aus ihrem Blickwinkel nicht zu erkennen, doch stieg in Iris bei dem Anblick eine surreale Hoffnung auf.

„Ich hätte gerne erfahren, was es mit ihr auf sich hatte, aber es ist nun von keiner Bedeutung mehr." Der Seher wandte sich ab und verließ den länglichen Thronsaal über eine Treppe, die hinter dem Thron nach unten führte. Die Gestalt in Weiß blieb reglos zurück.

Iris wartete gefühlte Stunden, bevor sie es wagte, auch nur einen Schritt von den quaderförmigen Säulen hervorzutun. Sie bewegte sich äußerst bedacht auf die allein im Spalier stehende Person zu. Mit jedem Millimeter, mit dem sich ihr Blickwinkel auf den weißhaarigen Kopf veränderte, schlug ihr Herz höher.

Schließlich gab es keinen Zweifel mehr.

Iris beschleunigte ihren lautlosen Gang.

Ravi! Ravi Nerosa!

Sie stand tatsächlich vor ihm – ihrem verschollenen, totgeglaubten Mentor.

Iris wäre ihm am liebsten um den Hals gefallen und in Tränen ausgebrochen. Doch selbst wenn sie ihn hätte berühren können: Solch ein Verhalten gegenüber einem Hohepriester gebührte ihm zu keinem Anlass.

Sie riss sich am Riemen und trat weiter auf ihn zu. Sein leerer Blick drang direkt durch sie hindurch. Nur gelegentliches Blinzeln der blauen Augen verriet, dass er am Leben war. Er trug immer noch das Aussehen eines Ka'ara, wie damals, als sie sich auf dieser Welt so plötzlich trennen mussten.

Nur wenige Zentimeter vor seinem Gesicht wagte Iris eine leise Frage: „Was haben sie nur …?"

In diesem Moment zuckte ihr Mentor heftig zusammen.

Iris schrie erschrocken auf, während beide panisch mehrere Schritte voneinander zurückwichen.

Der Schrei hallte noch durch den Saal, als Iris fassungslos fragte: „Ihr seid bei Bewusstsein?!"

„Irisa?", entgegnete der Hohepriester entsetzt und blickte in ihre Richtung. „Seid Ihr das?"

„Ja, Ravi." Iris überschlug es die Stimme. Sie war den

Tränen nahe.

Im nächsten Moment spürte sie jemanden gewaltsam in ihren Kopf eindringen. Sie verlor mit einem Mal alle Sinne.

Als Iris wieder zu sich kam, blendete sie die Helligkeit des Tages und eine Stimme sprach unaufhörlich auf sie ein.

„Irisa, Irisa. Hört Ihr mich?"

„J-ja. Ich höre Euch."

Nerosa neben ihr atmete auf.

„Tut mir leid, dass ich mir den Gedanken an Euren letzten Aufenthaltsort mit Gewalt geholt habe. Aber wir mussten sofort von Ka'ara fliehen. Zum Glück haben wir es geschafft, bevor man uns stoppen konnte."

„Ihr hättet jederzeit von Ka'ara fliehen können und habt es nicht getan?", platzte Iris verständnislos hervor. Sie kämpfte immer noch gegen die Folgen des Eingriffs. „Ich dachte, Ka'ara wäre abgeriegelt. Nichts und niemand sei in der Lage einzudringen oder die Welt zu verlassen."

„Bis vor Kurzem war ich dazu auch nicht fähig. Erst vor wenigen Stunden wurde der Bann von mir genommen, dem ich seither unterlag. Ich weiß von dem Schicksal von Medina und all den anderen Welten, doch konnte ich nie etwas dagegen unternehmen. Aber nun war ich befreit. Dennoch verblieb ich auf Ka'ara um mir ein Bild von der aktuellen Situation zu machen. Gerade ist ein Umbruch auf Ka'ara im Gange und ich wollte den Augenblick abwarten möglicherweise einzugreifen."

Iris war sprachlos. Ihrem kurzzeitigen Entsetzen folgte wieder eine unbeschreibliche Freude und Dankbarkeit. Sie brach in Schluchzen aus, ohne eine sichtbare Träne vergießen zu können.

„Was ist nur mit Euch geschehen?", fragte Nerosa. „Wer hat Euch das angetan?"

„Wieso ich unsichtbar bin? Das konnte bisher noch keiner ergründen. Das soll im Moment auch nebensächlich sein."

„Damit mögt Ihr recht haben, liebe Irisa", stimmte Nerosa mit einem Lächeln zu. „Ich bin froh, Euch am Leben zu wissen."

Eine unverhoffte Wärme strahlte in Iris' Brust. „Ihr könnt Euch nicht vorstellen, wie glücklich ich über Euer Wohlergehen bin. Es tut gut, mit meinem echten Namen angesprochen zu werden. Gerade durch Euch, Nerosa-El."

Er konnte Iris' Verneigung bei der Nennung seines Namens und Titels nicht sehen, aber Nerosas sachtes Nicken spiegelte die Förmlichkeit wieder.

„Wie nennt man Euch hier auf der Erde?"

„Schon seit langer Zeit trage ich den Namen Iris", antwortete sie verlegen. „Ich weiß. Nicht sonderlich einfallsreich."

„Aber mit einem Hauch Originalität."

Iris empfand ein herzzerreißendes Glücksgefühl in sich, das sie noch nie in ihrem langen Leben gespürt hatte. Alles andere erschien in diesem Moment so unwichtig. Als hätte sie eben ein Ziel erreicht, das weit über ihre höchsten Vorstellungen hinausreichte.

„Ich konnte mir leider bisher noch kein ausreichendes Bild darüber machen, was vor sich geht. Seitdem mein Bann gelöst wurde, bekam ich immer nur Bruchstücke durch Unterhaltungen mit, die vor mir geführt wurden. Hier gab es Krieger, die gegen No'ara und den Seher angetreten waren?"

Iris' Glücksgefühl war wie weggewischt. Panik stieg in ihr auf. Sie blickte sich hektisch auf dem ausradierten Stadtzentrum von Baltimore um. Nicht mehr als eine öde Dünenwüste aus Milliarden Tonnen Staub umgab sie.

Kapitel 44 - Insiderwissen

Die Wächter hatten sich aufgeteilt. Therese, Zinus, Ivan und Alexandreiji sprangen über die Ödnis des Baltimore Schlachtfelds und schrien unentwegt Iris' Namen. Die Gruppe um Susan, Fox, Stephanie und John durchsuchten zurück auf Afallon ihr Quartier. Auch in den bekannten Räumen des Mausoleums forschten sie nach. Doch keine Spur von Iris.

Ratlos standen sie schließlich versammelt vor Blues Lagerstätte. Die Monitore lagen am Boden. Einer kaputt, der zweite lag auf dem Bildschirm nach unten und auf dem dritten lief ein Bildschirmschoner mit einem sich verändernden Prisma. Blue war offenbar in äußerster Eile gewesen, um vor Schließung der Kuppel hineinzugelangen.

Susan blickte lange auf die für Blue zugedachte Rüstung, die noch unangetastet auf einem Sessel lag. Tränen standen in ihren Augen.

Blue war nicht in der Verfassung, zu kämpfen. Es war fraglich, ob sie überhaupt je wieder dazu in der Lage gewesen wäre. Hätten sie Blue nicht gänzlich heraushalten sollen?

Neun Jahre lagen bereits hinter ihr. Sie hatte sicher schon seit langem hiermit abgeschlossen.

Wie ihr Leben wohl seither verlaufen war? Hatte sie sich verändert? – Es war einfach nicht genug Zeit, sich neu kennenzulernen.

Kaum hatten sie sie aus dieser Dunkelheit gerettet, rissen sie Blue mit in den nächsten Abgrund.

Und dann noch Iris. Als wäre Blues Verlust nicht schon schlimm genug.

Hatte der Kristallstab Iris nicht erkannt und zurückgelassen? Ausgelöscht durch diese zusammenfallende Aura, wie auch die Menschen, die bis zuletzt nach Hilfe riefen?

Susans Eingeweide wanden sich schmerzvoll. Sie ließen die Menschen zurück. Sie wurden der Hoffnung und Erleichterung, die in ihren Gesichtern lagen nicht gerecht. Von einem Moment auf den anderen zeugten nicht mal mehr Teile von ihnen. Ihre Familien hatten nichts, das zumindest Sicherheit über ihr Schicksal gab. Nichts, das sie zu Grabe tragen konnten. Statt Trauer würde sie eine lange Ungewissheit erfüllen.

Wie auch die Wächter. Doch worauf war denn noch zu hoffen? Was sollte einen Anlass geben, daran zu zweifeln, dass sie Iris nun schon zum zweiten Mal verloren hatten? Diesmal ohne einen einzigen Augenblick des Abschieds.

„Wie viele Völker, die wohl noch zu ihrer Armee zählen?", fragte Alexandreiji leise.

Susan wischte sich die Tränen von den Wangen und schaute sich um. An einer Antwort versuchte sich niemand.

Ivan starrte auf Blues Bett. Seine Hand strich über das Kopfkissen. Die anderen traten auf der Stelle, blickten leer in die Luft oder nahmen eines der Laken zur Seite und sahen in den Nebel hinaus.

Was sollten sie tun? Einfach weiter machen?

„Leute?"

Susan schaute zum Eingang, an dem Zinus einen zögerlichen Schritt rückwärts stolperte. Die Wächter eilten an seine Seite und blickten hinaus.

Auf dem Platz gegenüber stand eine hochgewachsene Person in einer weißen Robe.

„Ist das noch ein Ka'ara?", fragte Alexandreiji.

„Der ist gerade aufgetaucht", sagte Zinus.

„Oh, bin ich erleichtert, dass es euch gut geht", kam ihnen eine Stimme entgegen.

„Iris?!", schrien Fox und Therese zeitgleich auf. Mit strahlenden Gesichtern traten sie aus der Unterkunft.

„Alles in Ordnung bei mir." Iris schien freudig überrascht über die überschwängliche Reaktion.

Susan wäre fast umgekippt, bei der Last auf ihrem Herzen, die wie ein Felsen abbrach. Sie wollte Iris am liebsten um den Hals fallen. Doch sie verharrte – unsicher, wie sie der Erleichterung sonst Ausdruck verleihen sollte.

Alexandreiji setzte sich mit einem erschöpften Lächeln auf einen Sims aus Marmor, während sich Fox die Freude aus dem Leib lächelte.

„Ich bin auch froh, euch zu sehen." In Iris' Stimme mischte sich Beklommenheit. „Blue?"

Susans Herz erhielt einen erneuten Stich. Sie blickte über die Schulter zu Blues leerem Bett. Ivan hatte sich kaum davon wegbewegt. Auch in seinem Gesicht fand sich noch die Erleichterung über Iris' Rückkehr, doch war sie im nächsten Moment wie weggespült.

Die Trauer kehrte in sie alle zurück, die sich in Stille senkte. Iris trat in das andächtige Schweigen ein.

Susan war froh, Iris noch bei sich zu haben. Sie in den Mauern des Sonnenschlosses zu verlieren hatte sie damals schon viel zu schwer getroffen. Sie war ein Teil von ihnen, trotz ihrer Verfehlungen. Ohne sie gäbe es diese Generation der Wächter nicht und damit keine Hoffnung für die Menschheit. Ja, ihr Vertrauen war beschädigt. Aber es war Zeit, das hinter sich zu lassen. Sie beging einen Fehler – einen den sie zutiefst bereute. Das durfte nicht länger zwischen ihnen stehen.

Wenn es doch für Blue auch irgendeine Lösung geben würde. Selbst wenn sie Zinus' Theorie nach willkürlich zeitreisen gekonnt hätten, um Blue zu einem früheren Zeitpunkt aufzusuchen, wäre das richtig? Nicht einmal von einem moralischen Standpunkt aus gesehen, sondern rein pragmatisch.

Wäre das tatsächlich dieselbe Blue? Gäbe es dann keinen Grund mehr, um Blue zu trauern? Könnte man ihren Tod einfach ignorieren? Ihr Opfer?

John beendete die erneute Andacht, indem er die Aufmerksamkeit auf den Neuankömmling lenkte. „Und wen hast du mitgebracht? Einen weiteren abtrünnigen Ka'ara?"

Iris' Mentor trat mit einem prüfenden Blick auf seine eigenen Hände langsam näher.

„In der Tat habt ihr hier jemanden in Gestalt eines Ka'ara vor euch", erklärte Iris.

Beim nächsten behutsamen Schritt an Iris' Seite gaben Nerosas weiße Haut und die weißen langen Haare ein rötliches Glimmen von sich, das sein Antlitz überstrahlte aber gleich darauf wieder abnahm. Sein Aussehen hatte sich verändert. Nach wie vor prangte das auf dem Kopf stehende schwarze Dreieck auf der Stirn. Seine Gesichtszüge wiesen zwar noch deutliche Ähnlichkeiten zu dem Ka'ara Abbild auf, doch wirkte die Gestalt mit schulterlangen grauen Haaren und weniger blasser Hautfarbe nun sehr viel menschlicher. „Darf ich vorstellen: Nerosa-El, ein Hohepriester von Medina."

„Dein Lehrer, von dem du auf Ka'ara getrennt wurdest?", fragte Fox mit großen Augen.

„Genau der", erwiderte Iris freudig. „Und genau von dort habe ich ihn eben zurückholen können."

Stephanie reagierte entsetzt. „Du warst in der Heimat der Ka'ara?!"

„Das heißt, es ist möglich, uns in ihre Welt einzuschleichen und sie mit einem Angriff zu überraschen?", fragte John.

„Um uns ein weiteres Mal in die Höhle des Löwen zu begeben?", zweifelte Alexandreiji. „Ich weiß nicht."

Dabei schien John selbst wenig angetan von einer solchen Möglichkeit.

Doch Nerosa schloss die Option gleich aus. „Wir haben eine Lücke in ihrem vielschichtigen Schild benutzt, die ich erst nach hunderten von Jahren ausmachen konnte. Und ich bin mir sicher, dass diese bereits geschlossen wurde. Der Schutz wird permanent überwacht. Man gelangt nur durch eine Anomalie in Form einer Brechung des Raumes hinein oder hinaus. Und eine solche kann man nicht erlernen. Ihre Nutzung wird einem nur von Da'ken selbst gestattet. Sie ist seine eigene Kreation."

Die Enttäuschung bei Susan hielt sich in Grenzen. Aber wie wollten sie weiter vorgehen? „Habt Ihr eine Idee, wie wir den Ka'ara und ihrer multikulturellen Armee beikommen könnten? Immerhin wart Ihr lange Zeit unter ihnen."

„Erwartet bitte nicht zu viel", bat Iris. „Nerosa erhielt immer nur solche Informationen, bei deren Gesprächen er zufällig zugegen war."

„Da'ken ist der Herrscher der Ka'ara, nicht wahr? War das der Kerl in der grauen Kutte?", fragte Ivan mit einem Schwelen in der Stimme.

„Da'ken ist der Gebieter über das Reich der Ka'ara, ja. Aber nicht das Wesen in dem grauen Gewand. Dieser nennt sich *Seher*. Da'ken hält ihn am Hof als seinen Verwalter und eine Art Vertreter. Doch keineswegs freiwillig. Der Seher lenkt ihn seit Jahrtausenden und treibt die Eroberungen an. Seit seine verschollene Schwester zurück ist, schaffte er es aber immer weniger, Da'ken unter Kontrolle zu halten. Daher verübte er vor kurzem einen Versuch, Da'ken zu stürzen. Der Angriff auf ihn war auch der Grund für meine Erlösung. Da'kens Einfluss auf mich versiegte."

„Was hat seine Schwester dann noch mit diesem Seher zu schaffen?", fragte Stephanie.

„Offenbar weiß sie nichts von der Machtübernahme. Der Seher hält sie mit Ausreden zum Verbleib ihres Bruders hin und diese geht ungewöhnlich leicht darauf ein. Ich vermute, dass er sich auch ihr Stück für Stück bemächtigt – so wie er es bei Da'ken tat. Er hat irgendetwas mit ihr vor, sonst hätte er sich ihr bereits entledigt."

„Bevor wir uns weiter unterhalten: Sollten wir nicht Nihko, Yuhna und To'sun dazuholen?", fragte Zinus. „Was meint ihr?"

Susan tauschte unsichere Blicke mit den anderen. *Vielleicht bringt uns der Informationsaustausch den Doroniern wieder näher. Immerhin haben sie uns einen Ort genannt, an dem wir mit ihnen in Kontakt treten können.*

„Sie sind als Verbündete unverzichtbar", nahm Ivan Susans Gedanken auf. „Auf jeden Fall sollten wir ihnen diese Entwicklungen nicht vorenthalten."

John holte sein Tablet hervor. Er griff auf die Satellitensteuerung zu, zentrierte die Ansicht an die Mittelmeerküste Ägyptens und zoomte weiter auf das Nil-Delta zu.

„Dann kommt näher. Ich bringe uns hin."

Nach genauerer Betrachtung des Bildschirms wanderte sein Blick auf Fox.

Er streckte ihm das Tablet entgegen. „Magst du das besser übernehmen? Da lass ich lieber den Experten ran."

In Fox' zunächst ungläubiges Gesicht zog schnell ein breites Lächeln. Er nahm das Gerät an sich und schaute sich ihr Ziel rasch aus verschiedenen Winkeln an.

„Willst du dich von ihnen mitteleportieren lassen?", fragte Iris Nerosa. „Immerhin hast du einen Körper. Ich muss dagegen auf unsere herkömmliche Art reisen."

Nerosa überlegte kurz, anscheinend interessiert an dieser Erfahrung. „Ein anderes Mal vielleicht. Ich weiche lieber vorerst nicht mehr von deiner Seite."

Susan stellte sich vor, dass Iris gerade errötete, oder zumindest verlegen lächelte.

Im nächsten Moment tauchte ihr sternenhaftes Leuchten auf. Gleich darauf schien Nerosas Körper sich zu einer Masse aus weißen und roten Pixeln zu zerstäuben und wie eine Salzsäule in sich zusammenzufallen.

An der Stelle blieb ein ebenso helles Strahlen in der Luft zurück wie das von Iris. Die Reste des Körpers breiteten sich wie schwerer Nebel auf dem Boden aus und zerstreuten sich.

Gemeinsam schossen die beiden Lichter in den Himmel in südlicher Richtung davon.

Alexandreiji schüttelte den Kopf, worauf Susan schmunzelte. *Er hat es wohl aufgegeben, das alles verstehen zu wollen.* Dabei stand in ihrem eigenen Gesicht erklärungsloses Staunen.

Wie auch auf dem der anderen. Nur Fox hatte sich weiter auf den Monitor konzentriert und blickte nun auf. „Bereit?"

Die Wächter rückten einen Schritt näher.

Das Erste, was Susan verspürte, war die unbändige Hitze der Luft, die sie fast erdrückte. Gleich darauf überkam sie ein Gefühl von Schwindel.

Sie hatte schon oft Fotos und Videos von den Pyramiden gesehen, alle vom Boden aus aufgenommen. So groß sie dort wirkten, machten sie aber nie den Eindruck, besonders steil zu sein. Von diesem Blickwinkel nun meinte Susan, auf einem Berg zu stehen und in eine tiefe Schlucht zu blicken.

Sie standen im sanft rötlichen Licht der Abendsonne unter hellblauem Himmel auf der Spitze der Cheops-Pyramide.

Stephanie kam eine Steinreihe herabgesprungen und wuschelte Fox durch die Haare. „Toll gemacht, Kleiner."

In der Tat war seine Leistung lobenswert. Jeder von ihnen befand sich auf einer anderen Ebene der Reihen aus quaderförmigen Steinen. Sie standen sicher auf ihren Beinen, ohne auch nur im Ansatz ins Stolpern geraten zu sein.

Fox reichte John mit stolzgeschwellter Brust das Tablet zurück.

Nerosa kam von ein paar Stufen weiter unterhalb heraufgeklettert. „Einen sehr markanten Sammelpunkt haben sich euere Verbündeten hier ausgesucht." Im nächsten Moment schickte John einen der bewährten Lichtstrahlen in den Himmel.

„Ob sie überhaupt genug Zeit hatten, um hierher zu kommen, von wo auch immer sich die Bibliothek befindet?", zweifelte Zinus. „Sie sind zwar unglaublich schnell, aber …"

Das Erscheinen einer schwarzen Verzerrung ließ alle einen Schritt zurückschrecken. To'sun drang daraus hervor und setzte den Fuß auf die Pyramide, gefolgt von Nihko und Yuhna.

Susans Muskeln verloren die Anspannung wieder. Sie lächelte mit einem Anflug von Schadenfreude beim Blick auf Zinus' verzogenes Gesicht. Dabei hatte sie selbst nicht damit gerechnet, dass die Doronier mit To'suns Hilfe diese Art der Fortbewegung nutzen würden. Wäre das nicht auch eine Möglichkeit für sie nach Ka'ara zu gelangen?

„Ravi. Alles in Ordnung?"

Susan drehte sich zu Iris um und erkannte Nerosa verkrampft auf einem der Steine sitzen. *Ist er gestürzt?* Er hatte wohl selbst für einen Moment die Befürchtung, dass einer der Feinde seinen Kopf durch die schwarze Fläche stecken würde.

Nihko und Yuhna sprangen an Susan vorbei und verneigten sich vor Nerosa.

„Ihr seid ein Medinae, nicht wahr?", sprach Nihko den Weltenwanderer an.

Nerosa musste sich einen kurzen Moment sammeln, bevor er zögerlich antwortete: „So ist es. Ich bin erfreut, dass mit euch Bewohner Doronias überlebt haben."

Nihko und Yuhna erwiderten sein zurückhaltendes Lächeln ebenso karg.

„Wie geht es dir, To'sun?", fragte Therese sachte.

„Noch etwas schwach. Das Stechen in meinem Kopf hält nach wie vor an."

„Mein Name ist Yuhna, und das ist Nihko." Yuhna wandte sich um und deutete auf ihren Freund. „Und das ist To'sun. Er hat an unserer Seite gegen die Invasion Doronias gekämpft."

Die Blicke von To'sun und Nerosa trafen sich.

To'sun nickte ihm vorsichtig zu.

Weiterhin die Augen nur auf den weißhaarigen jungen Mann gerichtet, erwiderte Nerosa: „Es freut mich, Eure Bekanntschaft zu machen, Yuhna, Nihko und *To'sun*. Mein Name ist Nerosa."

Yuhna und Nihko wichen plötzlich zurück.

„Iris' Lehrmeister?", erhob Nihko mit aufbrodelnder Wut die Stimme. „Der Nerosa, der mit ihr nach Ka'ara ging und alles heraufbeschwor?"

Die Alarmglocken schrillten in Susans Kopf.

Oh je, seufzte sie in sich hinein. Im selben Moment zuckte sie zusammen.

Da war noch mehr, als nur ihr eigenes Seufzen in ihr. Zunächst meinte Susan, ein Echo zu hören, doch es war vielmehr wie ein Chor. Sie schaute sich um und blickte in die ebenso erschrockenen Gesichter der anderen Wächter.

Susan schüttelte den Kopf. Damit konnten sie sich später befassen. Jetzt ging es darum, Iris und Nerosa beizustehen und zu versuchen, die Doronier zu beruhigen. Nur die Aussicht darauf, dass Nerosa brauchbare Informationen aus seiner Gefangenschaft mitbrachte, verhinderte wohl, dass sie bereits die Flucht ergriffen hatten.

To'suns Augen waren nach wie vor auf den Hohepriester gerichtet. Sein Blick wurde immer leerer und nahm einen zunehmend nachdenklicheren Ausdruck an.

„Wir sollten unsere Gemüter beruhigen und uns ausruhen", schlug Therese vor. „Wer weiß, wann wir mit dem nächsten Angriff zu rechnen haben. Es war ein anstrengender – ein schwerer Tag.

Nihko, Yuhna und To'sun. Mit eurer Erlaubnis führe ich euch zu einem Quartier auf Afallon. Bitte seid unsere Gäste."

Tatsächlich ließ der gehässige Ausdruck in den Gesichtern der Doronier nach. Ihre Muskeln allerdings behielten die Spannung. Schließlich folgte ein verkrampftes Nicken.

Wenn Susan es nicht besser gewusst hätte, dann würde sie Therese als Meisterin der Gedankenmanipulation ausrufen, und nicht Iris. Unter all diesen tausende von Jahren alten Wesen wirkte sie mit ihrer beruhigenden Art, wie die Weiseste und Besonnenste von allen.

Kapitel 45 - Gelüftet

Nerosa nahm Alexandreijis Angebot, seine erste halbstündige Wachschicht zu begleiten, dankend an, während sich die Wächter nebenan schlafen legten. Er war neugierig darauf, wie sie die Aktivitäten des Feindes überwachten.

Alexandreiji erklärte ihm, mit Iris an seiner Seite, die technische Einrichtung, soweit er sie selbst verstand.

So interessant die Anlage auch sein mochte, fragte Nerosa, ohne zu interessiert zu wirken: „Was wisst ihr über diesen To'sun?"

„Nicht viel", antwortete Iris knapp. „Wir fanden ihn bewusstlos an einem Strand. Yuhna und Nihko erzählten, dass er sich gegen Da'kens Feldzüge auflehnte und die Doronier unterstützte. Nach dem Ende Doronias war er bis vor kurzem verschollen."

Nerosa grübelte.

„Kennt Ihr ihn?", fragte Iris.

„Darüber bin ich mir noch nicht im Klaren."

„Dabei dachte ich, das Gedächtnis eines Weltenwanderers sei über jeden Zweifel erhaben", meinte Alexandreiji mit ironischer Note.

„Ein jahrhundertelanger Gedankenknebel mag dem wohl ein Hindernis sein", verteidigte Nerosa seine vermeintlichen Gedächtnislücken.

„Wie ist es Euch diese lange Zeit ergangen?", fragte Iris sorgevoll. „Wurden Euch Schmerzen zugefügt?"

„Die einzigen Schmerzen verspürte ich beim Versuch, seinem Einfluss zu widerstehen. Da'ken riss alles Wissen über das Weltenwandern und der mir bekannten Welten aus mir heraus. Binnen weniger Momente wusste er einfach alles."

„Dann seid ihr beide doch fein raus", meinte Alexandreiji. „Das Wissen wurde euch gewaltsam genommen. Keiner von euch kann etwas dafür, dass sich die Narach und Ka'ara ausbreiten konnten. Wären sie Iris nicht sofort gefolgt, dann hätten sie die anderen Welten eben später aufgesucht."

„So einfach, fürchte ich, kann ich die Verantwortung nicht von mir streifen", bedauerte Iris.

Auch Nerosas Gesicht nahm einen schuldbewussten Ausdruck an.

Alexandreiji erhob eine aufbauende Stimme. „Grämt euch nicht. Was nutzen denn schon noch Schuldzuweisungen."

Nerosa blickte auf und formte ein schmales Lächeln. Da lenkte etwas auf einem der Bildschirme seine Aufmerksamkeit auf sich. Ein Feld in der rechten Spalte einer Tabelle blinkte.

„Was ist das?"

Alexandreiji nahm das Blinken in Augenschein. Er führte den Mauszeiger behäbig auf die Fläche und klickte darauf.

Es dauerte zwei Sekunden, bis sich das Wärmebild eines Wettersatelliten aufbaute. Ein runder schwarzer Fleck war inmitten hellblauer bis orangener Bereiche zu sehen. Wie Wespen aus ihrem Nest, in das man gerade gestochen hatte, schwärmten hunderte dunkelblaue, stecknadelgroße Punkte von dem Loch aus.

Alexandreiji sprang auf und schrie durch das ganze Haus die Wächter aus ihrem Schlaf. Yuhna, Nihko und To'sun kamen hereingeeilt, die von Alexandreijis Ruf ebenfalls aufgeschreckt worden waren.

„Das ist doch der Ort, wo To'sun angeschwemmt wurde, oder?", vergewisserte sich Zinus, der sich übers Gesicht wischte.

„Vielleicht suchen sie nach ihm?", meinte Fox.

„Das werden wir gleich herausfinden", schmunzelte John freudlos.

Die Wächter hüllten sich in ihre gelockerten Rüstungen, die sie mit nur einem Gedanken herbeiriefen, und zurrten sie fest.

„To'sun bleibt vorerst hier", ordnete Susan an. „Wir sehen uns das erst mal genauer an."

„Wir kommen auch", sprach Nihko für sich und Yuhna.

„Ich bleibe bei To'sun", beschloss Nerosa.

To'suns Blick, der die ganze Zeit, seitdem sie das Haus der Wächter betreten hatten, auf Nerosa gerichtet war, nahm einen noch nervöseren Zug an. Die Wächter waren mit den Doroniern im nächsten Moment verschwunden.

„Irisa, würdet Ihr Eure Freunde bitte begleiten?", fragte Nerosa.

Iris zögerte nur kurz mit einer Antwort. „Wie Ihr wünscht." Sie zerfiel zu einem Leuchten und schoss davon.

Zwischen Nerosa und To'sun hielt sich ein angespanntes Schweigen. To'suns Blick auf sich verriet ein gehöriges Maß an Misstrauen. Nerosa kämpfte selbst gegen seine Angst und begann ein Gespräch, wovon er nicht sicher sein konnte, ob es einen verheerenden Lauf nehmen würde.

„Ich dachte zuerst, ich hätte mich verhört. Aber nach Doronia tragt Ihr abermals den Namen To'sun? – Welches Ziel verfolgt Ihr diesmal?"

In To'suns Blick mischte sich Abscheu. „Was weißt du schon über meine Beweggründe auf Doronia? Unsere gedankliche Verbindung war nicht so stark, wie du vielleicht meinst. Ich gab nur so viel preis, wie es mir nötig erschien."

Die Schüchternheit und Zurückhaltung To'suns war mit einem Mal vollkommen abgefallen. Vor Nerosa stand stattdessen ein aufrechter, bedrohlich wirkender junger Mann.

„Wieso bindet Ihr mich nicht erneut an Euch?", fragte Nerosa dennoch auf Konfrontation aus.

Anstatt eine Antwort zu geben, wandte To'sun den düsteren Blick ab.

„So sehr ihr Euch auch verändert habt, tragt Ihr immer noch so viel Wut in Euch, Gebieter Da'ken."

Nerosas ehrfürchtige Ansprache zog die grünen Augen wieder auf sich.

„Was maßt du dir an, mich verurteilen zu wollen?", sprach Da'ken laut auf Nerosa ein.

„Ich stehe nicht hier, um über Euch zu urteilen. Auch Eure Taten zu rügen liegt mir fern. Denn ich weiß, dass es selbst an Euch nagt."

Da'ken wandte sich erneut ab.

„Vielleicht wäret Ihr sogar noch früher zur Reue gekehrt, wenn nicht der Seher Euren Verstand vergiftet hätte."

Da'kens Blick schnellte wieder auf den Weltenwanderer. „Was sagst du da?"

„Der Seher beeinflusst Euren Geist seit Jahrtausenden. Behutsam und geduldig. Langsam, Stück für Stück. Von Euch unbemerkt. Aber ich konnte es spüren. Und nun sträubt ihr Euch gegen ihn. Euer Körper versucht, das Gift mit allen Kräften herauszubrechen. Ihr habt es immer noch in Euch. – Ich fühle, wie sehr es Euch schwächt. Ihr braucht mir nichts vorzuspielen."

Da'ken schien erst jetzt selbst zu bemerken, wie schwer er atmete. Seine Stirn war schweißnass. Er gab seine angespannte Haltung auf und fiel beinahe in sich zusammen. Mit verkrampften Gesichtszügen fragte er: „Wie lange schon?"

„Vermutlich seit der Zeit, als Ihr beschlossen habt, keine neuen Eroberungen mehr anzustreben. Aber welches Interesse hätte er am Fortbestand Eurer ursprünglichen Linie? Wer ist er? Wieso habt Ihr ihn überhaupt in Eure Dienste gestellt?"

Da'ken überlegte angestrengt und antwortete selbst überrascht: „Genau genommen, weiß ich das nicht. Als ich auf seiner Welt einfiel, war er der einzige Bewohner. Er bot mir unverzüglich seine Dienerschaft an. Aber damals hätte ich ihn wohl eher in Stücke gerissen. Was sollte ich mit einem einzelnen Wesen, das sogleich zu Kreuze kriecht."

Da'ken ging noch mal in sich. „Er hatte seinen Giftschleier bereits in dem Moment über mich gezogen, als ich seine Höhle betrat. – Ich weiß gar nichts von ihm!" Er schüttelte fast schon belustigt den Kopf, ließ ihn aber bald darauf kraftlos sinken. „Ganz egal, welche Grässlichkeiten ich danach noch über die Welten brachte, damit kann ich mich nicht herausreden. Diese Feldzüge fanden sowohl vor, als auch nach dem Seher statt und fallen im vollen Umfang auf mein Handeln zurück. Mehr und mehr Völker wollte ich verschlingen."

„Aber Ihr seid nun gesättigt?", erkundigte sich Nerosa mit Bedacht.

„Übersättigt!" Da'ken warf den Kopf in den Nacken und blickte verzweifelt an die Decke. „So sehr, dass ich jeden Bissen bereue und verabscheue und am liebsten wieder ausspucken würde. Ich verfluche mich, dass ich überhaupt damit begonnen habe."

Nerosa trat langsam auf Da'ken zu, während dieser weitersprach. „Und das, was ich am meisten bereue: Ich habe meine kleine Schwester mit hineingezogen. Sie nahm sich ein Beispiel an meinen Taten und meinem Willen. Ich hätte sie auf einen anderen Pfad führen sollen. – Als sie nach so langer Zeit zurück von der Menschenwelt kam, traute ich meinen Augen nicht. Ich dachte, ich hätte sie für immer verloren. Ich war überglücklich sie wieder in meine Arme schließen zu können. Aber ich tat es nicht. Sie sah in mir nicht ihre Familie, sondern ihr Vorbild, ihren Anführer, ihren zerstörerischen und racheerfüllten Gebieter. Anstatt mir sehnsüchtig um den Hals zu fallen, galt ihre erste Handlung einer tiefen Entschuldigung. Sie fiel vor mir auf die Knie und schämte sich – hatte Angst vor meinem Zorn. Als sie mir von den Geschehnissen auf dieser Welt berichtete, vergoss sie keine Träne darüber, was ihr widerfahren war. Keine Traurigkeit war in ihr auszumachen. Ich erkannte nur unbändige Vergeltungslust.

Es folgte eine Bitte. Eine Bitte, für sie Rache zu üben, oder sie darin zumindest zu unterstützen. Nur hierfür berief sie sich auf mich als ihren Bruder."

Da'kens Hände krallten sich in den kalten Stein einer Säule, während Tränen in seine Augen traten. Er presste die Augenlider zusammen, als der schmerzliche Schwall der Erinnerung ihn überkam.

Kapitel 46 - Reue

Eine schwarze Verzerrung öffnete sich über dem nördlichen Polarkreis aus der No'ara und Da'ken drangen. Sie schwebten über der Eiswüste und ließen ihre Blicke darüber gleiten. Doch sie entdeckten nicht, wonach sie suchten.

„Ich verstehe nicht", sagte No'ara verständnislos zu ihrem Bruder. „Genau hier sollten die Ruinen der fliegenden Insel liegen. Inmitten eines tiefen Loches im Eis."

„Bist du dir sicher, dass es hier ist?"

No'ara senkte beschämt den Kopf.

Da'ken schloss die Augen und ließ seinen Inneres Auge über diese Welt wandern. „Eine fliegende Insel sagst du?"

No'ara versicherte mit zitternder Stimme: „Ja. Wirklich. Sie stand damals in der Luft, wie wir es auch gerade tun."

Da'ken lächelte ihr behutsam zu. „Und das tut sie nach wie vor."

No'ara blickte ihn fragend an.

„Komm", forderte er seine Schwester auf und versetzte sich mit ihr in einer weiteren schwarzen Verzerrung zum Ärmelkanal. „Hier ist sie."

Noch immer stand der Unglauben in No'aras Gesicht.

Mit einer Wischbewegung des linken Armes, riss Da'ken ein Loch in den Unsichtbarkeitsschleier, der Andalon umgab. Beide blickten auf einen Teil des fliegenden Reichs und schwebten unter No'aras großen Augen, die deutlich ihrem Unverständnis Ausdruck gaben, ins Innere des Schutzschilds. Sie schauten sich auf der blühenden Einöde um, während sie sich dem grünen Grasboden näherten und schließlich Fuß fassten.

„Die Insel ist unbewohnt", merkte Da'ken an. „Und dafür,

439

dass mächtige Lebensformen diese Welt bevölkern, sehe ich auch keinen Anhalt."

„Doch! Wenn die Insel noch existiert, dann sind auch sie da. Wenn nicht hier, dann halten sie sich irgendwo anders verborgen! Wir müssen unter den Menschen nur für Aufruhr sorgen, dann kommen sie schon von selbst."

„Nein, das machen wir nicht!"

No'ara sah zu Da'ken auf, als hätte er sie gerade geohrfeigt. Gleich darauf zog ein Lächeln des vermeintlichen Verständnisses und steigernder Begeisterung auf ihr Gesicht. „Du hast sicherlich einen besseren Plan, wie du mich rächen willst und die Menschenwelt an dich bringst."

„Nein. Wir werden es dabei belassen. Du wirst mit mir heimkehren und diese Welt nie wieder aufsuchen."

No'aras Gesichtszüge versteinerten. „Das kann nicht dein Ernst sein! Bedeute ich dir denn gar nichts mehr?"

„Gerade weil du mir mehr bedeutest, als du ahnst. Schwester. Es waren 852 Phasen. Eine sehr lange Zeit, in der ich nichts über deinen Verbleib wusste. Ich habe so lange nach dir gesucht, ehe ich mich in ungewisser Trauer zurückzog."

No'ara wütete. „852 Phasen, die ich in einen verfluchten Kristall gesperrt war! Kümmert dich das denn gar nicht? Du verlangst wirklich von mir, meine Qualen tatenlos, ohne Konsequenzen zu ziehen, auf sich beruhen zu lassen?" No'ara schrie ihrem Bruder aus nächster Nähe von unten ins Gesicht. Tränen voller Wut und Enttäuschung standen in ihren Augen. „Ich wäre lieber gestorben, als in meinem unendlichen Leben, für das *du* verantwortlich bist, in diesem Gefängnis zu verharren! Nur mein Wunsch nach Rache hielt mich wach, die mein geliebter Bruder mir nun verwehrt!"

Da'kens Miene verfinsterte sich. „Du willst diese Insel zerstört wissen, als Zeichen meiner Liebe?", knurrte er mit befremdlich tiefer Stimme, während dunkle Energie förmlich aus seiner weißen Haut drang.

Aus dem Stand schnellte er auf ein Knie und rammte die gestreckten Zeige- und Mittelfinger in den Boden Andalons. Tausende Risse zogen blitzschnell unter ihren Füßen über die gesamte Insel und zerschmetterten sie in unzählige Stücke.

Da'ken blickte No'ara in die Augen, die neu gewonnene Ehrfurcht und Begeisterung von sich gaben. „Zufrieden?!"

No'ara schwebte ihrem Bruder inmitten des auseinanderbrechenden Gesteins gegenüber, nickte ihm mit einem feuchten Lächeln zu und schloss die Arme um ihn.

Die dunkle Energie um Da'ken verflog. Er legte zögerlich die Hand auf No'aras Haupt an seiner Brust und strich ihr sachte durch das Haar. Wie sehr er sich nach ihrer Nähe gesehnt hatte. „Lass uns nach Hause gehen."

No'ara drückte sich langsam von ihm weg und lächelte sanft empor. Gemeinsam zogen sie sich durch eine schwarze Verzerrung zurück.

Tränen tropften von Da'kens Gesicht und benetzten den grauen Marmorboden. Er bemerkte Nerosas mitleidvollen Blick auf sich.

„Alles, was ich nur noch wollte, war meine Schwester zurück an meiner Seite. Das weißt du. Ich sollte damit beendet sein, das unentwegte Erobern und Unterjochen."

„Doch der Seher ließ es nicht zu und schürte stattdessen euer beider Flamme."

„Ich wusste nicht um seinen Einfluss. Er sprach nie ein Wort, doch hatte ich ein Flüstern in den Ohren. Es schmerzte zuletzt immer mehr, mich dagegenzustemmen."

„Aber Ihr bracht schließlich aus und habt die Flucht ergriffen."

Da'ken schüttelte den Kopf. „Ich kann mich nicht daran erinnern. Es tut noch so weh."

„Ich kann versuchen, Euch das letzte Gift aus dem Körper zu ziehen."

Da'ken wartete ab, nickte dann aber behäbig mit auf dem Boden gerichteten Blick. So viel Schwäche zu zeigen war für ihn neu. Doch er verspürte dadurch ein ungeahntes Maß an Erleichterung.

Nerosa legte die Hände an die Seiten von Da'kens Kopf. Das orangene Leuchten der Handflächen durchdrang seinen gesamten Körper und trieb einen grünlich-grauen Schleier aus seiner Haut, der gleich darauf verpuffte.

Geistesstärke zog in Da'ken ein – und damit eine unge-trübte Entschlossenheit. „Ich denke, es ist an der Zeit, diesen Wahnsinn zu beenden." *Auch wenn die Reaktion von Nihko und Yuhna nicht angenehm werden wird.*

„Ich fürchte, dass dies nicht so einfach sein könnte, wie ihr vielleicht meint." Nerosa zog Da'kens fragenden Blick auf sich. „Ich vermute, dass sich der Seher bereits Eurer Schwester bemächtigt hat."

Da'kens Gesicht verfinsterte sich, während neuerlicher Zorn seinen Körper flutete.

Kapitel 47 - Kollektiv

Die Wächter tauchten in einer Reihe an der Küste Englands auf. Wolken tränkten den Abendhimmel in ein Farbenspiel aus Rot und Gelb.

Therese und Ivan entfernten die Hände von Yuhna und Nihko, die die Formation mit Iris flankierten.

Susan hatte ein Heer von Narach erwartet, oder sich auf eine weitere unterjochte Rasse vorbereitet. Doch hier glitten aberhunderte Ka'ara einzeln oder in kleinen Gruppen über den breiten Strand und das Wasser oder schwebten die Steilküste empor. Die Wenigsten nahmen Notiz von den bewaffneten Wächtern. Sie umkreisten jeden größeren Stein und Felsen, blickten in jede Felsspalte.

Alle wirkten so zerbrechlich, mit ihrer blassen dünnen Haut, durch die ihre blaue Äderung schimmerte. Sie trugen weißes Haar, in unterschiedlichster Länge und Frisur. Die schmalen Körper gänzlich verschieden gekleidet. Die Schnitte ähnelten sich, doch vermittelten sie bei Weitem nicht den kollektiven Wert einer Uniform oder Rüstung. Das Einzige, das alle gemeinsam hatten, waren strahlend grüne Augen. Sie glimmten sogar, als säßen Glühwürmchen in ihren Augenhöhlen.

Susans Anspannung ließ nach. Niemand machte Anstalten, sie anzugreifen.

Sollen wir den Präventivschlag wagen?, kam ihr der Gedanke.

Dabei fragte sie sich, woher sie den Ausdruck *Präventivschlag* kannte. Sie hatte eine grobe Ahnung, was er bedeutete, aber in ihrem Wortschatz befand sich der Begriff sicher nicht.

Susan blickte nach links und sah John an ihrer Seite stehen, der sich augenscheinlich sein erstes Opfer aussuchte.

„Weißt du, was ein Präventivschlag ist?", riss sie John aus seiner Entscheidungsfindung.

„Klar. War auch gerade mein Gedanke", meinte er unsicher.

„Ich weiß nicht so recht, ob wir hier einen Feind vor uns haben", mischte sich Alexandreiji ein. „Seht ihr da, am Wasser?"

Alle Augen folgten seinem Fingerzeig und erblickten ein Ka'ara-Kind, das beeindruckt durch den nassen Sand watete.

„Na und?", wiegelte Ivan ab. „No'ara macht auch keinen recht viel älteren Eindruck als das Kind dort. Das da kann uns genauso gefährlich werden, egal wie unschuldig es wirkt."

Die Wächter nahmen Ivans berechtigten Einwand auf. Doch je länger Susan den in der Brandung spielenden Jungen beobachtete, desto mehr Zweifel kamen ihr. Sie entdeckte sogar noch mehr Kinder, die teilweise verängstigt über den Strand zogen. Andere, die zusammen mit Erwachsenen aus dem Meer auftauchten, umhüllt von einer wasserdurchlässigen Blase, die womöglich nur den Wasserdruck von ihren empfindlichen Körpern fernhielt. Mit entschlossenem Blick holten sie Luft und tauchten wieder unter.

Suchen die nach To'sun?, hörte Susan Thereses Stimme.

„Ja, aber sieht nicht so aus, als führten sie Böses mit ihm in Schilde", gab Susan zur Antwort.

„Wen meinst du?", fragte Therese zu ihrer Rechten.

Susan blickte überrascht zu Therese. „Du hast doch gerade gefragt, ob die nach To'sun suchen."

„Nein, hab ich nicht", gab sie verwundert zurück. „Zumindest nicht laut."

Seltsam. Schon zum zweiten Mal. Geradeso als ...

„Doronia wurde damals auf keinen Fall von Kindern belagert", meldete sich Yuhna zu Wort. „Drei ihrer Generationen lang versuchten sie, uns in die Knie zu zwingen, doch waren es immer nur ausgewachsene Ka'ara, in Rüstungen."

„Es sieht so aus, als wäre ein ganzes Volk auf den Beinen, um To'sun zu suchen", meinte Stephanie, die immer noch den spielenden Jungen beobachtete, der von einer lächelnden Frau sanft vorangescheucht wurde.

„Fragen wir doch einfach", trieb Fox an.

Ehe sich die Gemeinschaft versah, stiefelte er unbewaffnet aus der Reihe auf den nächstbesten Ka'ara zu.

„Guten Tag", begrüßte er den augenscheinlich gleichaltrigen Ka'ara, während die Wächter nervös Fox' unbekümmertes Vorgehen verfolgten. „Darf ich fragen, was ihr hier macht? Sucht ihr nach To'sun?"

Nein!, zuckte es durch alle Wächter. *Erwähne nicht seinen Namen!*

Fox drehte sich erschrocken zu seinen Kameraden um. Wie schon auf der Pyramide blickten sie sich ratlos an.

Für Susan stand fest: Sie konnten einander Gedanken hören. *War das eine Fähigkeit des Kristallsplitters?*

„Ich kenne niemanden dieses Namens", riss der junge Ka'ara Fox' Aufmerksamkeit an sich. Er setzte seine schwebenden Beine ab und stand ihm mit nackten Füßen im Sand gegenüber. „Wir suchen nach unserem Gebieter Da'ken."

In die Wächter geriet Bewegung. Sie ließen ihre Waffen verschwinden und begaben sich rasch an Fox' Seite.

„Ihr macht euer ganzes Volk mit Kind und Familie mobil, um Da'ken zu suchen?", fragte Susan. „Wieso ist er weg? Und – wäret ihr ohne diesen Tyrannen nicht besser dran?"

Der Junge formte ein Lächeln. „Ihr habt offenbar von ihm gehört. Aber ihr kennt unseren Gebieter nicht. Wüsstet ihr, was er für unser Volk und zahlreiche andere getan hat ..."

„Es reicht, zu wissen, was er mit unserer Welt getan hat", brach Nihko wütend hervor.

Der Junge musterte Nihko und Yuhna kurz, bevor er mit einem bedauernden Blick sagte: „Doronia. Nicht wahr?" So schnell Mitleid in seine Augen einkehrte, so rasch war er wieder ernst. „Entschuldigt mich. Ich werde meine Suche nun fortsetzen." Er wartete auf keine Reaktion und begab sich zurück in einen Schwebezustand.

Kaum hatten seine Füße den Sand verlassen, riss eine schwarze Verzerrung über den Wächtern auf und No'ara drang rasch daraus hervor. Die Gemeinschaft war auf der Stelle gebannt.

Susan fluchte, dass sie ihr so einfach ins Netz gingen. Doch Therese brach sofort aus dem Bann aus.

John lächelte und spottete No'ara entgegen: „Wird das mit dem Körperbann nicht langsam öde?"

Doch No'ara reagierte nicht. Sie glitt regungslos herab, ohne eine Miene zu verziehen oder John einer Antwort zu würdigen.

Therese legte den Negierungskreis auf ihre Kameraden, aber nichts geschah.

Sie versuchte es noch einmal.

„Therese? Wärst du so freundlich?", richtete sich Ivan an sie.

„Ich versuch's ja, aber es klappt nicht bei euch." Therese blickte zu den Doroniern, denen es auch nicht gelang, sich zu befreien.

No'ara befand sich nun auf selber Höhe mit Susan. Sie schwebte ihr direkt gegenüber, doch ihr leerer Blick richtete sich durch sie hindurch.

„Ich habe mir erlaubt ihre Kräfte zu verstärken", erläuterte der Seher, der nun ebenfalls aus der Verzerrung stieg. „Dabei habe ich mich auch gleich ihres freien Willens bemächtigt, was bei ihrem Bruder leider kläglich scheiterte und er sich daraufhin an diesen Ort hier flüchtete."

„Aber das ist ein Irrtum", sagte Fox. „Wir fanden hier nur To'sun."

Susan spürte, dass ihm die Rüge der Wächter von eben durch den Kopf schoss. Doch zum einen kam die Erkenntnis abermals zu spät, zum anderen dämmerte Susan – wie sicher auch den anderen – welcher Täuschung sie unterlagen.

„To'sun", sprach der Seher belustigt. „Diese Geschichte könnte amüsant sein, hätte sie nicht so ein unbefriedigendes Ende gefunden. – Doch wenn wir schon bei Enden sind. Wie konntet ihr meinem Kerker entfliehen?"

Niemand machte Anstalten, den Kristallstab zu erwähnen, von dem Susan nun zu gerne ein zweites Exemplar gehabt hätte.

Der Seher kümmerte sich nicht weiter um eine Antwort und wandte sich an No'ara. „Wir sollten uns nicht weiter von der Suche nach Eurem Bruder ablenken lassen und dieses Kapitel schnell abschließen."

Wie auf Befehl erhob No'ara den rechten Arm. Alle Ka'ara um sie herum verharrten an Ort und Stelle und blickten auf sie. Ihre grünen Augen wiesen nun einen goldenen Glanz auf, ähnlich wie bei den Narach. Weitere Ka'ara kamen von landeinwärts her und sammelten sich am Klippenabsatz. Auch die letzten tauchten aus dem Meer auf und stiegen aus den Wellen empor.

Panik ergriff Susan, nicht in der Lage, mehr als nur den Kopf zu bewegen.

Susan! Thereses kraftvolle Stimme hallte in ihren Gedanken. *Hörst du mich?!*

Ja!, sprach Susan ebenso mit Druck in sich hinein.

Ich kann die Negierung nur noch an mir selbst ausführen. Ich versuche, dir das Wissen über seine Anwendung zu übermitteln!

Susan bemühte sich, den Kopf so frei wie möglich zu bekommen, um jedes Detail aufschnappen und verarbeiten zu können, das gleich auf sie einprasseln würde. Doch es war kein Vortrag von Formeln und Gleichungen oder eine Gebrauchsanweisung, womit sie sich hätte auseinandersetzen müssen. Es war nicht mehr als ein Blitz, der durch ihr Gehirn zuckte, ohne dass sie irgendetwas davon greifen konnte. Ohne weiteres Zutun war das Wissen in ihrem Kopf verankert und der Bann fiel von ihr ab.

Susan wunderte sich, wie einfach sie plötzlich immun gegen diese verdammte Waffe war. Wie von einem Moment auf den anderen geimpft, trat ein Wächter nach dem anderen aus der Versteinerung heraus. Sie sprangen auseinander oder teleportieren sich in eine Umzingelung um No'ara und den Seher.

Noch bevor No'aras Arm fiel, schuf Ivan einen Sandsturm, in dessen mehrere Meter breitem Auge sie alle standen. Die fließende Wand aus Sand entzog den Ka'ara den Blick in das Innere des Sturms. Stephanie beschwor zusätzlich eine dicke Barriere an der Innenseite des Wirbels herauf, um den Ka'ara auch den Zugang zu verwehren.

John sprang als erstes mit glühendem Schwert auf No'ara zu, die mit dem Seher nach oben auswich. Stephanie dehnte die Barriere aus, um die beiden Feinde im Inneren zu behalten. Fox setzte No'ara mit einer Teleportation nach, während Susan und Zinus nach einem Sprung auf den Seher einschlugen.

Beide wichen immerzu aus. Doch hatte es nicht den Anschein, als wollten sie den Angriffen entfliehen. Sie schnellten immer nur weit genug davon, um der Reichweite der Klingen zu entgehen, ohne sich voneinander zu entfernen.

Therese und Alexandreiji standen an der Seite der weiter gebannten und schutzlosen Doronier. Sie beobachten mit Ivan und Stephanie, die die Barriere und den Sturm aufrechterhielten, die Wand aus strömendem Sand. Doch kein Ka'ara ließ sich sehen. Keiner versuchte hereinzugelangen. Und No'ara und der Seher wehrten sich nicht oder machten sich die Mühe zu kontern.

Die schinden nur Zeit!, erkannte Alexandreiji.

Susan sah ihn seinen Stab wie einen Baseballschläger in beide Hände nehmen. Seine Augen fixierten No'ara und verfolgten ihre Ausweichbewegungen. Im richtigen Moment schlug er den Stab mit voller Kraft durch. Mitten im Schlag, kurz bevor er einen imaginären Ball zu treffen versuchte, teleportierte er sich in den Rücken von No'ara. Der Stab traf No'aras Hinterkopf nicht voll, streifte ihn aber hart genug, dass sie das Bewusstsein verlor.

Augenblicklich waren Yuhna und Nihko befreit. Ohne zu zögern, sprangen sie auf den Seher und die zusammenklappende Herrscherin zu.

Ein glänzender Schild, der an einen monsterhaften Insektenflügel erinnerte, entstand aus dem Nichts. Er fing die Doronier auf und wischte sie zusammen mit den fünf Wächtern um sich fort. Kurz bevor sie auf die Höhe von Therese, Ivan und Stephanie zurückgedrängt wurden, zerfetzten Yuhna und Nihko den Flügel wie Seidenpapier.

Zwischen ihnen und No'ara und dem Seher erschienen aus Verzerrungen mehrere hundert Ka'ara. Während die Wächter zögerten, stürmten die Dornier auf die vordere Reihe zu. Ihr Angriff verlief so schnell, dass ihre Krallen die ersten Körper ohne Gegenwehr zerteilten. Dann jedoch feuerten die am nächsten stehenden Feinde bläulich gleißende Strahlen aus ihren Handflächen, denen die Dornier auswichen. Die Anzahl dieser handbreiten Bänder stieg rasch und engten Yuhna und Nihko immer mehr ein. Die rasierklingenscharfen Kanten schnitten sich in die angeblich so widerstandsfähige Haut und hinterließen Eiskristalle an den Wunden.

Stephanie ließ von der nutzlosen Barriere ab und sprang mit allen anderen Wächtern auf die Gruppe der Ka'ara zu. Nur Ivan gab die Hoffnung nicht auf, dass wenigstens der Sandsturm sie noch vor der restlichen Armee dort draußen schützte und blieb zurück.

Ein Teil der Ka'ara lenkte ihre Aufmerksamkeit und ihre in Intervallen verschossenen Lichtbänder auf die neuen Angreifer und entlasteten damit Yuhna und Nihko. Die ersten Bänder gingen an den im hohen Bogen heranspringenden Wächtern vorbei. Der magische Schild ihrer Rüstungen wurde nur gestreift. Doch Zinus bemerkte, dass die Strahlen hindurchschnitten und nicht, wie erhofft, abgelenkt würden.

„Die Rüstungen bieten keinen Schutz!", schrie er panisch.

Noch bevor der Schrei Susans Ohren erreichte, hörten sie die Warnung in ihrem Kopf. Fast alle Wächter schafften es rechtzeitig, sich kurzerhand mitten in die Menge zu teleportieren.

Doch für Stephanie war es zu spät, den Bändern zu entkommen. Eines durchtrennte ihren Oberschenkel.

„Stephanie!", schrie Susan auf.

Therese teleportierte sich sofort zurück und fischte Stephanie aus der Luft, die unter Schock auf ihr abgetrenntes Bein blickte, das weiter zu Boden fiel. Sie teleportierte sich mit ihr weiter, nah an Ivans Sturmwand zu einem Felsen, um möglichst viel Abstand zu den Ka'ara zu erhalten.

Susan folgte ihnen, um sie vor möglicherweise nachsetzenden Feinden zu beschützen. Mit beengter Kehle blickte sie auf die glatte Trennwunde. Der Schnitt war gefrorenen, doch die bläulichen Eiskristalle verdampften schnell. Das Blut pulsierte aus dem Schenkel. Therese presste ihre silber schimmernden Hände darauf und versuchte die Blutung zu stoppen, ehe die Vereisung gänzlich nachließ.

Susan bekam es mir der Angst zu tun. Sie hielt die Umgebung im Auge, doch ihr Blick schweifte immer wieder auf

Stephanies Bein und ihr Gesicht. *Bitte du nicht auch noch!*

Stephanie starrte kurzatmig auf ihre silber schimmernde Wunde. Sie stand kurz davor, das Bewusstsein zu verlieren.

„Iris?!", rief Therese unruhig.

„Bin schon hier."

Niemand der Ka'ara nahm Notiz von ihnen. Sie alle befanden sich im Pulk mit den anderen Wächtern. Diese wichen den Strahlen durch Teleportationen mehr aus, als dass sie damit erfolgreiche Angriffe setzen konnten. Susan musste ihnen helfen.

Halt bitte durch, Stephanie!

Susan sprang zurück in den Schwarm aus gleißenden Bändern, weißhaarigen Gegnern und einer unheimlich schnellen Abfolge an Teleportationskonstrukten, die sich an wechselnden Stellen um ihre Freunde öffneten und schlossen. Nach nur einem Schwertschlag, der sich ungehindert durch einen der Feinde schnitt, musste sie sich bereits einem der Strahlen durch eine Teleportation entziehen. Sie zappte sich zusammen mit den anderen immer schneller und sicherer durch die feindlichen Reihen. Immer mehr Angriffe durch einen gut getimten Hieb oder einen rechtzeitig gesetzten Feuerball in die Körpermitte eines Ziels waren von Erfolg gekrönt. Einzelne Blitze rissen ebenso Lücken in die gegnerische Front in der Luft. Doch Susan merkte, wie diese rasante Abfolge an Aktionen an ihr zehrte.

Sie erfasste immer wieder kurz ein schweißüberströmtes und verzerrtes Gesicht ihrer Freunde, bevor es nach einem einzelnen Hieb verschwand. Yuhna und Nihko konzentrierten sich allein auf den Seher und die mit ihm schwebende, nach wie vor bewusstlose No'ara. Doch ohne Wände, von denen sie sich abstoßen konnten, hatten sie Mühe, ihre Schnelligkeit richtig auszuspielen und rasche Angriffe anzusetzen. Sie mussten immer wieder vom Boden abspringen und durften dies nicht mit zu viel Kraft tun. Aber sie hielten den Seher damit in Schach und drängten ihn schließlich in den Sandsturm hinein.

Mit einem Mal, ohne die geringste Ankündigung, blähte sich die weißhaarige Formation auf, wie an der Außenhaut eines Luftballons.

Die Eisbänder schossen nun aus allen Richtungen auf die Wächter ein.

Therese tauchte mitten unter ihnen auf und baute – ihre blutigen Hände in die Höhe gestreckt – einen nur wenige Meter umfassenden Schild im Innern des Sandsturms um die kämpfenden Wächter auf. Dieser lenkte die Strahlen an der Außenwand entlang in den Boden. Dort formten sie eine schnell massiver werdende Eiswand, die zu einer Kuppel anwuchs und die Gefährten einschloss.

Doch nicht nur die Wächter nahm die Eiskuppel gefangen oder in Schutz. Von allen unbemerkt blieb ein einzelner Feind unter ihnen zurück. Eine blasshäutige Handfläche zielte auf Fox' Rücken und feuerte einen Eisstrahl mitten durch seinen Brustkorb.

Kapitel 48 - In der Falle

Nein! Fox! Susan schnellte entsetzt herum und ließ in derselben Bewegung ihre Klinge auf den in ihrer Mitte verborgenen Angreifer niederschnellen. Ihre weit aufgerissenen Augen erfassten das Gesicht eines kleinen Ka'ara-Kindes.

Das Schwert löste sich auf, nur wenige Zentimeter davon entfernt, das Kind zu zerteilen. Verzweifelt sank Susan auf die Knie und blickte dem unschuldig und verängstigt wirkenden Wesen entgegen.

Wie soll ich solch einen Gegner bekämpfen?, schluchzte sie in sich hinein, was auch die anderen Wächter wahrnahmen. *Ich kann doch kein Kind töten.*

Therese leitete das Anwenden des Schildes in die Köpfe ihrer Kameraden. John übernahm die Aufrechterhaltung der Kuppel, während Therese auf den im Sterben liegenden Fox in Zinus' Armen zueilte.

Susan konnte den Blick nicht von dem Kind abwenden, das sie nach wie vor so unschuldig und voller Angst anschaute.

Mit einem Mal erlosch die Flut an Eisbändern, die ohnehin nur noch die Eiskuppel nährten. Durch eine kleine Lücke an der Oberseite verfolgten die Wächter den Rückzug der Ka'ara in den Sandsturm, den Ivan nach wie vor aufrechterhielt. Nur das Kind in ihrer Mitte verblieb. Nahezu regungslos blickte es immer noch auf Susan und musterte sie.

In riesigen Dampfschwaden zersetzte sich die Eismasse über ihnen. Risse zogen sich durch die Kuppel.

Susans Blick glitt zu Fox, der reglos und mit geschlossenen Augen in Zinus' Armen lag – sein durchlöcherter Brustpanzer daneben im Sand. Thereses rechte Hand ruhte hell schimmernd auf der blutnassen Brust, die andere unter seinem Rücken.

Susan blinzelte die Tränen weg. *Fox* ...

„Sammeln wir Stephanie ein und dann zurück nach Afallon", wies Ivan an.

Er ließ von dem Sandsturm ab, wie auch John von dem Schutzschild, und sie alle teleportieren sich zu Stephanie und Iris außerhalb.

Bis auf Susan. Sie zögerte. Nur sie und das Kind standen noch unter dem bröckelnden Kuppeldach. Sollte Susan es hier zurücklassen, wo es binnen der nächsten Sekunden von Eistrümmern erschlagen werden würde? Oder sollte sie es retten?

Dieser Moment erschien ihr wie eine Ewigkeit, doch zu einer Entscheidung gelangte sie nicht. Die Kuppel zerbarst und gewaltige Schollen donnerten herab.

Da streckte das Kind Susan beide Arme entgegen. Susan deutete das für einen kurzen Augenblick dafür, dass es von ihr aufgenommen werden wollte. Aber dann schossen zwei Eisstrahlen aus den Handflächen direkt auf Susans Kopf zu.

Susan schrie panisch auf und leitete eine Teleportation ein. Doch die Flucht geschah nicht schnell genug. Immerhin lenkten die Wellen des Teleportationskonstrukts die Strahlen ab und bewahrten sie vor einem fatalen Treffer. Eine Kante jedoch streifte ihr linkes Auge. Das Band zog in einem Bogen weiter über die Schläfe knapp über ihr Ohr hinweg und schnitt sich durch Haut und Haar. Im nächsten Moment tauchte Susan inmitten der anderen Wächter auf. Ihr entsetzter Schrei ging in einen voller Schmerzen über.

Im Hintergrund schlugen die ersten Eistrümmer auf und zersetzten sich weiter in massive Dampfschwaden. Iris kümmerte sich bereits um Fox. Während sich der Rest schützend vor den Verwundeten aufbaute, nahm sich Therese Susan an. Doch diese hielt sie sich vom Leib.

„Sofort weiter nach Afallon!", rief sie unter Schmerzen. Sie kniff ihr linkes Auge fest zusammen und leitete mit den anderen eine Teleportation ein. Aber mehr als ein Flimmern des Wellenkonstrukts um sie herum geschah nicht.

Susan hatte es geahnt. Sie hatte die ansteigende Dichte dieser Aura gespürt und wusste, dass sie erneut in dem Gefängnis des Sehers festsaßen. Susan versuchte das Brennen in ihrem linken Auge auszublenden und blickte sich mit dem rechten um. Sie fand den Seher durch den sich auflösenden Sandsturm, nach wie vor über der bewusstlosen No'ara schweben.

Die Doronier wurden mit einem weiteren Schlag eines aus dem Nichts auftauchenden Insektenflügels in die Richtung der Wächter geschleudert und schlugen wenige Meter vor ihnen im Sand auf.

Durch die rasch abnehmende Dichte des Sandes in der Luft bemerkte Susan auch eine Vielzahl heller Lichtpunkte. Wie ein Sternenfirmament wurden sie davon umgeben. Nur dass diese Sterne in einem exakten Raster angeordnet waren.

Durch ihr einzelnes Auge erkannte sie, dass jedes der Lichter von je einer Handfläche eines Ka'ara ausging. Alle Aberhunderte hatten sich an die Innenseite der schwarzen Kuppel gereiht und richteten sich wie eine Reflektorschüssel auf die Wächter und Doronier aus.

Die Vereisung von Susans Schnittwunde hatte bereits nachgelassen. Blut floss vom zerstörten Auge und der Schläfe an ihrer Wange herab.

Wie No'ara zuvor hob der Seher seinen vom Ärmel verhüllten Arm zum Befehl des Angriffs.

Susan schüttelte resigniert den Kopf. Auch von den anderen vernahm sie kein Wort einer Idee oder verspürte den Gedanken eines Vorschlags. Ohne einen weiteren Kristallstab in Händen konnten sie nicht fliehen. Und dem Angriff erfolgreich auszuweichen war unmöglich.

Sie saßen in der Falle. – Wie schnell es plötzlich zu Ende ging.

Susan blickte mit ihrem rechten Auge durch die ratlosen Gesichter ihrer Freunde. An Fox' Brust erkannte sie Iris' oranges Leuchten, doch es wirkte schwach.

Selbst die Doronier lagen weiter im Sand und weigerten sich, aufzustehen. Zusammen hätten sie vielleicht noch ein paar Lücken in die Ka'ara reißen können, mit Feuer, Blitz und Energiestrahlen. Aber es wäre nur ein Tropfen auf dem heißen Stein gewesen.

Verdammt! Was ist das?! Wieso wollten sie alle so einfach aufgeben? Ja, sie würden sterben. Mit Sicherheit. *Wir müssen es doch wenigstens versuchen!*

Susan sprang auf. Die Wächter mit ihr. Wie von einem in ihre Schultern schneidenden Rucksack befreiten sie sich von der Schwerfälligkeit. Aber sie hatten zu lange gezögert.

Der Arm des Sehers schnellte nach unten.

Eine Unmenge an weißen Strahlen stieß herab.

Grelles Licht umgab Susan, doch kein Schmerz bohrte sich in ihren Körper. Sie blinzelte mit dem intakten Auge durch die Helligkeit und erkannte einen schwarzen Fleck inmitten des gleißenden Lichts. Die Silhouette eines Mannes zeichnete sich in dem langsam abflachenden Schein ab.

Chris?!

Der Name zog so unwirklich durch Susans Gedanken.

Es konnte nicht Chris sein.

„Tretet beiseite", hörte Susan eine Stimme hinter sich.

Sie drehte sich herum und erkannte Nerosa, der sich zu Fox niederkniete und seine orange strahlenden Hände zu denen von Iris auf die Brust setzte.

Vor der Gruppe stand Da'ken, auf den sich alle Lichtstrahlen zubogen. Seine erhobene Handfläche saugte die tödlichen Strahlen gänzlich auf.

Kaum erblickten die Ka'ara ihren Gebieter, stürzten sie

auf die Küste herab und begaben sich mit gesenktem Blick auf die Knie. Das goldene Schimmern in den Augen war erloschen.

„Kehrt zurück nach Hause", gebot Da'ken.

Unter jedem Ka'ara, als auch unter den Leichenteilen der Gefallenen, tat sich eine schwarze Verzerrung auf, worin sie unverzüglich versanken.

Der Seher bewegte sich mit höhnischen Worten auf Da'ken zu. „Welch Freude, euch wohlauf vorzufinden."

Dieser ignorierte ihn zunächst und wandte sich an die Gruppe hinter sich, insbesondere an Nihko und Yuhna. „Egal was ihr nun erfahren solltet: Bitte vertraut mir. Sobald das hier beendet ist, werde ich mich euch mit allen Konsequenzen stellen."

Während die Wächter bereits verstanden hatten, erschloss sich den Doroniern der Sinn hinter diesen Worten noch nicht. Wenngleich allein To'suns Befehl an eine Gefolgschaft von Ka'ara keine Fragen offen lassen hätte sollen, wehrten sie sich offenbar gegen diese Vorstellung.

Mit Nerosas Hilfe gelang es Iris, das Loch in Fox' Brust zu schließen. Nerosa ließ von dem bewusstlosen Jungen ab und trat zu Stephanie. Er bohrte die Finger seiner rechten Hand in das offene Fleisch.

Stephanie schrie auf.

Der Hohepriester zog seine strahlenden Finger langsam heraus, worauf Stephanies Schreie abflachten. Doch die Fingerspitzen verließen den Oberschenkel nicht, sondern zogen in Sekundenschnelle neu wachsendes Gewebe und Knochen mit sich. Die Wächter – allen voran Stephanie selbst – trauten ihren Augen nicht, als sie wenig später mit zwei Beinen im Sand saß.

Da'ken erblickte seine benommene Schwester weit hinter dem Seher am Boden liegen. Sie kämpfte sich in ihr ohnehin nicht vollständiges Bewusstsein zurück.

„Was hast du mit ihr gemacht?!"

„Für diesen Zustand bin nicht ich verantwortlich", entgegnete der Seher amüsiert. „Aber ich habe dasselbe mit ihr vor, was ich auch mit Euch zu tun gedachte. Nur konnte ich leichter in ihren Kopf eindringen als in Euren."

„Gib sie sofort frei!", befahl Da'ken ungeduldig.

„Sonst?! Ich bin in ihrem Geist. Schadet Ihr mir, schadet Ihr auch Eurer Schwester."

Susan sah es den zusammengekniffenen Augen der Doronier an, dass es ihnen allmählich dämmerte, aber ihr Verstand sich mit allen Kräften dagegen sträubte.

„Was willst du?", fauchte Da'ken ihn an.

„Das, was auch Ihr wolltet, als Ihr mich befreitet."

„Ich habe dich befreit?! – Die Höhle stand offen."

Der Seher schien durch seine Kutte hindurch finster zu grinsen.

„Oh, nicht aus der Höhle. – Von dem Planeten. – Ihr habt keine Ahnung, von welcher Welt Ihr mich holtet, nicht wahr? Natürlich nicht. Es handelte sich um einen Bannplaneten, von den Medinae nur für mich erschaffen. Er ist weder zu spüren, noch zu sehen. Es ist unmöglich, durch Zufall darauf zu stoßen. Nur wer Wissen über die Existenz hat, kann ihn betreten. Und das eignetet Ihr Euch von *ihm* an. – Die Welt trägt den Namen …"

„… Naharoth", ergänzte Nerosa mit weit aufgerissenen Augen, auf den der Seher zeigte.

„Auch wenn ich bereits vor deiner Entstehung an Naharoth gebunden wurde, weißt du sehr genau über die Geschehnisse damals auf unserer Heimat."

„*Unserer* Heimat?", wandte sich Iris erschrocken an Nerosa. „Er ist auch ein Medinae?"

„Er *war* ein Medinae – bevor er verstoßen wurde. Nicht wegen des Versuchs der Bewanderung anderer Galaxien wurde das Weltenwandern verboten, sondern wegen *ihm* und der Taten seinesgleichen."

„*Unsere Taten*. Was hat man euch denn über uns erzählt? Wenn unser Handeln so schlimm war, wieso klärt ihr eure Nachkommenschaft nicht darüber auf, um aus unseren Fehlern zu lernen? Stattdessen schweigt ihr und erfindet Geschichten, um eure Lügen zu vertuschen. – Was ich will? Gerechtigkeit. Das Recht, auf meine Heimat zurückzukehren. Alleine konnte ich das nicht einfordern. Daher musste ich mich Verbündeten bedienen – mächtigen Verbündeten. Ihr wäret ideal für meine Zwecke gewesen, Lord Da'ken. Da mein Einfluss auf Euch nun bedauernswerterweise gänzlich versiegt ist, ziehe ich mich vorerst zurück. Glücklicherweise habe ich in Eurer zurückgekehrten Schwester ein neues, handsameres Werkzeug gefunden."

Da'kens Blick schwenkte zu No'ara, die regungslos auf dem Boden saß und mit leeren Augen in seine Richtung sah. Im nächsten Moment war sie verschwunden. Aber nicht durch eine schwarze Verzerrung. Sie wurde von einer Sekunde auf die andere durchsichtig, als würde man sie aus dieser Welt ausblenden.

„Wo hast du sie hingebracht?", fuhr Da'ken auf.

„Das könnte ich Euch sogar sagen", antwortete der Seher mit einem deutlichen Hauch Häme. „Allerdings könntet Ihr diesen Ort alleine niemals finden, oder gar betreten. – Und du kommst auch mit."

Ohne die Andeutung einer Bewegung des Sehers verschwand Susan aus der Reihe der Wächter ebenso spurlos wie No'ara zuvor.

Die Wächter schrien auf. Stephanie schnellte mit ihrem neuen Bein noch unsicher auf die Knie und warf ihm Flüche entgegen. Ivan und John stürzten mit hassverzerrtem Gesicht auf den vermummten Entführer zu. Doch auch der Seher entschwand, ehe eine Klinge oder ein Feuerball in seine Nähe kommen konnte.

Nerosa spürte, wie Da'ken mit seinem Inneren Auge nach einem Übergang suchte, einem Portal oder Spalt, den er offenhalten oder dem er folgen konnte. Aber er erkannte nichts dergleichen. Nichts, das er greifen oder durch das er auch nur einen Blick werfen konnte.

Wieso habe ich diese Verbindung noch?, fragte sich Nerosa. *Lässt er es absichtlich zu?*

Ivan und John traten zurück in die Gruppe. Sie sahen einander hektisch und ratlos an. Therese redete verzweifelt auf Iris und Nerosa ein, was sie denn machen könnten. Doch sie beide waren einer Antwort verlegen.

Nerosa blickte wieder auf Da'ken. Auch er war alles andere als in einer ruhigen und geordneten Verfassung. Nerosa bemerkte, wie sich die Wächter vorsichtig von Da'ken mit kleinen Schritten entfernten.

„Klär uns auf, *To'sun*", sprach ihn Ivan an. „Wolltest du uns genauso unterlaufen wie Doronia?"

Sie denken, er hätte sie getäuscht.

Zwar stand unter ihnen der Feind. Doch er hatte ihnen allen gerade das Leben gerettet. Und beiderseits hatte der Seher eine ihnen wichtige Person in seiner Gewalt. Aber machte ihn das gleich zu einem Verbündeten?

Da'kens Verachtung für Ivans Beschuldigung war deutlich von dem Grün, das in seinen Augen zirkulierte, abzulesen. Doch Nerosa fühlte, dass Da'ken die Berechtigung hierzu erkannte.

Seine Gesichtszüge glätteten sich, bevor sein Blick die wutenstellten Gesichter von Nihko und Yuhna erfasste. Ihre Muskeln waren zum Zerreißen gespannt. Es brauchte nur ein falsches Wort oder eine Geste, um die Mordlust der Doronier zu entfesseln.

„Ihr solltet euch alle um eure Verletzungen kümmern und Kräfte sammeln", versuchte Nerosa sich an der Auflösung dieser angespannten Situation. „Ich bin mir sicher, dass

No'ara und Susan vorerst keine Gefahr droht."

Die Wächter sahen an ihrer gebeugten Haltung selbst ein, dass sie am Ende waren und eine Ruhepause bitter nötig hatten. Sie schauten auch auf den bewusstlos im Sand liegenden und ruhig atmenden Fox, zu dem sich Therese wieder abkniete. Würde man nun irgendetwas überstürzen, liefen sie unter Umständen in eine Falle. – Sie hätten dennoch die Verfolgung aufgenommen, war sich Nerosa sicher. Aber sie hatten nicht den kleinsten Hinweis, dem sie nachgehen konnten. Oder hatte er selbst vielleicht einen? Er wollte bei nächster Gelegenheit in sich gehen und in den verbotenen Lehren forschen, in die er als Wissender eingeweiht worden war. Doch nun brauchten sie alle Ruhe.

Susan, im Interesse der Wächter, und No'ara, im Interesse Da'kens, durften vorerst tatsächlich nicht in Gefahr sein. Der Seher hatte etwas mit ihnen vor. Aber was?

Die Doronier fühlten sich von Nerosa gar nicht angesprochen. Noch immer starrten sie auf Da'ken, in dessen Gesicht sich die Sorge um seine Schwester, der Zorn auf den Seher und das Bedauern gegenüber Yuhna und Nihko mischte.

„Ihr könnt mit mir verfahren, wie ihr wollt. Ich leiste euch keinen Widerstand. Doch will ich zuerst meine Schwester in Sicherheit wissen."

Damit sprach er ein Kompromissangebot aus, das diese Situation herunterfahren konnte, sollten die Doronier darauf eingehen.

Yuhna richtete sich an die Wächter. „Wie steht ihr zu ihm?"

Die Wächter blickten einander fragend an. Sie zierten sich davor, eine klare Meinung zu äußern. Die Konsequenzen waren nicht abschätzbar.

„Seine vorübergehende Unterstützung wäre bestimmt von Vorteil", merkte Alexandreiji vorsichtig an. „Und um Susan zurückzuholen ist diese mit Sicherheit unverzichtbar."

„Ich hatte Gelegenheit in ihn zu schauen", ergriff Nerosa das Wort. „Auch wenn es für euch wenig bedeuten mag, verbürge ich mich für seine Absichten und stehe dafür mit meinem Leben ein."

Auf Yuhnas Gesicht trat langsam ein Ausdruck der Besänftigung. Ihre Körperspannung ebbte im Gegensatz zu Nihkos ab.

„Wir nehmen dich beim Wort", wandte sich Yuhna an Da'ken. „Du gehörst uns." Sie ging in die Hocke und sprang davon.

Nihko fixierte immer noch Da'ken, zwang sich aber schließlich doch langsam in die Knie. Bis zum letzten Moment verließen ihre Augen Da'kens Gesicht nicht, bis sie mit einem Sprung Yuhna folgte.

Die Wächter atmeten vorsichtig auf.

„Ein äußerst kurioses Netz an Verbündeten haben wir da", kommentierte John leise, ohne einen Anflug von Belustigung in der Stimme.

„Und ein extrem labiles noch dazu", stimmte Therese zu. „Wie lange das wohl gut geht? – Aber was zum Teufel hat dieser Seher mit Susan vor?"

Ohne eine Idee der Erwiderung sahen sich die Wächter mit Iris, Nerosa und ihrem bis vor kurzem größten Gegner auf dem umgepflügten Strand um. Nur rotes und erheblich größere Mengen blauen Blutes, als auch Stephanies abgetrenntes Bein zeugten inmitten letzter Sandschwaden in der Luft noch von der harten Schlacht.

Kapitel 49 - Gefangenschaft

Susan stolperte aus dem Nichts heraus auf einen unebenen Felsboden inmitten einer düsteren Umgebung. Sie brauchte einen Moment um zu realisieren, dass sie gerade entführt worden war. *Du verdammter ...*

Susan verzog das Gesicht und nahm die linke Hand an ihr brennendes Auge. Mit dem heilen Auge blinzelte sie durch die Dunkelheit. Mehrere Meter über ihr befand sich eine runde Öffnung, durch die schwach flackerndes Licht herunterdrang und sich in den zerklüfteten Grubenwänden reflektierte.

„Hey! Was soll das?!", hallte ihr zorniger Ruf nach oben, der nicht erwidert wurde.

Susan pustete durch eine ungeheuerlich trockene Hitze. Sie wischte sich den Schweiß von der Stirn.

Mehrere Teleportationsversuche misslangen. Doch verspürte Susan nicht die erdrückende Aura. Etwas anderes musste sie daran hindern, auf diese Weise zu fliehen.

Susan setzte einen steilen Sprung aus der Grube heraus an. Dieser endete jedoch schmerzhaft an einer unsichtbaren Barriere, die das Verlies deckelte. Sie stürzte zurück. Der Aufschlag auf dem Boden tat nicht minder weh als der Aufprall an der Decke. Susan rappelte sich auf und rieb sich den Kopf, als auch die geprellte Hüfte.

Hallo?! Hört mich jemand?!, drückte sie in ihre Gedanken hinein.

Keine Antwort. Auch eine telepathische Verbindung zu ihren Freunden gab es nicht. Ob das nur an der Entfernung lag, oder an anderen Gründen?

463

Susan schnaufte enttäuscht durch. *Wo bin ich hier bloß?!*

Sie tastete sich vorsichtig an der heißen Wand entlang und bemerkte eine Vielzahl an Lücken in dem wurzelartigen Gestein, die gerade mal groß genug waren, um einen Arm hindurchzustecken. Davon, in eine ungewisse Finsternis zu greifen, nahm Susan allerdings Abstand.

Nachdem sie die Hälfte der runden Zellenwand abgegangen war, erkannte Susan hinter der löchrigen Wand einen weißen Fleck und führte ihr rechtes Auge näher heran.

No'aras weiße Haut hob sich deutlich von der Dunkelheit der benachbarten Zelle ab.

„Hey!", flüsterte Susan hinüber, verschluckte sich aber an der Silbe.

Für einen Moment hatte sie vergessen, um wen es sich bei ihrer Mitgefangenen handelte. *Sie bleibt sicher auch nicht freiwillig hier*, beruhigte sie ihre Gedanken und legte die ängstliche Scheu ab. „Wo sind wir hier?"

No'ara wandte den Kopf zu ihrer Zellennachbarin, gab aber keine Antwort. Stattdessen sprühten ihre Augen förmlich vor Abneigung.

Der Einfluss durch den Seher scheint zumindest vorerst gelockert zu sein. Susan rieb sich die geprellten Knochen. Auch die Schmerzen an ihrem Auge meldeten sich zurück. Der Schweiß brannte in der Wunde.

„Was hat er mit uns vor?", fragte Susan weiter.

Doch mit einer Antwort wollte No'ara nicht dienen. Stattdessen zeigte sie Susan die kalte Schulter.

Die Hitze wurde unerträglich. Susan testete erfolgreich durch das Erscheinen ihres Schwertes, ob sie Zugang dazu hatte. Daraufhin ließ sie es zusammen mit der Rüstung verschwinden und streifte sich die Weste ab. Diese knüllte Susan zu einem Sitzkissen zusammen und setzte sich an die Wand zu No'aras Zelle.

Der Seher ist ein Medinae, überlegte Susan. *Also hat er*

vermutlich dieselben Fähigkeiten wie Iris und Nerosa. Oder noch mehr oder stärkere. – Unser Zögern? Die Resignation? War das sein Werk? Hatte er uns beeinflusst, obwohl wir von ihm entfernt standen? – Verdammt! Er könnte mich genauso unter seine Kontrolle bringen wie Iris die Krankenschwestern. – Oder der Seher das kleine Monster da drüben.

Nach mehreren Minuten des stillen Beobachtens fragte Susan: „Das muss unangenehm sein, wenn jemand anders deinen Körper und deinen Willen lenkt."

Sie bemerkte eine geringe Bewegung von No'aras Kopf. Ihre Aufmerksamkeit hatte Susan zumindest.

„Du weißt selbst nicht, was er vorhat, nicht wahr?", fuhr Susan mit noch weicherem Ton fort. „Oder steuert er dich, weil er etwas plant, mit dem du nicht einverstanden bist"

„Schlaues Mädchen", entgegnete No'ara spöttisch. „Hast du auch eine Idee, was das sein könnte? – Was weißt du schon, was ich will und was nicht."

„Du willst zurück zu deinem Bruder. Dessen bin ich mir sicher", erwiderte Susan energisch. „Und ich will zurück zu meinen Freunden. Wenigstens für dieses Ziel könnten wir die Differenzen ausblenden und zusammenarbeiten."

„Ich würde lieber sterben, bevor ich helfe, dich zu retten!"

Susan schnaufte. *Als würde ich mich darum reißen.* Sie hatte nicht erwartet, dass No'ara gleich einlenken würde. Um sie tatsächlich zur Zusammenarbeit zu bringen, musste sich Susan auf viel Überzeugungsarbeit, Einschleimen und Kompromisse einstellen. Allerdings meinte sie, an No'aras Körpersprache Reue ablesen zu können. Eventuell entglitt ihr diese Aussage zu harsch und unüberlegt. Womöglich bestand doch noch Hoffnung.

„Ich weiß ja nicht, inwieweit du am Strand beeinflusst warst. Vielleicht hast du es ja mitbekommen. Es macht mir den Eindruck, als hätte sich dein Bruder mit uns gegen den Seher zusammengetan."

No'ara blieb wieder stumm. Sie widersprach nicht. Daher hatte sie wohl wahrgenommen, wie Da'ken die Wächter vor ihren eigenen Leuten beschützt hatte.

„Wir hatten Gelegenheit, uns mit deinem Bruder zu unterhalten, kurz nach seiner Flucht vor dem Seher. Er war verletzt. Wir haben ihm geholfen. Da'ken macht mir nicht den Anschein eines kompromisslosen Zerstörers."

„So wie ich einer bin, meinst du?" No'ara lachte auf, wandte sich um und blickte Susan direkt ins Gesicht. „Mein Bruder ist nach der langen Zeit, die ich dank euch auf der Erde verbringen durfte, weich geworden." No'ara ging für einen kurzen Moment in sich. „Nein. Wir ähneln uns wirklich nicht. Aber ich beginne zu verstehen, wieso er so sehr darauf erpicht ist, nicht weiter zu erobern, oder gar Rache für mich zu nehmen. Vielleicht hätte ich es sogar schneller eingesehen, wäre nicht der Seher der Erste gewesen, dem ich nach der Rückkehr in meine Heimat begegnet bin."

„Du denkst, er hatte dich von Anfang an unter seiner Kontrolle?" Susan war freudig überrascht, dass sie No'ara tatsächlich in ein Gespräch verwickeln konnte. Doch sie musste vorsichtig sein – es nicht gleich übertreiben und sie verschrecken.

„Dessen bin ich mir nicht sicher", überlegte No'ara. „Ich kam sehr aufgebracht zurück. Aber so wie ich meinem Bruder gegenübertrat … – Ich hatte meinem großen Bruder *nie* widersprochen. Nur einmal zuvor wollte ich ihn zu etwas drängen. Aber das erreichte Ergebnis fiel nicht nach meinen Wünschen aus."

„Dann vertraue diesmal dem Instinkt deines Bruders und arbeite mit mir zusammen an einem Weg hier raus. Wir werden sicher keine Freundinnen. Aber wir haben ein gemeinsames Ziel."

No'aras kalter Blick erfasste sie.

Zu viel?

In diesem Moment wurden beide angehoben.

No'ara rührte keinen Finger, während Susan in der Schwerelosigkeit mit Beinen und Füßen durch die Luft ruderte.

Kurz bevor sie die Gruben verließen, hüllte sich Susan in ihre Rüstung. Kaum hatte ihr Kopf den Rand überwunden, blickte sie sich um.

Über ihnen spannte sich ein niedriges Höhlengewölbe. Rot flackerndes Licht brach sich an den Furchen des schwarz glänzenden Gesteins. Im Boden waren weitere dutzende Löcher in unregelmäßigen Anordnungen und unterschiedlichen Gruppierungen eingelassen.

Der Seher stand vor dem einzigen Zugang zu der Höhle. Er zog beide an sich heran und setzte sie wenige Schritte vor sich ab. Sie wurden in keiner Weise gebannt. No'aras Willen schien er für den Moment zumindest auch nicht zu kontrollieren.

Susan wagte den erneuten Versuch einer Teleportation. Doch bis auf ein schwaches Flimmern an ihrem Körper geschah nichts. Der ganze Ort, nicht nur die Zelle, machte eine Flucht unmöglich.

Einen Angriff auf den Seher sparte sich No'ara vermutlich aus demselben Grund auf, wie Susan selbst. Sie wollte Antworten.

„Eure Gemächer sind hoffentlich zu eurer Zufriedenheit?", verhöhnte der Seher sie.

Mit diesen Worten wurde deutlich, dass sich der Seher hinter einer massiven Barriere geschützt hielt. Diese dämpfte seine Stimme wie eine Glasscheibe.

„Spar dir deinen sarkastischen Small Talk und komm gleich zum Punkt", platzte es Susan heraus. Sie wollte von Anfang an eine gewichtige Rolle in dieser Unterhaltung spielen und nicht nur belangloser Beisteher zwischen No'ara und dem Seher sein. Daher überließ sie keinesfalls No'ara die erste Entgegnung.

Erst nach ihren Worten kam ihr in den Sinn, dass der Seher ihr sicher nicht das Leben für ein derart unverfrorenes Verhalten nehmen würde, jedoch könnte er ihr durchaus Schmerzen zufügen.

„Ich wollte mich nach eurem Wohlbefinden erkundigen", erwiderte der Seher gespielt gekränkt. „Dein Auge sieht besorgniserregend aus. Leider habe ich im Moment niemanden zur Verfügung, der sich deiner Verletzung annehmen kann."

„Ach nein? Ist dir dein Heilvermögen als Weltenwanderer abhandengekommen?", konnte sich Susan nun ihrerseits den Anflug von Spott nicht verkneifen. Dabei hätte sie ihn niemals so nah an sich rangelassen, ganz gleich, wie schwer sie verletzt wäre.

„Ich bin und war nie ein Medinae, der heilen konnte", ließ er sich tatsächlich auf eine Erklärung ein. „Ich gehörte einer anderen Kaste an. Ich kann aus anderen Befähigungen schöpfen. Ihr werdet schon sehen."

„Was willst du von mir?", fragte No'ara direkt in das verhohlene Grinsen unter der Kutte hinein. Sie hatte ebensowenig Lust auf dumme Floskeln wie Susan.

„Ich will ganz ehrlich sein", schlug der Seher überraschend eine sehr ernste Note an. „Dein Bruder ist um ein Vielfaches mächtiger als ich. Ich habe bereits zweimal versucht, ihn mir gefügig zu machen. Beide Male scheiterte ich. Um meine Ziele dennoch zu verwirklichen, muss ich ihn mir nun vom Leib halten. Und dazu brauche ich dich. Solange du dich in meiner Gewalt befindest, habe ich Da'ken nicht zu fürchten. Deine eigenen Kräfte können deinen Bruder zwar nicht ersetzen, aber sie sind mir ein kleiner Trost. Nichtsdestotrotz wird sich mein Vorhaben dadurch verzögern. Daher bitte ich euch um Geduld."

„Und was macht sie hier?" No'ara deutete mit einer Be-

468

wegung ihres Kopfes verächtlich auf Susan. „Um auch von den Menschen und Weltenwanderern nichts befürchten zu müssen?"

„Ach, nein." Der Seher wirkte nun wieder belustigt. „Keiner von ihnen spielt eine Rolle. Zwei einzelne Doronier und die Menschen stellen keine Gefahr dar. Und mit meinem eigenen Volk werde ich auch fertig."

„Tatsächlich? Immerhin haben deine Artgenossen es geschafft, dich gefangen zu nehmen", schlug nun Susan einen verächtlichen Ton an.

„Das war vor einer langen Zeit, als es noch viele Medinae gab. Mächtige noch dazu. Doch es sind nur wenige übrig, wofür mitunter auch Gebieter Da'ken verantwortlich ist. Und noch weniger haben das Wissen, wie man mich damals bannen konnte. – Die beiden Jünglinge auf der Erde gehören sicher nicht dazu. Die einzige Gefahr geht nur von Da'ken aus."

„Da wirst du auf meine Hilfe verzichten müssen", entgegnete No'ara. „Ich werde sicher nicht die Schwachstelle meines Bruders für dich sein."

Noch bevor der Seher mit verhöhnenden Worten entgegnen konnte, holte No'ara mit dem rechten Arm aus.

Susan blickte entsetzt auf No'aras Hand, von der sich das Fleisch pellte. *Was hat sie vor? Will sie ihn angreifen?* Susan machte sich darauf gefasst, ihre Aktion zu unterstützen. Doch mit einer schnellen Bewegung rammte No'ara sich die gestreckten Finger in die eigene Brust und durchbohrte ihr Herz.

Der Seher schrie entsetzt auf, während No'ara zu Boden sank. Ihr schmerzverzerrtes Gesicht wandte sich Susan zu, die wie versteinert No'aras raschen Tod verfolgte. Sie erkannte etwas in ihrem Blick, doch konnte sie es nicht deuten.

War das Bedauern?

Susan stürmte auf No'ara zu und fiel vor ihr auf die Knie. Sie zog ihr die Hand aus dem Brustkorb und legte ihre eigene auf die Wunde. Noch bevor Susan mit dem Heilen beginnen konnte, stieß sie der Seher mit einer Druckwelle weg, die sie in den Abgrund der nächsten Zelle beförderte.

Noch im Fall rief sie ihr Schwert herbei und rammte es in die Zellenwand. Doch die Klinge blieb nicht stecken. Sie glitt durch das bröckelnde Gestein, als bestünde die Wand aus Brotkrumen, die sich gleich wieder zu einer massiven Fläche verschlossen.

Zumindest bremste es Susans Fall. Vom Zellenboden sprang sie mit voller Kraft und hell glühender Klinge nach oben, mit der geringen Hoffnung, die vermutlich bereits wieder intakte Barriere zu durchbrechen. Die Schwertspitze rutschte davon ab und Susan wurde noch heftiger zurückgeschleudert als beim ersten Versuch. Eine Blase aus verdichteter Luft, die sie unter sich formte, dämpfte ihren Aufprall wie ein Kissen.

Susan stierte verzweifelt nach oben, wo No'ara mit Sicherheit bereits ihr Leben ausgehaucht hatte.

Sie durfte sich nichts vormachen. Selbst für Iris wäre es eine Herausforderung gewesen, einen zerfetzten Herzmuskel zu rekonstruieren. Susan traute sich höchstens zu, Schnittwunden zu behandeln.

Dennoch stieg Verzweiflung in ihr auf.

Susan setzte jetzt alles auf eine Karte. Sie sammelte all ihre Kraft und entlud ein mächtiges Blitzgewitter, das begleitet von ihrem Schrei die Wände der Grube in unzählige Teile zerbersten ließ. Doch als die Blitze versiegten, verbanden sie sich wieder, ohne dass sich eine größere Lücke aufgetan hatte.

Erschöpft und enttäuscht sank Susan auf die Knie. Sie war nun tatsächlich auf sich allein gestellt. Gefangen an einem Ort, von dem sie selbst nicht flüchten konnte und von dem ihre Freunde und Verbündeten wohl noch nie etwas gehört hatten.

Sie ließ ihre Rüstung verschwinden und stellte sich darauf ein, dass dies eine ganze Weile ihr neues Quartier sein würde. Doch eine weitere Überlegung zog durch Susans Kopf.

Keinesfalls wollte sie ein Instrument für den Seher sein. Sich zu seinen Zwecken ausnutzen und sie womöglich gegen ihre eigenen Freunde antreten lassen.

Susan machte sich mit dem Gedanken vertraut, dass sie sich zur gegebenen Zeit auch das Leben nehmen müsste.

Diesmal endgültig.

Epilog 1 - Wiederkehr

Eine kühle Brise weckte die Zwillinge aus einem tiefen Schlaf. Sie regten sich auf den vom Morgentau feuchten Granitplatten. Die Geschwister drückten die Wangen vom kalten Untergrund ab und rappelten sich auf.

Endor rieb sich die Augen. Doch er hielt mitten in der Bewegung inne und betrachtete seine Hände. Sie waren – kleiner, kindhafter.

Sein Blick traf sich mit Endaras, die ihn mit großen Augen anschaute. Sie beide waren jünger geworden. Bestimmt mehrere tausend Jahre.

„Du weißt auch nicht ...?" Endor brach die Frage ab. Auch seine Stimme klang kindlich.

Endara schüttelte behutsam den Kopf und schaute sich um. Sie fanden sich auf einem breiten, kreisförmigen Podest wieder, das hoch über einer Vielzahl strahlend weißer Gebäude mit offenen Säulenwänden herausragte. Silber eingefasste, weiße Gonfalonen wehten im seichten Wind. Hinter ihnen erhob sich ein mindestens fünf Meter hoher Torbogen.

Lauter werdende Schritte kamen die Stufen zu der Ebene herauf. Im nächsten Moment sahen sie sich einer Gruppe von einem knappen Dutzend Wasserelfen gegenüber, die sie mit mindestens ebenso großen Augen anstarrten.

„Ihr seid Endor und Endara, nicht wahr?", stellte ein männlicher Elf verdutzt fest, der behäbig aus der Ansammlung heraustrat.

Er erhielt ein zögerliches Nicken der beiden, worauf er sich kurz an ein Elfenmädchen hinter sich wandte: „Berichte Lord Oberon über die Rückkehr der Ilias."

Das Mädchen war mit einer Teleportation gleich darauf verschwunden.

„Willkommen zurück auf Afallon", begrüßte der Elf die Geschwister freudig.

„Wie gelangten wir hierher?", fragte Endor, ohne die Begrüßung sonderlich zu würdigen.

„Durch – das Tor, nehme ich an", erwiderte ihr Gegenüber – mehr überrascht, als verstimmt. „Zumindest sahen wir es eben geöffnet."

Endor drehte sich zu dem leeren Torbogen aus hellgrauem Fels um. Das schlichte Metzwerk schimmerte seidig.

„Es überrascht uns, euch so unerwartet begrüßen zu dürfen", fuhr der Mann fort. „Wir hatten mit eurer Rückkehr von Eilia frühestens in 20 Sommern gerechnet."

Endara war sich nun sicher. „Wir wurden in der Zeit zurückversetzt", sprach sie in leisem Ton zu ihrem Bruder. „Heute ist der Tag der Invasion."

Ihr Bruder stimmte mit einem Nicken zu. „Allerdings müssten die Narach bereits in diesem Moment über Afallon herfallen. Das Tor ist aber geschlossen."

„Welch unerwarteter Anblick", riss eine dunkle, volle Stimme ihre Aufmerksamkeit an sich.

Mit einem kurzen Blick erkannten sie ihren Fürsten, der durch die Menge heranschritt. Er war hoch gewachsen für einen Elf mit breiten Schultern, die seine weißen, silbrig glänzenden Haare zum Rücken und zur Brust teilten. Ein dezentes Diadem aus geschwungenem Silber und Gold zierte seine kantige Stirn. Gehüllt in verschiedenfarbigen Tüchern aus Weiß, Rot und Gold trat er mit einem freudigen Lächeln auf die Geschwister zu, die ehrfürchtig ihre Häupter neigten.

Die Augen fest auf seine heranschreitenden, in goldene Sandalen geschnürten Füße gerichtet, sprach Endor: „Lord Oberon. Wir kommen nicht aus freien Stücken zurück. Auf Eilia fiel eben eine fremde Macht mit dem Namen Narach ein. Man verhalf uns sofort zur Flucht. Ihr müsst zur Hilfe eilen."

„Muss ich das?", fragte Oberon mit zweifelnder Überraschung.

„Die Narach und ihre Herrscherin sind ein schrecklicher Feind", führte Endara weiter. „Sie nähren sich von den Seelen ihrer Opfer. Ihre Anführerin dürstet nach Zerstörung und Eroberung."

„Dafür, dass die Invasion gerade eben erst begonnen haben soll, wisst ihr erstaunlich viel über diesen Feind", stellte Oberon fest, der nun wenige Meter vor ihnen stand.

In den Geschwistern stieg eine panische Nervosität auf. Wie sollten sie es ihm bloß erklären? Sie hatten doch selbst keinen Schimmer davon, was das hier zu bedeuten hatte.

„Mein Fürst", begann Endor mit zitternder Stimme. „Bitte schenkt unseren Worten Glauben."

„Ich glaube euren Worten. Doch frage ich mich, ob es klug wäre, in diese Schlacht einzutreten."

„Aber diente unsere Reise nach Eilia nicht dazu, unsere Völker wieder einander anzunähern? Dass Ihr Euch mit Euren Brüdern versöhnt?"

„Nicht um den Preis des Lebens meiner Kinder. Ich führe sie nicht in einen aussichtslosen Krieg und damit in den sicheren Tod."

Konnte das wirklich sein letztes Wort sein? Sie mussten ihren Vettern doch beistehen.

„Seht mir in die Augen", forderte Oberon in harschem Ton auf.

Ihre Blicke schnellten nach oben und verloren sich in dem stechenden Blau.

Nach mehreren Momenten, in denen Oberon abwechselnd in den Zwillingen suchte, stellte er schließlich mit unterschwelligem Ton fest: „Ich erkenne unsägliches Leid, das euch widerfahren ist. Euch selbst und vielen Freunden und

Kameraden. – Soll ich dies euren Brüdern und Schwestern auch angedeihen lassen?"

Endor und Endara trennten den schmerzlichen Blickkontakt zu ihrem Fürsten. Er war bereits zu tief vorgedrungen, als dass sie dem Schmerz in ihren Köpfen weiter hätten standhalten können. Er hat gesehen, was sich auf der anderen Seite dieses Tores abgespielt hatte. Vielleicht sogar die Geschehnisse, die noch folgen sollten.

„Entscheidet ihr, Ilias", sprach Oberon mit fordernder Stimme. „Soll ich eure Geschwister wirklich in diese Schlacht führen?"

Endor und Endara schauten durch die Reihen der stetig größer werdenden Menge hinter Oberon. Sie erkannten Angst in vielen Gesichtern, Ungewissheit. Die Zwillinge hatten selbst die Qual und das nahezu aussichtslose Bestreben erlebt, gegen die Narach bestehen zu wollen. Wie hatten sie es überhaupt bloß hierher zurückgeschafft? Sollten sie nicht tot auf dem eisigen Grund Andalons liegen?

„Vergebt uns", erwiderte Endara schließlich. „Wir wollten uns nicht anmaßen, über den richtigen Weg befinden zu können."

Oberon trat ein Lächeln auf die schmalen Lippen. Er schritt auf die Geschwister zu und begab sich in ihre Mitte. Mit seinen auf ihre Schultern aufgelegten Händen führte er sie zu den erleichterten Untertanen, die einen Korridor zur Treppe bildeten.

„Ein Fest!", ordnete Oberon an. „Wir wollen die Ilias gebührend willkommen heißen. Doch kein Überschwang. Wir wollen auch unserer Familie auf Eilia in Gedanken beistehen, auf dass sie diese Krise überwinden mögen."

Die Geschwister taten sich schwer, eine Feierlichkeit als angebracht, oder diesen Beistand als genug zu erachten. Aber wagten sie nicht, etwas zu erwidern.

Stattdessen erkundigte sich Endor: „Wollt ihr denn keine Sicherheitsvorkehrungen am Tor treffen?"

„Wozu? Nur Elfen sind in der Lage, das Tor zu durchschreiten", entgegnete Oberon, ohne Verständnis für solch einen Vorschlag.

Er setzte dies offenbar als Grundkenntnis voraus. Endor und Endara war jene Tatsache allerdings vollkommen neu.

Daher sind die Narach nicht gefolgt.

Die Erkenntnis ließ sie aber immer noch im Unklaren über die Ursache für diese zweite Chance. Eine weitere Überlegung mischte sich in ihre Gedanken, während sie mit Oberon die Treppe hinabschritten, gesäumt von zahlreichen Elfen mit langen silberglänzenden Haaren.

„Mein Fürst", richtete sich Endara mit einer Bitte an Oberon. „Bis zum Beginn der Festlichkeiten würden wir gerne Andalon einen kurzen Besuch abstatten."

Oberon stimmte mit einem Lächeln zu: „Wir erwarten euch in einer Stunde zurück."

„Habt Dank." Sie nickten ihrem Oberhaupt zu und waren im nächsten Moment bereits durch das wellenförmige Verschwimmen ihrer Körper verschwunden.

Sie erblickten von der Parkanlage des Palastes aus die Wächter auf der Terrasse stehen, wie sie mit Kronos einen liebevollen Reigen bildeten.

Auch auf Endor und Endaras Gesichtern trat Freude. Sie schauten einander an. „Sie sind tatsächlich am Leben!"

Sie eilten zur Gruppe und riefen ihren alten Kameraden zu.

Die menschliche Traube lockerte sich auf, um in Richtung der Rufe zu blicken. Im nächsten Moment lösten sich die Wächter und Kronos voneinander und liefen dem Geschwisterpaar strahlend entgegen. Sie fielen einander in die Arme und lachten um die Wette.

Sie waren alle wieder vereint. Sogar Iris stand unsichtbar daneben, nicht in der Lage, jemanden körperlich ihre überwältigenden Gefühle auszudrücken. Die Verwunderung darüber hielt sich bei den Geschwistern nur kurz. Zu sehr überwog die Freude.

Nach mehreren Minuten des gegenseitigen Betrachtens stieß schließlich Midras einen Freudenschrei aus und fragte rhetorisch in die Runde: „Könnt ihr das glauben? Das ist doch unfassbar, oder?"

Alle Augen strahlten den jungen Mann an, dessen Wiedergeburt John gewesen war – oder sein würde.

„Ihr wisst also auch nicht, wem oder was wir alles hier zu verdanken haben?", fragte Endor.

„Nun, zumindest habe ich eine Idee", meinte Iris. „Ich glaube, dass die Welt in zwei gespalten wurde. Auf dieser hier sind die Narach niemals eingefallen, und daher setzt der Zeitpunkt genau hier ein. Den anderen Teil könnt ihr da oben gerade noch erkennen. Das ist Susans Gegenwart, in der wir bis eben gegen die Narach kämpften. Aber auch dort gibt es keine Spur der Feinde. Wie es allerdings dazu kam, ist mir ein Rätsel."

Die Elfen blickten in den Himmel und sahen gerade noch die letzten Schemen einer sich entfernenden Erde, die sich wie Nebelschwaden auflösten.

„Ehrlich gesagt, glaube ich nicht, dass hier irgendeine Spaltung vor sich ging", äußerte Endara trocken, was die verdutzten Blicke der Gemeinschaft auf sich zog. „Wir wissen, wieso die Narach nicht auf der Erde eingefallen sind. Das Elfentor auf Afallon, durch das die Narach bereits strömen sollten, hat die Eigenschaft, dass nur noch Elfen dieses durchschreiten können. Eine derartige Einschränkung gab es aber nie. Jetzt ist es so, als wäre sie schon immer da gewesen. – Das da oben ist keine andere Version dieser Welt, sondern nur die Konsequenz dieser Veränderung auf Susans Zeit."

„Und was hat zu der Veränderung geführt?", fragte Cipher.

„Was der Auslöser hierzu war …", begann Endor mit einer folgenden Pause, in der er tief durchatmete. „Wir haben nicht die geringste Ahnung."

Auch die anderen Wächter, Iris und Kronos gingen in sich und stöberten nach einer möglichen Erklärung, bis Kronos schließlich dem Grübeln ein Ende setzte: „Wir lassen dieses Geheimnis vorerst auf sich beruhen. Lasst uns lieber unseres neu gewonnen Lebens erfreuen."

Das lebensfrohe Lächeln kehrte schnell wieder in die Gesichter der Gemeinschaft zurück. Nur die Zwillinge taten sich noch schwer, es einfach abzuhaken. Immerhin wüteten zu diesem Zeitpunkt auf ihrer Heimatwelt die Narach.

Nach weiteren Minuten des Umarmens und Feixens zogen sie schließlich in den Palast, um Kronos' Vater die Aufwartung zu machen. Der Weg führte sie durch mehrere Gänge aus weißem Quarz, an deren Wände kunstvoll gestickte Gemälde in unglaublichem Detailreichtum hingen. Sie zeigten neben Familienportraits auch Landschaften aus aller Welt.

Kronos klopfte an eine doppelflügelige Tür und trat ein. Leras stand in einem bis zu den Knien reichenden schwarzen Umhang, einem dunkelblauen Hemd und grauer Hose darunter an einem der Fensterrahmen. Er schaute überrascht von einem gebundenen Stapel Papier in seinen Händen auf. „Was hat denn dieser Auflauf zu bedeuten? Wieso seid ihr alle in euren Nachtgewändern?"

Während Endara und Endor mit den Wächtern in einem Abstand von mehreren Schritten innehielten, ging Kronos weiter auf ihn zu und schloss ihn so fest in die Arme, als wolle er ihn erdrücken.

Zu Leras großen, fragenden Augen mischten sich freudig nach oben wandernde Mundwinkel.

„Ist mir irgendetwas entgangen?", fragte er weiter, dem überwiegend mit Grinsen entgegnet wurde.

Kronos drückte sich von seinem Vater weg und strahlte ihm ins Gesicht. „Das kann man wohl sagen, ja."

Leras schüttelte belustigt den Kopf und verfiel wieder in die Rolle des Thronfolgers. „Wieso habt ihr mir den Besuch von Endor und Endara nicht mitgeteilt? Ich hätte Maßnahmen zur Begrüßung treffen müssen. – Vergebt mir. Ich werde sofort alles veranlassen."

„Oh, bitte, mein Herr", warf Endara ein. „Für feierliche Zeremonien haben wir im Moment nichts übrig. Wir müssen ohnehin gleich wieder zurück nach Afallon. Aber wir danken Euch für Eure Mühe."

„Keine Feierlichkeiten?", fragte Kronos außer sich. „Seid ihr noch bei Trost? Heute Abend richten wir das größte Fest aus, das Andalon jemals gesehen hat."

Die Wächter jubelten. Cloud trat auf beide Elfen zu und versuchte, sie zur Vernunft zu rütteln. Doch aus diesen war kein Einverständnis zu entlocken. Stattdessen verdüsterten sich ihre Mienen. Sie blickten beschämt zu Boden.

„Was ist denn los?", fragte Kronos.

Zögerlich erzählten sie davon, dass es zwar wundervoll sei, dass die Narach keine Möglichkeit hatten, hier einzufallen. Gleichzeitig bedeutete es aber, dass diese in voller Stärke auf Eilia zu Gange waren.

Celes blickte besorgt auf Kronos. In ihnen allen rührte sich derselbe Gedanke. Ein Angebot, das aber niemand als Erstes aussprechen wollte. Sie ahnten, welch verheerende Folgen es haben würde, sollten sie eingreifen. Doch diesmal wären sie vorbereitet. Sie wussten, was sie erwartete.

Schließlich wurde es ausgesprochen. Doch es war jemand, von dem sie es nicht vermutet hätten.

„Lasst uns den König darum ersuchen, in den Krieg um Eilia einzutreten", sprach Leras entschlossen.

„Nein! Bitte!", platzte Endara hervor, während die Blicke der Wächter und Kronos noch baff auf den Thronfolger gerichtet waren. „Das können wir Euch nicht abverlangen. Ihr wisst nicht, um die Gefährlichkeit dieser Feinde. Sie sind übermächtig in ihrer Grausamkeit und ihrer Anzahl."

Leras schaute fordernd auf seinen Sohn.

Kronos schweifte mit den Augen durch die Reihen der Wächter, die ihn gespannt anblickten. Sie alle waren sich gewiss, welches die einzig richtige Entscheidung sein konnte.

Wie schnell doch freudiger Jubel des Überlebens zu einer ängstlichen Entschlossenheit über eine weitere Schlacht zu kippen vermochte.

Ob sie wieder in den Krieg ziehen wollten? – Ganz sicher nicht. Aber dies war keine Sache von Wollen, sondern Verpflichtung.

„Wir ersuchen den König um die Erlaubnis", beschloss Kronos ohne ein Zittern in der Stimme.

Die Elfen waren sprachlos. Sie wussten nicht, ob sie ihn für verrückt erklären sollten, oder ihm vor Dank um den Hals fallen.

Die Wächter nickten ebenso entschieden wie ihr Prinz. Nur in Celes' Gesicht zeichnete sich eine gewisse Unsicherheit ab. Ihr wurde übel.

„Dann lasst uns keine Zeit verlieren", trieb Leras an. „Erwartet mich in der Vorhalle des Thronsaals. Aber bitte wechselt zuerst noch eure Kleidung."

Gleich darauf war er verschwunden.

„Das hättet ihr nicht tun sollen", richtete sich Endara an die Wächter.

Mit einem schweren Lächeln trat Kronos auf sie zu und legte eine Hand auf ihre Schulter. „Ich habe keinen Zweifel daran, dass dieser Krieg unser Schicksal ist. Wir können uns

ihm nicht entziehen. Erwartet uns im Vorraum des Thronsaals."

Endara wechselte mit Endor einen Blick der Verzweiflung, aber auch der Rührung.

Kurz bevor die Gruppe um Kronos mit den Wächtern und
Elfen in ihrer Teleportation verschwanden, flüsterte Celes
gedrungen: „Iris."

Im nächsten Moment standen nur noch die beiden im Ge-
sellschaftssaal.

„Was ist los?", fragte Iris die immer blasser werdende Celes.

„Ich muss dir etwas sagen", gestand Celes einen Umstand
ein, zu dem sie unter den damaligen Voraussetzungen keine
Gelegenheit gehabt hatte. „Ich bin schwanger."

Epilog 2 - Rückkehr

Sowohl an dem Tor, das von der quadratischen Vorhalle nach draußen führte, als auch an dem, das an den Thronsaal anschloss, standen je zwei Soldaten mit einer Art Lanze als Wachen postiert. Mehrere Säulen beiderseits des Weges zwischen den beiden Toren reichten bis zur vier Meter hohen Decke. Durch kleine Öffnungen drang die Vormittagssonne in gebündelten Strängen schräg herein und erhellten eines der zwei dunklen Seitenschiffe. Dort hielten sich üblicherweise die Bürger auf, die auf eine Audienz warteten.

Die Gruppe um den Prinzen allerdings stand in unmittelbarem Abstand zum Eingang in den Thronsaal bereit. Sie wagten kaum, miteinander zu sprechen. Terra richtete nervös das Unterkleid ihrer Rüstung. Danach das von Elana neben sich. Sie hatten sich das dünne Gewand aus Seide, verstärkt durch Leder an den Gelenken und Wolle an den Schultern und Hüften, hastig übergestreift.

Gerade als beide Torflügel von zwei weiteren Wachen im Inneren aufgestoßen wurden und Leras heraustrat, bemerkte Kronos das Fehlen von Celes.

„Der König erwartet uns", bat Leras das Gefolge herein.

„Moment." Kronos blickte noch einmal durch die Gruppe und um sich herum, doch er konnte sie nicht sehen. Sein Gesicht legte sich gerade in Sorgenfalten, als Celes in Begleitung von Iris' Stern auftauchte.

„Entschuldigt meine Verspätung. Ich war kurz unpässlich", erklärte Celes rasch.

Kronos' Gesichtszüge entspannten sich. Sogar ein Lächeln stahl sich bei ihrem Anblick darauf, trotz seines Vorhabens.

482

Gemeinsam zogen sie in den kreisrunden Thronsaal ohne Decke. Mächtige, ringförmig angeordnete Säulen stützen einen hohlen Turm, der über ihnen aufragte. Zwischen zwei gegenüberliegenden Pfeilern führte ein Podest zum mehrere Stufen erhobenen Thron aus weißem Quarz und rotsamtener Polsterung.

König Hektas blickte erwartungsvoll herab. Mit jedem hallenden Schritt schnürte sich Kronos die Brust zu. Was sollte er tun, würde sein Großvater ihrer Bitte nicht entsprechen? – Wollte er denn wirklich, dass er zustimmte?

Während die Wächter und Elfen geschlossen auf ein Knie fielen, neigten Prinz und Thronfolger erst eine Schrittlänge später die Köpfe vor dem König.

„Leras hat mir bereits von eurem Anliegen berichtet", begann dieser die Ansprache. „Bevor Ihr mehr anführt, lasst euch sagen: Auch wenn es bedeuten würde, dass sich Andalon seit sehr langer Zeit an einem Krieg beteiligt, schließe ich es von vornherein nicht aus. Also sprecht frei heraus."

Eine Mischung aus Erleichterung und Befürchtung zog gleicherlei durch Kronos. Zum einen war sein Großvater der gerechten Sache nicht verschlossen. Er sollte sicher die Notwendigkeit des Handelns erkennen. Doch trotz allen möglichen Vorwarnungen, glaubte Kronos, dass es nicht ausreichen würde, damit sich der König annähernd vorstellen konnte, worauf er sich hierbei einließe. Die kompromisslose Gefährlichkeit des Gegners, die quälende Grausamkeit, die sich schon einmal auf sie gelegt hatte. Was, wenn sie die Finsternis gerade infolge ihres Eingreifens erneut nach Andalon führten?

Hektas richtete sich zunächst an Endara und Endor: „Sagt, was gedenkt Lord Oberon zu unternehmen? Ist es überhaupt sein Wunsch, dass wir ihn unterstützen?"

Endor erhob sich. „Lord Oberon selbst wird mit Afallons Volk nicht in die Schlacht auf Eilia eintreten", antwortete er zögerlich. „Er will nicht das Leben auch nur eines Mitglieds unserer Sippe riskieren und sicher auf der Insel verbleiben."

„Ich verstehe", meinte der König mit zusammengezogenen Augenbrauen. „Aber *ich* soll mit dem Leben meiner Soldaten eintreten?"

Die Frage richtete sich an Leras, während sich Endor wieder abkniete. „Wir sind nur mit Oberons Volk verbündet. Nicht aber mit ganz Eilia und deren Stämmen", führte Hektas weiter aus. „Was würde Oberon selbst dazu sagen, wenn ich kämpfe und er nicht? Ich an seiner Stelle wäre nicht geringer als gekränkt, in meinem Stolz verletzt."

Kronos ergriff das Wort. „Eure Majestät. Seid versichert, dass dies kein politischer Krieg ist. Der Feind ist eine fremde Rasse, die ihren Ursprung nicht auf Eilia hat. Sie zieht von einer Welt zur anderen und löscht Volk um Volk aus. Früher oder später besteht durchaus die Möglichkeit, dass dieser Gegner auch uns erreicht."

„In diesem Falle: Wäre es nicht sogar von Vorteil, diesen Krieg nicht auf unserem eigenen Land auszutragen, sondern auf fremdem?", sprang Leras ein. „Wir würden nur mit Kriegsgefolge eintreten, ohne das Reich selbst und seine Bürger zu gefährden."

Der König lehnte sich tief zurück und strich sich lange durch den Vollbart, der bis zu seinen Schlüsselbeinen reichte. Schließlich drückte er sich kraftvoll aus seinem Thron und rief: „Sammelt das Heer!"

Während Kronos nur gedrängt aufatmete, geriet Bewegung in die an den Säulen postierten Soldaten. Sie machten sich gerade daran, im Laufschritt den Saal zu verlassen, als Kronos unterbrach: „Haltet ein! – Eure Majestät, entschuldigt. Aber Ihr solltet vorher noch wissen, dass kein normaler Mensch nach Eilia übertreten kann. Nur Elfen gelangen durch das Tor auf Afallon."

Hektas blickte mit gerunzelter Stirn auf den Prinzen.

„Also nur die direkte Königslinie Andalons und seine Wächter, die durch Oberons Gabe gesegnet sind, nicht wahr?", fragte Hektas mit einem Blick zu den Elfengeschwistern, die ihm mit einem beschämten Nicken zustimmten. „Nun gut. Bevor wir gesammelt auf Afallon einfallen, halte ich zunächst noch Rücksprache mit Oberon. – Kronos und die Elfenkinder werden mich begleiten. Bereitet ihr derweil alles für den Aufbruch vor."

In Hektas' Stimme war deutlich die Verunsicherung zu hören, nur mit einer Handvoll Krieger in eine Schlacht gegen einen angeblich so übermächtigen Gegner zu ziehen. Es klang aussichtslos – und war es vielleicht sogar.

Ohne ein Widerwort befand sich im nächsten Moment Hektas, mit Kronos, Endor und Endara auf Afallon.

Die Vorbereitungen für die Feierlichkeiten waren fast abgeschlossen. Auf einem großen, gepflasterten Platz stand eine Vielzahl weiß gedeckter Tische, die in einem Kreis weitere Tische für die gesammelten Speisen und eine freie Fläche für Tanz und Gesang einfassten.

Oberon trat aus einer dahinterliegenden Halle. Ein breites Lächeln zog in sein Gesicht, als er Hektas erblickte.

„Welch Freude Euch hier begrüßen zu dürfen. Ihr erweist uns eine große Ehre, dass ihr an den Festlichkeiten teilnehmen wollt."

„Festlichkeiten?", fragte Hektas verunsichert und verfolgte die letzten Geschäftigkeiten zahlreicher Elfen um sich herum.

„Zu Ehren der Rückkehr von Endor und Endara", erklärte Oberon mit abnehmender Euphorie. „Die beiden haben Euch doch eingeladen."

„Ich bin aufgrund einer anderen Angelegenheit hier", entgegnete Hektas. „Darf ich fragen, wieso Ihr Euch Festivitäten widmet, während Eure Heimat überfallen wird?"

Oberons Miene verdunkelte sich. Sogar die bisher angenehm warme Umgebung kühlte mit einem Schlag ab.

„Afallon ist nun unsere Heimat", antwortete Oberon mit hartem Ton. „Eilia ist nicht mehr unsere Bewandtnis."

„Auch mein Volk ist noch in Konflikte auf der Erde eingetreten, obwohl Andalon schon lange vom Festland isoliert war", erläutere Hektas um Wohlwollen in der Stimme bemüht. „Dennoch sind wir nach wie vor unseren Wurzeln und Mitmenschen treu."

„Was ist Euer Anliegen?", fragte Oberon verstimmt.

„Ich erbete hiermit Eure Erlaubnis, mit einer kleinen Gefolgschaft durch Euer Elfentor nach Eilia überzusetzen, um der Invasion entgegenzutreten."

Oberons Gesicht verzog sich zu einer wuterfüllten Maske. „Ihr wollt das Tor nach Eilia?", schrie er Hektas an. „Das Tor sollt ihr haben!"

Mit einem ohrenbetäubenden Knall fanden sich Hektas und Kronos plötzlich wieder im Thronsaal auf Andalon wieder. Die Wächter mit Leras und Iris wichen erschrocken um mehrere Schritte zurück. Denn mitten im Saal erhob sich nun ein mächtiger Torbogen.

„Ihr habt offenbar sein Einverständnis", wandte sich Leras mit einem sarkastischen Schmunzeln an den König.

„Es ging einfacher, als ich dachte", erwiderte Hektas mit ebenfalls belustigtem Schnauben. „Sind wir dann so weit?" Der König blickte jedem der Wächter einzeln in die Augen, während diese Taschen mit Proviant entgegennahmen und sie unter schwelender Luft verschwinden ließen. Sie antworteten mit einem entschlossenen Nicken.

Als sich sein Blick auf Kronos richtete, sprach er: „Du bleibst hier."

Kronos fiel aus allen Wolken. „Ich kann nicht hierbleiben. Mitunter bin ich dafür verantwortlich, dass wir überhaupt in diesen Krieg eintreten werden."

„Du bist der Einzige, der die Linie Andalons fortsetzen kann. Ich kann dein Leben nicht riskieren. Du erhältst ebenso wenig die Erlaubnis, dich uns anzuschließen, wie die Elfenkinder Oberons."

Tatsächlich waren Endor und Endara nicht mit zurückgekehrt. Und das taten sie mit Sicherheit nicht aus freien Stücken.

Auch Kronos musste sich fügen. Er blickte verzweifelt durch die Reihen seiner Wächter, die alle ein verständnisvolles Lächeln aufbrachten.

„Eure Majestät", sprach Iris den König leise an, der sich erschrocken zur Seite drehte. „Ich bin es, Iris. Verzeiht, dass ich Euch gerade nicht persönlich gegenüberstehen kann. Ich muss dringend das Wort an Euch richten."

Iris kam näher und flüstere Hektas ins Ohr. Des Königs Augen wurden groß und suchten Celes. Er erkannte die blasse Frau, die unentwegt sorgenvoll auf Kronos starrte.

„Celes!", sprach Hektas sie gebieterisch an. „Ihr bleibt ebenfalls zurück und sorgt dafür, dass der Prinz uns nicht folgt."

Alle Blicke richteten sich verständnislos auf den König.

Celes antwortete nach kurzem Zögern mit einem Anflug von Erleichterung: „Zu Befehl, Majestät."

Sie zog ihr Schwert und begab sich entschlossen zwischen Kronos und den Torbogen.

Kronos blickte sie entgeistert an. Weniger aufgrund dessen, was sich hier gerade abspielte, sondern weil er das alles doch schon kannte. Es spielte sich, wenngleich auch mit unterschiedlichen Voraussetzungen, genauso ab. Dies erschien plötzlich nicht wie eine neue Chance, als mehr wie die Wiederholung der tragischen Ereignisse. Nichts anderes als ein Déjà-vu. Bewegten sie sich bereits nach so kurzer Zeit wieder auf demselben Weg? Hatte sie das Schicksal eingeholt?

Ließ sich ihre Vorsehung nicht betrügen und lenkte sie zurück in ihre angedachte Bahn?

So sehr Kronos an dem ganzen Vorhaben inzwischen zweifelte. Nach dem Aufeinandertreffen mit Oberon schien Hektas entschlossener als je zuvor, Eilia gegen die Invasion zu verteidigen, wenngleich mit nur geringen Aussichten auf Erfolg.

Der König schritt langsam auf den Torbogen zu. Die Wächter sammelten sich hinter ihm.

Mit einem hellen Blitz erschien in der Öffnung eine andere Welt. Wie durch ein Fenster nach draußen blickten sie von einem Berg hinab in ein abendliches Tal mit in Flammen stehenden Häusern.

Unter Celes' wachsamen Augen, verfolgte Kronos wehmütig, wie Vater und Großvater mit den Wächtern nach Eilia übertraten.